MACHADODEASSIS
CORRESPONDÊNCIA
TOMO III | 1890~1900

MACHADO DE ASSIS
CORRESPONDÊNCIA

TOMO III | 1890~1900

COORDENAÇÃO E ORIENTAÇÃO DE SERGIO PAULO ROUANET

REUNIDA, ORGANIZADA E COMENTADA POR IRENE MOUTINHO E SÍLVIA ELEUTÉRIO

global
editora

Rio de Janeiro / São Paulo 2019

© Academia Brasileira de Letras, 2019
2ª Edição, Global Editora, São Paulo 2019

Jefferson L. Alves - **diretor editorial**
Gustavo Henrique Tuna - **gerente editorial**
Flávio Samuel - **gerente de produção**
Sandra Brazil - **coordenadora editorial**
Deborah Stafussi - **revisão**
Victor Burton - **capa**

ACADEMIA BRASILEIRA DE LETRAS

Marco Lucchesi - **presidente**
Merval Pereira - **secretário-geral**
Ana Maria Machado - **primeira-secretária**
Edmar Bacha - **segundo-secretário**
José Murilo de Carvalho - **tesoureiro**

Diretorias
Cícero Sandroni - **diretor da *Revista Brasileira***
Alberto Venancio Filho - **diretor das Bibliotecas**
José Murilo de Carvalho - **diretor do Arquivo**
Geraldo Holanda Cavalcanti - **diretor dos Anais da ABL**
Evaldo Cabral de Mello - **diretor da Comissão de Publicações**

Membros da Comissão de Publicações
Alfredo Bosi
Antonio Carlos Secchin
Evaldo Cabral de Mello

Coordenação das Publicações da ABL
Monique C. F. Mendes

CIP-BRASIL. CATALOGAÇÃO NA PUBLICAÇÃO
SINDICATO NACIONAL DOS EDITORES DE LIVROS, RJ

A866c
2. ed.
v. 3

Assis, Machado de
  Correspondência de Machado de Assis : tomo III - 1890-1900 / Machado de Assis ; coordenação e orientação Sergio Paulo Rouanet ; reunida, organizada e comentada por Irene Moutinho, Sílvia Eleutério. – 2. ed. – São Paulo : Global ; Rio de Janeiro : Academia Brasileira de Letras, 2019.
  664 p. ; 21 cm.
  Inclui bibliografia
  ISBN 978-85-260-2487-8
  1. Cartas brasileiras. I. Rouanet, Sergio Paulo. II. Moutinho, Irene. III. Eleutério, Sílvia. IV. Título.

19-59419
CDD: 869.6
CDU: 82-6(81)

Vanessa Mafra Xavier Salgado – Bibliotecária CRB-7/6644

global editora

Direitos Reservados

global editora e distribuidora ltda.
Rua Pirapitingui, 111 – Liberdade
CEP 01508-020 – São Paulo – SP
Tel.: (11) 3277-7999
e-mail: global@globaleditora.com.br
www.globaleditora.com.br

Colabore com a produção científica e cultural.
Proibida a reprodução total ou parcial desta obra
sem a autorização do editor.

Nº de Catálogo: **4429**

Prefácio

Uma cartografia

Cada um de nós traz uma ideia de Machado. Ideia vaga, talvez, difusa, mas eminentemente sua, apaixonada e intransferível. Como se guardássemos um fino véu a se estender sobre a cidade do Rio de Janeiro. Paisagem pela qual vamos fascinados e diante de cuja natureza suspiramos. Todo um rosário de ruas e de igrejas – Mata-Cavalos, Santa Luzia, Latoeiros e Candelária. Nomes-guias e sonoridades perdidas. Morros derrubados. Praias ausentes. Tudo o que perdemos move-se ainda nas páginas de uma cidade-livro. Cheia de árvores e de contradições, por vezes dolorosas. Chácaras e quintais compridos. Aqueles mesmos quintais que assistiram aos amores de Bentinho e Capitu e dentro de cuja educação sentimental nos formamos.

Machado nos vem desde a escola – com "A Cartomante" ou a "Missa do Galo" – até a revelação inesperada de Brás Cubas; quando já consideramos nossa aquela terra ficcional, totalmente nossa, legado de não poucas gerações. E assim aprendemos a ver as coisas que nos cercam.

Herdamos parte essencial de sua língua. O corte da frase. A espessura do substantivo. A parcimônia de atributos. Mas, acima de tudo, o modo de sondar a extensão de nosso abismo. Sabemos que o Cruzeiro do Sul está muito alto *para não discernir os risos e as lágrimas dos mortais*. Mas acreditamos que *alguma coisa escapa ao naufrágio das ilusões*. Esse fraseado lapidar salta dos livros e cria instrumentos de sentir. E não são apenas as frases. As personagens também se deslocam do papel e vagam incertas pelas ruas do Rio. Tal como as criaturas de Dostoiévski em São Petersburgo. Sabemos onde moram e para onde vão.

Mas há também seres de carne e osso, contemporâneos de Machado, que lhe habitam as páginas, adquirindo foros de eternidade ficcional, como o *ateniense* Francisco Otaviano. A longa tristeza de Alencar no Passeio Público. As mãos trêmulas de Monte Alverne, apalpando o espaço que não podia ver. As meias de seda preta e os calçados de fivela do porteiro do Senado.

Para Machado de Assis, a História podia ser comparada aos

> [...] fios do tecido que a mão do tecelão vai compondo, para servir aos olhos vindouros; com os seus vários aspectos morais e políticos. Assim como os há sólidos e brilhantes, assim também os há frouxos e desmaiados, não contando a multidão deles que se perde nas cores de que é feito o fundo do quadro.

O centro e o fundo. As cores vivas e desmaiadas. A trama singular. Machado de Assis terá fixado o sentimento exato daqueles dias, que parecem ultrapassar o próprio tempo, como se fossem o patrimônio da memória coletiva e quase atemporal.

A fixação do sentimento daqueles dias adquire novo baricentro, com a edição monumental das cartas de Machado, organizada por Sergio Paulo Rouanet, subsidiado pelas pesquisadoras Irene Moutinho e Sílvia Eleutério. Trata-se de um marco fundamental na bibliografia machadiana, em regiões ainda fragmentadas, com vazios e fraturas quase insuperáveis e que, no entanto, em tanta parte se completam maravilhosamente agora.

O trabalho de exegese mostrou-se exemplar, não apenas na ampla expansão do *corpus*, como também na correção de rumos e lacunas, outrora incertas, as quais adquirem rosto, sobrenome e endereço ao longo destes volumes.

Uma pesquisa de alta qualidade, sob qualquer ângulo, do *close reading* aos mais fecundos panoramas, abrindo de par em par janelas de uma futura biografia de Machado. Nenhum arquivo ficou de fora e, não raro, boa parte corrigido na catalogação. Outros, foram descobertos, nas vísceras e labirintos das bibliotecas, além de novas doações, havidas em sincronicidade junguiana.

Igualmente modelar, a rede finíssima de notas, de ordem histórica e filológica, estética e filosófica, biográfica e poética, incisivas e iluminantes em sua delicada expressão. Poderiam subsistir independentes do rodapé, como um ente separado, tal a oportunidade e a força que cada fragmento oferece para a inteligência do processo textual, como se fossem breves monografias, em ato ou potenciais. Não sei o que mais apreciar, se a abundância das informações, se o refinamento metodológico, se as divagações oportunas de extração filosófica.

A cartografia inacabada do autor de *Dom Casmurro* sofre com esta edição um déficit expressivo. Desenha-se um Machado algo mais nítido, menos descontínuo, com larga diminuição de pontos cegos e temas suspensos. Mais que um ponto de chegada, temos um ponto de partida, desde uma base hermenêutica segura e estruturada.

A edição de Sergio Paulo Rouanet, com sua conhecida erudição e sensibilidade, percepção histórica e filosófica, empresta, devolve ou aprimora contorno e nitidez à vida/obra de Machado de Assis, ao completar 180 anos de nascimento. Com este gesto brilham os "fios do tecido que a mão do tecelão vai compondo, para servir aos olhos vindouros".

Uma estética do olhar, portanto, um convite que demanda a inserção multifocal de um vasto patrimônio da leitura e da memória em língua portuguesa.

MARCO LUCCHESI
Presidente da ABL no biênio 2018-2019
Rio de Janeiro, outubro de 2019

∾ Apresentação

O presente volume é dedicado à correspondência de Machado de Assis, de 1890 até o final do ano de 1900. São 292 missivas, entre cartas, bilhetes e cartões, quantidade que supera a de toda a correspondência publicada nos dois tomos anteriores, (1860-1869 e 1870-1889), abrangendo 291 documentos.

Chama atenção, não obstante, a raridade das cartas nos dois primeiros anos desse período. De 1890, conservou-se apenas uma, de 17 de outubro, em que Machado apresenta ao Barão do Rio Branco seus pêsames pela morte do pai, Visconde do Rio Branco [280]. O original está no Arquivo Histórico do Itamaraty. Das três que aparecem em 1891, duas são de Machado, [281] e [282], guardadas, respectivamente, no Instituto Histórico e Geográfico Brasileiro e na Biblioteca Nacional; a outra, do cunhado Miguel de Novais, ficara em mãos da sobrinha-neta de Carolina, encontrando-se hoje no Arquivo da ABL [283]. A explicação óbvia é que a truculência do governo republicano ou teria emudecido Machado e seus correspondentes, ou forçado Machado, em geral zeloso guardador de cartas, a não conservar, por prudência, as recebidas nesse período.

Examinando-se a distribuição dos correspondentes, nota-se uma participação desproporcional de Magalhães de Azeredo. Esse nome já aparecera no tomo II (em [274], [275] e [279], de 1889), mas ainda numa posição modesta. A partir de 1892, as cartas de e para Azeredo predominam de modo avassalador. Até o final de 1900, são 58 cartas de Azeredo para Machado, e 32 deste para Azeredo, ou seja, ao todo 30,1% do conjunto de documentos coligidos neste volume. O prefácio da edição preparada por Carmelo Virgillo da correspondência de Machado e Azeredo (1969) explica a razão dessa abençoada avalanche. Ao contrário das dezenas de cartas escritas e recebidas por Machado que se perderam irremediavelmente ou jazem no fundo de um velho baú de colecionador, as trocadas entre Machado e Azeredo foram guardadas até o fim pelos dois correspondentes. Sentindo-se próximo da morte, Machado pediu a Veríssimo que devolvesse a seu autor os originais das cartas dele recebidas. Posteriormente Azeredo doou todo esse acervo epistolar à Academia Brasileira de Letras. E eis como um escritor pouco valorizado hoje em dia chegou à posteridade pelo mero fato de ter tido o dom de relacionar-se com o maior escritor do Brasil. E é bom que seja assim. Samuel Johnson é mais importante que James Boswell, mas sem Boswell não saberíamos tanto sobre o Dr. Johnson.

Com efeito, essa correspondência traz informações interessantes sobre Machado. Somos lembrados de que na mocidade ele foi influenciado pelo romantismo, razão pela qual ele se comove com Musset e recorda em [404] as folhas do salgueiro sobre o túmulo do poeta, que lhe foram trazidas por Artur Azevedo. A propósito de Stendhal, um dos seus autores favoritos, Machado cita em outra carta [410] uma estrofe em que o mesmo Musset celebra a sinecura que permitia ao autor da *Chartreuse de Parme* sobreviver na Itália – a de cônsul da França em Civitavecchia. Há indicações importantes sobre a evolução das opiniões de Machado acerca de Eça de Queirós. Como se mencionou no tomo II, as relações entre os dois escritores ficaram estremecidas depois do ataque desferido por Machado contra o *Primo Basílio*. Mas a correspondência com

Azeredo dá impressão de que o ressentimento mútuo estava superado. Diante da afirmação de Azeredo de que Eça "o tinha em grande apreço" [393], Machado diz que dois contos do escritor português estampados na *Revista Moderna* eram "lindos" [404], acrescenta que Eça tinha a "admiração de todos" [410], e declara que os primeiros capítulos da *Ilustre Casa de Ramires* eram um "novo florão para nosso Eça de Queirós." [415]. Há cartas em que Machado se abre sobre suas características de estilo e personalidade. Sim, ele era pessimista, parco em descrições e pouco exuberante com relação à natureza — não porque ela lhe fosse esteticamente indiferente, mas porque a preocupação exclusiva com o homem ocupava todo o espaço em seus livros. A menos, acrescenta Machado, que essa explicação fosse uma simples camuflagem para disfarçar sua incompetência técnica na descrição da natureza. Sente-se em certas passagens que ao recomendar a Azeredo estudo, aplicação e disciplina em seu ofício de escritor, Machado estava falando sobre si mesmo, sobre sua própria tenacidade como operário das letras, ultrapassando-se sempre em cada obra publicada. Mas nem só de literatura vive a amizade. Há cartas inesperadamente confessionais em Machado. Azeredo diz-se "spleenético" [291] e o grande melancólico do Cosme Velho dá-lhe conselhos, certamente inspirados em sua experiência pessoal: nada melhor, para curar a melancolia, que transformá-la em matéria prima da criação literária [293]. Ele diz que estava quase cego quando compôs *Memórias Póstumas de Brás Cubas*, e que ditou a Carolina meia-dúzia de capítulos [314]. O mais surpreendente é que é franco até mesmo no tema que mais o afligia, sua doença. Teve que interromper uma de suas cartas, diz Machado, porque fora acometido pelo "mal" [439].

Azeredo deve ter exasperado Machado por suas incontáveis exigências e reclamações, cobrando que Machado lhe escrevesse mais, encarregando-o de negociar condições com editores no Rio para a publicação das suas obras etc. Além disso, o rapaz tinha uma visão exagerada de seu brilho intelectual, o que deve ter incomodado Machado, que em seu orgulhoso pudor sempre preferiu ostentar uma sábia e calculada modéstia.

Mas positivamente, não era esse o estilo de Azeredo. Assim, ele revela que Heredia e Sully Prudhomme se assombraram com seus versos franceses. Sua facilidade, quase inconsciente, de escrever versos era espantosa. Surrealista *avant la lettre*, ele certa vez teve num sonho a ideia de certos versos, e dois anos depois, ao acordar, deu-lhes a forma poética que lhes convinha. Os versos saíram um tanto parecidos com um poema de Goethe, mas como se originaram num sonho, estava excluída a hipótese de uma imitação voluntária [431].

No entanto, independentemente da relação com Machado, as cartas de Azeredo são curiosas em si mesmas. Ao contrário das cartas de Machado, graves e paternais, limitando-se por vezes a prestar contas das inúmeras incumbências que lhe dava seu jovem amigo, as de Azeredo são vivas e noticiosas. Imperdível, nesse sentido, é a carta em que ele descreve uma fonte, num balneário perto de Clermont-Ferrand, que tinha a propriedade de petrificar tudo o que lhe era arremessado – macacos, ursos, javalis. Ele garante ter visto um tigre ainda em processo de petrificação, no qual metade já era rocha, e a outra, carne embalsamada. Na mesma localidade, ele narra seu encontro com a *Belle Meunière*, dona do albergue no qual o general Boulanger, que quase tomou o poder na França, conheceu a viscondessa de Bonnemain, por causa de quem ele se suicidou. A Bela Moleira resumiu suas impressões sobre o general numa frase que talvez fizesse corar as duas mulheres de Azeredo, sua mãe e sua esposa: "Não, desde que o mundo é mundo, ninguém soube amar como ele!" [405]. No mesmo tom levemente lascivo, Azeredo descreve a festa de São João em Roma, verdadeira saturnal pagã, em que rapazes fazem cócegas nas moças com varas de alho, e na escuridão dos campos, fora dos muros, se praticam cenas de amor livre [424]. Mas não pensem que Azeredo, católico fervoroso, amigo pessoal de Leão XIII e inteiramente voltado ao culto do belo, não tenha preocupações mais elevadas. Leiam, por exemplo, o que ele escreve sobre Vallombrosa, onde ouviu o canto do rouxinol pela primeira vez, e onde visitou o convento beneditino no qual Milton teria se hospedado, o que explica, no *Paraíso Perdido*, uma alusão a Vallombrosa [481].

Pitoresco à parte, a verdade é que pelo número de cartas e pela diversidade de temas, as cartas de Magalhães Azeredo compõem um painel variadíssimo. Ele fala de tudo: história e política brasileira, uruguaia, francesa, italiana. Temos mundanismo, intriga, bisbilhotice. Todo o processo de consolidação do regime republicano se reflete em suas cartas, focalizando seja o exilado em Minas, fugindo da dureza do florianismo, seja o diplomata no Uruguai, seja o membro da legação em Roma. Tudo passa por suas lentes, e por vezes, com rara agudeza.

Em volume e importância, vem em seguida a correspondência com José Veríssimo. São 38 cartas, das quais 28 de Machado. O tom é leve e descontraído, em contraste com o tom solene e respeitoso da correspondência com Azeredo. Nesta, a abertura é invariavelmente "Meu querido mestre e amigo", quando a carta é de Azeredo, é "Meu querido amigo e poeta" ou só "Meu querido amigo", quando é de Machado. O contrário ocorre na correspondência com Veríssimo, em que predomina o tom igualitário. Os dois correspondentes são um para o outro "Meu caro Machado" e "Meu caro Veríssimo", e só. Seria apenas porque Machado fosse 33 anos mais velho que Azeredo? Mas a diferença de idade com Veríssimo também não era pequena – 18 anos – e no entanto os dois se tratavam como se fossem da mesma geração. Veríssimo se permite familiaridades inconcebíveis na relação com outros amigos, como quando diz estar torcendo por uma crise ministerial que ponha Machado para fora do Ministério [434], devolvendo-o a seus amigos, ou quando escreve a Machado "Não seja injusto" [459], porque este reclamara não ter sido lembrado num jantar que estaria sendo promovido pela *Revista Brasileira* [456]. É que, independentemente da faixa etária, Machado e Veríssimo se viam praticamente todos os dias, ou na redação da *Revista*, dirigida por Veríssimo, ou na repartição pública onde trabalhava Machado. Os dois tinham inúmeros assuntos em comum, como os referentes à jovem Academia Brasileira de Letras, e à publicação de artigos na *Revista Brasileira* e nos jornais. Machado considerava Veríssimo o principal crítico do Brasil e sentia-se lisonjeado com os excelentes comentários feitos à sua obra por um ensaísta de sua envergadura. Veríssimo por sua vez era sincero em sua admiração. Tudo isso transparece na correspondência.

Assim, quando Veríssimo publicou no volume 16 da *Revista Brasileira* um artigo sobre *Iaiá Garcia*, Machado escreveu-lhe em 15 de dezembro de 1898 uma carta importante, que ia além de um agradecimento apenas protocolar: "O que Você chama a minha segunda maneira naturalmente me é mais aceita e cabal que a anterior, mas é doce achar quem se lembre desta, quem a penetre e desculpe, e até chegue a catar nela algumas raízes dos meus arbustos de hoje." [436]. E quando Veríssimo publicou no *Jornal do Comércio*, em 10 de junho de 1899, uma notícia elogiosa sobre a reedição dos *Contos Fluminenses* de Machado, este enviou-lhe no mesmo dia uma carta [461] em que diz: "Não é preciso dizer com que prazer a li, nem com que cordialidade a agradeço, e se devo crer que nem tudo é boa vontade, tanto melhor para o autor, que tem duas vezes a idade do livro." Dois dias depois, é a vez de Veríssimo agradecer a Machado, que publicara na *Gazeta* um artigo a propósito da segunda edição das *Cenas da Vida Amazônica*: "A sua consagração de ontem pelo Mestre indisputado não me permitirá mais duvidar, lá bem no íntimo, dessa obra de mocidade e de amor." [464]. Veremos mais adiante outros exemplos da "cumplicidade" dos dois amigos.

O leitor terá o prazer de reencontrar neste terceiro tomo um dos correspondentes mais simpáticos de Machado, o cunhado Miguel de Novais. É o Miguel de sempre, implicando sem cessar com sua enteada Julieta. Descrevendo uma visita do visconde de Taíde, por exemplo, censura a falta de *savoir-faire* mundano da pobre moça, acanhada demais para falar: "Diz a Julieta a Julieta não disse nada." [325]. Das 12 cartas de Miguel desta década, quatro são totalmente inéditas, não tendo sido transcritas por Pérola de Carvalho (1964). Numa delas, Miguel manifesta sua ansiedade com a situação econômica de Portugal, temeroso por seus investimentos. Mas diz manter sua esperança no futuro do Brasil republicano, embora o câmbio estivesse lhe comendo as economias [351]. Em outra, lamenta a morte de sua mulher Joana, falecida em 18 de março de 1897, e descreve sua solidão de viúvo [389]. Numa terceira carta inédita, continua triste, mas sente-se confortado com a presença dos filhos de Joana [389]. Na quarta carta, um ano depois da morte de Joana, está com seu humor restabelecido. Está vegetando, diz ele, mas salvo os incômodos da idade, e a ferrugem de alguns órgãos, está muito bem [420]. Na carta seguinte, já publicada por Pérola de Carvalho, esse bem-estar está consolidado. Ele está casado de novo, e acha-se satisfeito no novo estado, como explicara em carta a Carolina (não localizada) [518].

A relação epistolar de Machado com Joaquim Nabuco, na década, limita-se a 8 cartas, 5 de Machado e 3 de Nabuco. Ela começa em 24 de março de 1896, com uma carta ao mesmo tempo séria e cômica, informando Nabuco de que o vizinho de Machado, Joaquim Arsênio Cintra da Silva, usara uma antiga crônica de Nabuco, de 1881, para dela extrair um epitáfio para o túmulo da mulher. Esse é o lado triste. O lado cômico é que a crônica, já muito antiga, tinha sido escrita para homenagear, não a defunta recente, que era a segunda esposa de Arsênio, e sim a primeira mulher, morta em 1881 [348]. Registre-se, como pano de fundo, que a falecida de 1881 chamava-se, em solteira, Marianinha Teixeira Leite, e era parente de Eufrásia Teixeira Leite, o grande amor de juventude de Nabuco. Parte das cartas seguintes é dedicada ao tema da eleição para a ABL do sucessor de Taunay, morto em janeiro de 1899. De especial significado é carta de 10 de março de 1899, em que Machado apoia expressamente a decisão de Nabuco de aceitar o convite do governo republicano de representar o Brasil na questão dos limites com a Guiana Inglesa. Esse endosso deve ter sido muito importante para Nabuco, que estava sendo asperamente censurado por muitos dos seus correligionários monarquistas, inconformados com uma decisão que tinha um sabor de apostasia. Machado encontrou as palavras certas para confortar o amigo: "Vi que o governo, sem curar de incompatibilidades políticas, pediu a Você o seu talento, não a sua opinião, com o fim de aplicar em benefício do Brasil a capacidade de um homem que os acontecimentos de há dez anos levaram a servir a pátria no silêncio do gabinete. Tanto melhor para um e para outro." [450]. A década terminou com uma pequena crise na amizade dos dois homens. Tendo Nabuco perdido um dos auxiliares que o secretariavam em sua missão diplomática, Machado indicou para substituí-lo Luís Guimarães Filho, cujo pai, Luís Guimarães Júnior, fora seu amigo desde a década de 1860 [492]. Nabuco recusou o pedido com elegância e naturalidade – ele já tinha convidado outra pessoa [499]. Machado se ofendeu, e ficou meio ano sem escrever. A crise foi superada com uma troca de livros: Machado enviou *Dom Casmurro* a Nabuco, e este presenteou Machado com *Minha Formação* [526] e [564].

Chega a vez de Salvador de Mendonça, um dos mais antigos amigos de Machado. São 9 cartas nas duas direções, de 30 de maio de 1891 a 28 de agosto de 1900. As últimas da série são dedicadas a um tema sem especial interesse para a posteridade: o pedido para que Machado usasse seu prestígio junto ao ministro a fim de obter a remoção para Itaboraí de um sobrinho de Mendonça, telegrafista de ofício [524] e [532]. Mas recomendo a leitura de duas cartas de 1895. Na primeira, escrita dos Estados Unidos, Salvador reclama da gente nova que enchia a velha cidade: "Que direito têm eles de encher-nos as ruas? O que sabem eles do nosso Rio de Janeiro dos bons tempos? Não sabem nem o que foi o Paula Brito, nem a Petalógica /.../ O que sabem eles do S. Januário e do S. Pedro com o grande João Caetano? Do Lírico com a Ristori e com o Rossi...? Gente que não foi desses dias não tem para mim o direito de nos atrapalhar o caminho, a nós veteranos dessas campanhas." [327]. A segunda carta, no mesmo tom, é a resposta de Machado. Ele dá razão ao amigo. Sim, ele compreendia que ao ver tanta gente nova, Salvador a considerasse intrusa, por nada saber dos tempos de outrora: "Este Rio de Janeiro de hoje é tão outro do que era, que parece antes, salvo o número de pessoas, uma cidade de exposição universal. Cada dia espero que os adventícios saiam; mas eles aumentam, como se quisessem pôr fora os verdadeiros e antigos habitantes." [332].

As cartas de e para Lúcio de Mendonça são tão numerosas quanto as recebidas e expedidas por seu irmão Salvador. A série se abre em 6 de fevereiro de 1895 [310], e note-se que Machado chama Lúcio de "pai da Academia" em [468]. De Teresópolis, este se diz maravilhado com *Dom Casmurro* [516], passando-se por uma carta [534] em que Machado se desculpa por não poder comparecer ao almoço da "Panelinha" (estava com aftas, explica ele), e essa correspondência culmina com cartas sobre a tramitação do projeto de lei relativo à Academia [534], [536], [562] e [563].

Sabe-se que a correspondência com Graça Aranha foi significativa, mas só foram preservados, de Machado, uma carta em que ele se desculpa por não poder comparecer a um jantar [344] e um cartão postal a ser incluído no próximo tomo. De Graça, há dois documentos, ou uma carta em duas versões, em que aceita relutantemente sua indicação para integrar a Academia, outra em que agradece os pêsames a propósito da morte de sua filha, outra em que faz uma brincadeira desastrada em torno de *Dom Casmurro*, e que quase provoca seu rompimento com Machado, e outra, escrita de Londres, em que depois de um longo silêncio epistolar, Graça tenta reparar os estragos, perguntando, inocentemente, o que teria ele feito a Machado para que ele não lhe escrevesse mais.

Não é possível comentar as outras dezenas de cartas avulsas, que figuram neste volume, algumas interessantíssimas e escritas por ou para personagens consideráveis como Rui Barbosa e Olavo Bilac, mas gostaria de destacar ainda, por seu possível interesse biográfico, a correspondência com Rafaelina de Barros. Essa senhora escrevera uma carta, não localizada, pedindo a Machado uma cópia da sua tradução do "Corvo", de Poe, inédita em livro. Tudo indica que era Emílio de Meneses, com quem ela vivia maritalmente, que desejava consultar a tradução, porque ele próprio estava preparando uma versão para o português do poema de Poe. Machado enviou uma carta, em 20 de abril de 1896, prometendo atender ao pedido, o que foi feito [352]. Veio uma nova carta, também não localizada, de Rafaelina de Barros, à qual Machado respondeu, em carta de 25 de maio [356]. O que é surpreendente nessas duas cartas de Machado é o tom misterioso, cheio de subentendidos. Na primeira, escreve Machado: "Sobre a outra promessa [a primeira era evidentemente a de mandar a tradução] pesa-me confessá-lo, há razão que só à vista lhe poderei dizer, e que me impede de a cumprir, como deseja cordialmente. Creio que o meu pesar é maior que o seu, por mais amável que seja da sua parte sentir algum." Na segunda, ele diz: "Sobre as lágrimas de tempos idos não lhe digo mais nada, além do que falamos sábado. É memória que nunca perdi, e pode imaginar se me haverá penalizado tamanha dor sem culpas de um e por causa involuntária de outro."

Deixando de lado essas bisbilhotices póstumas, do que tratam, afinal, as cartas desse período? É mais fácil dizer do que elas não tratam: de política.

Machado não tem nada a dizer sobre política estrangeira, nem sequer em seus aspectos mais sensacionais e mais candentes, como a questão Dreyfus – ele que quando jovem escrevia diatribes incendiárias contra a política imperialista de Napoleão III no México! E não faltaram encorajamentos para isso. Escrevendo durante o segundo julgamento de Dreyfus, realizado pelo conselho militar de Rennes (que acabaria por condenar mais uma vez o inocente), Magalhães Azeredo diz-se enojado com os manejos antissemitas dos militares e dos seus partidários: "Triste França, tão amada outrora pelo mundo inteiro, e hoje universalmente detestada porque se deixou dominar por uma turba de doidos e perversos! Na história há poucos exemplos como este de loucura coletiva." [481]. Esperaria Azeredo seduzir o grande apolítico para uma tomada de posição em favor de Dreyfus, imitando seu confrade de Academia, Rui Barbosa? Se foi essa a intenção, a provocação fracassou. Em sua resposta e nas cartas subsequentes, Machado não escreveu uma única palavra sobre o erro judiciário que estava indignando o mundo civilizado.

Machado não falava tampouco de política brasileira. Quando fala de política, é para dizer que não falará de política. Comentando a visita oficial que faria ao Brasil o presidente da Argentina, informa a Azeredo: "Não lhe falo de negócios públicos, porque os jornais lhe terão dito o que há." [475]. Uma vez ele quase entrou nesse terreno proibido, ao dizer a Azeredo: "por aqui nada há que mereça ser contado, salvo um caso de conspiração ou tentativa." Ao que parece, estava se referindo à greve dos cocheiros, que rebentou em 15, 16 e 17 de janeiro de 1900, e que faria parte de uma tentativa de golpe contra Campos Sales. Escrita essa imprudência, Machado muda rapidamente de assunto: "mas as nossas cartas não tratam de política" [513]. Foi obedecendo a essa regra de ouro, respeitada tacitamente por quase todos os seus correspondentes, que Machado reagiu de modo tão evasivo à notícia da exoneração de Azeredo, exprimindo sua mágoa, mas evitando qualquer frase que pudesse ser interpretada como uma crítica ao governo. Mais uma razão para lamentarmos o extravio de suas cartas a Miguel de Novais, que segundo especulamos no tomo II, deviam conter observações explícitas sobre a política brasileira.

Do que falam, então, as cartas? De inúmeros assuntos, alguns muito comezinhos, como o pedido, já citado, de que Machado usasse sua influência para obter a transferência de um sobrinho de Salvador de Mendonça, ou um pedido de Veríssimo, que desejava a intervenção de Machado para normalizar o abastecimento de água em sua residência [440], [441] e [443]. E falam, sobretudo, sobre algo de muito importante: a vida e a obra do próprio Machado de Assis. Vale a pena rastrear a presença de ambas na correspondência.

Quanto à vida, a correspondência reflete de perto alguns dos episódios e atividades mais significativas de Machado de Assis durante o período.

Assinale-se, entre esses episódios, seu afastamento do serviço ativo, por ato de 1.º de janeiro de 1898, do ministro Sebastião Lacerda, que o colocou em disponibilidade. Machado ficou magoadíssimo, embora recebesse vencimentos integrais e apesar das palavras amáveis do ministro. Machado comentou que lhe faziam um enterro de primeira classe. A primeira reação foi a de Mário de Alencar, que em carta do mesmo dia disse que mal podia crer na notícia de que Machado ficara "adido à Secretaria de Indústria". Mário fala em "espanto indignado" e em sua revolta com esse "ato iníquo do governo." Como consolo, Machado devia lembrar-se de que o pai do missivista, José de Alencar, "quando o magoavam e abatiam os dissabores políticos, se refugiava no seio das Letras, onde as alegrias são puras e o consolo infinito." [413]. O agradecimento de Machado segue no mesmo dia 1.º de janeiro: "A sua carta é ainda uma voz do seu pai e foi bom citar-me o exemplo dele; é modelo que serve e fortifica." [414]. Nove dias depois, Machado escreve a Azeredo, por sua vez vítima de uma injustiça – fora exonerado, por uma intriga que ele atribuíra a seu chefe na legação do Brasil junto à Santa Sé – mas estava sendo reintegrado à carreira. Machado o felicita por essa reparação, mas acrescenta: "A justiça vem aos moços. Os velhos, como eu, atraem menos essa esquiva. Ao contrário /.../, na última reforma da Secretaria de Viação fui considerado adido. A razão é que o regulamento novo exige para o meu lugar um profissional /.../ Mas enfim, o feito está feito /.../" [415]. Obviamente Azeredo lamenta o ocorrido, e escreve, em carta de 10 de fevereiro: "Realmente, tirarem-lhe o seu lugar após cinco anos de serviço nele, e tantos mais na repartição, é uma iniquidade!" [417]. É significativo que no mesmo dia 10 de janeiro, em que se abria com Magalhães de Azeredo, Machado tenha sentido a necessidade de comunicar a desagradável notícia ao cunhado Miguel de Novais – não sabemos em que termos, mas certamente com menos estoicismo que o ostentado com Azeredo. Em todo caso, Miguel reage de modo característico, com um humor não muito sutil, mas que talvez tenha feito bem ao desempregado à força. Em carta inédita de 16 de março, escreve ele a Machado: "Encontrei hoje na minha pasta uma carta sua, de 10 de janeiro, sem a nota de *respondida* /.../ a sua vida é hoje de vadio, ganhar dinheiro sem obrigação de trabalhar, é a melhor das posições sociais." [420]. Em 10 de maio, Machado agradece as palavras de simpatia de Azeredo: "Ouso crer que não houve justiça, mas as injustiças, meu querido amigo, se não fossem deste mundo, donde seriam?" [421].

Donde quer que venham as injustiças, a que golpeou Machado durou apenas 11 meses. Voltou ao serviço público em 16 de novembro de

1898, por ato do ministro Severino Vieira, que o nomeou seu secretário. Também há rastros dessa reviravolta na correspondência. Machado a comunica a Azeredo em 25 de dezembro: "Não é preciso encarecer os motivos que houver de dar do meu longo silêncio; basta dizer-lhos. Há de saber que desde 17 de novembro estou de Secretário do Ministro da Viação. O que não sabe talvez é que o meu trabalho é agora imenso, e dizendo-lhe eu que saio todos os dias da Secretaria ao anoitecer, e não obstante trabalho em casa, logo cedo, e aos domingos também, poderá imaginar a vida que levo." [439]. Essa comunicação de Machado ainda não havia sido recebida por Azeredo quando ele se referiu ao assunto, em 2 de janeiro de 1899: "Li há dias em jornal daí que ia ser nomeado secretário do Ministro da Viação. A notícia me deu grande prazer, por indicar o intento de restituir-lhe assim a posição permanente que a lei da reorganização da Secretaria lhe tirara, exigindo diplomas profissionais como se a prática e o serviço consciencioso de muitos anos não valessem mais que eles." [442].

Quase simultaneamente com os dissabores de Machado como funcionário público, sobreveio outro incidente penoso, este afetando sua autoestima como escritor. Em fins de novembro de 1897, aparecia nas livrarias um estudo de Sílvio Romero, intitulado *Machado de Assis*, com o subtítulo *Estudo Comparativo de Literatura*. Era um ataque devastador, motivado, em grande parte, por uma forte animosidade de Sílvio contra Machado, de raízes antigas, mas que chegara a seu ponto máximo com o artigo "A nova geração", de 1879, em que Machado sujeitava a poesia de Romero a uma demolição em regra. A primeira referência epistolar ao livro encontra-se numa carta de 1.º de dezembro de 1897, em que Machado, aparentemente sem conhecer ainda o conteúdo da obra, anuncia a Veríssimo, então em Nova Friburgo, o aparecimento do estudo de Sílvio Romero [409]. Em carta de 7 de dezembro, para Azeredo, Machado alega não conhecer o livro de primeira mão, mas somente através de terceiros: "É um estudo ou ataque, como dizem pessoas que ouço. De notícias publicadas, vejo que o autor foi injusto comigo. A afirmação do livro é que nada valho. Dizendo que foi injusto comigo não exprimo conclusão minha, mas a própria afirmação dos outros. O que parece é que me espanca. Enfim, é preciso que quando os amigos fazem um *triunfo* à gente (leia esta palavra em sentido modesto) haja alguém que nos ensine a virtude da humildade." [410]. Em 27 de dezembro Azeredo responde. Sempre faltara a Sílvio Romero, diz ele, "a principal virtude do crítico – a serenidade, sem a qual não há verdadeira lucidez do espírito /.../ e quanto ao seu caso particular, que vale a opinião de um homem apaixonado e parcial contra o trabalho fecundo e honesto de 30 anos, as criações de uma originalidade reconhecida, o vigor de um espírito que não envelhece, e que conquistou o apoio das novas gerações como tivera o das antigas?" [411]. Na carta seguinte a Azeredo, de 10 de janeiro de 1898, Machado já tinha lido o livro: "Não ouso dizer que é um *éreintement*, para não parecer imodesto; a modéstia, segundo ele, é um dos meus defeitos, e eu amo os meus defeitos, são talvez as minhas virtudes." O pior é que o editor pusera um retrato de Machado que o vexara, ele que não era bonito: "Mas é preciso tudo, meu querido amigo, o mal e o bem, e pode ser que só o mal seja verdade." [415]. Em 2 de fevereiro, Machado volta ao tema, concordando com Azeredo: sim, Romero não tinha a serenidade necessária ao crítico, era por natureza agressivo. Anuncia também que saíra no *Jornal do Comércio* um artigo em resposta ao livro de Sílvio [416]. Era o primeiro de uma série de quatro artigos (25 e 30 de janeiro, 7 e 11 de fevereiro de 1898). Os artigos foram assinados por Labieno, que Machado mais tarde descobriu ser o pseudônimo do advogado, jornalista e político Lafaiete Rodrigues Pereira. Machado deve ter-se surpreendido ao descobrir a identidade de Labieno, pois tinha no passado feito alguns ataques a Lafaiete. Seja como for, em 19 de fevereiro enviou a seu defensor, talvez não tão altruísta como parecia (Lafaiete era desafeto de Sílvio Romero) uma carta de agradecimento. Dizia Machado: "Soube ontem (não direi por quem) que era Vossa Excelência o autor dos artigos assinados Labieno /.../, em refutação ao livro que o Senhor Doutor Sílvio Romero pôs por título o meu nome. A espontaneidade da defesa, o calor e a simpatia dão maior realce à benevolência do juízo que Vossa Excelência aí faz a meu respeito. Quanto à honra deste, é muito, no fim da vida achar em tão elevada palavra como a de Vossa Excelência um amparo valioso e sólido pela cultura literária e pela autoridade intelectual e pessoal." [418]. Enquanto isso, o jovem campeão de Machado, Magalhães Azeredo, não estava ocioso. Em carta de 10 de fevereiro, disse que assim que recebesse o livro, pretendia refutá-lo a fundo – não que Machado precisasse de defesa, mas o apoio de um moço de 25 anos era uma prova eloquente de que ele era lido e admirado pelas novas gerações [417]. Em 13 de março, ele diz a Machado que mandara ao *Jornal do Comércio* seu estudo sobre o livro de Romero. Usara um tom respeitoso, mas isso mesmo dava mais realce à sua argumentação, que segundo ele refutava completamente os pontos principais da crítica [419]. O estudo de Azeredo só apareceu em 9 de maio, quando a polêmica estava perdendo atualidade, mas isso não impediu Machado de manifestar sua gratidão, logo no dia seguinte. A parte mais interessante da carta, além das amabilidades de praxe, é um trecho em que aprova explicitamente os comentários de Azeredo sobre sua personalidade literária: "A parte relativa ao que se achou de humorismo e pessimismo nos últimos livros é tratada com fina crítica, e acerta comigo, cuja natureza teve sempre um fundo antes melancólico que alegre. A própria timidez, ou o que quer que seja, me terá feito limitar ou dissimular a expressão verdadeira do meu sentir, sem contar que a experiência é o vento mais propício a estas flores amarelas." [421].

A partir de 1896, Machado de Assis concentra-se num grande tema: a Academia Brasileira. A correspondência a respeito é tão volumosa que só podemos mencionar de passagem os principais documentos.

Os mais antigos remontam à fase de fundação e instalação da Academia. Realizaram-se nesse período várias sessões preparatórias. A primeira deu-se em 15 de dezembro de 1896, a segunda em 23 de dezembro, e a terceira, em 28 de dezembro. Sobrevivem, dessa fase, uma carta de Rui Barbosa, avisando não poder comparecer à segunda sessão preparatória, de 23 de dezembro (estaria ele ressentido por não haver sido lembrado para a primeira?); e duas cartas, uma de Valentim Magalhães e outra de Filinto de Almeida, prevenindo que não poderiam ir à terceira sessão preparatória, de 28 de dezembro [374], [375] e [376].

Em 28 de janeiro de 1897 realizou-se a última sessão preparatória, na qual os 30 membros que tinham participado das sessões anteriores deveriam eleger os 10 que faltavam, perfazendo assim o total de 40, a exemplo da Academia Francesa. Uma das dificuldades, nessa etapa, foi convencer Graça Aranha a ser um dos 30 eleitores. Em carta a Lúcio de Mendonça, "pai" da Academia, Graça explicou suas razões. Além de não ter ainda a essa altura publicado nenhum livro, ele era contra a criação no Brasil de uma Academia, especialmente se estruturada nos moldes da Academia Francesa, sob a tutela do Estado. A Academia que se pretendia criar no Brasil, embora disfarçasse o jogo, buscava os favores do Estado, e com isso a literatura ficaria enfeudada ao governo, exatamente como a Academia criada por Richelieu. Mas Graça acabou cedendo às instâncias de Nabuco e Machado, e consentiu em figurar entre os 30 fundadores. Sua mudança de posição ficou registrada em carta a Machado de Assis de 13 de janeiro de 1897, em que diz "render-se à discrição" aos argumentos dos seus amigos – "Como é doce a incoerência!" [379]. Curiosamente essa carta está arquivada na ABL junto com outro documento, sem data, que parece um rascunho da carta. A diferença essencial entre os dois documentos é que no "rascunho" aparece uma frase que não existe na carta: "Explicará V. ao valoroso fundador Lúcio de Mendonça que uma carta (a que ele estava dirigindo a Machado) só serve para desmentir outra?" (a que ele tinha dirigido a Lúcio de Mendonça [378]). A explicação para esse pequeno mistério pode ser que Graça Aranha houvesse deixado a versão preliminar com Machado, e que diante da recusa deste de assumir o encargo de explicar a Lúcio a "incoerência" de Graça, o futuro autor de *Canaã* tivesse enviado a Machado a versão definitiva, em que aquele encargo não existia. Por via das dúvidas, decidimos tratar as duas versões como se fossem duas cartas distintas. O que tudo isso deixa claro, como diria Dom Casmurro, é que o rebelde de 1924 já estava dentro do rapaz de 1897, como a fruta dentro da casca.

Entre os 10 membros adicionais estava Magalhães de Azeredo, que numa carta de 10 de janeiro de 1897 se oferece para prestar à Academia todos os serviços que pudesse prestar dali [377]. Esse não muito sutil pedido para ser convidado foi ouvido por Machado de Assis, que deve ter feito todo o *lobbying* necessário para que Azeredo fosse eleito. Azeredo tem plena consciência disso, porque na mesma carta de 23 de março em que anuncia ter sido exonerado, diz saber que a proposta do nome dele viera de Machado, o que muito o honrava. Só pedia a Deus que a Academia "possa viver e perpetuar-se no Brasil, e que a maldita política não lhe faça os danos que faz a tudo o que é belo e bom." [386].

Entre os dez eleitos estava também um velho amigo de Machado, Salvador de Mendonça. "A notícia é que foste, como de justiça, eleito pela Academia Brasileira de Letras, que aqui fundou o nosso Lúcio." [383].

Tudo estava agora pronto para a instalação da Academia, em sessão solene. Ela deveria dar-se em 1.º de maio, segundo os estatutos, explica Machado para Azeredo, mas tentaria adiar a cerimônia [390]. De fato, ela se deu em 20 de julho de 1897, numa das salas do Pedagogium, na rua do Passeio, na presença de 17 membros. Constou de "quatro palavras" de Machado, abrindo a sessão, do relatório dos trabalhos preliminares, redigido por Rodrigo Octavio, e de um discurso de Nabuco. Quanto a este, explica Machado, "há muitas ideias; posso divergir de um ou outro conceito, mas a peça literária é primorosa." [404]. Do seu retiro em Royat, perto de Clermont-Ferrand, Magalhães Azeredo concorda com essa avaliação. O discurso de Nabuco era realmente admirável, digno de um pensador com tanta elevação de vistas. Mas admirável, também, tinha sido a breve alocução de Machado, com sua bela frase, de que o desejo da Academia era conservar, no meio da federação política, a unidade literária. "E impedir também, não acha?" acrescenta Azeredo, "que a federação política degenere algum dia em desmembramento do país." Possa a Academia vencer as dificuldades iniciais e funcionar sempre como instrumento de mútua tolerância, de disciplina mental e de gosto artístico! Desde já, muitos assuntos se oferecem a seu estudo – por exemplo, resolver seriamente a questão da unidade ortográfica [405].

A Academia vai consolidando sua rotina. A correspondência documenta o movimento das candidaturas, das eleições, das posses. E ocasionalmente ajuda a retificar alguns equívocos. Por exemplo, graças a ela foi possível verificar que a primeira recepção acadêmica, para João Ribeiro, não ocorreu, como dizem biógrafos e pesquisadores, no dia 30 de novembro de 1898, e sim em 17 de dezembro. A primeira data, errônea, é a que figura no Livro de Atas da ABL: "Ata da sessão solene de 30 de novembro de 1898." Era a data originalmente prevista para a recepção. Acontece que, em sua qualidade de presidente, Machado de Assis deu-se conta de que um adiamento era necessário, como se depreende das cartas [432], [433] e [434]. A carta [437] afasta qualquer dúvida. Ela foi escrita no próprio dia em que se realizou a sessão solene, e esse dia é inequívoco: 17 de dezembro de 1898.

Fundada a Academia, a tarefa seguinte foi obter para ela algum tipo de apoio oficial. Em carta a Azeredo, de 21 de julho de 1897, Machado informa que esperava obter uma ajuda governamental, embora não naquele ano, porque "há um vento de economias, e economias necessárias, em vista da situação financeira, que é dificílima. Ver-se-á para o ano. Há um deputado, poeta também, Eduardo Ramos, que se propõe encabeçar a medida na Câmara." [404]. De fato, cerca de um ano depois, na legislatura de 1898, Ramos apresentou um projeto em que era oficialmente reconhecida a Academia Brasileira de Letras, a ser regida por seus estatutos; em que se autorizava o governo a conceder à ABL instalação permanente em imóvel público; e em que se concedia à nova instituição o direito à franquia postal e o de valer-se da Imprensa Nacional para suas publicações oficiais e as de escritores brasileiros de reconhecido valor. O projeto teve tramitação lenta na Câmara. Como explica R. Magalhães Jr., uma das razões para este atraso era a cláusula sobre o reconhecimento oficial, que tinha um cunho de exclusividade em relação a entidades congêneres e lembrava o estatuto privilegiado da Igreja Católica durante a Monarquia, que reconhecia o catolicismo como religião oficial do Estado. Entre os opositores do projeto estavam o então deputado Nilo Peçanha e Alcindo Guanabara.

Qualquer que fosse a razão, tudo parecia parado. A Academia continuava sem teto, e não se reunia regularmente. Em carta a Azeredo, de 28 de julho, Machado se queixava. "O projeto de Eduardo Ramos, apresentado à Câmara em 1898, não tem tido andamento, e aliás apenas autoriza o governo a alojar-nos em algum edifício público, isto é, em qualquer recanto de edifício, porque o Estado não dispõe de nenhum que esteja vazio, ou possa ser dado inteiramente." [475]. Passou-se o ano de 1899 sem que nada acontecesse. De longe, Nabuco estava pessimista. Em 1900, implorava a Machado que não deixasse morrer a Academia: "Será preciso que morra mais algum acadêmico para haver outra sessão? /.../ Foi para isso, para morrermos, que o Lúcio e Você nos convidaram? Não, meu caro, reunamo-nos (não conte por ora comigo, esperemos pelo telefone sem fios) para conjurar o agouro, é muito melhor. Trabalhemos todos vivos." [526].

Havia uma acusação implícita, mas ela era injusta. A partir de meados de 1900, justamente quando Nabuco mandava seu apelo, o assunto do projeto de lei começou a avançar. E a correspondência mostra que isso ocorreu em grandíssima parte pelo empenho pessoal de Machado de Assis. Numa carta de 18 de julho, ele informa a Lúcio de Mendonça, inspirador original da ABL e muito influente por sua condição de Ministro do Supremo, ter estado com Eduardo Ramos, autor do projeto, e com outros deputados, como Cassiano Nascimento e Serzedelo Correia, pretendendo ainda procurar os deputados Sátiro Dias e J. J. Seabra. Poderia Lúcio encarregar-se de conversar com Barbosa Lima e os rapazes do Rio Grande do Sul? "Vamos lá, mais um empurrão." [536]. A série de cartas trocadas com Francisco de Paula Guimarães, presidente da Câmara, tem um ritmo quase frenético. Em 24 de julho, Machado diz ter conversado com Lúcio de Mendonça sobre as dificuldades criadas pela cláusula de reconhecimento oficial da ABL e informa que tinham combinado retirar a cláusula [538]; no mesmo dia, Paula Guimarães diz ter conversado com Nilo Peçanha, e que se puseram de acordo com essa solução [539]; em 28 de julho, Paula Guimarães diz que estava em mãos do deputado Francisco Sales, recém-chegado de Minas, o parecer já assinado por todos os demais membros da comissão que examinava o projeto [540]; em 31 de julho, Machado vai à Câmara para saber se o deputado em questão tinha assinado o parecer, e não havendo Machado encontrado Paula Guimarães, deixava-lhe um bilhete, pedindo que o informasse assim que possível, pois a Academia estava naturalmente ansiosa por ver fixados os seus destinos [541]; e em 31 de agosto, Paula Guimarães informa que o projeto fora finalmente votado [548]. Na verdade, o que foi votado não era mais o projeto original, e sim um substitutivo, que omitia, conforme combinado com Machado e Lúcio de Mendonça, qualquer referência ao reconhecimento oficial. Além disso, o substitutivo restringia o direito à publicação pela Imprensa Nacional aos autores já falecidos e às obras que já houvessem caído no domínio público.

Comunicando a Magalhães Azeredo, em 5 de novembro de 1900, o feliz desfecho do assunto na Câmara, Machado deixa claro que já estava pensando na etapa seguinte, o Senado. Esclarece que o projeto fora distribuído ao senador Ramiro Fontes Barcelos, mas estando este com a esposa doente, o senador Antônio Azeredo tinha se prontificado a pedir-lhe o parecer em casa e levá-lo ao Senado, para a assinatura dos demais membros da Comissão [557]. Mas segundo carta de Lauro Müller, de 19 de novembro de 1900, o projeto sobre a Academia acabou sendo entregue ao Senador Benedito Leite, "maranhense e portanto ateniense, quer dizer homem de parecer e de bom parecer" [559]. Foi ele que redigiu o parecer favorável ao projeto da Câmara. De qualquer maneira, para evitar maiores atrasos, o senador Azeredo já se declarara disposto a requerer que o assunto passasse à ordem do dia no Senado, independentemente de exame por parte da Comissão competente [557]. Em 28 de novembro, o projeto está praticamente aprovado pelo Senado, conforme indica a carta [562], de Lúcio de Mendonça.

Mas de novo, Machado já pensa na próxima etapa, a sanção presidencial. Em carta para Lúcio de Mendonça, de 29 de novembro de 1900, diz Machado: "Agora resta a sanção, e sobre isso V. se entenderá melhor que ninguém com Campos Sales." [563]. Foi fácil, porque Lúcio era amigo pessoal do presidente da República. Ele e Machado pediram audiência ao presidente, assim que este voltou de uma viagem oficial à Argentina, e na frente de ambos, em 8 de dezembro de 1900, Campos Sales sancionou o decreto n.º 726, que se tornaria conhecido como a lei Eduardo Ramos.

Antes de encerrar esse capítulo, é bom lembrar que em suas negociações com o Congresso, Machado de Assis não falava apenas como presidente da Academia Brasileira de Letras, mas também como alto funcionário do poder executivo. Nesse sentido, esse episódio exemplifica um jogo de poder que todos conheciam, porque fazia parte de um sistema social e político baseado na troca de favores. Nada ilustra melhor esse jogo que a carta para Paula Guimarães, de 13 de novembro de 1900 (portanto depois da aprovação do projeto pela Câmara, mas antes de sua aprovação pelo Senado), escrita num papel oficial, com o timbre do gabinete do Ministro da Indústria. Nessa carta, Machado diz ter ido pouco antes à Câmara somente para tranquilizar Guimarães, assegurando-lhe que numa tabela sobre engenheiros, enviada pelo Ministério ao Congresso, não havia alteração de vencimentos em prejuízo de ninguém, nem modificação de hierarquia. De qualquer modo, ele falara a respeito com o dr. Alfredo Maia, que lhe dissera a mesma coisa: "Peço-lhe que me mande novas ordens," conclui Machado, "a fim de que eu possa satisfazê-lo, segundo os seus desejos." [558].

E como se reflete na correspondência a obra que Machado produziu ou projetou durante o período 1890-1900?

Comecemos com *Quincas Borba*, o primeiro grande livro de Machado de Assis publicado depois de *Memórias Póstumas*. Desde janeiro de 1891, o fiel cunhado Miguel de Novais diz-se ansioso para receber o novo livro [284]. Em junho do mesmo ano de 1892, Domício da Gama escreve, de Paris, que lera o livro no exemplar que Machado enviara para Eça de Queirós, que no momento estava em Portugal. E aproveita, de passagem, para reiterar a boa intriga que ele e Magalhães Azeredo não se cansavam de urdir a favor da aproximação entre os dois maiores romancistas da língua: segundo Domício, Eça era o maior admirador de Machado na Europa [285]. Araripe Júnior, nem sempre benévolo com Machado, foi entusiasta de *Quincas Borba*, escrevendo três artigos sobre o livro. Em carta de 11 de dezembro de 1894, chamou Machado "o mágico autor de Quincas Borba", e disse que não desesperava de convencer o amigo a escrever *A Transfiguração de Sofia* [305]. Era uma ideia cara a Araripe Júnior — assim como *Brás Cubas* resultou em *Quincas Borba*, este se prolongaria num terceiro romance, cujo título seria *A Transfiguração de Sofia*. Machado parece ter considerado a sugestão, mas rejeitou-a de vez no prólogo da terceira edição, dizendo que "Sofia está toda aqui."

Depois é a vez de *Várias Histórias*, que começou a ser distribuído em fins de 1895, embora esteja datado de 1896. Azeredo leu o livro num exemplar mandado por Mário de Alencar, e assim se refere a ele: "Já me deliciei com a leitura [do livro] /.../. Agarrei-me a ele e não quis saber de mais nada. Quando cheguei ao fim senti que tivesse acabado tão depressa; queria mais, mais! Vou relê-lo, e estou certo de que meu prazer será ainda maior." [335]. O entusiasmo de Azeredo é compreensível: afinal, entre as 16 joias contidas no volume, havia obras primas como "A Cartomante", "Uns Braços" e "A Causa Secreta". Machado agradece os elogios de Azeredo, e diz que apesar de conter trabalhos antigos, o livro não pareceu velho aos que o leram, o que o leva a concluir que "há nele alguma coisa que prescinde do momento da concepção." [339]. Finalmente Azeredo recebe o livro, dessa vez enviado diretamente por Machado, e se extasia de novo: recebeu-o como um amigo longamente esperado, com direito ao melhor lugar da casa [340]. Partindo em vilegiatura para Rocca di Papa, perto de Roma, Azeredo continua a reler o livro, agora junto com a mãe e com a mulher [361]. A missiva mais intrigante da série é uma carta inédita de Miguel de Novais: ele escreve que ao receber o primeiro exemplar do livro, assinalara uma falta, e Machado saiu dos seus cuidados para corrigi-la, o que muito afligiu o cunhado, que se soubesse que Machado levaria o assunto tão a sério, não teria feito nenhuma observação [351]. Fica a sugestão para pesquisadores futuros: descobrir o erro que tanto angustiara Machado.

A próxima publicação de Machado é *Páginas Recolhidas*. A primeira referência epistolar a esse livro está numa carta a Magalhães de Azeredo, de 10 de maio de 1898, em que Machado diz que quer ver se colige "certo número de escritos que andam esparsos." [421]. O volume é lançado em agosto de 1899. A resenha mais significativa, publicada no *Jornal do Comércio* de 18 de setembro de 1899, vem de Veríssimo. Machado manda no mesmo dia uma carta de agradecimentos. Ele "aperta gostosamente" a mão de Veríssimo "pela sua boa vontade e simpatia", e agradece não somente os incentivos do amigo quanto as sugestões do crítico, inclusive a sugestão de que ele escrevesse suas memórias [484]. Outro depoimento expressivo vem de Graça Aranha, que disse ter levado o livro para ler na Suíça. Elogia o "magnífico ensaio sobre Henriqueta Renan" e o "delicado *Velho Senado*", além de três contos que ele não conhecia ainda, inclusive "esta coisa rara, delicada, que é *A missa do galo*, com aquela perfeição de dizer, de insinuar, de que só Você entre nós tem o segredo e a distinção." [490]. A reação de Azeredo é previsivelmente entusiástica. Em 5 de dezembro de 1899, ele diz que peças magistrais como *Tu, só tu, puro amor*, tinham "o direito e mesmo o dever de perpetuar-se em livro." [498].

Dom Casmurro foi impresso em Paris em 1899, mas já aparecia desde 1895 na correspondência. Em carta de 2 de abril desse ano, Machado informa a Magalhães Azeredo que estava trabalhando em "algumas páginas", nas horas que lhe sobravam do seu trabalho administrativo [314]. É o que basta para que o insaciável amigo lhe pergunte, em carta de 27 de abril, que páginas eram essas – afinal, ele era discreto [315]. Contra todos os seus hábitos, Machado não se faz de rogado, e responde em carta de 26 de maio que era um romance, e esclarece mesmo que seria composto em sua segunda maneira, a shandiana, "no gênero do meu *Quincas Borba*, o melhor que se acomoda ao que estou contando e à minha própria atual feição." [318]. Em carta de 17 de julho de 1895, Azeredo se mostra satisfeito com a notícia, e espera que o novo romance venha juntar-se a *Brás Cubas* e a *Quincas Borba*: "certamente um grupo de livros dos mais originais e inimitáveis da literatura, não digo brasileira, mas americana." [326].

Segue-se um hiato de quatro anos, durante os quais não se fala mais de *Dom Casmurro*, sabidamente um dos romances machadianos de mais longa gestação. É só em carta de 28 de julho de 1899, dirigida a Azeredo, que Machado informa que o livro sobre o qual lhe falara antes se chamaria *Dom Casmurro*, e que já lera as segundas provas do livro, mas que este não seria exposto ao público antes de novembro [475].

Na verdade, o público fluminense só leria o romance no início de 1900. Mas houve pelo menos dois leitores privilegiados, que por uma infidelidade do editor o leram em 1899, na Casa Garnier, em Paris, onde o livro estava sendo impresso: Joaquim Nabuco e Graça Aranha. Nabuco confessou essa leitura clandestina em carta de 12 de junho de 1900, agradecendo a remessa do livro, "que já sorvera na fonte" [526]. Graça fez a mesma confissão, mas indiretamente, numa carta de 30 de outubro de 1899 [490] em que brinca com Machado, dizendo ter encontrado num hotel suíço uma grega com olhos de ressaca, oblíquos e dissimulados, cuja história lhe fora contada por um polaco, que lhe revelara que a grega tivera um filho com o amante, que morrera afogado. No mesmo hotel, conhecera um sujeito que daria um assunto interessantíssimo, ou aborrecidíssimo, ou qualquer outro superlativo. Não se sabe se o ressentimento de Machado com essa carta, já mencionado antes, deveu-se à confissão implícita que lhe fazia Graça de ter feito uma leitura não autorizada das provas de *Dom Casmurro*, ou aos pastiches irreverentes de Capitu, Escobar, Ezequiel, José Dias e do próprio Machado, transformado em narrador polaco.

Em 19 de março de 1900, Veríssimo publica no *Jornal do Comércio* um estudo magistral sobre *Dom Casmurro*. No mesmo dia, Machado envia carta em que exprime sua gratidão pela "bondade da crítica", pela "análise simpática" e pelo "exame comparativo." E conclui: "Obrigado pela Capitu, Bento e o resto." [511]. No mesmo dia, Veríssimo agradece os agradecimentos, dizendo que o bom, o amável mestre era Machado, que lhe mandara "por um mau artigo, agradecimentos que valiam por uma condecoração." [512]. Registre-se que em seu artigo, Veríssimo levantara indiretamente uma dúvida sobre a culpabilidade de Capitu, ao considerar suspeito o depoimento de Bentinho. Era o início de uma tese que teria os desdobramentos que todos conhecem. Essa dúvida não é comentada na carta de agradecimento de Machado. Pode-se dizer, nesse caso, que quem cala consente? Consideraria também ele "suspeito" o testemunho de Bentinho, suspeição aliás que Machado teria boas razões para partilhar, porque fora ele próprio que a construíra? É claro que a omissão pode significar apenas que numa simples carta de agradecimento Machado não quisesse entrar no mérito do artigo de Veríssimo. Mas com um bruxo da complexidade de Machado, nunca se sabe. Se ele de fato usou a dúvida como princípio estruturador do seu romance, não teria nenhum interesse em desfazer a ambiguidade, pronunciando-se contra ou a favor da culpa de Capitu, mesmo numa carta de agradecimento.

As reações a *Dom Casmurro* não cessam. Em 5 de dezembro de 1889, Azeredo diz que "está à espera do *Dom Casmurro*, ansioso por travar conhecimento com ele." [498]. Em 19 de março de 1900, Machado comunica a Azeredo que o livro chegara finalmente ao Rio, e que "foi surpresa para toda a gente." Acrescenta que escreveram sobre ele Artur Azevedo e Veríssimo, este "com mais desenvolvida crítica, como costuma." [513]. Em 7 de abril, é a vez de Lúcio de Mendonça, que do Alto de Teresópolis diz ter lido, relido e readmirado o adorável *Dom Casmurro*, "de uma psicologia tão fina e penetrante, de tão precioso lavor literário /.../ mas atiro-me a todos os riscos para satisfazer a necessidade que sinto de beijar a mão que cinzela tais joias!" No final, revela ter sido ele que sugerira a Alcindo Guanabara que realizasse na *Tribuna* um concurso para completar o soneto que Bentinho deixara inacabado, e que era dele o soneto que dentro do mesmo contexto fora publicado no jornal [516]. Machado agradece o velho amigo no dia 10 de abril [517]. Enquanto isso, em 12 de abril, Miguel de Novais folga com a notícia de que Machado publicara mais um livro – já não era sem tempo! – e o espera ansiosamente [518]. Em 2 de maio, Azeredo comunica haver recebido e lido logo o romance. Ele compreendeu a surpresa das pessoas, ainda que habituadas a só receber de Machado de Assis obras primas, por verem que na sua idade conservava um estilo tão jovem [520]. Visivelmente encantado com essa ideia, Azeredo a desenvolveu em 10 de maio: "Seu estilo /.../ tem o privilégio da juventude perpétua; e tanto mais admirável é isso, quanto menos juvenil é a filosofia que ele interpreta." Mas Azeredo não está inteiramente de acordo com os elogios que Machado faz a Veríssimo. Ele muitas vezes chega a conclusões arbitrárias por excesso de espírito sistemático. O artigo que ele dedicou a *Dom Casmurro* não tem esse defeito, mas escaparam-lhe aspectos essenciais da obra (Azeredo não diz quais) [521].

Para encerrar esse rastreamento, resta mencionar *Poesias Completas*, objeto de uma troca de cartas entre Machado e seu editor parisiense Hippolyte Garnier. Em carta de 30 de outubro de 1899, Machado propõe a Garnier, que publicasse num só livro as coletâneas anteriores – *Crisálidas, Falenas e Americanas* – acrescida de uma quarta coletânea, inédita em livro, as *Ocidentais* [489]. Em 23 de novembro, Garnier aceita a proposta [497]. Assim nasceram as *Poesias Completas*. Ao anunciar a Azeredo, em carta de 5 de novembro de 1900, o lançamento próximo desse livro, Machado diz que não publicará mais versos [554].

Em conclusão, agradeço o Setor de Publicações da ABL, sem cuja competência e dedicação este trabalho não poderia ter sido realizado.

Meu muito obrigado, em especial, ao Presidente Marcos Vinicios Vilaça, cujo apoio intelectual e material tornou possível a continuação deste projeto.

E termino deixando claro que, como os volumes anteriores, este terceiro tomo deve tudo à sagacidade, erudição e capacidade de trabalho de Irene Moutinho e Sílvia Eleutério. Elas pensaram tudo e fizeram tudo. Os admiradores de Machado de Assis, dentro e fora do Brasil, ficam lhes devendo mais essa valiosa contribuição.

SERGIO PAULO ROUANET
Rio de Janeiro, fevereiro de 2011.

Nota Explicativa

As soluções adotadas para o estabelecimento dos textos nortearam-se pela busca da maior fidelidade possível ao documento de base e pelo mínimo de intervenções, considerando ao mesmo tempo o conforto do leitor.

Este volume compõe-se de textos oriundos de manuscritos originais, fac-símiles de manuscritos originais, transcrições de manuscritos originais, de impressos em jornais de época e de impressos em edições *princeps*. Para cada um desses tipos, consideradas as suas especificidades, conferiu-se um tratamento, que em linhas gerais pode ser resumido nos seguintes pontos:

- As abreviaturas foram desenvolvidas segundo os critérios da ecdótica, ou seja, numa palavra abreviada a sua parte estendida figura em itálico: B^{ão} de Inf^a / *Batal*hão de *Infantaria*; V. M.^{ce} / V*ossa Mer*cê. Só mantiveram-se abreviadas as assinaturas dos missivistas que assim se apresentaram.
- Por não se tratar de uma edição diplomática, optou-se pela atualização ortográfica dos textos: *Chrysalidas* / *Crisálidas*; *rythmas* / *rimas*.

- A pontuação do original foi respeitada, mesmo que pareça ao olhar contemporâneo um desvio da norma padrão da língua portuguesa escrita no Brasil. Apenas no caso dos impressos, em que os equívocos fossem claramente tipográficos, foram feitas alterações: o Teatro de São; Pedro / O Teatro de São Pedro.
- As intervenções realizadas no interior do vocábulo, no plano da frase ou no da pontuação foram sempre assinaladas por colchetes: tenho en[contrado]
notícias tua[s]
Eu conto [com] a sua benevolência
[1887]
Rio de Janeiro [,]
...desenhados com suma perfeição [.] V*ossa* E*xcelênci*a terá notado que...
- As partes ilegíveis e/ou danificadas foram marcadas por pontos entre parênteses:
... *Tempora mutan*(...).
(...) má figura o filho
- Nos cabeçalhos, há sempre o registro do início do movimento epistolar: PARA: cartas escritas por Machado de Assis.
DE: cartas recebidas por Machado de Assis.
- Nas notas, os nomes acompanhados de asterisco indicam correspondentes cujos verbetes biográficos se encontram no final dos tomos onde figuram suas cartas ou as de Machado de Assis a eles dirigidas.
- A responsabilidade pelas diferentes notas é identificada pelas iniciais do respectivo autor (SPR, IM, SE).

Sumário

AS CARTAS
1890-1900

[280]	Para:	BARÃO DO RIO BRANCO *Rio de Janeiro, 17 de outubro de 1890.*	3
[281]	Para:	JOAQUIM NORBERTO DE SOUSA E SILVA *Rio de Janeiro, 2 de abril de 1891.*	4
[282]	Para:	SALVADOR DE MENDONÇA *Rio de Janeiro, 30 de maio de 1891.*	5
[283]	De:	MIGUEL DE NOVAIS *Lanhelas, 22 de julho de 1891.*	7
[284]	De:	MIGUEL DE NOVAIS *Lumiar, 19 de janeiro de 1892.*	11
[285]	De:	DOMÍCIO DA GAMA *Paris, 12 de junho de 1892.*	15
[286]	De:	MAGALHÃES DE AZEREDO *São Paulo, 21 de outubro de 1892.*	17
[287]	De:	MAGALHÃES DE AZEREDO *São Paulo, 25 de novembro de 1892.*	19
[288]	De:	MAGALHÃES DE AZEREDO *São Paulo, 17 de janeiro de 1893.*	22
[289]	Para:	CHEFE DA DIRETORIA GERAL DE CONTABILIDADE *Rio de Janeiro, 2 de fevereiro de 1893.*	24

[290]	De:	MAGALHÃES DE AZEREDO	25
		São Paulo, 16 de maio de 1893.	
[291]	De:	MAGALHÃES DE AZEREDO	26
		São João Del Rei, 9 de dezembro de 1893.	
[292]	De:	CAPISTRANO DE ABREU	31
		Porto Novo do Cunha, 27 de dezembro de 1893.	
[293]	Para:	MAGALHÃES DE AZEREDO	32
		Rio de Janeiro, 14 de janeiro 1894.	
[294]	De:	MAGALHÃES DE AZEREDO	35
		São João Del Rei, 22 de janeiro de 1894.	
[295]	De:	CARLOS MALHEIRO DIAS	39
		São Paulo, 9 de março de 1894.	
[296]	De:	MAGALHÃES DE AZEREDO	41
		São João Del Rei, 18 de março de 1894.	
[297]	De:	MAGALHÃES DE AZEREDO	43
		Juiz de Fora, 24 de junho de 1894.	
[298]	De:	JOANA DE NOVAIS	45
		Lumiar, 20 de julho de 1894.	
[299]	De:	MIGUEL DE NOVAIS	47
		Lisboa, 22 de julho de 1894.	
[300]	Para:	MAX FLEIUSS	48
		Rio de Janeiro, agosto de 1894.	
[301]	De:	JOANA DE NOVAIS	48
		Lanhelas, 6 de setembro de 1894.	
[302]	De:	MIGUEL DE NOVAIS	49
		Lumiar, 2 de outubro de 1894.	
[303]	De:	COELHO NETO	52
		Rio de Janeiro, 5 de novembro de 1894.	
[304]	De:	BIBIANO S. MACEDO DA FONTOURA COSTALLAT	52
		Rio de Janeiro, 15 de novembro de 1894.	
[305]	De:	ARARIPE JÚNIOR	53
		Rio de Janeiro, 11 de dezembro de 1894.	
[306]	De:	MÁRIO DE ALENCAR	55
		Capital, 4 de janeiro de 1895.	

[307]	Para:	MÁRIO DE ALENCAR	55
		Rio de Janeiro, 10 de janeiro de 1895.	
[308]	De:	MAGALHÃES DE AZEREDO	56
		Ilha das Flores, 20 de janeiro de 1895.	
[309]	Para:	MAGALHÃES DE AZEREDO	59
		Rio de Janeiro, 2 de fevereiro de 1895.	
[310]	Para:	LÚCIO DE MENDONÇA	61
		Rio de Janeiro, 6 de fevereiro de 1895.	
[311]	De:	MAGALHÃES DE AZEREDO	61
		Montevidéu, 14 de fevereiro de 1895.	
[312]	De:	FILINTO DE ALMEIDA	65
		São Paulo, 12 de março de 1895.	
[313]	De:	MAGALHÃES DE AZEREDO	67
		Montevidéu, 22 de março de 1895.	
[314]	Para:	MAGALHÃES DE AZEREDO	72
		Rio de Janeiro, 2 de abril 1895.	
[315]	De:	MAGALHÃES DE AZEREDO	75
		Montevidéu, 27 de abril de 1895.	
[316]	De:	COELHO NETO	79
		Rio de Janeiro, 29 de abril de 1895.	
[317]	Para:	ERNESTO CIBRÃO	79
		Rio de Janeiro, 29 de abril de 1895.	
[318]	Para:	MAGALHÃES DE AZEREDO	81
		Rio de Janeiro, 26 de maio de 1895.	
[319]	De:	MAGALHÃES DE AZEREDO	84
		Montevidéu, 30 de maio de 1895.	
[320]	De:	VISCONDE DE TAÍDE	85
		Rio de Janeiro, 31 de maio de 1895.	
[321]	Para:	MAGALHÃES DE AZEREDO	86
		Rio de Janeiro, 16 de junho de 1895.	
[322]	Para:	JORNAL DO COMÉRCIO	88
		Rio de Janeiro, 19 de junho de 1895.	
[323]	De:	BELMIRO BRAGA	88
		Estação do Espírito Santo – Vargem Grande, 21 de junho de 1895.	

[324]	Para:	BELMIRO BRAGA *Rio de Janeiro, 24 de junho de 1895.*	90
[325]	De:	MIGUEL DE NOVAIS *Lumiar, 7 de julho de 1895.*	91
[326]	De:	MAGALHÃES DE AZEREDO *Montevidéu, 17 de julho de 1895.*	93
[327]	De:	SALVADOR DE MENDONÇA *Keene Valley, Adirondacks, New York, 21 de julho de 1895.*	102
[328]	De:	COELHO NETO *Rio de Janeiro, 19 de agosto de 1895.*	105
[329]	De:	ANTÔNIO JERÔNIMO MENDES SAMPAIO *Pará, 1.º de setembro de 1895.*	107
[330]	De:	MAGALHÃES DE AZEREDO *Montevidéu, 2 de setembro de 1895.*	108
[331]	Para:	MAGALHÃES DE AZEREDO *Rio de Janeiro, 3 de setembro de 1895.*	111
[332]	Para:	SALVADOR DE MENDONÇA *Rio de Janeiro, 22 de setembro de 1895.*	114
[333]	Para:	MAGALHÃES DE AZEREDO *Rio de Janeiro, 22 de setembro de 1895.*	116
[334]	De:	MAGALHÃES DE AZEREDO *Montevidéu, 6 de outubro de 1895.*	118
[335]	De:	MAGALHÃES DE AZEREDO *Montevidéu, 23 de outubro de 1895.*	122
[336]	De:	MAGALHÃES DE AZEREDO *Montevidéu, 7 de novembro de 1895.*	124
[337]	De:	MÁRIO DE ALENCAR *Rio de Janeiro, sem data.*	126
[338]	Para:	JOSÉ VERÍSSIMO *Rio de Janeiro, 2 de dezembro de 1895.*	127
[339]	Para:	MAGALHÃES DE AZEREDO *Rio de Janeiro, 9 de dezembro de 1895.*	128
[340]	De:	MAGALHÃES DE AZEREDO *Montevidéu, 23 de dezembro de 1895.*	131

[341]	Para:	MAGALHÃES DE AZEREDO	139
		Rio de Janeiro, 30 de dezembro de 1895.	
[342]	Para:	MAGALHÃES DE AZEREDO	139
		Rio de Janeiro, 12 de janeiro de 1896.	
[343]	Para:	MAGALHÃES DE AZEREDO	142
		Rio de Janeiro, 20 de janeiro de 1896.	
[344]	Para:	GRAÇA ARANHA	143
		Rio de Janeiro, 22 de janeiro de 1896.	
[345]	De:	MAGALHÃES DE AZEREDO	144
		Montevidéu, 31 de janeiro de 1896.	
[346]	De:	OLAVO BILAC	146
		Rio de Janeiro, 10 de fevereiro de 1896.	
[347]	Para:	MAGALHÃES DE AZEREDO	147
		Rio de Janeiro, 21 de fevereiro de 1896.	
[348]	Para:	JOAQUIM NABUCO	148
		Rio de Janeiro, 24 de março de 1896.	
[349]	De:	MAGALHÃES DE AZEREDO	149
		Montevidéu, 2 de abril de 1896.	
[350]	De:	MAGALHÃES DE AZEREDO	153
		Montevidéu, 15 de abril de 1896.	
[351]	De:	MIGUEL DE NOVAIS	156
		Lumiar, 20 de abril de 1896.	
[352]	Para:	RAFAELINA DE BARROS	160
		Rio de Janeiro, 20 de abril de 1896.	
[353]	Para:	MAGALHÃES DE AZEREDO	161
		Rio de Janeiro, 4 de maio de 1896.	
[354]	De:	MÁRIO DE ALENCAR	163
		Capital, 12 de maio de 1896.	
[355]	De:	MAGALHÃES DE AZEREDO	164
		Montevidéu, 20 de maio de 1896.	
[356]	Para:	RAFAELINA DE BARROS	167
		Rio de Janeiro, 25 de maio de 1896.	
[357]	De:	MAGALHÃES DE AZEREDO	168
		Petrópolis, 22 de junho de 1896.	

[358]	De:	MIGUEL DE NOVAIS	169
		Lumiar, 22 de junho de 1896.	
[359]	De:	MAGALHÃES DE AZEREDO	171
		Rocca di Papa, 11 de agosto de 1896.	
[360]	Para:	RODRIGO OCTAVIO	176
		Rio de Janeiro, 19 de agosto de 1896.	
[361]	De:	MAGALHÃES DE AZEREDO	177
		Rocca di Papa, 22 de setembro de 1896.	
[362]	De:	JOÃO MONTEIRO	178
		São Paulo, 6 de outubro de 1896.	
[363]	De:	MAGALHÃES DE AZEREDO	180
		Roma, 12 de outubro de 1896.	
[364]	De:	JOÃO MONTEIRO	183
		São Paulo, 1.º de novembro de 1896.	
[365]	De:	COELHO NETO	184
		Rio de Janeiro, 7 de novembro de 1896.	
[366]	De:	JOÃO MONTEIRO	186
		São Paulo, 12 de novembro de 1896.	
[367]	Para:	MAGALHÃES DE AZEREDO	187
		Rio de Janeiro, 17 de novembro de 1896.	
[368]	De:	OLAVO BILAC	190
		Rio de Janeiro, 8 de dezembro de 1896.	
[369]	De:	MAGALHÃES DE AZEREDO	191
		Roma, 9 de dezembro de 1896.	
[370]	De:	ANTÔNIO COELHO RODRIGUES	195
		Rio de Janeiro, 18 de dezembro de 1896.	
[371]	De:	ARARIPE JÚNIOR	195
		Capital Federal, 22 de dezembro de 1896.	
[372]	Para:	JOSÉ VERÍSSIMO	196
		Rio de Janeiro, 24 de dezembro de 1896.	
[373]	De:	VALENTIM MAGALHÃES	197
		Rio de Janeiro, 25 de dezembro de 1896.	
[374]	De:	RUI BARBOSA	198
		Rio de Janeiro, 26 de dezembro de 1896.	

[375]	De:	VALENTIM MAGALHÃES *Rio de Janeiro, 28 de dezembro de 1896.*	199
[376]	De:	FILINTO DE ALMEIDA *Rio de Janeiro, 28 de dezembro de 1896.*	200
[377]	De:	MAGALHÃES DE AZEREDO *Roma, 4 de janeiro de 1897.*	201
[378]	De:	GRAÇA ARANHA *Rio de Janeiro, sem data.*	202
[379]	De:	GRAÇA ARANHA *Rio de Janeiro, 13 de janeiro de 1897.*	205
[380]	De:	ANTÔNIO COELHO RODRIGUES *Rio de Janeiro, 17 de janeiro de 1897.*	205
[381]	De:	MAGALHÃES DE AZEREDO *Roma, 23 de janeiro de 1897.*	206
[382]	De:	COELHO NETO *Rio de Janeiro, 3 de fevereiro de 1897.*	212
[383]	Para:	SALVADOR DE MENDONÇA *Rio de Janeiro, 9 de fevereiro de 1897.*	212
[384]	De:	GARCIA REDONDO *São Paulo, 13 de fevereiro de 1897.*	214
[385]	Para:	ANTÔNIO COELHO RODRIGUES *Rio de Janeiro, 7 de março de 1897.*	215
[386]	De:	MAGALHÃES DE AZEREDO *Roma, 23 de março de 1897.*	216
[387]	De:	MIGUEL DE NOVAIS *Lumiar, 28 de março de 1897.*	222
[388]	De:	MAGALHÃES DE AZEREDO *Veneza, 11 de abril de 1897.*	223
[389]	De:	MIGUEL DE NOVAIS *Lumiar, 13 de abril de 1897.*	225
[390]	Para:	MAGALHÃES DE AZEREDO *Rio de Janeiro, 25 de abril de 1897.*	226
[391]	Para:	MAGALHÃES DE AZEREDO *Rio de Janeiro, 29 de maio de 1897.*	230

[392]	De:	TOMÁS POMPEU DE SOUSA BRASIL *Ceará, 4 de junho de 1897.*	233
[393]	De:	MAGALHÃES DE AZEREDO *Paris, 6 de junho de 1897.*	235
[394]	De:	PAULO VIANA *Rio de Janeiro, 21 de junho de 1897.*	239
[395]	De:	JOAQUIM XAVIER DA SILVEIRA JR. *Petrópolis, 21 de junho de 1897.*	240
[396]	De:	JOAQUIM XAVIER DA SILVEIRA JR. *Petrópolis, 21 de junho de 1897.*	240
[397]	De:	ANTÔNIO SALES *Rio de Janeiro, 21 de junho de 1897.*	241
[398]	Para:	BELMIRO BRAGA *Rio de Janeiro, 22 de junho de 1897.*	242
[399]	Para:	JOAQUIM XAVIER DA SILVEIRA JR. *Rio de Janeiro, 23 de junho de 1897.*	243
[400]	De:	MAGALHÃES DE AZEREDO *Paris, 25 de junho de 1897.*	244
[401]	Para:	CÂNDIDO MARTINS *Rio de Janeiro, 23 de junho de 1897.*	249
[402]	De:	MÁRIO DE ALENCAR *Rio de Janeiro, 11 de julho de 1897.*	250
[403]	De:	OLAVO BILAC *Rio de Janeiro, 19 de julho de 1897.*	251
[404]	Para:	MAGALHÃES DE AZEREDO *Rio de Janeiro, 21 de julho de 1897.*	252
[405]	De:	MAGALHÃES DE AZEREDO *Royat, 1.º de setembro de 1897.*	257
[406]	De:	MAGALHÃES DE AZEREDO *Paris, 23 de setembro de 1897.*	264
[407]	De:	MAGALHÃES DE AZEREDO *Paris, 11 de novembro de 1897.*	265
[408]	De:	JOSÉ VERÍSSIMO *Nova Friburgo, 27 de novembro de 1897.*	270

[409]	Para:	JOSÉ VERÍSSIMO	271
		Rio de Janeiro, 1.º de dezembro de 1897.	
[410]	Para:	MAGALHÃES DE AZEREDO	273
		Rio de Janeiro, 7 de dezembro de 1897.	
[411]	De:	MAGALHÃES DE AZEREDO	276
		Paris, 27 de dezembro de 1897.	
[412]	De:	LOUIS-PILATE DE BRINN'GAUBAST	281
		Avzianopetrovski (Oural), le 28 décembre 1897.	
[413]	De:	MÁRIO DE ALENCAR	283
		Rio de Janeiro, 1.º de janeiro de 1898.	
[414]	Para:	MÁRIO DE ALENCAR	285
		Rio de Janeiro, 1.º de janeiro de 1898.	
[415]	Para:	MAGALHÃES DE AZEREDO	286
		Rio de Janeiro, 10 de janeiro de 1898.	
[416]	Para:	MAGALHÃES DE AZEREDO	289
		Rio de Janeiro, 2 de fevereiro de 1898.	
[417]	De:	MAGALHÃES DE AZEREDO	293
		Paris, 10 de fevereiro de 1898.	
[418]	Para:	LAFAIETE RODRIGUES PEREIRA	297
		Rio de Janeiro, 19 de fevereiro de 1898.	
[419]	De:	MAGALHÃES DE AZEREDO	299
		Paris, 11 de março de 1898.	
[420]	De:	MIGUEL DE NOVAIS	305
		Lisboa, 16 de março de 1898.	
[421]	Para:	MAGALHÃES DE AZEREDO	307
		Rio de Janeiro, 10 de maio de 1898.	
[422]	De:	MAGALHÃES DE AZEREDO	310
		Roma, 21 de junho de 1898.	
[423]	De:	LÚCIO DE MENDONÇA	312
		Rio de Janeiro, 2 de julho de 1898.	
[424]	De:	MAGALHÃES DE AZEREDO	313
		Albano Laziale, 10 de julho de 1898.	
[425]	De:	JOÃO RIBEIRO	318
		Rio de Janeiro, 20 de julho de 1898.	

[426]	De:	VALENTIM MAGALHÃES	318
		Rio de Janeiro, 21 de agosto de 1898.	
[427]	De:	MAGALHÃES DE AZEREDO	319
		Albano Laziale, 31 de agosto de 1898.	
[428]	Para:	MAGALHÃES DE AZEREDO	320
		Rio de Janeiro, 9 de setembro de 1898.	
[429]	De:	FRANCISCO CABRITA	323
		Rio de Janeiro, 19 de setembro de 1898.	
[430]	Para:	RUI BARBOSA	324
		Rio de Janeiro, 3 de outubro de 1898.	
[431]	De:	MAGALHÃES DE AZEREDO	325
		Roma, 9 de outubro de 1898.	
[432]	Para:	JOSÉ VERÍSSIMO	332
		Rio de Janeiro, 18 de novembro de 1898.	
[433]	Para:	JOSÉ VERÍSSIMO	333
		Rio de Janeiro, 28 de novembro de 1898.	
[434]	De:	JOSÉ VERÍSSIMO	334
		Rio de Janeiro, sem data.	
[435]	Para:	JOSÉ VERÍSSIMO	335
		Rio de Janeiro, 3 de dezembro de 1898.	
[436]	Para:	JOSÉ VERÍSSIMO	336
		Rio de Janeiro, 15 de dezembro de 1898.	
[437]	De:	TOMÁS WALLACE DA GAMA COCHRANE	337
		Rio de Janeiro, 17 de dezembro de 1898.	
[438]	De:	ANGEL CUSTODIO VICUÑA	338
		Petrópolis, 23 de diciembre de 1898.	
[439]	Para:	MAGALHÃES DE AZEREDO	339
		Rio de Janeiro, 25 de dezembro de 1898.	
[440]	De:	JOSÉ VERÍSSIMO	343
		Rio de Janeiro, 26 de dezembro de 1898.	
[441]	Para:	JOSÉ VERÍSSIMO	344
		Rio de Janeiro, 31 de dezembro de 1898.	
[442]	De:	MAGALHÃES DE AZEREDO	345
		Roma, 2 de janeiro de 1899.	

[443]	Para:	JOSÉ VERÍSSIMO	351
		Rio de Janeiro, 16 de janeiro de 1899.	
[444]	De:	MAGALHÃES DE AZEREDO	352
		Roma, 25 de janeiro de 1899.	
[445]	Para:	JOSÉ VERÍSSIMO	356
		Rio de Janeiro, 6 de fevereiro de 1899.	
[446]	De:	JOAQUIM NABUCO	357
		Rio de Janeiro, 10 de fevereiro de 1899.	
[447]	Para:	JOAQUIM NABUCO	358
		Rio de Janeiro, 13 de fevereiro de 1899.	
[448]	De:	OLIVEIRA LIMA	359
		Washington, 18 de fevereiro de 1899.	
[449]	Para:	JOSÉ VERÍSSIMO	360
		Rio de Janeiro, 25 de fevereiro de 1899.	
[450]	Para:	JOAQUIM NABUCO	361
		Rio de Janeiro, 10 de março de 1899.	
[451]	Para:	MAGALHÃES DE AZEREDO	362
		Rio de Janeiro, 12 de março de 1899.	
[452]	De:	JOSÉ VERÍSSIMO	365
		Rio de Janeiro, 20 de março de 1899.	
[453]	De:	MAGALHÃES DE AZEREDO	366
		Roma, 28 de março de 1899.	
[454]	Para:	OLIVEIRA LIMA	368
		Rio de Janeiro, 28 de março de 1899.	
[455]	Para:	JOSÉ VERÍSSIMO	369
		Rio de Janeiro, 10 de abril de 1899.	
[456]	De:	JOSÉ VERÍSSIMO	370
		Rio de Janeiro, 10 de abril de 1899.	
[457]	De:	MAGALHÃES AZEREDO	371
		Roma, 17 de abril de 1899.	
[458]	Para:	JOSÉ VERÍSSIMO	374
		Rio de Janeiro, 25 de abril de 1899.	
[459]	De:	JOSÉ VERÍSSIMO	374
		Rio de Janeiro, 25 de abril de 1899.	

[460] Para: MAGALHÃES DE AZEREDO — 375
Rio de Janeiro, 3 de junho de 1899.

[461] Para: JOSÉ VERÍSSIMO — 377
Rio de Janeiro, 10 de junho de 1899.

[462] Para: HIPPOLYTE GARNIER — 378
Rio de Janeiro, le 10 juin 1899.

[463] Para: ALFREDO ELLIS — 379
Rio de Janeiro, 10 de junho de 1899.

[464] De: JOSÉ VERÍSSIMO — 380
Rio de Janeiro, 12 de junho de 1899.

[465] Para: JOSÉ VERÍSSIMO — 382
Rio de Janeiro, 14 de junho de 1899.

[466] Para: JOSÉ VERÍSSIMO — 383
Rio de Janeiro, 16 de junho de 1899.

[467] Para: RODRIGO OCTAVIO — 383
Rio de Janeiro, 16 de junho de 1899.

[468] Para: LÚCIO DE MENDONÇA — 384
Rio de Janeiro, 16 de junho de 1899.

[469] Para: JOSÉ VERÍSSIMO — 385
Rio de Janeiro, 20 de junho de 1899.

[470] De: QUINTINO BOCAIÚVA — 386
Rio de Janeiro, 21 de junho de 1899.

[471] Para: JOSÉ VERÍSSIMO — 387
Rio de Janeiro, 6 de julho de 1899.

[472] De: HIPPOLYTE GARNIER — 387
Paris, le 8 juillet 1899.

[473] De: GRAÇA ARANHA — 389
Paris, 21 de julho de 1899.

[474] De: MAGALHÃES DE AZEREDO — 390
Florença, 22 de julho de 1899.

[475] Para: MAGALHÃES DE AZEREDO — 393
Rio de Janeiro, 28 de julho de 1899.

[476] De: FRANCISCO DE CASTRO — 397
Rio de Janeiro, 31 de julho de 1899.

[477]	Para:	RODRIGO OCTAVIO *Rio de Janeiro, 31 de julho de 1899.*	398
[478]	De:	VALENTIM MAGALHÃES *Rio de Janeiro, 3 de agosto de 1899.*	399
[479]	Para:	VALENTIM MAGALHÃES *Rio de Janeiro, 4 de agosto de 1899.*	402
[480]	Para:	RODRIGO OCTAVIO *Rio de Janeiro, 7 de agosto de 1899.*	403
[481]	De:	MAGALHÃES DE AZEREDO *Vallombrosa, 15 de agosto de 1899.*	404
[482]	De:	MAGALHÃES DE AZEREDO *Frascati, 5 de setembro de 1899.*	408
[483]	De:	VISCONDESSA DE CAVALCANTI *Sem local, 13 de setembro de 1899.*	414
[484]	Para:	JOSÉ VERÍSSIMO *Rio de Janeiro, 18 de setembro de 1899.*	415
[485]	Para:	JULIEN LANSAC *Rio de Janeiro, sem data.*	417
[486]	De:	HIPPOLYTE GARNIER *Paris, le 8 octobre 1899.*	418
[487]	Para:	RODRIGO OCTAVIO *Rio de Janeiro, 9 de outubro de 1899.*	419
[488]	Para:	JOSÉ VERÍSSIMO *Rio de Janeiro, 20 de outubro de 1899.*	420
[489]	Para:	HIPPOLYTE GARNIER *Rio de Janeiro, le 30 octobre 1899.*	420
[490]	De:	GRAÇA ARANHA *Paris, 30 de outubro de 1899.*	422
[491]	De:	BELMIRO BRAGA *Cotegipe, Minas, 30 de outubro de 1899.*	430
[492]	Para:	JOAQUIM NABUCO *Rio de Janeiro, 31 de outubro de 1899.*	431
[493]	Para:	BELMIRO BRAGA *Rio de Janeiro, 5 de novembro de 1899.*	432

[494]	Para:	MAGALHÃES DE AZEREDO	432
		Rio de Janeiro, 7 de novembro de 1899.	
[495]	De:	MAGALHÃES DE AZEREDO	435
		Roma, 20 de novembro de 1899.	
[496]	Para:	RODRIGO OCTAVIO	437
		Rio de Janeiro, 22 de novembro de 1899.	
[497]	De:	HIPPOLYTE GARNIER	439
		Paris, le 23 novembre 1899.	
[498]	De:	MAGALHÃES AZEREDO	440
		Roma, 5 de dezembro de 1899.	
[499]	De:	JOAQUIM NABUCO	442
		Paris, 6 de dezembro de 1899.	
[500]	Para:	HIPPOLYTE GARNIER	444
		Rio de Janeiro, le 19 décembre 1899.	
[501]	De:	JOSÉ VERÍSSIMO	446
		Rio de Janeiro, 1.º de janeiro de 1900.	
[502]	Para:	JOSÉ VERÍSSIMO	447
		Gabinete, 5 de janeiro de 1900.	
[503]	Para:	JOSÉ VERÍSSIMO	448
		Rio de Janeiro, 8 de janeiro de 1900.	
[504]	Para:	MAGALHÃES DE AZEREDO	448
		Rio de Janeiro, 8 de janeiro de 1900.	
[505]	De:	HIPPOLYTE GARNIER	451
		Paris, le 12 janvier 1900.	
[506]	Para:	JOSÉ VERÍSSIMO	453
		Gabinete, 1.º de fevereiro de 1900.	
[507]	Para:	JOSÉ VERÍSSIMO	453
		Gabinete, 1.º de fevereiro de 1900.	
[508]	Para:	HIPPOLYTE GARNIER	454
		Rio de Janeiro, le 12 février 1900.	
[509]	Para:	ANTÔNIO SALES	456
		Rio de Janeiro, 26 de fevereiro de 1900.	
[510]	Para:	BELMIRO BRAGA	457
		Rio de Janeiro, 26 de fevereiro de 1900.	

[511]	Para:	JOSÉ VERÍSSIMO	458
		Rio de Janeiro, 19 de março de 1900.	
[512]	De:	JOSÉ VERÍSSIMO	459
		Rio de Janeiro, 19 de março de 1900.	
[513]	Para:	MAGALHÃES DE AZEREDO	459
		Rio de Janeiro, 19 de março de 1900.	
[514]	Para:	JOSÉ VERÍSSIMO	461
		Rio de Janeiro, 21 de março de 1900.	
[515]	De:	MAGALHÃES DE AZEREDO	462
		Roma, 27 de março de 1900.	
[516]	De:	LÚCIO DE MENDONÇA	464
		Alto de Teresópolis, 7 de abril de 1900.	
[517]	Para:	LÚCIO DE MENDONÇA	465
		Rio de Janeiro, 10 de abril de 1900.	
[518]	De:	MIGUEL DE NOVAIS	466
		Lumiar, 12 de abril de 1900.	
[519]	De:	TOMÁS LOPES	468
		Rio de Janeiro, 30 de abril de 1900.	
[520]	De:	MAGALHÃES DE AZEREDO	468
		Roma, 2 de maio de 1900.	
[521]	De:	MAGALHÃES DE AZEREDO	470
		Roma, 10 de maio de 1900.	
[522]	Para:	JOSÉ VERÍSSIMO	473
		Gabinete, 2 de junho de 1900.	
[523]	Para:	JOSÉ VERÍSSIMO	473
		Rio de Janeiro, 4 de junho de 1900.	
[524]	De:	SALVADOR DE MENDONÇA	474
		Itaboraí, 8 de junho de 1900.	
[525]	Para:	MAGALHÃES DE AZEREDO	476
		Rio de Janeiro, 11 de junho de 1900.	
[526]	De:	JOAQUIM NABUCO	477
		Pougues, 12 de junho de 1900.	
[527]	De:	VISCONDESSA DE CAVALCANTI	478
		Petrópolis, 17 de junho de 1900.	

[528]	Para:	RODRIGO OCTAVIO	479
		Rio de Janeiro, 22 de junho de 1900.	
[529]	De:	ERNESTO CIBRÃO	480
		Rio de Janeiro, 25 de junho de 1900.	
[530]	Para:	ERNESTO CIBRÃO	481
		Rio de Janeiro, 26 de junho de 1900.	
[531]	Para:	RODRIGO OCTAVIO	482
		Rio de Janeiro, 26 de junho de 1900.	
[532]	De:	SALVADOR DE MENDONÇA	483
		Itaboraí, 27 de junho de 1900.	
[533]	Para:	RODRIGO OCTAVIO	485
		Rio de Janeiro, 2 de julho de 1900.	
[534]	Para:	LÚCIO DE MENDONÇA	485
		Rio de Janeiro, 11 de julho de 1900.	
[535]	Para:	SALVADOR DE MENDONÇA	487
		Rio de Janeiro, 11 de julho de 1900.	
[536]	Para:	LÚCIO DE MENDONÇA	488
		Rio de Janeiro, 18 de julho de 1900.	
[537]	De:	MAGALHÃES DE AZEREDO	489
		Albano, 20 de julho de 1900.	
[538]	Para:	PAULA GUIMARÃES	494
		Rio de Janeiro, 24 de julho de 1900.	
[539]	De:	PAULA GUIMARÃES	495
		Rio de Janeiro, 24 de julho de 1900.	
[540]	De:	PAULA GUIMARÃES	496
		Rio de Janeiro, 28 de julho de 1900.	
[541]	Para:	PAULA GUIMARÃES	497
		Rio de Janeiro, 31 de julho de 1900.	
[542]	Para:	SALVADOR DE MENDONÇA	498
		Rio de Janeiro, 11 de agosto de 1900.	
[543]	Para:	HENRIQUE CHAVES	498
		Rio de Janeiro, 23 de agosto de 1900.	
[544]	Para:	RODRIGO OCTAVIO	501
		Rio de Janeiro, 25 de agosto de 1900.	

[545]	Para:	JOSÉ VERÍSSIMO *Rio de Janeiro, 25 de agosto de 1900.*	501
[546]	De:	SALVADOR DE MENDONÇA *Itaboraí, 28 de agosto de 1900.*	502
[547]	De:	PAULA GUIMARÃES *Rio de Janeiro, 31 de agosto de 1900.*	505
[548]	Para:	RUI BARBOSA *Rio de Janeiro, 31 de agosto de 1900.*	505
[549]	De:	OLIVEIRA LIMA *Londres, 19 de setembro de 1900.*	506
[550]	Para:	HENRIQUE CHAVES *Rio de Janeiro, 20 de setembro de 1900.*	507
[551]	De:	FILINTO DE ALMEIDA *Rio de Janeiro, 3 de outubro de 1900.*	509
[552]	Para:	RODRIGO OCTAVIO *Rio de Janeiro, 11 de outubro de 1900.*	510
[553]	De:	MAGALHÃES DE AZEREDO *Roma, 20 de outubro de 1900.*	511
[554]	Para:	MAGALHÃES DE AZEREDO *Rio de Janeiro, 5 de novembro de 1900.*	513
[555]	Para:	OLIVEIRA LIMA *Rio de Janeiro, 7 de novembro de 1900.*	517
[556]	De:	JOÃO DA COSTA SAMPAIO *São Paulo, 7 de novembro de 1900.*	518
[557]	De:	ANTÔNIO AZEREDO *Senado, 13 de novembro de 1900.*	519
[558]	Para:	PAULA GUIMARÃES *Rio de Janeiro, 13 de novembro de 1900.*	520
[559]	De:	LAURO SEVERIANO MÜLLER *Rio de Janeiro, 19 de novembro de 1900.*	521
[560]	De:	ANTÔNIO AZEREDO *Rio de Janeiro, sem data.*	522
[561]	De:	JOÃO DA COSTA SAMPAIO *São Paulo, 25 de novembro de 1900.*	522

[562]	De:	LÚCIO DE MENDONÇA	524
		Rio de Janeiro, 28 de novembro de 1900.	
[563]	Para:	LÚCIO DE MENDONÇA	525
		Rio de Janeiro, 29 de novembro de 1900.	
[564]	Para:	JOAQUIM NABUCO	526
		Rio de Janeiro, 7 de dezembro de 1900.	
[565]	De:	JOSÉ LEOPOLDO DE BULHÕES JARDIM	528
		Senado, 7 de dezembro de 1900.	
[566]	De:	ANTÔNIO AZEREDO	528
		Rio de Janeiro, sem data.	
[567]	De:	JOÃO DA COSTA SAMPAIO	529
		São Paulo, 8 de dezembro 1900.	
[568]	Para:	PAULA GUIMARÃES	529
		Rio de Janeiro, 17 de dezembro de 1900.	
[569]	De:	PAULA GUIMARÃES	530
		Rio de Janeiro, 19 de dezembro de 1900.	
[570]	Para:	MAGALHÃES DE AZEREDO	531
		Rio de Janeiro, 20 de dezembro de 1900.	
[571]	De:	GRAÇA ARANHA	532
		Londres, 21 de dezembro de 1900.	

CORRESPONDENTES NO PERÍODO 1890-1900	539
POSFÁCIO	587
BIBLIOGRAFIA	589
CADERNO DE IMAGENS	597

Correspondência de Machado de Assis
Tomo III — 1890-1900

[280]

> Para: BARÃO DO RIO BRANCO
> *Fonte:* Manuscrito Original, Arquivo Histórico do Itamaraty.

Rio de Janeiro, 17 de outubro de 1890.

Meu ilustre amigo

Queira receber os meus pêsames pela morte de sua querida mãe[1].

A austera companheira do nosso grande homem, seu digno pai[2], teve a consolação de ver o nome que trazia posto honradamente no filho amigo e piedoso. Esse golpe que o feriu há de ter alcançado a todos os que sabem apreciar as suas qualidades de homem e de brasileiro. Deixe-me falar assim, sem respeito à sua modéstia, aproveitando o momento de tão grande desgosto para dizer o que todos pensamos a seu respeito.

Cuidei, pela notícia que li em folhas daqui, que viesse ao Rio de Janeiro imediatamente; pelo que li depois, concluo que não virá[3]. Daí a demora desta carta[4].

Creia-me sempre

Vosso amigo e admirador

Machado de Assis.

---

1 ∽ D. Teresa Figueiredo da Silva Paranhos, falecida em 19/09/1890. (IM)

2 ∽ O visconde do Rio Branco*, por quem Machado nutria grande admiração. Ver em [144], tomo II. (IM)

3 ∽ Rio Branco era cônsul-geral do Brasil em Liverpool. (IM)

4 ∽ Esta é a única manifestação epistolar do ano de 1890, e chama a atenção a escassez de cartas no início da era republicana. Aliás, Miguel de Novais*, residente em Portugal, observa ao cunhado Machado de Assis: "Apesar de se terem passado fatos tão extraordinários nesse país, o meu amigo é de um extraordinário laconismo quando escreve, que nem uma só palavra me diz em referência a esses fatos." Ver em [283], de 22/07/1891. (IM)

[281]

Para: JOAQUIM NORBERTO DE SOUSA E SILVA
Fonte: Arquivo-Museu da Literatura Brasileira, Fundação Casa de Rui Barbosa. Fac-símile do Manuscrito Original.

Rio [de Janeiro], 2 de abril de 1891.[1]

Ilustríssimo amigo Comendador Joaquim Norberto Sousa Silva.

Dei cumprimento às suas ordens, constantes da carta de 23 do mês findo, mas que só recebi a 30. Falei diretamente ao Ministro[2], que consentiu na retirada por dias do retrato do Conselheiro Bellegarde[3]. Pode mandar buscá-lo quando quiser. O portador que fale ao porteiro, Senhor Alves, incumbido de cumprir a ordem, e se alguma dúvida houver, por esquecimento, que me procure.

Mande em tudo o mais ao seu amigo velho e admirador

Machado de Assis.

---

1 ∾ O manuscrito original acha-se no Instituto Histórico e Geográfico Brasileiro, e uma cópia desta carta, inédita, foi gentilmente oferecida por Cláudio Murilo Leal. (IM)

2 ∾ Henrique Pereira de Lucena (1835-1913), o barão de Lucena, pernambucano que teve destacada atuação pública durante a monarquia e o início da República. (IM)

3 ∾ Pedro de Alcântara Bellegarde (1807-1864), militar, professor, astrônomo e engenheiro, responsável por obras de grande importância, chefiou a comissão de limites entre o Brasil e o Uruguai, dirigiu a Escola Central do Exército, foi ministro da Agricultura, Comércio e Obras Públicas (1863-1864) e membro fundador do Instituto Histórico e Geográfico Brasileiro. A solicitação de seu retrato, a Machado de Assis, por certo se ligava a alguma iniciativa de Joaquim Norberto, então presidente do IHGB. (IM)

[282]

Para: SALVADOR DE MENDONÇA
Fonte: Manuscrito Original. Seção de Manuscritos, Fundação Biblioteca Nacional.

DIRETORIA DE COMÉRCIO
SECRETARIA DE AGRICULTURA
GABINETE DO DIRETOR

[Rio de Janeiro,] 30 de maio de 1891.

My dear[1].

Aí lhe mando tudo. Vão informações e quadros relativos aos serviços incumbidos a esta Diretoria, a saber:

> Exposição ibero-americana
>   — "   ítalo-americana
>   — "   Universal Colombiana
>   — "   (Chicago)[2]
> Propriedade industrial
> Patentes de invenção
> Navegação subvencionada
> Mineração
> Indústria
> Sociedades anônimas.

Não recebi nada sobre o número de marcas de fábrica e de comércio registradas; mas o artigo *Propriedade industrial* supre, pelo interesse, qualquer outra informação.

Sobre a exposição de Chicago, o último despacho que aqui tenho do Ministro[3] é que a resolução do Congresso precederá à nomeação dos comissários.

Não há artigo sobre *Mate* nem *Salinas*. As concessões a tal respeito estão incluídas no quadro respectivo.

E adeus. Não é preciso dizer que as informações são para acrescentar-lhes o que lhe parecer melhor. Também não é preciso dizer que a minha gente deu conta de si. Se quiser alguma coisa mais é pedir.

Teu

Machado de Assis.

---

1 ∾ Uma análise desta "Carta a **destinatário ignorado** sobre serviços da diretoria e uma exposição em Chicago" (Lucchesi, 2008) permite identificar o destinatário: Salvador de Mendonça*. A abertura – um afetuoso "My dear" – e o fecho "Teu" – bem como a informalidade do último parágrafo, associam-se ao fato de que o velho amigo Salvador, então ministro plenipotenciário do Brasil em Washington, trabalhara arduamente no reconhecimento do regime republicano e no tratado bilateral de comércio (1891); este acordo, considerado desvantajoso para o Brasil, foi pejorativamente chamado de "tratado Blaine-Salvador", em alusão ao poderoso secretário de Estado norte-americano, James Gillespie Blaine (1830-1893). Visivelmente, Salvador precisava de dados da alçada da Diretoria de Comércio da Secretaria de Agricultura, a cargo de Machado, para a implementação de novas ações nas esferas comercial e política. (IM)

2 ∾ A Exposição Universal Colombiana de Chicago, comemorativa dos 400 anos do descobrimento da América, realizou-se de maio a outubro de 1893. Na presidência da República, Floriano Peixoto e demais autoridades quiseram uma participação estrondosa nesse evento que projetaria o Brasil internacionalmente: gastaram-se fortunas (fala-se de 600 mil dólares) com a tumultuada delegação brasileira e com o pavilhão do Brasil, inaugurado somente no mês de julho. Carlos Gomes, cuja ida para Chicago fora cheia de atribulações, regeu, no "Brazilian Day" (7 de setembro), partes de *O Guarani*, *Salvador Rosa*, *Condor*, *Fosca* e *O Escravo* em concerto apoteótico. Segundo sua filha e biógrafa Ítala Gomes Vaz Carvalho, Salvador de Mendonça, autor do libreto de *Joana de Flandres* (1863), deu muito apoio ao maestro campineiro, antes e durante a Exposição (Carvalho, 1946). (IM)

3 ∾ Antão Gonçalves de Faria. (IM)

[283]

De: MIGUEL DE NOVAIS
Fonte: Manuscrito Original, Arquivo ABL.

Lanhelas¹, 22 de julho de 1891.

Meu caro Machado de Assis.

Uma carta sua ou da Carolina é sempre motivo de festa nesta casa — se elas são tão raras!

Agradeço aos dois os cumprimentos pelo dia 11 de Junho². Com efeito, quando se chega à minha idade, é que se compreendem as felicitações dos amigos — porque tudo o que vai além dos sessenta entra já no rol dos milagres e eu já tive [,] quem tal diria! — a honra de completar os 62! A mim próprio me custa acreditar em semelhante idade — porém, como o reumatismo, o fígado nem a bexiga, nem qualquer destes incômodos inerentes à idade se lembrou ainda de perseguir-me, vou passando assim descuidadamente, sem me lembrar a data do meu nascimento, senão uma vez cada ano.

Apesar de se terem passado fatos tão extraordinários nesse³ país, o meu amigo é de tão extraordinário laconismo quando escreve, que nem uma só palavra me diz em referência a esses fatos⁴. Não lhe seguirei o exemplo — e o que terei a dizer-lhe [,] deste infeliz país, é tudo quanto há de mais desagradável. Não me lembro de uma época semelhante! Depois da questão inglesa⁵, das comoções e receios que a todos dominava[m], pensava-se que uma era de mais sossego se sucederia — enganamos-nos (*sic*) todos. A questão financeira e monetária traz-nos em contínuo alvoroço⁶. Se quisesse dizer-lhe minuciosamente, o que por aqui se passa, não seriam bastantes meia dúzia de cadernos escritos neste tipo. Todo ouro que aqui girava em grande quantidade, eram libras esterlinas, moeda portuguesa em ouro pouco aparecia, porque pouca existe — tinha-se nacionalizado a libra e era esta a moeda corrente.

Desapareceram todas, que montavam a cifra de milhares de contos de réis [;] hoje pagam os cambistas por cada uma que aparece, 600 réis de ágio! depois principiou a desaparecer a prata e o cobre a escassear — de modo que, há só em giro o papel e como ninguém o quer trocar por prata ou cobre vem o ágio de 20 e 30%. Sucede que o comércio está completamente paralisado e luta-se com graves dificuldades para obter os gêneros necessários à vida! A tensão produzida por este estado de coisas é cada dia mais forte e temem-se grandes desordens, se o governo não descobre algum meio de pôr cabo a esta agiotagem desenfreada. A desconfiança é até certo ponto justificada, porque os argentários cerram os seus cofres a sete chaves, e os agiotas encarregam-se do resto. É mesmo possível que tudo isto nos conduza a uma bancarrota[7]. A mim, desgosta-me tanto tudo isto que já me teria ausentado de Portugal, se não fosse quase obrigado a permanecer aqui em consequência de uma asneira que fiz — Comprei [,] em Novembro passado, uma casa no Campo Grande em Lisboa — a Carolina talvez se lembre deste local — uma casa boa — em que fiz obras que duraram oito meses — ficou uma bonita vivenda, para onde vou morar logo que sair daqui [,] o que será muito breve e esta casa, hoje [,] prende-me bastante, porque além da casa há uma quinta pela qual preciso de olhar. A maior produção é de vinho — e lá tem já os quartos destinados para si e para Carolina. — e dou-lhe já o endereço para quando queira escrever-me — Campo Grande — número 300 — *Quinta das Calvanas*[8].

Estou com amor a isto, e com vontade de ver-me lá instalado para pôr tudo em ordem e recebê-los. Oxalá que este estado de coisas se não prolongue e que todos os receios se desvaneçam porque, a continuar a assim, chegará o ponto em que eu me resolva abandonar tudo por outro lugar qualquer onde passe este resto de vida sossegado. Adeus. — Lembranças de todos nós e um abraço do amigo e cunhado

Miguel de Novais

Post Scriptum. Em Maio passado, mandei Ordem ao Banco dos Varejistas para que aumentasse os aluguéis dos prédios em vista do péssimo câmbio que tem estado e parece continuar — e mesmo por ter notícia de que o valor locativo dos prédios tinha aumentado⁹. Não me lembrei na ocasião de o excetuar desta medida geral e eles entenderam, visto que eu não o excetuara [,] compreendê-lo no número dos inquilinos a quem devia ser aumentado o aluguel. Quando o soube dei ordem para que, só em relação ao amigo, continuassem as coisas como estavam — e desculpe-me o não me ter lembrado disso na ocasião. Adeus.

---

1 ∾ Sobre Lanhelas, ver nota 1, carta [267], tomo II. (SE)

2 ∾ Em duas cartas da década de 1870, [267] e [270], tomo II, Novais agradece os cumprimentos pelo aniversário (11/06/1829). (SE)

3 ∾ Miguel faz um uso consciente das formas *esse* / *este* (e correlatos), sustentando a diferenciação [longe] ou [perto] de quem está com a palavra, diferença hoje neutralizada. *Esse* e correlatos são usados para falar do Brasil, longe dele Miguel; e *este*, para Portugal, onde vivia. Fará isso em várias cartas desta década. (SE)

4 ∾ Miguel está se referindo aos episódios ocorridos logo após a proclamação da República, bem como a toda a agitação política inicial, necessária à consolidação do novo regime. Agitação que recrudescerá, levando à tentativa de golpe em novembro de 1891, com o fechamento do Congresso pelo presidente Deodoro da Fonseca, seguida da I.ª Revolta da Armada liderada por Custódio de Melo (1840-1902), que por sua vez levará ao afastamento do presidente e à sua substituição por Floriano Peixoto. (SE)

5 ∾ No reinado de D. Luís I (de 1861 a 1889), no governo de Fontes Pereira de Melo, o ministro dos Negócios Estrangeiros Andrade Corvo (1824-1890) propôs fazer de Goa e Lourenço Marques portos de serviço do império britânico. Para ele, Portugal deveria adotar uma política realística em relação às suas possibilidades no Ultramar, contrariando a tese corrente de um domínio da África Central e Austral, de um a outro mar. Andrade Corvo defendia que o país só desenvolveria as colônias abrindo-se aos capitais externos e à imigração estrangeira, e aliando-se aos ingleses, já que Portugal era uma potência de segunda ordem. A partir dessas ideias, a alternância no poder entre regeneradores e progressistas tornou a chamada *questão inglesa* moeda de barganha e arma política desses grupos. Essa oscilação na atitude do governo português terminou por ser mal interpretada por Lord Salisbury (1830-1903), primeiro-ministro britânico, que se decidiu por uma demonstração de força. Em 11/01/1890, expediu "memorando" exigindo a retirada de todas as forças militares portuguesas do território compreendido entre Moçambique e Angola (território correspondente aos atuais Zimbabwe e Zâmbia), marcando o prazo de resposta para a mesma tarde, sob pena de a delegação inglesa acreditada em Lisboa abandonar o país imediatamente. (SE)

6 ◦ A crise portuguesa de 1891 foi financeira, econômica e política. Financeira porque as finanças do Estado português e o sistema bancário entraram em colapso com a inflação do crédito bancário sem lastro. Foi também econômica porque provocou a estagnação do crescimento da riqueza por décadas e foi política porque lançou o Estado português numa interminável crise de credibilidade, que arrastou a estagnação econômica para além da II Grande Guerra Mundial. Em 1891, com a dívida externa passando de 25% para 75% do PIB, Portugal declarou bancarrota parcial, reconhecendo-se incapaz de pagar a seus credores, mas propondo negociar o pagamento com juros e prazos diferentes dos inicialmente acordados. (SE)

7 ◦ Em Portugal, a partir de 1873, o valor pago pelas importações cresceu progressivamente em relação ao valor recebido pelas exportações, agravando o déficit na balança de comércio. Com a produção interna insuficiente e as exportações baseadas quase exclusivamente nos produtos agrícolas, as vendas sofreram acentuada baixa, em razão da concorrência internacional. As remessas de dinheiro enviadas do Brasil pelos portugueses emigrados, que durante muito tempo serviram para saldar a dívida com os países industrializados, diminuíram depois de 1889. No orçamento do Estado, a receita tornou-se muito inferior à despesa, criando uma situação de déficit orçamentário crescente, em virtude da política econômica sustentada pela Regeneração, que gastava altas somas de dinheiro em obras públicas e com a expansão colonial. Para cobri-la, o governo português recorreu a empréstimos, estrangeiros e nacionais, aumentando ainda mais a dívida pública. O país entrou numa grave crise econômica, e o Estado abriu falência em maio de 1891. É nesse contexto que se situa a carta de Miguel. Sobre a Regeneração, ver as cartas de Novais no tomo II. (SE)

8 ◦ Quinta das Calvanas, propriedade de traços rurais nos arredores de Lisboa, e que em 1935 foi comprada pela Congregação das Irmãs Doroteias, que se mantém até hoje na sua posse. (SE)

9 ◦ Miguel administrava os imóveis de sua mulher Joana de Novais* no Rio de Janeiro; daí a sua recorrente preocupação com o câmbio e com o valor dos aluguéis. A crise provocada pela mudança do regime político brasileiro, com suas implicações econômica e financeira, tornou irregular e pouco vantajosa a remessa de dinheiro, seja dos imigrantes residentes seja dos investidores portugueses no Brasil. (SE)

[284]

De: MIGUEL DE NOVAIS
Fonte: Manuscrito Original, Arquivo ABL.

Lumiar, 19 de janeiro *de* 1892.

Amigo Machado de Assis.

Estou de posse de uma sua carta de 18 de Outubro. O que de coisas por aí tem acontecido depois desta data! O que de coisas se tem passado por cá!

Ainda assim... Oxalá que nós nos achássemos nas mesmas circunstâncias em que por lá estão. Tudo o que tem havido no Brasil depois de suas transformações políticas [,] tudo me parece naturalíssimo.

O que está sucedendo neste desgraçado país também é natural, é certo, mas como consequência de muitos erros, de muitas patifarias e sobretudo de completa ausência de moralidade nos homens políticos que por desgraça nossa têm sido governo.

Não imagina o estado lastimável a que tudo isto chegou. Não sei quem poderá salvar-nos de uma grande catástrofe. Enfim depois de uma série de ministérios que tem caído mais ou menos desastradamente, acaba de cair o Ministério[1], sem cor política, que devia ser o salvador da pátria e que tinha por Ministro da Fazenda o célebre Mariano de Carvalho[2]. Imagine o meu amigo que a queda dele foi pelo simples fato, quando o Tesouro não tem dinheiro para satisfazer aos seus compromissos, quando, para pagar os juros da dívida é necessário recorrer a empréstimos, que é [o] sistema que por aqui se segue há muito tempo, quando não há dinheiro para nada achou o *Senhor* Mariano ocasião azada para emprestar a uma companhia falida, qual é a Companhia dos Caminhos de ferro do Norte e Leste, a quantia de 5.000 contos!

E emprestou à Companhia este dinheiro sem dar conta aos seus colegas no Ministério do que tinha praticado! Ora saiba que a Companhia dos Caminhos de ferro tem um rendimento enorme — um percurso pequeno que dá de rendimento — 300 contos de réis mensais

— pois a administração desta companhia tem sido de tal ordem que as ações que ainda há dois ou três anos estavam cotadas a 300 mil réis, sendo o seu valor 90:000, vendem-se hoje a 17:000 réis e não há quem as queira.

À sombra desta companhia de mãos dadas com o Banco Lusitano — têm aparecido por aí uns sujeitos que se apresentam como gozando fortunas fabulosas, como o Marquês da Foz[3] que é o mais saliente, e outros. Mas em resultado da queda do Mariano e em consequência de revelações feitas no parlamento contra a referida companhia — pôs-se a Justiça em campo, e tem-se prendido uma súcia desses figurões, sendo o primeiro Marquês da Foz. Os outros são todos diretores da Companhia dos Caminhos de ferro ou do Banco Lusitano — têm sido concedidas fianças a todos eles — em 200 contos cada um.

A caça continua, e não sei até onde irá. Não temos dinheiro, não temos crédito nem gente que nos governe. — É o estado em que isto está tudo. — O governo que sucedeu ao Mariano [,] e que ontem se apresentou pela 1.ª vez no parlamento, é um governo sem cor política tendo por chefe o José Dias Ferreira[4], que deve conhecer de nome. É o único homem de quem se pode esperar alguma coisa porque é muito inteligente, enérgico, conhecedor do ofício de governar, há muito tempo retirado ou quase retirado da política, sem compromissos de espécie nenhuma. Dos ministros que ele escolheu para o ajudar na sua difícil tarefa de regeneração do país — alguns são novos como o Oliveira Martins[5] — que deve conhecer bem como homem de letras e a quem foi confiado o difícil cargo de Ministro da [F]azenda, Pinheiro Furtado[6] Ministro da Guerra e Ferreira do Amaral[7] da Marinha. Os outros já foram Ministros [,] mas há muito tempo retirados da cena — excetuando o dos [E]strangeiros — Costa Lobo[8], que é também a primeira vez que sobe ao poder. Todas as vistas, todas as esperanças estão hoje nesta gente [;] se eles não puderem vencer as grandes dificuldades que se lhe[s] apresentam, se eles caírem [,] então meu amigo — não há para onde apelar e a revolução é certa.

É esta a opinião de toda a gente.

A vida aqui é hoje difícil. O ouro desapareceu completamente, prata não se vê nenhuma e cobre não há — só papel e mais papel. As libras compram-se a 1:200 e 1:300 de prêmio e compram-se por este preço porque os importadores de gêneros franceses e ingleses têm de pagar as suas faturas com ouro, do que resulta uma grande carestia em todos os gêneros. Os vendedores aproveitam-se disso para aumentarem o preço de tudo, de modo que os gêneros produzidos no país sobem também de preço. Só de Portugal têm ido para a Inglaterra em libras 27 a 30 mil contos! é extraordinário.

Quando vinha dinheiro do Brasil, e que vinham para Portugal muitos centenares de contos, todos estes objetos importados eram pagos com as letras que daí vinham sobre Londres — de modo que não havia necessidade de mandar a moeda. Hoje o câmbio do Brasil sobre Londres está de tal modo que ninguém se atreve a mandar vir dinheiros e daí nascem as maiores dificuldades. É um estado mau. O desânimo é grande e todos temem pelo dia de amanhã. Basta de tristezas.

Cá estou esperando o seu novo livro. — Quando chegará ele? — estou ansioso por lê-lo[9].

De saúde vamos indo sofrivelmente (estou hoje escrevendo mal como o diabo — tenha paciência — vá lendo como puder). De dinheiro, pode fazer ideia, pelo estado do câmbio.

Minha mulher também passa sem novidade. Agora estou meio lavrador e passam-se muitos dias que não vou à Cidade[10], que em todo o caso é um pouco mais perto do que é daí de Laranjeiras à Rua do Ouvidor — Além de que o tempo convida pouco a sair porque tem chovido muito este inverno.

Adeus. — veja se consegue pelos seus amigos a pôr o câmbio mais favorável do que está — assim não tem jeito nenhum.

Mande-me o seu livro, escreva-me. — dê saudades a Carolina, e a Dona Eugênia Vasconcelos — lembranças ao Barão Rodolfo, meninas etc. etc. do seu do *Coração*[11]

Amigo
Miguel de Novais.

1 ∾ O conselho ministerial presidido por José Crisóstomo de Abreu e Sousa (1811-
-1895) caiu em 18/01/1892, depois de vir a público o escândalo da liberação de
dinheiro a que Miguel alude. (SE)

2 ∾ Determinaram a queda do ministro Mariano documentos chegados às mãos do
presidente do Conselho de Ministros, que atestavam a sua responsabilidade na liberação de adiantamentos muito vantajosos à Companhia Real dos Caminhos de Ferros,
sob o controle do marquês da Foz. A companhia, em situação de insolvência, fora
beneficiada sem o conhecimento do governo. Diga-se que desde o decênio anterior,
Mariano era o braço político do então conde da Foz. Na Câmara dos Deputados
em 13/05/1884, enviou proposta à mesa de que, nas concessões ferroviárias futura-
mente discutidas, haveria a exigência de o conselho administrador ser composto de cidadãos portugueses domiciliados em Portugal, a fim de barrar o grupo francês da casa
Camondo, que então detinha, de Paris, o controle da companhia. Com a aprovação da
proposta, caiu o conselho de influência francesa, sendo substituído pelo grupo mi-
noritário comandado pelo conde. Mariano Cirilo de Carvalho (1836-1905) assumiu
a Fazenda entre 09/06/1891-17/01/1892. (SE)

3 ∾ Tristão Guedes Correia de Queirós (1849-1917), conde e depois marquês da
Foz. (SE)

4 ∾ O desgaste provocado pela longa e sistemática alternância no poder dos partidos
Regenerador e Progressista – o *Rotativismo* – levou à aclamação do nome de José Dias
Ferreira (1837-1909), como a alternativa política extrapartidária com credibilidade, independência e seriedade suficientes para fazer o enfrentamento da grave crise em que
Portugal estava mergulhado. O chamado *governo da aclamação partidária* tomou posse em
17/01/1892, portanto dois dias antes desta carta, e as palavras de Miguel sobre Dias
Ferreira refletem exatamente esse sentimento de que era o homem certo para a tão difícil
tarefa de empreender uma política eficiente de negociação da dívida portuguesa com seus
credores internacionais. Sobre José Dias Ferreira, ver nota 6, carta [209], tomo II. (SE)

5 ∾ Joaquim Pedro de Oliveira Martins (1845-1894) foi instado a participar do
ministério de governo de Dias Ferreira. O historiador assumiu a Fazenda, também cercado de grande expectativa geral, já que tinha renome tanto como historiador quanto
como homem de negócios. A expectativa era de que pudesse levar adiante uma política
de austeridade de gastos e executar com firmeza a negociação com os credores de
Portugal. Entretanto, em pouco tempo, incompatibilizou-se com Dias Ferreira na con-
dução das negociações e, em 27/05/1892, deixou a pasta, que passou às mãos do

presidente do conselho. Registre-se, por fim, que a sua interpretação sobre as razões do atraso de Portugal, contidas na edição póstuma de *Portugal Contemporâneo* (1986), marcou toda uma geração de intelectuais portugueses. (SE)

6 ∾ General José Cândido Pinheiro Furtado. (SE)

7 ∾ Almirante Francisco Joaquim Ferreira do Amaral (1844-1923); em 1908, depois do assassinato de D. Carlos I, exerceu de fevereiro a dezembro a presidência do ministério, fazendo o chamado *governo da acalmação*. (SE)

8 ∾ Antônio Costa Lobo (1840-1913), historiador e dramaturgo. (SE)

9 ∾ A primeira edição de *Quincas Borba* havia saído em novembro de 1891. (SE)

10 ∾ Sobre a Quinta das Calvanas, ver nota 8, carta [283]. (SE)

11 ∾ Eugênia Virgínia Ferreira Felício (1854-1929) era enteada de Miguel; casada com Rodolfo Smith de Vasconcelos (1846-1926). Os barões, além de vizinhos, eram muito próximos ao casal Assis. Carolina e Machado lhes frequentavam a casa com regularidade. Era com Rodolfo que Machado jogava xadrez, e com Eugênia que Carolina conversava mais intimamente. Conhecem-se os seguintes filhos do casal Smith de Vasconcelos: Jaime Luís, Francisca, Guiomar, Nuno*. (SE)

[285]

De: DOMÍCIO DA GAMA
Fonte: Manuscrito Original, Arquivo ABL.

Paris, 12 de junho de 1892.
29, *Boulevar*d Haussmann

Meu caro mestre,

A leitura da Gazeta de Notícias tem-se tornado para mim um prazer desde que o *Senh*or começou a escrever nela a crônica semanal[1]. Interessa-me tanto a vida fluminense, que leio tudo o que daí vem (tão mal arranjado de roupas em geral!). Imagine com que simpatia leio os seus *cavacos* tão engraçados e finos. Rio, sabe? rio-me sozinho (eu vivo sozinho) às vezes desde a primeira frase. A de hoje fala de Tiradentes[2], o idiota glorificado. Eu assinei uma mensagem ao Sampaio Ferraz[3], que não li. Foi por ser agradável aos moços que me pediram isto. Era sua glorificação do Tiradentes, dizem-me os amigos, escandalizados, que idiota. Para ser digna do herói... Parece-me que fiz mal. Agora ando-lhe com ódio ao alferes. Seria capaz de escrever o tal artigo de que o *Senhor* fala na sua crônica tão chistosa.

Queria também falar-lhe do *Quincas Borba*, que li no exemplar que o Senhor mandou ao Eça de Queirós, lá para o escritório da Gazeta. O Eça está em Portugal e o seu livro está aqui em casa. Quando ele voltar lhe escreverá, naturalmente. Ele é talvez o seu maior admirador da Europa. Chama-o de extraordinário, que é o seu qualificativo superfino de artista. Nós conversamos muito sobre tudo o que da sua pena aparece por aqui[4]. O seu último livro foi um sucesso em toda a linha, a começar pelo Araújo[5].

Tenho tanta coisa em baixo da pena, a que falta espaço, tempo e forma para sair... Fica para quando conversarmos, quando, não sei. Fale ao Capistrano de mim, para que ele me não esqueça com as suas cartas[6].

E creia-me, com muita simpatia, seu admirador sincero

Domício

---

1 ◦∾ A seção "A Semana" marca a volta de Machado de Assis às páginas da *Gazeta de Notícias*. Publicou-se, regularmente, de 24/04/1892 até 28/02/1897. As crônicas dominicais, sem assinatura, constituem um ápice da prosa machadiana na década de 1890, e Domício da Gama faz um elogio pioneiro. (IM)

2 ◦∾ A primeira crônica, a propósito do centenário de morte de Tiradentes, tece comentários divertidos sobre a alcunha do alferes. Já a referida por Domício deve ser a de 22/05/1892: "Este Tiradentes, se não toma cuidado de si, acaba inimigo público". (IM)

3 ◦∾ João B. de Sampaio Ferraz, deputado pelo Partido Republicano e presidente do Clube Tiradentes. (IM)

4 ◦∾ Muito ligado a Eça de Queirós*, Domício sublinha a admiração do escritor português por Machado, que o criticara severamente em 1878. Ver em [176], tomo II. (IM)

5 ◦∾ Ferreira de Araújo*, fundador e diretor da *Gazeta de Notícias*, passava uma temporada na Europa. (IM)

6 ◦∾ Capistrano de Abreu* manteve correspondência com Domício, de 1900 a 1919 (Rodrigues, 1977). (IM)

[286]

De: MAGALHÃES DE AZEREDO
Fonte: Manuscrito Original, Arquivo ABL.

São Paulo, 21 de outubro de 1892.

Mestre e Amigo[1],

Ainda que os ferozes *estudos jurídicos* não me permitem longas distrações, sinto verdadeiro prazer em consagrar alguns momentos a esta conversação — embora em monólogo — com Vossa Excelência. O que não sei é se estas linhas lhe darão o mesmo gosto que a mim, pois tenho de importuná-lo, pedindo-lhe o obséquio de uma informação que me é muito necessária. Já agora há de ter paciência; aceitou com tanta gentileza a missão de Mentor deste pobre Telêmaco, e é sestro tão humano abusar da bondade dos amigos[2]!

O caso é este: na véspera da minha vinda, fui ao Lombaerts[3] tratar da impressão do meu livro[4]. Pediram-me por mil exemplares um conto e cem mil réis. Como vê, não é soma para desdenhar; e não sei se nesta ocasião me acho em condições de despendê-la. Não seria possível entrar em um acordo com a casa Lombaerts, ou outra de mesmo gênero, já não digo para me comprarem a edição, mas para ma fazerem, com o papel e o tipo que eu escolhesse, gratuitamente, ou por preço muito menor, ficando ela pertencendo ao editor, e tendo eu apenas direito a 150 ou 200 exemplares? Como Vossa Excelência deve ter grande prática destas coisas, e eu não tenho nenhuma, pensei logo em consultá-lo acerca desta ideia; rogo-lhe me diga com franqueza se haverá possibilidade de realizá-la. Creio que, continuando eu a colaborar por algum tempo na *Gazeta*, adquirindo assim o meu nome certa publicidade aí, o livro será procurado — tanto mais que terá no prólogo de Vossa Excelência a melhor apresentação para o público.

Aqui estou, sentindo muita falta dos habituais divertimentos do Rio, e sobretudo das saudosas conversações, em que me deliciei tantas vezes, na hospitaleira casa de Vossa Excelência [;] forçado pelo meu dever de estudante à tirania das lições de direito, furto-lhes o maior número de horas que, em consciência, posso, para dedicá-las aos sempre queridos trabalhos literários.

Rogo-lhe que não se esqueça do seu retrato, e do *Tu, só tu*, que teve a bondade de me prometer.

Abraça a Vossa Excelência, agradecendo de novo tantos extremos de cordial gentileza o amigo afetuoso e reverente discípulo

Magalhães de Azeredo.

Rua do Riachuelo 43.

---

1 ~ No outono de 1889, de férias, Azeredo foi sozinho ao Rio por dois meses, hospedando-se no chalé de seu tio-avô Custódio, na rua Conde de Baependi, Flamengo. É provável que se tenha aproximado de Machado nessa ocasião. A carta [274] de 02/06/1889, tomo II, diz: "Os muitos afazeres a que me tenho obrigado desde que vim da Corte, impediram-me até hoje o escrever-lhe, dever este, que peço desculpa de não ter cumprido há mais tempo." (SE)

2 ~ Aluno da Faculdade de Direito do Largo de São Francisco desde outubro de 1889, Azeredo mudara-se com a mãe para a rua do Riachuelo 43 em meados 1888, a fim de fazer os preparatórios. Ver nota 1, [274], tomo II. (SE)

3 ~ Tipografia considerada a mais importante da cidade do Rio, sobretudo pela qualidade e sofisticação da sua litografia, cujas impressões eram primorosas. Em 1892, tanto a tipografia quanto a livraria Lombaerts estavam sob o comando de Henri Gustave (1845-1897), filho de Henri Baptiste Lombaerts (1821-1875), fundador. Ver tomo II, nota 3, carta [274]. (SE)

4 ~ *Inspirações da Infância*. Ver carta [275], tomo II. (SE)

[287]

De: MAGALHÃES DE AZEREDO
Fonte: Manuscrito Original, Arquivo ABL.

São Paulo, 25 de novembro de 1892.

Prezado Mestre e Amigo,

A sua carta[1] veio encontrar-me na prostração de uma terrível febre palustre, que me teve preso no leito por seis dias, e de que só agora estou convalescendo; trazendo-me tão assinaladas provas da sua bondade e afetuosa dedicação, foi como visita de inesperado amigo que viesse dar alívio aos sofrimentos de um enfermo.

Agradeço-lhe muitíssimo, e jamais agradecerei bastante, as pesquisas e os trabalhos que se impôs para satisfazer-me; fico até confuso de tê-los causado a quem sói distribuir o seu tempo escrupulosamente entre os deveres de um cargo público, e as tarefas superiores do estudo e das letras.

Quando lhe fiz aquele pedido[2], compreendi logo o obstáculo que acharia — obstáculo com que esbarram todos os que têm o seu primeiro livro a publicar. De fato, por maior que seja a boa vontade do editor, ele é sempre um industrial; não pode, pois, arriscar parte considerável dos seus capitais, sobretudo aqui no Brasil, em que não há, como em França, por exemplo, grande abundância e variedade de edições, que compensem perdas parciais com lucros enormes. Pensei, porém, que no Rio acaso se encontraria algum editor já bastante enriquecido que pudesse tomar a si sem muita dificuldade aquela tentativa, nas condições que eu propunha. Outra reflexão que me ocorreu foi que, sendo a edição propriedade de uma casa industrial, esta faria o possível para auferir ganho, entrando em trato com os livreiros para se venderem exemplares em grande número; e assim o meu livro seria muito lido.

Enfim, paciência; promoverei eu próprio a publicação pois, por agora, nenhum outro plano descubro; se mais tarde, com tempo e vagar, eu tiver outra ideia, comunicar-lha-ei.

Aqui no dia 15 houve uma sessão literária na Academia, de que por certo leu a descrição na *Gazeta* de 19; foi uma comemoração aos três poetas acadêmicos, Álvares de Azevedo, Castro Alves, e Fagundes Varela; teve bastante solenidade, e mais teria ainda, se não fosse arranjada um pouco às pressas em véspera do encerramento das aulas[3]; queríamos convidar a imprensa do Rio, e os homens de letras daí, e fazer uma verdadeira festa nacional; mas não houve tempo.

A Academia incumbiu-me do discurso oficial, que lhe envio, publicado em folha daqui, o *Estado de São Paulo*. Querem imprimi-lo em folheto, mas como isso levará mais tempo, mando-lho nesta forma primitiva, para que o leia ainda com oportunidade. Ufano-me com o seu juízo a respeito do meu estudo sobre os *Poemas*, de Ezequiel Ramos[4]; não é pouco receber tais animações daquele que já em 1867 José de Alencar chamava o — primeiro crítico brasileiro[5].

Continuarei, segundo me aconselha, a mandar versos e prosas para a *Gazeta de Notícias*; passado este fatídico fim de ano, em que os meus caros trabalhos são interrompidos pelos exames, para os quais me estou preparando, apesar da minha fraca saúde, darei novo impulso à atividade, e realizarei inúmeros projetos, cujo incitamento refreio a custo por enquanto.

A propósito, veja este soneto, que fiz há dias:

Gênesis

....

Como criasse Deus, nas priscas eras,
Estátua perfeitíssima de argila,
"Vinde animá-la", disse, a voz tranquila
Erguendo, entre a harmonia das esferas.

Veio o gênio do bem — feições austeras,
Meigo olhar, coração que o amor asila;
Veio também Satã, que ódios estila
Da boca torpe em gargalhadas feras.

Disse aquele: Em tua alma Deus imprime
As paixões do Ideal que me consomem;
Pensa, crê, sofre, espera, ser sublime! —

Disse Satã: Instintos vis te domem,
Réptil, no podre báratro do crime! —
Assim, misto de inferno e céu é o Homem!

Não é dos melhores, mas, não sei por que, tenho um certo apego a este soneto; toda a minha dúvida é quanto ao último verso, que não me parece tão expressivo e sintético como deveria ser. Tenho uma porção de variantes:

— Assim, inferno e céu fadaram o Homem.
— E, ao ser fadado assim chamavam Homem.
— Nasceu sob esses dois auspícios o Homem.

E outras; mas nenhuma delas me agrada. O que eu quereria dizer é que — dessa bênção e dessa maldição nasceu o Homem — dando a entender que ele recebeu um patrimônio contraditório de virtudes e vícios — mas como reduzir isso a um verso, a um só verso? Em suma, por falta da tradicional *chave de ouro*, fica detestável o soneto.

Já o amolei demais por hoje — e ainda lhe resta o interminável discurso a ler. Sempre que puder, escreva-me; sabe o prazer e a coragem que as suas desejadas cartas me dão. Abraça-o muito afetuosamente o discípulo reverente e amigo obrigadíssimo

Carlos Magalhães de Azeredo

Riachuelo 43

---

1 ∾ Essa carta de Machado de Assis até o presente momento não foi localizada. (SE)

2 ∾ Desde 02/06/1889, Azeredo solicitava a intermediação de Machado junto a editores cariocas com vistas à publicação de *Inspirações da Infância*, da qual acabou desistindo definitivamente. Ver cartas [274], [275], tomo II. (SE)

3 ✧ João César Bueno Bierrenbach (1872-1907), jovem republicano, colega de Azeredo na Faculdade de São Paulo, organizou a homenagem aos três poetas que ali estudaram. Na ocasião, colocaram-se placas de mármore com seus nomes nos três portais exteriores da Academia. Azeredo dedicou-lhe o poema "Desiludido", das *Procelárias* (1898), e o conto "Um Caso da Boêmia", que consta do livro *Alma Primitiva* (1895). (SE)

4 ✧ Contemporâneo de Azeredo nas Arcadas, Ezequiel Ramos Júnior (1874-1928) escreveu o seu primeiro livro aos dezoito anos. Azeredo dedicou-lhe o poema "A Caveira", que faz parte das *Procelárias*. (SE)

5 ✧ Ver cartas [74], [75], tomo I. (SE)

[288]

De: MAGALHÃES DE AZEREDO
Fonte: Manuscrito Original, Arquivo ABL.

São Paulo, 17 de janeiro de 1893.

Ex*celentíssi*mo Mestre e Amigo,

Há que tempo não recebo diretamente notícias suas! sim, que indiretamente não acontece o mesmo, sei que deve gozar perfeita saúde, aliás as folhas diriam o que houvesse; é a vantagem dos homens conhecidos, e conhecidos de modo tão vantajoso como V*oss*a Ex*celên*cia, poderem os amigos tranquilizar-se, apesar de um silêncio tão longo, que, a não ser isso, causaria inquietação.

Não cuide V*oss*a Ex*celên*cia se inclua em minhas palavras a mínima censura; sei de sobejo quanto trabalho o oprime, e seria tolice admirar-me de não ter cartas suas tão frequentemente como eu desejara.

Não duvido mesmo que V*oss*a Ex*celên*cia escrevesse, e fosse vítima das negligências e perversidades do correio, como todos somos não raro. Estou certo de que V*oss*a Ex*celên*cia recebeu um discurso meu pronunciado em festa literária da Academia, e a carta que o acompanhava; nela ia um soneto meu, cujo último verso não saíra a meu gosto, e eu pedia-lhe um conselho a esse respeito. Depois, enviei-lhe um convite para a solenidade da minha formatura[1], em que proferi, por parte dos meus colegas, outro discurso que lhe mandarei assim que esteja impresso.

Afinal, concluí os estudos da Faculdade, prestando exame do quarto e do quinto ano, com intervalo de poucos dias[2]. Estou livre das peias escolares... estou livre; mas, pensando bem, essa liberdade adquirida mais ou menos penosamente satisfaz-me de todo? Ao contrário, sinto saudades da boa camaradagem acadêmica, da boa existência alegre e cheia de peripécias originais, e, nesta indecisão natural de uma vida que começa, parece que as asas negras do tédio se apertam mais pesadas sobre mim...

O *Álbum*[3] traz um retrato seu admiravelmente tirado; só assim — digo isto agora com um leve reproche — eu possuiria o seu retrato, que Vossa Excelência me prometeu, e não me mandou até hoje; entretanto, creia que não o dispenso, porque há grande diferença entre possuir um que qualquer pode adquirir, e receber das mãos de um amigo um dos que só a amigos se dão.

Há seguramente mais de um mês que não mando nada para a *Gazeta*; se eu lhe digo que, durante os exames e depois de laureado, perdi o pouco espírito que tinha!

Meu caro Mestre, quando tiver alguma hora vaga, lembre-se de mim, e escreva-me; não ignora a salutar influência que as suas cartas exercem em mim. Abraça-o o discípulo reverente e amigo afetuoso

Carlos Magalhães de Azeredo

Rua do Riachuelo 43.

---

1 ∾ Documento ainda não localizado. (SE)

2 ∾ Esta carta foi escrita logo após os exames, pois nas *Memórias* (2003), Azeredo situa-os no começo de 1893: "passava plenamente e era distinguido com o grau de bacharel em direito." (SE)

3 ∾ O *Álbum*, publicação da editora Lombaerts que circulou entre janeiro de 1893 e janeiro de 1895. Nele está pela primeira vez publicado um dos retratos mais conhecidos de Machado, provavelmente feito por Insley Pacheco (1830-1912). (SE)

[289]

Para: CHEFE DA DIRETORIA GERAL DE CONTABILIDADE
Fonte: Manuscrito Original. Seção de Manuscritos, Fundação Biblioteca Nacional.

Rio de Janeiro, 2 de fevereiro de 1893.[1]

Ilustríssimo Chefe da Diretoria Geral de Contabilidade[2]

Precisando esta Diretoria de papel *número* 24 Folha 91 arquivado sob *número* 35 pela extinta Diretoria de Comércio, rogo-vos providenciar, com urgência, no sentido de ser satisfeito este pedido.

Saúde e Fraternidade[3]

Joaquim *Maria* Machado de Assis

Diretor Geral

---

1 ∾ Documento inédito. (SE)

2 ∾ Engenheiro José de Nápoles Teles de Meneses, responsável pela Diretoria Geral da Contabilidade do Ministério da Indústria, Viação e Obras Públicas. O antigo Ministério da Agricultura, Comércio e Obras Públicas foi reestruturado pela República, em 1891. A Diretoria de Comércio deixou de figurar na designação geral embora se mantivesse subordinada ao ministério. Sobre a história administrativa deste ministério, ver o tópico Secretaria de Estado dos Negócios da Agricultura, Comércio e Obras Públicas, em Ubiratan Machado (2008). (SE)

3 ∾ Texto em que Machado de Assis subscreve-se com a saudação usual nos primórdios da República. Pedro Nava, em *Baú de Ossos* (1974), comentando sobre a sociedade literária e boêmia *Padaria Espiritual*, esclarece o uso desta expressão:

"A divisa da Padaria Espiritual, aquele 'Amor e Trabalho' rivaliza muito com 'Ordem e Progresso', 'Viver para o Próximo', 'Saúde e Fraternidade'. É verdade que o último é anterior a Augusto Comte e busca suas raízes na Revolução Francesa, mas, no Brasil, foi **saudação introduzida pela república de Quintino, pela república de Benjamim – república maçônica e positivista.**"

Observe-se, por fim, que na carta [304], de 15/11/1894, do general Costallat* e na carta [429] de 19/09/1898, de Francisco Cabrita*, há saudação idêntica. (SE)

[290]

De: MAGALHÃES DE AZEREDO
Fonte: Manuscrito Original, Arquivo ABL.

São Paulo, 16 de maio de 1893.

Mestre e Amigo,

O que são promessas! no dia em que parti do Rio para Minas, fiquei de escrever a Vossa Excelência assim que lá chegasse, mandando-lhe versos e dizendo-lhe as minhas impressões de viagem. Faltei, faltei escandalosamente à palavra dada, como se eu fosse um mundano acostumado a desperdiçar boas intenções sem cogitar jamais de cumpri-las. E esta carta já vai datada de São Paulo, onde me acho desde o dia 25 de Março.

Aqui a vida de sempre — e ainda sem a antiga palestra no pátio da Academia, que era, ao menos, uma distração para o espírito. A minha legião está quase toda dispersada, só vejo entre os estudantes caras novas, e começam a pesar sobre mim as dificuldades e os esforços de uma nova existência a organizar.

O passeio a Minas foi para mim diversão realmente salutar. Em Ouro Preto, na velha e legendária Vila Rica, passei dias adoráveis de repouso e de franca vadiagem. É curioso! tive com que encher um mês de folga, e teria com que encher um ano, se quisesse! Hospedado em casa de um amigo querido[1], acolhido com extremos de gentileza por um povo dos melhores que há no mundo, tendo ótimos companheiros, livros excelentes, paisagens deliciosas, e belas reminiscências históricas e literárias para me entreter, além do clima, do leite e outras vantagens materiais, dei-me ali admiravelmente de corpo de alma. E vim com saudades sinceras: e — fato notável — como sinto aqui a nostalgia do mar, a cuja beira nasci, também sinto agora nostalgia das montanhas mineiras... Escrevi largamente as minhas impressões de viagem, que Vossa Excelência desejava ler; se ainda as não leu, culpe disso a *Gazeta*, que lhes tem demorado a publicação de modo realmente acintoso.

Está quase concluída, agora, a classificação dos meus versos, que mandarei um destes dias para o editor. Preparo com verdadeira impaciência o aparecimento do livro — mas ainda não lhe dei título. Escreva-me, sim? Lembra-me que, quando lhe falei no Rio, o meu nome estava inscrito na sua carteira de apontamentos, como credor de uma carta. Com esta adquiro novos direitos — pois que a sua bondade me dá direitos.

Creia na sincera afeição do amigo obrigado e reverente discípulo que o abraça.

Magalhães de Azeredo.

Rua do Riachuelo 43.

---

1 ∾ É possível que Azeredo tenha se hospedado em casa da família Melo Franco. (SE)

[291]

De: MAGALHÃES DE AZEREDO
Fonte: Manuscrito Original, Arquivo ABL.

São João Del Rei, 9 de dezembro de 1893.
Hotel Oeste[1]

Prezado Mestre e Amigo,

Enquanto aí está, nessa hoje perturbadíssima cidade, aborrecendo-se decerto com o ribombo já monótono das granadas, e privado ainda por cima de escrever as suas belas *Semanas*[2], gozo eu a paz de São João del Rei[3], onde me relegou um acaso imprevisto[4]. Vim para poucos dias; era o que eu julgava no meu otimismo ingênuo, acreditando que a revolta não pudesse durar muito; e eis-me aqui há mais de dois meses. Falta-me a praia de Botafogo, falta-me a rua do Ouvidor, falta-me o teatro Lírico[5], e outras muitas coisas, umas boas, outras somente sofríveis; em compensação, tenho sossego de sobra, um clima, senão ótimo, pelo menos imensamente melhor que o do Rio, lindas perspectivas campestres, e, para fundo do quadro, as "alterosas montanhas" do nosso amigo Cesário Alvim[6]. Entretanto, confesso-lhe que há dias em que me aborreço mortalmente — o que, aliás, me acontece em toda a parte, e não pode, portanto, ser atribuído a *São* João del Rei.

 Esta terra, afora alguns passeios agradáveis e uma convivência discreta, não oferece grandes diversões; mas, onde há mocidade, há sempre belos sonhos a sonhar, e deliciosos amores[7]. Assim, o coração e a fantasia vão-me ajudando a viver; e, se não raro o meu gênio ferozmente esplenético me dá horas negras, estas são bem pagas com intensos, bem que fugitivos gozos.

 Falar-lhe-ei de meus trabalhos? Devo falar, porque é isso o que mais lhe interessa. Declaro com vergonha e pesar que há duas semanas sinto verdadeira dificuldade em pegar na pena[8]. Que fazer? Não é culpa minha. É culpa dos nervos, ou do cérebro, ou do espírito, ou do que quer que seja que se recusa tenazmente a obedecer à minha vontade. Felizes tempos aqueles em que o verso e a prosa deslizam facilmente da imaginação com a fluidez de uma água corrente, desabrocham ao sol com a pujança das grandes plantas tropicais! Mas nem sempre isto é possível, e o espírito, de quando em quando, vê-se forçado a repousar na esterilidade. Enquanto a inspiração, que fugiu durante algum sono sem sonhos, não volta, distraio-me a ler, quando não me distraio — francamente — a não fazer nada.

 O meio aqui é intelectualmente preguiçoso, não dá, nem pode dar, o estímulo poderoso que se encontra no Rio. É, pois, natural que a produção seja menor, e que a mente, reduzida a alimentar-se quase exclusivamente de si própria, não possa sustentar em permanência as suas faculdades criadoras.

 Publicam-se aqui três folhas semanais[9], mas — caso curioso e estranho — não procuram circular, não se vendem nas ruas, e só por empenho as obtém quem não é assinante. Numa delas, que é bem estimável, tenho escrito algumas crônicas; mas acostumado a publicar os meus trabalhos em jornais de grande tiragem, tenho a impressão de quem escrevesse em um órgão de *club* literário, só para os sócios, e não para o verdadeiro público.

Não faltam em *São João* pessoas distintas e instruídas, com quem se converse sobre assuntos mais elevados do que a política, tirana de todos os pensamentos e de todas as atenções. Está aqui o nosso ilustre Carlos de Laet[10], com quem travei relações no mesmo dia em que ele chegou; procuro com avidez a sua convivência[11], na qual as ideias têm azo de remontar-se acima de certas banalidades soporíferas, que, em alguns dias principalmente, chegam a irritar-me deveras.

Quando voltarei ao Rio? Só Deus o sabe. Enquanto não se resolver definitivamente a questão Floriano-Custódio[12], não voltarei decerto; além do que está a entrar o verão, e não me convém, a mim, habituado durante cinco anos ao clima de *São Paulo*, suportar o calor enervante e perigoso da capital. Que saudades tenho das nossas palestras, no *bond* das Águas Férreas[13], e na sua aprazível casa do Cosme Velho! Quem será capaz de calcular a infinidade de prazeres íntimos, de hábitos familiares e diletos, que as discórdias civis estragam e interrompem! É, talvez, egoísmo lembrarmo-nos disso quando nas altas regiões se debatem princípios ainda mais altos... Sê-lo-ia, na verdade, se realmente se debatessem princípios, e não interesses, que só não parecem tão mesquinhos por chamarem sobre si a atenção de milhares de homens... Oh! a política! que farsa! que baixa comédia, ao mesmo tempo carnavalesca e fúnebre!

Poderei ter esperança, longínqua ao menos, de o ver em *São João del Rei*? Que bom seria! mas não alimento essa ilusão; sei que lhe não é tão fácil como a mim foi, deixar o Rio. Espero, entretanto, e espero com firme esperança a visita de uma carta sua — expansiva e amável, que me proporcione algumas horas de consolo e prazer. É tal gozo, para quem está longe da sua terra e dos seus amigos, corresponder-se com eles! As suas cartas, creia, serão recebidas com todas as honras que se lhes devem.

Adeus, meu caro Mestre. Afetuosamente o abraço,

Sempre seu

Magalhães de Azeredo

1 ∾ Sobre o hotel, ver nota 4, carta [296], de 18/03/1894. (SE)

2 ∾ É bom distinguir "A Semana", seção na *Gazeta de Notícias*, da revista *A Semana*, relançada por Valentim Magalhães* em 1893. A seção na *Gazeta de Notícias* saía aos domingos, sem assinatura, e tratava de assuntos variados ocorridos durante a semana anterior no Brasil e no mundo. Esta, aliás, foi a coluna que Machado manteve por mais tempo na imprensa, de 24/04/1892 a 28/02/1897. Sobre a revista *A Semana*, a *Ilustração Brasileira* e a *Semana Ilustrada*, ver também Ubiratan Machado (2008). (SE)

3 ∾ Azeredo saiu do Rio de Janeiro ainda em setembro, por temor à política autoritária imposta pelo vice-presidente Floriano Peixoto, que suspendeu as garantias constitucionais em território sujeito à sua jurisdição. O presidente de Minas, Afonso Pena, embora apoiando a causa da legalidade, não decretou o estado de sítio, e Floriano não reagiu. Minas Gerais tornou-se a meca dos exilados e perseguidos pela mão de ferro do marechal. Lá refugiaram-se Artur Azevedo*, Olavo Bilac*, Carlos de Laet*, Emile Rouède e outros. Azeredo abrigou-se em São João Del Rei, em razão da simpatia manifesta à causa dos revoltosos; tinha avaliado como convenientes as pretensões do contra-almirante Custódio de Melo à presidência da República, conforme narra em suas *Memórias* (2003):

> "Pensei que o mais urgente era derrubar o ditador, adversário perigoso para a liberdade da nascente República, e que, uma vez apeado do poder o marechal, teria o almirante, fraco político como era, de passar o governo a mais hábeis mãos, ficando assim liquidado o militarismo." (SE)

4 ∾ Sobre o incidente com Leopoldo de Freitas que teria precipitado a ida de Azeredo para São João Del Rei, ver nota 1 carta [319], de 30/05/1895. (SE)

5 ∾ Ver notas 8 e 12, carta [327], de 21/07/1895. (SE)

6 ∾ José Cesário de Faria Alvim Filho (1839-1903) estava neste momento num intervalo de sua vida política. Em 15/06/1891, renunciara ao Senado para ser o primeiro presidente constitucional do estado, eleito pelo legislativo mineiro (1891-1892). Homem forte da República, Alvim foi nomeado presidente provisório de Minas em 25/11/1889, cargo que ocupou até 10/02/1890, quando substituiu Aristides Lobo na pasta do Ministério do Interior. Eleito senador no mesmo ano, acumulou o mandato à função executiva até 20/01/1891, quando o ministério renunciou. Ao apoiar o golpe do marechal Deodoro em 03/11/1891, teve seu prestígio político abalado, terminando por afastar-se temporariamente da política. (SE)

7 ∾ Nas *Memórias* (2003), que historiam a sua vida até 1898, Azeredo alude por três vezes ao amor são-joanense, sem, no entanto, declinar o nome da amada; mas parece que foi intenso:

"Demasiado bem me achava em São João del-Rei. Prendia-me ali o mais forte e íntimo dos atrativos. Após alguns idílios sinceros, mas efêmeros, no Rio e em São Paulo, pela primeira vez me exaltava, me purificava um sentimento profundo." (SE)

8 ⁕ Nas *Memórias* (2003), Azeredo dirá:
"A estada em São João del-Rei foi para mim operosa e produtiva. Não fiz lá apenas artigos políticos. Escrevi quase todo o meu livro de estreia, *Alma primitiva*, grande parte das *Procelárias*, muitas páginas que deviam aparecer mais tarde nas *Baladas e fantasias*." (SE)

9 ⁕ Os três jornais são *Gazeta Mineira* (1884-1894), cujos redatores eram João Salustiano Moreira Mourão e Francisco de Paula Moreira Mourão; *A Pátria Mineira* (1889--1894), de feição republicana, editado por Sebastião Sete, Altivo Sete e Basílio de Magalhães e o jornal humorístico *O Prego*, editado por Antônio Afonso de Morais, José Gonçalves de Melo e Fausto Mourão. (SE)

10 ⁕ Carlos de Laet*, exaltado monarquista, refugiou-se em São João Del Rei para, segundo ele, evitar "o regime de terror e as delações que no Rio de Janeiro sucederam à explosão da revolta naval de setembro." (SE)

11 ⁕ Num dos artigos escritos durante a sua permanência na cidade, reunidos depois no volume *Em Minas* (1983), Laet fez breve alusão a seu companheiro de exílio. Segundo ele, Azeredo era autor de "conceituosas crônicas" num jornal da terra e havia "estreado auspiciosamente na imprensa do Rio". (SPR)

12 ⁕ A questão Custódio-Floriano é intricada. Houve duas Revoltas da Armada. A primeira revolta desestabilizou o apoio dado por grande parte dos presidentes dos estados ao golpe do marechal Deodoro, de 03/11/1891, que fechara o Congresso impondo o estado de sítio. Custódio de Melo estava articulado aos políticos civis ligados a Floriano Peixoto, e este ao assumir depois da renúncia de Deodoro deu-lhe a pasta da Marinha. Na segunda, de 06/09/1893, os dois entraram em rota de colisão, porque entre outras divergências, Floriano não aceitou o nome de Custódio como candidato à presidência, já que era contrário a qualquer eleição antes de 1894, muito menos de um militar. Sobre o assunto, ver nota 4, carta [283]. (SE)

13 ⁕ No Rio colonial, este nome designava a região em torno da nascente do rio Carioca no alto do Cosme Velho, englobando também parte do Silvestre, onde os escravos aguadeiros iam buscar água. Essa designação ampliou-se para todo bairro; ao mesmo tempo em que o nome de Cosme Velho entrou em circulação e foi se tornando o mais popular. O bonde 108 – Águas Férreas – existiu até a metade do século XX, saía do Largo da Carioca. (SE)

14 ⁕ Este trecho a que Machado respondeu na carta [293], de 14/01/1894, suscitou controvérsia entre os biógrafos: teria ido ou não até São João Del Rei, quando da sua certíssima viagem a Barbacena em janeiro de 1890? A respeito consultar também Ubiratan Machado (2008). (SE)

[292]

De: CAPISTRANO DE ABREU
Fonte: Manuscrito Original, Arquivo ABL.

Porto Novo do Cunha, 27 de dezembro de *1893*.
Fazenda do Paraíso

My dear,

Escrevo-lhe esta carta para dar-lhe um incômodo.

Preciso, para um trabalho que me pediram, de um relatório do finado Luís Couty[1], sobre o charque. Foi publicação do ministério da agricultura, se bem me lembro. Talvez lhe seja fácil arranjar um exemplar, nem que seja por empréstimo. Restituí-lo-ei honradamente.

Estou aqui haverá uma semana, na fazenda do Paraíso[2]. Ando a cavalo todos os dias e tomo muito leite. Os dias são quentes, mas as noites agradáveis. Nos primeiros dias ainda ouvia tiros, agora felizmente desacostumei-me, e já posso ouvir um baque de um caixão sem pensar que se trata do Vovô[3].

Até breve e muito obrigado.

Bien à vous,

J. C. de Abreu

---

1 ~ O médico francês Louis Couty veio ao Brasil para ensinar biologia industrial na Escola Politécnica, da qual saiu ao ser convidado por Ladislau Neto* a dirigir o Laboratório de Fisiologia Experimental do Museu Nacional. Ali, juntou-se ao médico João Batista de Lacerda (1846-1915), iniciando estudos sobre venenos de animais; sobre plantas tóxicas; sobre a fisiologia do clima, do café, da erva-mate, do álcool de cana, bem como sobre doenças em animais e humanos, e sobre a fisiologia do cérebro. O laboratório teve o apoio do imperador, materializado pelo ministro da Agricultura, Comércio e Obras Públicas, Buarque de Macedo*, que o equipou com os instrumentos mais modernos e garantiu-lhe verba. O trabalho a que se refere o missivista consta da bibliografia do cientista francês e trata da conservação das carnes de charque. Couty faleceu no Rio de Janeiro aos trinta anos em 27/11/1884. Registre-se que na carta Louis Couty teve o seu primeiro nome aportuguesado, como, aliás, era hábito então. (SE)

2 ∽ A fazenda Paraíso pertenceu a Francisco de Sousa Brandão, que provavelmente edificou a sua sede em 1857. Às margens do rio Paraíba do Sul, na antiga localidade de Porto Novo do Cunha (atual Jamapará), fazia parte de um conglomerado de fazendas daquele proprietário. Com o falecimento de Francisco, a fazenda passou a José de Sousa Brandão (1823-1883), o barão de Aparecida. De 1883 a 1912, a fazenda pertenceu a Virgílio Brígido (1854-1929), marido de Maria Brandão, filha do barão. Virgílio Brígido era conterrâneo e amigo de Capistrano. A fazenda Paraíso ainda existe e tem a sua morada principal tombada pelo Patrimônio Histórico. (SE)

3 ∽ Apelido do canhão Armstrong de 11 polegadas (280mm), pesando 25 toneladas, cujo projétil pesava 550 libras (250kg). Foi comprado pelo imperador D. Pedro II, em 1875, para guarnecer a baía de Guanabara, a partir da fortaleza de São João, tendo sido construída para ele a bateria São Teodósio. Entre as suas muitas façanhas, consta que, durante a 2.ª Revolta da Armada, pôs a pique o Javari (22/11/1893), monitor que estava nas mãos dos rebeldes. O Javari era uma embarcação sem propulsão própria, puxada pelo rebocador Vulcano, mas dotada de 4 potentes canhões de 10 polegadas e pesada blindagem. Era utilizado como bateria de proteção da Ponta da Armação, local em que estavam os maiores depósitos de pólvora dos rebeldes. Foi posto a pique depois de intensíssimos combates com as fortalezas da barra do Rio de Janeiro e, segundo os relatos, por um tiro certeiro do *Vovô*. (SE)

[293]

Para: MAGALHÃES DE AZEREDO
Fonte: Manuscrito Original, Arquivo ABL.

Rio [de Janeiro], 14 de janeiro 1894.

Caro e bom amigo.

Esta carta devia ser imediata à sua[1], mas tais são aqui os meus trabalhos que não cumpri logo essa obrigação, aliás deleitosa, uma vez que é falar-lhe, ainda que de longe. Li e reli a sua carta, tão cheia da sua alma, e certo que o invejei e invejo. Não creia que me possa ver aí, onde eu desejara estar, agora que o verão entrou com todos os seus fornos acesos. Há muito não temos estação tão cálida. Não há sequer a compensação das noites, que em muitos lugares são mais ou menos frescas. Aqui têm sido insuportáveis. A de ontem, após três noites de temporal pôde ser dormida com sossego. Sabe que padeço muito com o calor. Creio que já escrevi algures, mas faça de conta que não: nunca pude entender o verso de Álvares de Azevedo:

Sou filho do calor, odeio o frio[2].

Não odeio o frio, adoro-o, este daqui, ao menos, que é apenas uma fresca e deliciosa primavera.

Mas basta de calor e de mim. Vejo tudo o que me diz dos seus trabalhos e dos seus ócios. Compreendo que se divida entre uns e outros; mas, desculpe a rabugem, não permita que estes vençam aqueles. Conselho banal, mas o Renan diz que as verdades banais são as eternas, e nada mais verdadeiro e eterno que aconselhar o trabalho à mocidade. De resto, pelo que me diz na carta, havia duas semanas que não fazia nada. Mas, em verdade, duas semanas não é muito, mormente se lê, como me diz. Queixa-se do *spleen*; ele é certamente um estado moral, que se não pode evitar sempre nem absolutamente; mas veja se o castiga por meio de uma taxa à poesia, e diga-nos em bons versos que ele é insuportável. Não deixe o seu talento adoecer de preguiça, embora o descanso seja também necessário, e valha mais a obra perfeitamente gerada, ainda que tardia, que a frequente e de aborto. O que eu quero dizer é que não resvale do repouso necessário no ócio excessivo.

Quero dar-lhe ainda outro conselho; é o jus dos velhos, — ou dos mais velhos, se me permite esta vanglória. Não duvide de si. Receio muito que este sentimento lhe ate as asas. Há de sempre haver quem duvide do seu talento; deixe essa tarefa a quem pertence *par droit de naissance*. O seu direito e dever é crer nele e mostrá-lo. Não descreia das musas; elas fazem mal às vezes, são caprichosas, são esquivas, mas entregam-se nas horas de paixão, e nessas horas os minutos valem por dias.

A educação do seu espírito acentuou-lhe as qualidades naturais. Há nele seriedade, coisa que não destingue a cor alegre da juventude e tem a vantagem de o poupar da nota frívola. Não lhe dou novidades. O seu próprio sentir, antes da sua inteligência, lhe dirá isto melhor que eu.

Vindo às saudades que a carta confessa desta capital, creia que as compreendo, e havia de senti-las, ainda mais fortes. Aqui fui nado e criado, aqui vou entrando pela idade madura. Tenho saído algumas vezes; já fui, raro e de corrida, a essa própria Minas[3], — o bastante para bendizê-la. Mas a verdade é que suponho morrer aqui; e ainda que a Fortuna (o que não espero) me levasse a transpor algum dia o oceano, quaisquer que fossem as grandes novidades peregrinas, teria saudades da minha Carioca.

Adeus, meu querido poeta. Imagino que, a esta hora, enquanto eu ardo, a despeito de alguma viração que move as nossas árvores do Cosme Velho, estará saboreando o clima de *São João del Rei*, mui diverso deste. Leve-lhe esta carta, com as minhas saudades, as minhas invejas, e mande-me em troco alguns versos, se os houver, e, se não, a sua boa prosa epistolar, que é a própria pessoa do autor. Adeus. Vou abrir a pasta da Secretaria, apesar de domingo, e dar-me aos negócios administrativos. Aqui lhe mando um abraço apertado.

Velho amigo e confrade

Machado de Assis.

---

1 ∾ Refere-se à carta [291], de 35 dias atrás, de 09/12/1893. (SE)

2 ∾ Machado cita um verso do terceiro poema – *Vagabundo* – da série *Spleen e Charutos*, um conjunto de seis poemas, contido na *Lira dos Vinte Anos* (1853, organizada por Domingos Jaci Monteiro*). Eis um trecho do poema:

"/... / Tenho por meu palácio as longas ruas, / Passeio a gosto e durmo sem temores... / Quando bebo, sou rei como um poeta, / E o vinho faz sonhar com os amores. // O degrau das igrejas é meu trono, / Minha pátria é o vento que respiro, / Minha mãe é a lua macilenta. / E a preguiça a mulher por quem suspiro. // Escrevo na parede as minhas rimas, / De painéis a carvão adorno a rua; / Como as aves do céu e as flores puras / Abro meu peito ao sol e durmo à lua. // Sinto-me um coração de *lazzaroni*; / **Sou filho do calor, odeio o frio**, / Não creio no diabo nem nos santos... / Rezo a Nossa Senhora e sou vadio!" (SE)

3 ∾ A respeito da viagem de Machado a Minas, ver nota 13, carta [291]. (SE)

[294]

> De: MAGALHÃES DE AZEREDO
> *Fonte*: Manuscrito Original, Arquivo ABL.

São João Del Rei, 22 de janeiro de 1894.

Meu querido Mestre e Amigo,

Quando, outro dia, reconheci no sobrescrito a sua letra, o meu coração vibrou todo num júbilo extraordinário; e apressei-me em abrir a carta, para gozar logo o prazer da sua conversa, tão elevada e conceituosa, tão rica de espírito e de bondade. Confessar-lhe-ei — por que não? a sua indulgência me permite esta liberdade — que já começava a descrer da sua resposta! mas acredite que uma voz íntima protestava em mim contra essa desconfiança. — Não falta quem tarda — dizia a voz, apegando-se a um provérbio, meio seguro de persuasão. Quando menos esperares, a desejada carta aparece aí como por encanto. E advogava admiravelmente a sua causa, meu caro Mestre, fazendo-me notar o número e a diversidade dos seus trabalhos, os efeitos enervantes do calor, que mal permitem cumprir a obrigação, e só de longe em longe deixam ânimo e forças para a devoção mais dileta... Tinha razão a admoestadora; creio que outra não era senão a minha própria consciência. E, enfim, a carta veio.

— Aqui deixei interrompida esta, e só hoje, 3 de Fevereiro, a reato; bem triste foi a causa, que me forçou a deixá-la de parte por muitos dias. Tive de assistir aos últimos momentos de um amigo, que viera para aqui em busca de saúde, e encontrou a morte. Era um tuberculoso, como tantos há em São João del Rei, cujo clima é aconselhado para moléstias do peito; um moço de 23 anos, que, havia cinco, sofria as torturas progressivas da implacável tísica. Tão simpático e amável — tão inteligente também! O seu deperecimento doía-me na alma, não só por ser a ruína de uma bela mocidade, mas também por atar os pulsos e impedir o voo a um nobre espírito, digno de melhor sorte. Desiludido quase sempre, não cria que a saúde voltasse, e via próximo o seu fim; conservou intactos até os derradeiros instantes os sentidos e as faculdades; ia assinalando em alta voz as fases da agonia, o aumento da dispneia, o resfriamento das extremidades, até exclamar, virando-se para o médico: "É a hora, D*outor*, é a hora..." — e gemendo depois: "Minha querida Mãe!... Esta se achava, com duas filhas moças, ao pé do leito; calcule a dor que sentiram e manifestaram quando o moço expirou, e a impressão que tal cena produziu no meu organismo, sensível e melindroso como poucos.

Por muitos dias nada pude fazer, a coisa nenhuma aplicar a atenção, porque essa morte não me saía da memória, e a toda a hora o fúnebre espetáculo se representava fisicamente diante de meus olhos. Assim me acontece sempre que vejo falecer alguém, sobretudo se é amigo ou parente; entretanto, uma atração invencível me prende ao pé de um leito de agonia; não posso afastar-me antes que cesse a luta do ser com o nada, antes que o homem deixe de ser homem, para tornar-se um resto de carne, destinada à corrupção do túmulo. Oh! e esse lento processo de esfacelamento subterrâneo, essa transformação *degradante* para os nossos mais caros preconceitos, bem que lógica e simples perante as leis da impassível natureza, é o que mais custa ao nosso orgulho e ao nosso afeto! Pensar que nós mesmos, e os nossos mais adorados irmãos, havemos de tornar-nos no que há mais vil, mais repugnante! A sentença terrível da Escritura diz: *Memento homo, quia pulvis es, et in pulverem revertere*[1] — És pó, e ao pó hás de volver — Pó, e não lodo, podridão, ignóbil podridão... Não é realmente uma ideia louvável adotarmos outra vez o costume piedoso dos antigos, que consumiam os cadáveres em piras de madeiras odoríferas? Antes um punhado de cinza dentro de uma urna de mármore ou alabastro, que um mísero corpo — habitação outrora de um espírito amado — entregue ao horror da campa, e à voracidade dos vermes...

Deixemos, porém, a morte que é o mistério, para voltar à vida, que é o dever. Não tema que o ócio me seduza demais; eu, verdadeiramente, amo o trabalho, sobretudo quando posso escolhê-lo; acho que o trabalho *livre* é um dos maiores confortos que a Providência oferece ao homem,

— "Morgado e não pena dos filhos de Adão,"

— como diz Castilho[2] — seguro refúgio contra o enervamento dos prazeres excessivos, e meio eficaz de conservar a inteligência e o coração acima das mesquinhas contingências transitórias, que azedam e envenenam tanta vez os melhores caracteres. O ócio, em mim, é, quase sempre, forçado, e, desde que o posso vencer, procuro compensá-lo redobrando de atividade. Infelizmente, não me é dado trabalhar tanto, e com tal constância, como eu desejaria. Em primeiro lugar, todos necessitam de descanso; o entendimento obrigado a produzir de contínuo sofre prejuízo em suas melhores faculdades; eis uma consideração, que me há de afastar, quanto possível, da imprensa diária.

Geralmente, os jornalistas, dominados por essa profissão que Comte chamou tão justamente *dispersiva*, perdem em pouco tempo a concentração intelectual, indispensável às obras de largo fôlego, e gastam a vida inteira em artigos de fundo e variações sobre o noticiário. Isto quanto ao repouso de que todos precisam; mas, quanto a mim, acresce a propensão evidente que tenho para a neurastenia. Empenhado em estudar a minha moléstia, tenho lido um sem número de teses e tratados que dela se ocupam, e já não me resta dúvida alguma sobre a natureza do meu mal. Um dos sintomas é precisamente essa inaptidão para o trabalho, de que me queixo tantas vezes, e contra a qual, em momentos de crise, é nulo todo o esforço da vontade. Aqueles formosos versos em que Olavo Bilac se lastima de sentir

"Asas nos ombros e grilhões nos pulsos"[3]

— exprime bem um dos piores tormentos da neurastenia nos homens de letras. Reconhecer a ideia que se elabora no cérebro, o prurido de produção que agita o organismo todo, e não poder dar forma literária às concepções da fantasia... não é um suplício mais doloroso ainda que o de Tântalo?

Na sua carta amável, que espero será seguida por outras, não é assim? — pede-me versos, ou, pelo menos, prosa. Mando-lhe prosa e verso, em envelope separado, para não tornar este demasiado volumoso. *Crônica errante*[4] é uma seção semanal que inaugurei aqui na *Gazeta Mineira*. Leu decerto, na *Gazeta de Notícias*, uma ode que publiquei há dias; fugi um pouco da forma *simétrica* dos versos modernos, fazendo poesia sem estrofes e com rimas livres, para deixar mais campo ao lirismo. Enviei para lá na semana passada, por intermédio do *senho*r João Chaves[5], uma longa novela; tenho alguns contos e umas centenas de versos em preparação mais ou menos adiantada. Espero poder este ano, se a política mudar de rumo, e o povo tiver tempo para pensar em letras, publicar dois ou três volumes, para começar. Estou-lhe parecendo um tanto ambicioso, não é? mas é preciso ser assim, porque sem um pouco de ambição, nada se faz de grande.

Adeus, meu querido Mestre. Escreva-me sempre que puder, sacrificando embora algumas horas de lazer; creia que vale a pena sacrificá-las para fazer-me tanto bem, como as suas cartas me fazem. Com muita saudade o abraça o discípulo, admi*r*ador e am*i*go afe*tuo*so

Magalhães de Azeredo.

---

1 ∾ A notoriedade desta expressão deve-se ao fato de ser uma forma ritual do catolicismo; na imposição das cinzas do primeiro dia da Quaresma, por exemplo. A frase *Pulvis es et in pulverem reverteris* está no *Gênesis* (3, 19; versão dos *Setenta*), e faz parte das palavras indignadas de Deus quando expulsa Adão e Eva do Paraíso. Está também presente nos *Salmos* (102, 14) e nos *Eclesiastes* (12, 7; 3, 20). (SE)

2 ∾ Antônio de Castilho (1800-1875) diz no *Hino dos Lavradores* (1849): "De espigas e palmas c'roemos a enxada, / Morgado, não pena, dos filhos de Adão; / Mais velha que os cetros, mais útil que a espada, / Tesouro só ela, só ela brasão." (SE)

3 ∾ "Ah! Como dói assim viver, sentindo / Asas nos ombros e grilhões nos pulsos!", *Sarças de Fogo*, Olavo Bilac. (SPR)

4 ∾ Jornal que circulou em São João Del Rei entre os anos de 1884-1894, tendo como redatores João Salustiano Moreira Mourão e Francisco de Paula Moreira Mourão, amigos de Magalhães de Azeredo. (SE)

5 ∾ Chaves era colega de Machado de Assis na Secretaria do Ministério e redator da *Gazeta de Notícias*. Envolveu-se com Carlota Morais que, embora separada, era ainda mulher de Artur Azevedo*, e passou a viver com ela. Em 1890, Artur e João pugilaram em plena Secretaria; o ministro Francisco Glicério soube e propôs em reunião

de diretores a punição de ambos. Machado sugeriu um acordo: decoro por parte dos contendores a fim de evitar escândalo e renúncia à apuração por parte do Ministério, o que foi aceito por todos. Nas exéquias de Machado, João Chaves e um outro colega, Lírio de Siqueira, representaram a Caixa dos Empregados da Secretaria de Viação. (SE)

[295]

De: CARLOS MALHEIRO DIAS
Fonte: Manuscrito Original, Arquivo ABL.

São Paulo, 9 de março de 1894.

Ex*celentíssi*mo *Sen*ho*r* Machado de Assis.

 Quem se atreve a firmar estas linhas, é o autor da *Laís*, uma fantasia sobre a história antiga da Grécia sensualista, que mereceu do júri literário no concurso da "Gazeta de Notícias" umas gratíssimas palavras de louvor, nas quais porém, eu traduzo com muito pesar, a dúvida de que, esse humilde trecho, tenha sido inspirado algures, na nova literatura francesa, com ideias rebuscadas em recordações de frases lidas, *pilhadas* em leituras descritivas sobre o assunto e época em que assenta o meu conto[1].

 Porém, se é dado a alguém ter predileção por um estilo e por uma escola, a mim, será desculpável o amor do estudo que ligo a fatos de outros tempos, nos quais eu me canso em vão, para os ressuscitar com vida, com um reflexo do resplendor passado...

 Laís, como a *Cena Romana*, que n'"A Semana" tiveram a benevolência de classificar, como trechos sob o título *Dom Amor*, publicados nesse mesmo jornal, todas essas pobres produções da minha lavra, têm a pretensão pedante do estudioso, sem mérito, sem valor, mas com muita soma de boa vontade, com muita dedicação pelo trabalho – oh! juro-o! – e a aspiração de ser novo, escrevendo velharias, ser original, descrevendo episódios graves da História.

 Acredite que tive uma penosa decepção, ao ver levemente escrita e pressentir, realmente pensada, a ideia de que *frases*, da minha *Laís* sejam traduzidas, – que horror! –, ou plagiadas, ou tragam mesmo à recordação, escritos do mesmo gênero. Assevero, que para essa composição, apenas me servi da História Universal de César Cantu (!)². Ideias, frases, enredo de palavras, o tom do estilo, por Deus, esse não o queiram dar a outro, que me pertence, e um pobre é avarento dos poucos cobres que possui.

Que esta enfiada de palavras, que este sentimento vaidoso que me inspira esta carta, vá desatar as apreensões ligadas ao singelo e humilde trabalho que tive a ousadia de enviar a concurso.

A sua idade, tão valiosamente avançada, ao pé da minha mocidade de 20 anos, dá-me a confiança de lhe escrever sem que pessoalmente nos conheçamos. Desculpe-me a indelicada ousadia e o vaidoso motivo por que o faço.

Termino agradecendo as palavras bondosas com que os meus juízes deram seu parecer, sobre o *crime* da minha *Laís*, confessando-lhe ainda que para mim é apenas motivo de júbilo o poder ler um dia, nas colunas da "Gazeta de Notícias", o meu querido trabalho.

Confundido pelo que escrevi e V*ossa* Ex*celên*cia acaba de ler, assino-me com o maior respeito, admiração e profunda simpatia

De V*ossa* Ex*celência*

Serv*ido*r At*ento* e Ob*rigado*

Carlos Dias[3]

---

1 ⚭ Na época sangrenta da Revolta da Armada, ver em [291], a imprensa carioca lançou concursos literários para aliviar as graves tensões. Tal foi o caso do concurso de contos aberto pela *Gazeta de Notícias* em 02/02/1894, cujo resultado saiu no dia 9 do mês seguinte. O 1.º lugar coube a Magalhães de Azeredo*, e os outros dois prêmios foram divididos entre quatro participantes. É a ata do julgamento que leva o jovem português Carlos Dias a dirigir esta carta a Machado de Assis, um dos integrantes do júri que também incluiu o crítico Sílvio Romero*. Para melhor compreensão da carta, transcrevemos os comentários sobre a decisão:

"'Laís' é um trabalho superiormente escrito, mas, embora não tenha feito declaração expressa nesse sentido, é evidente que o nosso intento era fazer um concurso literário nacional, e 'Laís' é uma bonita fantasia calcada sobre a história da antiga Grécia sensualista. Não é um trabalho de criação, é uma compilação e, por vezes, trai-se mesmo a origem francesa das fontes que inspirou o escritor. É assim que ele fala de mãos *atadas* sobre o cabelo, mulheres com os braços *atados* ao pescoço da outra, sacrifícios que se *consumiam*, e isto sem contar a impropriedade de termos, como quando fala em criaturas engrinaldadas de *louros*, Júpiter *Olimpo*, e sem insistirmos sobre períodos demasiadamente longos e obscuros. Há mesmo uma exclamação: *Duvido!* – cujo sentido nos escapou, e que nos fez cogitar na hipótese de tradução. No entanto, há tanta beleza no conto que pedimos permissão ao escritor para publicá-lo."

Magalhães Jr. (2008) suspeita que o parecer tenha a intervenção de Romero na parte mais agressiva; já Machado dedicaria três elogiosos parágrafos a Carlos Dias em "A Semana", crônica de 11/11/1894. (IM)

2 ∾ Cesare Cantu (1805-1895), polígrafo italiano, autor da célebre *História Universal*, em 72 volumes. (IM)

3 ∾ Depois consagrado como Carlos Malheiro Dias, o escritor foi eleito para a Cadeira 2 do quadro de sócios correspondentes da ABL, na sucessão de Eça de Queirós*. (IM)

[296]

De: MAGALHÃES DE AZEREDO
Fonte: Manuscrito Original, Arquivo ABL.

São João Del Rei, 18 de março de 1894.

Meu querido Mestre e Amigo,

Mil graças pelo gentil cartão[1] e pelas palavras amáveis que me dedicou na sua crônica de domingo último[2]. Se eu já me sentia animado de grande ardor para o trabalho, calcule quanto mais terei agora que me vejo tão belamente recompensado pela crítica elevada e séria, e pela de outros homens de inegável competência! O desenlace inesperado da revolta naval[3], esmagando-me o coração sob um peso enorme de vergonha e dor, veio interromper os meus labores por alguns tristes dias, em que nem para ler eu tinha calma; hoje, porém, convencido cada vez mais de que a política é ingrata por natureza e só reserva a almas como a minha consternadoras decepções, começo a desinteressar-me dela, procurando nas letras o verdadeiro consolo espiritual de que necessito.

Disse-me o coronel Pedro Caminha, nosso companheiro de hotel[4], vindo do Rio há poucos dias, que o meu prezado Mestre tencionava passar algum tempo aqui, e teve, depois, de renunciar a essa excelente projeto; disso é que deveras custo a consolar-me. Insensivelmente, entro a imaginar os dias agradáveis que passaríamos juntos aqui, gozando este ameno clima, tão diverso do da Capital, e o completo sossego destas paragens, sossego de que há mais de seis meses está desacostumado! Nem avalia a salutar influência que esse intervalo de descanso exerceria sobre o seu organismo físico e moral, fatigado pelo ambiente impuro dessa cidade, e pelo tristíssimo espetáculo da guerra civil, tão estupidamente terminada!

Agora, o que de certo modo me conforta é a esperança de vê-lo aí, assim que findar o verão. Por minha parte, a despeito das ótimas qualidades da vida rústica, começo a sentir-me farto dela, e deveras impaciente por voltar à minha terra, por pior que ela seja. Seis meses de ausência — não é coisa de brincar!

Nestes termos, até breve, não é assim? que muito breve poderemos conversar à larga; tenho que dizer-lhe para muitas horas ou talvez muitos dias. Entretanto, aceite um afetuoso abraço do

admirador discípulo e amigo verdadeiro

Carlos Magalhães de Azeredo

---

1 ⁓ O cartão cumprimentava pelo êxito no concurso da *Gazeta de Notícias*, ocorrido entre 02 e 28/02/1894. Machado, Capistrano de Abreu*, Sílvio Romero*, Ferreira de Araújo* e Silva Ramos* analisaram 91 contos, dos quais 27 foram ao reexame. Em 9 de março saiu o resultado: Azeredo ganhara o primeiro lugar, com "Beijos... beijos...," conto inserido em *Alma Primitiva* (1898), e dedicado a Ferreira de Araújo. (SE)

2 ⁓ Em "A Semana", *Gazeta de Notícias*, de 11/03/1894, quando se publicou também o conto vencedor. (SE)

3 ∞ Em 13/03/1894, os rebeldes pediram asilo à força naval portuguesa, embarcando nos vasos fundeados na baía da Guanabara, fato que deu origem a incidente diplomático que culminou com o rompimento das relações entre os dois países. (SE)

4 ∞ Azeredo hospedou-se no Hotel Oeste de Minas, construído depois de 1878, inicialmente para hospedar os engenheiros responsáveis pela ampliação do caminho de ferro que chegaria à cidade em 1881, vindo de Sítio, hoje Antônio Carlos. Na década de 1890, o hotel passou por uma grande reforma, modernizando-se. Em 1917, sofreu um incêndio; o proprietário abriu falência, e o hotel passou à União. O romance *Sanatorium*, escrito a quatro mãos (Azeredo-Bilac), teve o hotel como inspiração. Sob o pseudônimo de Jaime de Ataíde, o folhetim começou a ser publicado na *Gazeta de Notícias* em 15/11/1894, dia da posse do 1.º presidente civil, Prudente de Morais. (SE)

[297]

De: MAGALHÃES DE AZEREDO
Fonte: Manuscrito Original, Arquivo ABL.

Juiz de Fora, 24 de junho de 1894.

Meu querido Mestre e Amigo,

A *Semana* última noticiou o seu aniversário; não deu a data certa, nem a idade; mas a idade é o menos, porque homens como Machado de Assis são sempre moços; e a data certa não importa muito a quem está longe, e não pode ir à casa do festejado beber uma taça de Champagne ou um cálice de Tockay à sua saúde... Não se admire, pois, se esta carta de cumprimentos chegar um pouco tarde; de resto, o coração nunca chega tarde, não é assim?

Basta que o meu prezado Mestre saiba que fiz e faço pela sua ventura os votos do estilo, mas não com o caráter de mera formalidade que eles revestem em banquetes de cerimônia; sim com todo o vigor do meu afeto e da minha admiração. Que chegue a ser ainda o nosso Anacreonte, de cabelos alvos e espírito jovem sempre, eis o que desejo e auguro, para satisfação nossa e glória das letras, que são hoje no Brasil, já não digo a melhor coisa, mas a única digna do nosso culto.

Escrevo-lhe de Juiz de Fora, onde estou há perto de um mês, curtindo, com o nosso grande Olavo Bilac[1], as agruras do exílio e as saudades do Rio de Janeiro.

Temo-nos aborrecido como nunca; e, se mais não nos aborrecemos ainda é porque, *faisant contre mauvaise fortune bon coeur*[2], nos atiramos ao trabalho com todas as forças[3]. Se no dia 30 de Junho[4] pudermos considerar terminadas as nossas provações, não amaldiçoaremos decerto este período de contrariedade, que, em compensação, nos trouxe vantagens reais. O Bilac apronta dois livros[5], um dos quais já se está imprimindo. Eu preparo quatro, dois de versos, e dois de prosa; ainda há pouco estava organizando o índice de um, já terminado.

Li na *Gazeta* a sua *Semana*, tão graciosa, sobre o São João[6]... Este São João foi o mais triste que ainda passei na minha vida... Mas não; em uma carta de congratulações, não se deve falar de tristezas. E, demais, o dia 30 de Junho alveja diante de mim como uma aurora. Que o céu proteja a minha esperança, e que em breve eu o possa abraçar pessoalmente, como o abraço agora, à distância, de todo o coração.

Sempre seu

Magalhães de Azeredo.

---

1 ∾ Na imprensa, durante 1892-1893, os jornais *O Combate* e *Cidade do Rio*, onde Bilac* trabalhava, constituíram-se o núcleo de oposição mais resistente à política florianista, e nos quais se abrigou a mais variada grei de opositores, dos alijados do poder, passando pelos sinceramente descontentes e indo até os beneficiados pelo encilhamento, política financeira que Floriano tentava conter. Bilac chegara da Europa em outubro de 1891, encontrando o Rio de Janeiro em grande ebulição política. Aguerrido e polêmico, envolveu-se nesses episódios, sendo preso em 10/04/1892, e mantido incomunicável na fortaleza de Laje até a anistia em 05/08/1892. Voltando à imprensa, manteve-se na oposição cada vez mais destemidamente, até a eclosão da Revolta da Armada, em 06/09/1893, quando a sua segurança pessoal foi posta em xeque. Bilac só voltou ao Rio em 04/07/1894. (SE)

2 ∾ Reagir com serenidade a uma situação adversa. (SPR)

3 ∞ Em Juiz de Fora, Bilac e Azeredo produziram o curioso folhetim *Sanatorium*, publicado na *Gazeta de Notícias*. O cenário é São Bernardo – cidade fictícia – que reunia aspectos de Ouro Preto, onde Bilac ficou, aos de São João Del Rei, onde Azeredo se instalou, ambos durante o exílio de 1893-1894. O texto retrata a vida social de uma *cidade-sanatório* nas montanhas mineiras, durante o atribulado período da Revolta da Armada, no governo Floriano. (SE)

4 ∞ Floriano havia anunciado que o estado de sítio, à exceção do Rio Grande do Sul, Paraná e Santa Catarina, seria suspenso em 30/06/1894. Com isso, então, Azeredo poderia voltar ao Rio de Janeiro. (SE)

5 ∞ Um deles é o livro *Crônicas e Novelas* (1894), entre as quais há páginas de evocações históricas em prosa sobre Marília, o Padre Faria, São João de Ouro Fino, São João Del Rei, Ruínas, Lázaro e Frei João José. Depois disso, Bilac publicou em 1904 – *Crítica e Fantasia*, livro em que há um título geral – *Em Minas*, que reúne certamente material remanescente de seu exílio mineiro. (SE)

6 ∞ Crônica publicada em 24/06/1894. (SPR)

[298]

De: JOANA DE NOVAIS
Fonte: Revista Brasileira, fase VII, 1995.

[Lumiar,] 20 de julho de 1894.

Estimado amigo *Senhor* Machado

Fui obrigada pelas circunstâncias a sair da indesculpável falta em que há muito ando para com os amigos que tanto estimo, desculpar-me não seria fácil, nem tento fazê-lo certa de que compreende bem os meus verdadeiros sentimentos. O portador desta é meu filho Rodrigo, e a Isabelinha, ele vai tratar de negócios de seu interesse, teme perder o lugar que exerce, com interesse, e há 5 anos, sem interrupção sem licenças[1], e sempre na esperança de ver aparecer o decreto que o devia firmar no lugar de Chanceler do Consulado Geral em Lisboa[2]. Creio porém que há quem ambicione este lugar e também que há bons protetores para os pretendentes. O Rodrigo tem sido bom empregado, e duma perseverante assiduidade, que não esperávamos do seu gênio antes, um pouco volúvel, este receio tem-no desgostado, e leva-o aí, presentemente, ninguém aí conhecemos de valimento para estes negócios, lembrei-me de juntar o meu pedido ao dele[3], a fim do nobre amigo o *Senho*r Machado, e seus amigos coadjuvarem-no para com o Ministro competente — este receio vem da reforma consular, e dos muitos pretendentes. Peço que nos auxilie e gratos lhes seremos.

Se o Rodrigo fosse mau empregado, se tivesse alguma falta, se tivesse sido negligente no cumprimento dos seus deveres, por certo eu não lhe pediria este favor. Seria um grande sacrifício para ele ter de mudar porque tem casa aqui, e a companhia deles tem-nos sido agradável, e a ele salutar. Confio na sua boa vontade e amizade. O Rodrigo di-lhe[4] melhor os seus receios e razões de os ter.

Espero que tenha sempre tido saúde. Já D*ona* Carolina, que é bem parecida comigo na diligência em escrever aos amigos, não nos censuremos. Um grande abraço para ambos de quem é sua amiga verdadeira

J. Novais

---

1 ∾ Possivelmente Rodrigo obtivera a nomeação provisória por indicação de Quintino Bocaiúva*, que no período assinalado por Joana — *há 5 anos* — respondia pela pasta das Relações Exteriores do governo provisório (entre 15/11/1889 e 23/01/1891), quando se afastou. Já no período de 1894-1896, o ministro era Carlos Augusto de Carvalho, a quem no momento Rodrigo estava subordinado. (SE)

2 ∾ O cobiçado posto de chanceler do consulado geral de Lisboa era ocupado por João Vieira da Silva, que se manteve na função depois do episódio da exoneração de Rodrigo em 1896. (SE)

3 ∾ "Juntar o meu pedido ao dele" é o que Joana faz por meio desta carta. Ela se valia das relações praticamente familiares com Machado, que tendo amigos poderosos na esfera do governo republicano poderia pedir em favor de seu "quase sobrinho", o que parece Machado tentou, considerando o que Joana diz na próxima carta: "Agradeço sinceramente a sua última carta de 13 do *próximo passado* e **quanto tem feito pelo Rodrigo**, e creio bem na sua melhor vontade". (SE)

4 ∾ O uso do "sic" não seria adequado, já que a normatividade tanto do português brasileiro quanto do europeu admite o uso da forma "di-lhe", por analogia com a regra que preconiza a queda de <r, z> diante de pronome oblíquo, como em "fê-lo"

e "fazê-lo". O que se lê neste trecho dessa brasileira, já meio alfacinha (Joana vivia em Lisboa havia 14 anos), é uma produção extremamente comprometida com o requinte da normatividade da língua, estranha aos nossos ouvidos, mas não em Portugal. Além disso, a história da língua portuguesa atesta o uso em épocas anteriores. (SE)

[299]

De: MIGUEL DE NOVAIS
Fonte: Manuscrito Original, Arquivo ABL.

Lisboa, 22 de julho de 1894.
Amigo Machado de Assis.

O portador desta carta é o Rodrigo[1]. Escuso-me de fazer a apresentação.

Ele vai aí tratar de negócios relativos ao seu cargo de Chanceler do Consulado Brasileiro.

Conversarão sobre o assunto e o amigo fará tudo que esteja ao seu alcance para auxiliar-nos suas pretensões[2].

Esta é a fórmula sacramental das cartas deste gênero. — acrescentarei agora o seguinte: — que faça tudo o que faria por mim se eu alguma coisa pretendesse do seu governo — basta que faça só o que eu faria pelo amigo, se alguma pretensão tivesse deste país.

Ele leva dois abraços — um para si e outro para a Carolina — receba os dois e entregue o outro a quem vai dirigido.

Adeus.

Do amigo e cunhado
Miguel de Novais

---

1 ∾ Rodrigo Pereira Felício (1856-?), enteado de Miguel, era chanceler provisório no Consulado Geral do Brasil em Lisboa. A sua ida à capital federal referia-se à tentativa de manter-se no cargo, como se depreende da carta de sua mãe de 20/07/1894. (SE)

2 ∾ O teor deste parágrafo faz supor que Rodrigo viajou ao Rio de Janeiro para tratar com Machado, o que, aliás, se esclarece no parágrafo seguinte: "faça tudo o que faria por mim se eu alguma coisa pretendesse do seu governo." A esse respeito ver as cartas de Joana de Novais*: [298] e [301]. (SE)

[300]

Para: MAX FLEIUSS
Fonte: Transcrições, Arquivo ABL.

Rio [de Janeiro], agosto de 1894.

Meu caro Max,

Vai só a *Mosca Azul*, única de que tenho cópia[1]. A outra irá depois, por minha mão. Estimo as melhoras e mando um abraço

Velho amigo

Machado de Assis

---

1 ～ Na transcrição, datilografada, acha-se nota referente ao historiador Max Fleiuss – filho do falecido amigo de Machado, Henrique Fleiuss*, o estupendo caricaturista criador da *Semana Ilustrada* e de outros periódicos:

"Então gerente de *A Semana* de Valentim Magalhães, Machado enviava-lhe a poesia 'A Mosca Azul', para a seção 'Páginas Escolhidas', inaugurada por aquele semanário, em o n.º 56 (25 de agosto de 1894.)" (IM)

[301]

De: JOANA DE NOVAIS
Fonte: Revista Brasileira, fase VII, 1995.

Lanhelas, 6 de setembro de 1894.

*Excelentíssi*mo amigo

Agradeço sinceramente a sua última carta de 13 do *próximo passado* e quanto tem feito pelo Rodrigo, e creio bem na sua melhor vontade, infelizmente, nem sempre ela dá os resultados desejados. Os políticos preferem sempre os seus amigos, e não há a criminá-los por isso, é uso, e contra ele nem sempre se pode lutar – esperamos – seja qual for o resultado ficar-lhe-ei grata da mesma forma[1].

Por estes 8 ou dez dias seguimos para Lisboa para a nossa casa, onde ficaremos à sua disposição para o que desejar utilizar-se dos nossos serviços.

Todos nós pedimos-lhe de aceitar e a Carolina os nossos mais afetuosos cumprimentos.

Muito amiga e obrigada

J. Novais

---

1 ∾ Não se descobriram pistas que esclarecessem a quem de fato Machado se dirigiu. Joana, embora reconhecida da boa vontade de seu interlocutor, não sustenta um tom esperançoso. Pode-se supor que a resposta de Machado não tenha sido muito otimista. Quintino* certamente foi consultado, pois na carta [302], de 02/10/1894, Miguel diz:

"/.../sei porém que, há poucos dias, recebera o amigo Vieira, Cônsul, uma carta, digo, um telegrama do Rio assinado pelo Bocaiúva em que perguntava ao Vieira se podia dispensar o Rodrigo por mais três meses." (SE)

[302]

De: MIGUEL DE NOVAIS
Fonte: Manuscrito Original, Arquivo ABL.

Lumiar, 2 de outubro de 1894.

Meu caro Machado.

Estou de posse de duas cartas suas — uma, que me foi entregue pelo Miranda[1], aliás V*isconde* de Taíde, e outra que recebi ainda em Lanhelas.

Primeiro que tudo, cumpre-me agradecer-lhe muito cordialmente os serviços que tem prestado ao Rodrigo, que segundo ele me diz, têm sido valiosíssimos. Nada sei, por enquanto, dos resultados definitivos das diligências empregadas; mas sei, e já não é pouco, que se tratou na Câmara dos Deputados da criação dos lugares de chanceleres, nos Consulados de 1.ª Classe e determinadamente no de Lisboa — sei que foi aprovada na Câmara a criação de tais lugares, e depois disso nada mais sei.

Sejam quais forem, porém, os resultados, repito os meus agradecimentos em meu nome e de minha mulher pela parte ativa, e segundo parece importantíssima que tomou neste negócio. Não sei o que há de positivo como já disse, sei porém que, há poucos dias, recebera o amigo Vieira[2], Cônsul, uma carta, digo, um telegrama do Rio assinado pelo Bocaiúva[3] em que perguntava ao Vieira se podia dispensar o Rodrigo por mais três meses. [E]m vista da resposta estou convencido que não teremos cá o Rodrigo antes de janeiro.

Qual será a causa desta prorrogação de licença? — Não sabemos que pensar. Em todo o caso, sinto a demora dele e da Isabelinha que nos fazem aqui no Campo Grande muito boa companhia.

Nós regressamos de Lanhelas[4], há oito dias — os Viscondes de Taíde ali passaram conosco três dias, e partiram para Madri no dia 29 de setembro, e de lá pensam ir a Paris.

Não me parece que *Dona* Maria da Conceição[5] se demore por cá pela Europa muito tempo. Não gosta de nada.

Em Portugal apenas gostou de Lanhelas! Vai a Madri e Paris só e exclusivamente para ver os Museus de pinturas, e visto isso, não quer saber de mais nada. É sempre e em tudo a antiga Maria da Conceição.

Tem saudades do Brasil, só pensa nos netos e nos bisnetos e fora do Brasil não há nada que a satisfaça. É monarquista, é Saldanhista, é Custodista, é tudo o que quiserem, mas acha que a república foi um grande passo que se deu para a prosperidade do país. Conta maravilhas do progresso que por aí vai.

Ele sempre mais reservado, ouve e cala-se.

E como vai a Carolina?

O amigo sei que passa bem, e só se queixa de muito trabalho — antes assim — porque muito trabalho é o estar doente. Eu não lhe direi que passo mal, mas, em todo o caso, já vou sentindo bastante o peso dos 65 anos.

Diversas coisas serviram de estorvo à realização da minha ideia de ir ao Brasil este ano. Acredite porém que tive pesar disso, mas que não perco a esperança de o ir visitar no ano seguinte se me achar em bom estado de saúde. Minha mulher, também não passa mal, porém, já vai sofrendo da mesma moléstia que eu. Os anos. Do que nós já perdemos a esperança é de o ver por aqui. A Carolina sei que tem muita vontade de dar um passeio até cá [,] mas Machado não partilha das mesmas ideias.

Resolva-se porque será o meio de fazer com que eu volte a ver ainda mais uma vez a Itália — o país da minha paixão.

Novidades que possam interessá-lo não há por aqui — muita bandalheira política, muito desaforo, muitos roubos e muita vergonha é tudo o que há. Eu continuo na minha vida de anacoreta quase sequestrado da sociedade e assim irei, provavelmente, até o fim. Adeus. Dê saudades nossas a Carolina. — a Dona Eugênia, Rodolfo — filhos etc. etc[6]. E creia no seu do coração amigo

Miguel de Novais

---

1 ∞ Fernando Antônio Pinto de Miranda*. (SE)

2 ∞ João Vieira da Silva. (SE)

3 ∞ Quintino Bocaiúva*, no momento, exercia o segundo mandato de senador da República (1892-1899). (SE)

4 ∞ Miguel e Joana tinham casa de veraneio em Lanhelas. Ver nota 1, carta [267], tomo II. (SE)

5 ∞ A identidade da viscondessa de Taíde é uma questão curiosa. Em todas as fontes consultadas não se encontraram dados de uma dama por nome Maria da Conceição que tivesse esse título, mas sim de Augusta Salema Garção Ribeiro de Araújo (1872--1945), que, é de se crer, seja a segunda viscondessa de Taíde, pois o testemunho de Miguel sobre a personalidade de Dona Maria da Conceição é inconteste quanto a ser esta dama também viscondessa de Taíde, provavelmente a primeira. (SE)

6 ∞ Eugênia e seu marido Rodolfo Smith de Vasconcelos, filha e genro de Joana de Novais*, mulher de Miguel. Assinale-se, por fim, que o bairro em que Machado de Assis morava era o reduto de diversas famílias da alta burguesia, do alto comércio, da intelectualidade bem-sucedida e do governo. Residiam ali os Pereira Felício, os Smith de Vasconcelos, os Ramalho Ortigão, os Xavier da Silveira e outros, que compunham a pequena e seleta roda social do Cosme Velho, que se frequentava, para além do mundo oficial, nos chás da tarde, nas festas, piqueniques e saraus familiares. Os Pereira Felício estavam no Cosme Velho havia já mais de trinta anos. (SE)

[303]

De: COELHO NETO
Fonte: Manuscrito Original, Arquivo ABL.

Rio [de Janeiro], 5 de novembro de *1894*.

Ao mestre e amigo
Machado de Assis
agradece de coração
Coelho Neto[1]

I ✑ Em "A Semana", crônica de 04/11/1894, publicada na *Gazeta de Notícias*, Machado fizera um comentário elogioso aos trabalhos de Coelho Neto, com a afirmação de que a melhor navegação (o eterno não viajante!) se dava no aconchego do gabinete:

"Mormente em dias de chuva, como os desta semana, é navegação excelente, e aqui a tive, em primeiro lugar com o nosso Coelho Neto, que aliás não falou em verso, nem trouxe aquelas figuras do norte ou do levante, aonde a musa costuma levá-lo, vestido, ora de névoas, ora de sol. Não foi o Coelho Neto de *Baladilhas*, mas o dos *Bilhetes Postais* (dois livros em um ano), por antonomásia *Anselmo Ribas*. Páginas de *humour* e de fantasia, em que a imaginação e o sentimento se casam ainda uma vez, ante esse pretor de sua eleição. Derramados na imprensa, pareciam esquecidos; coligidos no livro, vê-se que deviam ser lembrados e relembrados." (IM)

[304]

De: BIBIANO SÉRGIO MACEDO
DA FONTOURA COSTALLAT
Fonte: Fundação Biblioteca Nacional. *Gazeta de Notícias*, 1900. Setor de Periódicos. Microfilme do original impresso.

Rio de Janeiro, 15 de novembro de 1894.[1]

[Senhor Machado de Assis,]

Tão valioso foi o concurso que me prestastes com a vossa inteligência, zelo, lealdade e dedicação pelo serviço durante todo o tempo da minha administração, que ao retirar-me deste ministério², não posso deixar de vos louvar e testemunhar os meus sinceros agradecimentos.

Ao entrar para ele, apenas vos conhecia por essas brilhantes irradiações do vosso talento com que no jornal ou no livro vos tendes manifestado cultor exímio das letras; ao retirar-me, porém, levo a convicção de que a tal predicado aliais uma pureza de sentimentos e uma inteireza de caráter tão completas que, reunidas ao magistral desempenho que tendes dado às funções que exerceis de diretor de uma das mais importantes diretorias desta secretaria, por sobre vos constituírem um cidadão digno da estima e consideração do governo, ainda vos tornam um verdadeiro ornamento do funcionalismo público brasileiro que deve orgulhar-se de possuir-vos em seu seio.

Saúde e fraternidade.

Bibiano Sérgio Macedo da Fontoura Costallat

---

1 ∾ Esta carta foi publicada na primeira página da *Gazeta de Notícias* de 17/11/1894, precedida de esclarecedora anotação: "O Sr. Machado de Assis, diretor-geral da viação da secretaria da indústria, recebeu do Sr. general Costallat o seguinte honrosíssimo aviso:" (SE)

2 ∾ Ministro da Guerra do governo Floriano Peixoto, o general Costallat acumulou a pasta da Indústria, Viação e Obras Públicas, onde Machado chefiava uma das diretorias. (SPR)

[305]

De: ARARIPE JÚNIOR
Fonte: Manuscrito Original, Arquivo ABL.

[Rio de Janeiro,] 11 de dezembro de *1*894.

Caro amigo e mestre

Desculpe a tardança desta carta em resposta a sua de 6 do corrente mês¹. Foi preguiça a princípio; depois meteu-se de permeio o *Brás Cubas*, que estou relendo no intuito de ver se descubro modos de obrigá-lo a escrever a *Transfiguração de Sofia*[2].

Demais, que poderia eu dizer-lhe *contestando* (estilo moderno) a sua extrema amabilidade?

Como não ignora, sou *rabelaisiano*[3] e como tal só aprecio iguarias *inter* (ou *apud?*) *sodales*[4]. Eis tudo.

O mágico autor do *Quincas* Borba[5] (*sic*) há de permitir que eu não o exclua do número dos que têm bom gosto e gostam de pecar às escondidas.

Do afetuoso amigo e admirador

T. A. Araripe Júnior

---

1 ∾ Até o momento esta carta não foi encontrada. (SE)

2 ∾ Araripe Júnior sugerira a Machado que a personagem de Sofia tivesse uma continuação em outro romance. Seria uma espécie de trilogia, em que um romance engendraria outro: assim como *Brás Cubas* resultou em *Quincas Borba*, este se prolongaria em *A Transfiguração de Sofia*. Machado parece ter considerado a proposta, mas acabou por rejeitá-la, como disse no prólogo da terceira edição de *Quincas Borba*: (1899): *Sofia está aqui toda*. (SPR)

3 ∾ O clube Rabelais foi criado por Araripe Júnior e Raul Pompeia em 1892, com a finalidade de promover a convivência mensal de intelectuais em torno da boa mesa. Ver Ubiratan Machado (2008). (SE)

4 ∾ A expressão *inter* s*odales* significa "entre companheiros". (SPR)

5 ∾ O romance *Quincas Borba*, publicado pela casa Garnier em outubro de 1891, suscitou muito interesse a Araripe Júnior. Três vezes escreveu sobre ele na *Gazeta de Notícias*: em 12/01/1892, 16/01/1892 e 05/01/1893. Nesta última data, num texto intitulado "Ideias e Sandices do Ignaro Rubião", Araripe Júnior comentou a respeito do humanismo, a singular filosofia formulada pelo singularíssimo Quincas Borba. (SE)

[306]

De: MÁRIO DE ALENCAR
Fonte: Manuscrito Original, Arquivo ABL.

Capital, 4 de janeiro de *1895*.

Amigo e mestre *senhor* Machado de Assis

Tenho o prazer de participar-lhe que estou noivo de minha prima Helena de Afonseca[1]. Propositalmente deixei de fazer-lhe esta comunicação anteontem, quando estivemos juntos, para que o senhor não a julgasse casual, motivada por nosso encontro. Sendo o meu noivado o primeiro ato sério da minha vida, entendo eu que participar-lho por escrito é um dever da respeitosa amizade que lhe tenho.

Discípulo, amigo e obrigado

Mário de Alencar

---

1 ∾ Helena Cochrane de Afonseca era filha de Leonardo Afonseca, um dos diretores do *Correio Mercantil* de São Paulo, jornal em que Mário de Alencar colaborou durante o período em que estudou nas Arcadas do largo de São Francisco. (SE)

[307]

Para: MÁRIO DE ALENCAR
Fonte: Manuscrito Original, Arquivo ABL.

Rio [de Janeiro], 10 de janeiro de 1895.

Meu caro Mário de Alencar

Agradeço mui cordialmente a comunicação que me fez de estar noivo de sua gentil prima D*ona* Helena de Afonseca, e peço-lhe que receba os votos que faço pela felicidade que ambos merecem. Seu pai achou no casamento mais uma fonte de inspiração[1] para as letras brasileiras; siga esse exemplo, que é dos melhores. Vale esta um apertado abraço do

Velho am*ig*o e confrade

Machado de Assis

---

1 ↬ Os pais de Mário, José de Alencar* e Georgiana Augusta Cochrane (1840-1913), casaram-se em 20/06/1864, na igreja de São José, no Rio de Janeiro. Georgiana era filha de Helena Augusta Nogueira da Gama (1818-1873) e do Dr. Tomás Cochrane (1805-1873). (SE)

[308]

De: MAGALHÃES DE AZEREDO
Fonte: Manuscrito Original, Arquivo ABL.

Ilha das Flores, 20 de janeiro de 1895.

Querido Mestre e Amigo,

Confesse que, por muito crente na minha prontidão, não seria capaz de esperar tão depressa esta carta. Veja quanto pode a saudade num coração como o meu! Apesar das fadigas da viagem, e das imensas tristezas que me pungem, não reservei para depois da minha instalação em Montevidéu o consolo de dar-lhe notícias minhas[1]. Escrevo-lhe da ilha das Flores[2], prisão detestabilíssima, masmorra quarentenária, em cuja entrada se pode escrever, como no Inferno de Dante:

"*Lasciate ogni speranza, o voi ch'entrate...*"[3] per cinque giorni!

Com efeito, cinco dias, nada menos, devemos ficar aqui, desinfectando-nos dos nossos pecados, porque quanto a doenças do Rio de Janeiro, não há que desinfectar. Isto é uma selvageria, uma horrível selvageria, e inspira-me, logo à chegada, um profundo e tempestuoso rancor contra estes uruguaios. Não seria, talvez, bastante diplomática a frase que atirei hoje a um dos guardas da estufa: Quando se vem de um país civilizado, estranham-se estas coisas... Isto, dito a um ministro, a um general, provocaria acaso um conflitozinho *quase* internacional; mas a um simples guarda de estufa!...

Não tive de que me queixar durante a viagem; o *Danúbio* é um vapor de primeira ordem, e o mar esteve manso, e belo, e enfeitado de lindas espumas brancas nas dobras do seu manto glauco; anteontem à tarde, admiramos um maravilhoso pôr de sol, espetáculo que estava pedindo, para descrevê-lo, a pena de um Chateaubriand ou de um Herculano... O próprio enjoo, que eu tanto receava, não ousou atacar-me absolutamente; passei melhor sobre as ondas do que em terra firme; nem um momento me tonteou a cabeça; pude ler, escrever, fumar à vontade. Saudades, melancolias, angústias — muitíssimas senti, e sinto ainda, e ainda sentirei; mas essas, como evitá-las, nas minhas circunstâncias?

Quanto à ilha das Flores, de que lhe ia falando, é sítio bem próprio para agravar tristezas aos tristes. Diga-se antes de tudo que o nome é irônico, antitético, porque, não vi ainda aqui uma única flor; por toda vegetação, meia dúzia de fúnebres ciprestes. É este um lugar dos mais áridos que se podem imaginar; é um trecho de terra sáfara e maninha, perdida quase em alto-mar. Achamo-nos, a bem dizer, prisioneiros; temos apenas um pátio para passear. Os aposentos são, quando muito, sofríveis; o tratamento não pode ser pior. Que deficiência de recursos! que falta de tudo! Pede-se leite — não há leite; fruta — nenhuma; se nem se obtém um magro limão para dar sabor a esta água, tão diferente da nossa água límpida e puríssima da Carioca[4]! Ontem, ao chegarmos, retiveram-nos a bagagem inteira, deixando-nos só a roupa do corpo; esta manhã, chamaram-nos, fizeram-nos abrir todas as malas e tirar todas as roupas, para as submeterem à *fumigación*... Veja que exigência odiosa, não havendo sombra de moléstia no Rio de Janeiro!

Enfim, o que há mais agradável aqui é a vista do mar, que por todos os lados nos cerca; não tem ele, como na nossa cara terra, para realçar--lhe a planura, montanhas pitorescamente recortadas, vestidas de verdes e espessos bosques; é só água, água azul, que se prolonga até os horizontes azuis. Somente, de um lado, muito ao longe, uma linha esbranquiçada e tênue; é Montevidéu com os seus departamentos.

De quando em quando, um bote passa, ou uma lancha, ou um barco a vela; às vezes também, muito distante, se divisa um navio, sombreando lentamente o fundo claro do céu com o traço negro dos seus mastros. — Vai para o Brasil... — pensamos; e vamos acompanhando com a vista o seu vulto errático, para transmitir-lhe pelo olhar as nossas enternecidas saudades e invejas...

Ah! que saudades e que invejas! Como se pode deixar a Pátria? como se podem deixar parentes, amigos, sítios caros, paisagens familiares, hábitos adquiridos, todo esse conjunto de doçuras e afeições, despojada das quais a personalidade humana se sente tão pobre, tão fraca, tão abandonada na vastidão do universo? Espanto-me da minha coragem... e lastimo-a. Sem dúvida, preciso de ver novas coisas, de alargar a perspectiva da minha inteligência, de me pôr em contacto com costumes novos, com outros povos, e outras civilizações. Quando voltar, voltarei mais instruído, mais rico de elementos literários, mais armado para as lutas da vida. Reconheço todas essas vantagens; mas, enfim, pergunto a mim mesmo com essa dolorosa hesitação, que é a nossa maior tortura espiritual, se realmente a única felicidade para o homem não é viver tranquilo no seu lar entre os seus, sem ambições, sem projetos, e mesmo sem sonhos...

E com isto, adeus por hoje, querido Mestre e Amigo. Esta carta é unicamente para as primeiras notícias, e para mostrar-lhe toda a solicitude do meu afeto.

Escreva-me também logo que puder; ansioso aguardo as suas cartas. Já sabe o meu endereço: Legação do Brasil em Montevidéu. Até breve. Queira-me sempre bem como eu lhe quero. Abraço-o cordialmente.

Seu de coração

Magalhães de Azeredo

I ∾ Azeredo foi nomeado 2.º secretário da legação brasileira, por indicação do ministro das Relações Exteriores Carlos de Carvalho (1851-1905). Ali servia como I.º secretário Augusto de Alencar*, irmão de seu colega de faculdade, Mário de Alencar*. (SE)

2 ◦∾ Pequena ilha no rio da Prata, a 21 km a sudoeste de Punta Carretas. Ali existiu um Hotel de Imigrantes, que funcionava como lazareto, para cumprir a quarentena dos viajantes que chegavam ao país. Havia uma pandemia de cólera-morbo em curso pelo mundo. A doença chegara aos portos da América do Sul em 1893. No Brasil, em 1893-1894; na Argentina em 1894-1895 e, no Uruguai, em 1895. Além disso, o Brasil era considerado propagador de outras moléstias contagiosas, sobretudo da febre amarela. Sobre o lazareto, ver nota 1, [191], tomo II. (SE)

3 ∾ *Inferno*, Canto III, linha 9. Quando Dante e Virgílio vão ultrapassar a porta que leva ao Inferno, há por sobre ela um letreiro escuro em que estão gravados os versos:

> "Por mim se vai à cidadela ardente, / por mim se vai à sempiterna dor, / por mim se vai à condenada gente. // Só justiça moveu o meu autor; / sou obra dos poderes celestiais, / de suma sapiência e primo amor. // Antes de mim não foi coisa jamais / criada senão eterna, e, eterna duro. / **Deixai toda esperança, ó vós, que entrais.**" (SE)

4 ∾ No século XIX, o manancial do rio Carioca era o principal responsável pelo abastecimento de água da cidade do Rio de Janeiro. (SE)

[309]

Para: MAGALHÃES DE AZEREDO
Fonte: Manuscrito Original, Arquivo ABL.

Rio de Janeiro, 2 de fevereiro de 1895.

Meu querido amigo,

Confesso, não há dúvida, que não esperava carta sua tão depressa; mas é preciso dizer-lhe que os mensageiros atrasam muita vez as mensagens. A sua carta, datada da Ilha das Flores, 20 de Janeiro, traz o carimbo de Montevidéu com data de 22, mas só chegou aqui a 31, que é o carimbo de cá. Assim que, toda a sua solicitude encontrou os obstáculos naturais dos correios e vapores. Não obstante, a surpresa deu-se, porque eu esperava que só escrevesse de Montevidéu. Não é preciso dizer quanto me foi agradável.

Li a narração da viagem, tão feliz que não teve o prosaísmo e os tédios do enjoo; mas os enjoos da quarentena, de par com as saudades, já lhe deram as primeiras amarguras desta separação da nossa terra. Oxalá que os trabalhos e o tempo façam depressa o resto. Não esquecerá a nossa água da Carioca, mas acostumar-se-á a ver que há outras águas, e que é força beber a que temos, porque a sede acompanha o homem. Os cativos de Israel penduravam as cítaras nos salgueiros dos rios de Babilônia, mas bebiam a água, por não haver outra. Faça melhor que eles; não pendure o instrumento da poesia, e cante-nos, ainda que longe de Sião, o que a sua alma de moço lhe inspirar. Não perca os belos anos. Cada idade tem a sua poesia, mas a mocidade é de si mesma a poesia.

Quando nos despedimos no cais Pharoux, e que o vi afastar-se da praia, lembrei-me das muitas despedidas que tenho feito a amigos ou só conhecidos, que se vão e tornam, ou não tornam, conforme o programa deles, ou a decisão da sorte, que tanta vez corrige os nossos itinerários. Perdi assim velhos amigos. Não é provável que me arranque um dia daqui para ir ver coisas novas, posto que o desejo seja grande; desejo não vale resolução nem supre a possibilidade. Nem a grandeza dele é a mesma que era. Creio que, se algum dia, sair em viagem, terei o mesmo sentimento de que me fala no fim da sua carta. Os nossos temperamentos são irmãos. Ora, eu já li que os nervosos e melancólicos são pouco dados às viagens, enquanto que os sanguíneos as buscam por gosto e por necessidade. A observação é impossível de ser provada por estatísticas; mas a razão a aceita facilmente.

Adeus. Ainda lhe não agradeci o haver-me escrito logo depois de entrar na ilha das Flores, pagando assim, e com largo juro, uma dívida de coração. Espero que me dê oportunamente as suas impressões desse país, e da vida nova em que entrou. Sobre isto não lhe darei conselhos. Seu espírito reto e claro mostrar-lhe-á, melhor que palavras minhas, o que lhe cumpre fazer; sem contar que tem a seu lado o mais persuasivo dos conselhos, que é o coração de sua mãe[1]. Eu cá fico, meu amigo. Disponha de mim, e não deixe de crer que lhe quero muito e muito.

Seu do coração

Machado de Assis.

---

1   D. Leopoldina acompanhará o filho em todas as suas mudanças na vida diplomática. (SE)

[310]

Para: LÚCIO DE MENDONÇA
Fonte: Transcrições, Arquivo ABL.

[Rio de Janeiro,] 6 de fevereiro de *1895.*

Meu caro Lúcio,

Vim dar-lhe um abraço pelo seu restabelecimento, não o tendo feito antes, como fosse crer, por circunstâncias inesperadas. Não tendo tido a fortuna de o encontrar, e não posso hoje demorar-me, deixo aqui este bilhete com os meus parabéns. Ver-nos-emos em breve, e até lá aceite o abraço, que é do coração. Adeus. Não se esqueça do

ad*mira*dor e am*ig*o velho

Machado de Assis[1].

---

1 ∾ Este bilhete, com pequenas variantes, foi publicado no *Catálogo da Exposição Machado de Assis* (1939). (IM)

[311]

De: MAGALHÃES DE AZEREDO
Fonte: Manuscrito Original, Arquivo ABL.

Montevidéu, 14 de fevereiro de *1895.*

Meu querido Mestre e Amigo,

Abençoada seja a sua preciosa carta pelo muito bem que me fez. Profundamente grato lhe sou pela sua prontidão em responder-me, apesar de tão a[ta]refado sempre; o que desejo e peço é que continue a escrever-me com frequência; creia que as suas letras serão sempre das mais ansiosamente esperadas e cordialmente recebidas. Bem sabe quão viva deve ser a sensibilidade na alma, já naturalmente sensível, de um expatriado... Não cuide que me qualifico assim por amor à sugestividade poética dessa palavra. Realmente sou um expatriado, um homem *arrancado da sua terra*, tanto como, por exemplo, um banido político. Mas vim por minha vontade... ah! por minha vontade! *En beaucoup de choses les nuances sont tout...*[1] Sim, ninguém me obrigava a aceitar o meu cargo atual; hesitei quando me foi oferecido; afinal resolvi concordar com a nomeação, e a princípio senti algum prazer, ante a perspectiva de uma viagem, de coisas novas a estudar, de uma terra desconhecida a percorrer... Creia, porém, que passados poucos dias, quando aliás já me não era lícito voltar atrás, eu me sentia quase arrependido da minha decisão... e agora, com que júbilo deixaria Montevidéu, se deveres imperiosos me não prendessem aqui! Isto é a confissão de uma fraqueza; mas estou certo de que o seu espírito a saberá compreender e justificar, pois não é, mercê de Deus, um *espírito de burocrata.* Nada, *nada* neste mundo, nem a riqueza, nem as honras de uma alta posição, nem as promessas de um futuro portentoso, nada vale a simples independência, que muita vez um pobre, um humilde possui sem a saber apreciar... A simples ideia de jugo, de obrigação imposta ou aceita, basta para tirar cinquenta por cento, ao menos, do seu valor, aos mais vivos gozos. Não há dúvida que tenho quanta paciência é precisa para suportar esta limitação da minha liberdade, pois compreendo que a vida deve ser tomada a sério, e não se compõe somente de caprichos volúveis e infantis... Mas cumpre entender bem o meu ponto de vista: não me refiro à minha situação moralmente considerada, com a qual me conformo sem relutância, mas às minhas impressões de viajante, que, excetuadas as horas de serviço público, passeia em busca de sensações e novidades por uma terra estrangeira. Ah! meu querido Mestre, viajar é uma fina delícia quando a gente tem o poder de passar de um ponto para outro à vontade, prolongando ou diminuindo a seu talante os dias de demora em cada lugar. Coisa diferente é desembarcar em Montevidéu e pensar na manhã seguinte, ao abrir os olhos: Tenho de ficar aqui até... quando? Deus o sabe, e a secretaria do Exterior! Por exemplo: não pode avaliar quanto me contraria esse maldito cólera em Buenos Aires[2] — não só pelo número de vítimas que carrega para melhor vida cada dia, o que eu, como alma filantrópica, lamento deveras — mas sobretudo porque me impede de ir passear na bela capital Argentina — ambicionada distração para a qual o ministro brasileiro[3] aqui me ofereceu espontaneamente licença. Em rigor, não é tanto o cólera que me impede de ir; mas é — o que vem a dar no mesmo — a quarentena de 8 dias a que eu seria obrigado, ao regressar, na ilha das Flores. E como a primeira experiência ainda não está esquecida...

Vamos às impressões, de Montevidéu. Não lhe posso dar muitas, nem completas, porque ainda estou estranho de todo a esta terra. Pouco tenho visto até agora, e não tratei ainda de pôr-me em contato com a sociedade oriental; não entreguei por enquanto as cartas de apresentação que trouxe comigo, e apenas fiz algumas visitas de pura pragmática ao Presidente da República[4], ao ministro do Exterior[5], e aos diplomatas estrangeiros. Minha vida aqui tem sido muito retraída e solitária[6]; agrada-me mais ler e trabalhar ao lado de minha adorada Mãe, do que frequentar os salões da moda, aos quais, enfim, não poderei fugir inteiramente... mas, quanto mais tarde os conhecer, melhor. De resto, ainda dura aqui o estio (há dias de calor tão forte como os piores do Rio de Janeiro) — e nesta estação a vida elegante em Montevidéu é quase nula. No inverno há — dizem — recepções brilhantes, bailes, teatro lírico, toda a sorte de diversões.

A cidade não é muito grande — nem um terço do Rio, suponho — nem tem movimento igual ao da capital brasileira; mas é realmente bela, com as suas largas e extensíssimas ruas, as suas praças amplas, prodigamente arborizadas, os seus jardins públicos, pequeninos mas deliciosamente cultivados, os seus elegantes edifícios de fachadas e escadarias marmóreas, em que os telhados são substituídos pelas soteias. A natureza é paupérrima, e as paisagens bem monótonas para quem se acostumou de há muito aos esplendores da vegetação no Brasil; mas esta gente tem a habilidade de fazer muito com pouco, e o carinho com que tratam das suas flores franzinas e dos seus arbustozinhos está muito longe da nossa incúria desdenhosa para com as riquezas naturais que possuímos.

Entretanto, parece-me que a todos os respeitos a vida aqui é mais brilhante que sólida, e há mais aparências que realidades. Não conheço ainda bem este povo, mas tal é a impressão que tenho por enquanto, e muitas pessoas imparciais com quem tenho conversado a partilham. Muito luxo, e pouco dinheiro; muitos jornais e medíocre imprensa; muitos *plumitivos* e poucos escritores; enfim, para reunir tudo numa expressão popular, muita palha e pouco trigo. Este é, por excelência, o país da Hipérbole; é sempre a história dos *ejércitos orientales*, que não atingem, creio, a 3.000 homens. A literatura, e, em geral, a arte é ainda rudimentar; e, quanto à importância política do Uruguai no equilíbrio americano, bem sabe que esta pequena nação de *valientes* é apenas uma sorte de mediador plástico entre o Brasil e a República Argentina — semelhante a esses sacos de algodão ou de areia, que se põem nas trincheiras para amortecer as balas de artilharia.

Estou plenamente enfronhado em literatura espanhola. Leio agora as obras de Gustavo Becquer[7], fino contista e poeta, que nos versos tem algo de Heinrich Heine. Traduzi ontem algumas das suas adoráveis quadras, que mando para a *Gazeta* por este correio. Tenho trabalhado muito, e isto é a *única coisa* que me consola um pouco a nostalgia, se é que ela pode ser consolada...

É preciso deixar a pátria para compreender em toda a sua plenitude o amor que se lhe tem. Quando estamos nela, o *patriotismo* parece-nos um sentimento vago, uma abstração; mas longe da terra natal, reconhecemos que é perfeitamente concreto, e que resume todo o nosso amor ao que temos *lá* de adorável e adorado — os nossos hábitos adquiridos, os sítios prediletos, os amigos — tudo isso enfim, que me faz agora tanta falta...

Adeus, meu querido Mestre e Amigo. Receba com as minhas muitas saudades os comprimentos de minha Mãe; sabe que ela já o estimava antes de o conhecer, e o seu poder de simpatia pessoal completou o muito que de *mal* eu sempre disse a seu respeito.

Cordialmente o abraço, e sou sempre o seu

Magalhães de Azeredo

1 ∽ Em muitas coisas, os matizes são tudo... (SPR)

2 ∽ A pandemia de cólera-morbo, que grassou pelo mundo no século XIX, apareceu repetidas vezes na Argentina: 1867-1869, 1873-1874, 1886-1887 e 1894-1895. Nesta última manisfestação, apesar de todas as medidas de higiene e saúde públicas terem sido cuidadosamente seguidas, a doença propagou-se com vigor, inclusive pelas províncias de Córdoba e Santa Fé. (SE)

3 ∽ O ministro plenipotenciário brasileiro em Montevidéu, Vitorino Ribeiro Carneiro Monteiro (1859-1920), é o mesmo que, na eleição de 1892, no Rio Grande do Sul, tornou-se vice-presidente do estado, sendo, porém, aclamado presidente *de fato* pelos castilhistas, em oposição ao nome do general João Nunes da Silva Tavares (1816- -1906), pelo lado federalista. Sobre o general Joca Tavares, ver tomo I. (SE)

4 ∽ Juan Idiarte Borda (1844-1897), em substituição a Julio Herrera y Obes (1841- -1912). (SE)

5 ∽ Ministro Jaime Estrázulas, na função de setembro de 1894 a setembro de 1896. (SE)

6 ∽ Azeredo e a mãe D. Leopoldina instalaram-se no Hotel Oriental, na *calle* Solis. (SE)

7 ∽ Poeta cujo nome de batismo era Gustavo Adolfo Domingues Bastida (1836- -1870), expoente do romantismo espanhol. Registre-se que nas *Procelárias* (1898) Azeredo inseriu a tradução do poema "Rimas" de Gustavo Becquer, como testemunho de sua admiração. (SE)

[312]

De: FILINTO DE ALMEIDA
Fonte: Manuscrito Original, Arquivo ABL.

São Paulo, 12 de março de 1895.[1]

Am*igo* e Mestre S*enho*r Machado de Assis.

Vou rogar-lhe um obséquio. Eu e o meu amigo e companheiro Júlio Mesquita[2] comprometemo-nos a organizar uma espécie de antologia, só de escritores modernos, que falta às escolas do Estado. Para isso é claro que, mais que o de qualquer outro, necessitamos do concurso do Mestre das nossas letras. Tomei, portanto, a deliberação de lhe escrever, pedindo-lhe o obséquio de me enviar um trabalho seu, à sua escolha, não muito longo, mas completo — pois que resolvemos não fragmentar nenhum trabalho que entre na nossa coleção. Além de "Brás Cubas" e do "Quincas Borba", só possuo do meu amigo os "Papéis Avulsos", afora os versos; e em nenhuma destas obras há coisa que sirva para o nosso caso, como deve compreender. Tem, porém, o meu amigo, publicado por vezes na *Gazeta* uns contos menos irônicos, menos sutis de pensamento e intenção, que muito bem nos podem servir, se da sua benevolência pudermos esperar um deles.

Além de conto, desejaria que mandasse uma cópia daquele maravilhoso soneto do Sol e o Vaga-lume[3], ou que me indicasse o livro ou revista em que possa encontrar.

Certo de que a remessa desses trabalhos constituirá a autorização para os reproduzir no aludido livro, ouso esperar a sua atenção para estes pedidos e a sua desculpa para esta maçada.

Saúda-o o amigo grato e o mínimo confrade

Filinto de Almeida.

Redação do Estado de S. Paulo.

---

1 ❧ Papel tarjado. (IM)

2 ❧ Júlio César Ferreira de Mesquita (1862-1927) dirigiu O *Estado de S. Paulo* de 1891 até sua morte, conferindo prestígio nacional ao importante órgão da imprensa paulista. (IM)

3 ❧ "Círculo Vicioso". (IM)

[313]

De: MAGALHÃES DE AZEREDO
Fonte: Manuscrito Original, Arquivo ABL.

Montevidéu, 22 de março de 1895.

Meu querido Mestre e Amigo,

Não sei se chegou a receber a minha segunda carta, escrita já de Montevidéu; se a recebeu, peço permissão para queixar-me de que tão depressa haja esquecido a sua promessa de pontualidade, a não ser que o correio se intrometesse no negócio, extraviando a sua resposta.

Por minha parte, passei todo este tempo sem lhe escrever mais, porque estive bastante doente, ainda que não de cama; a dispepsia nervosa agravou-se-me, em consequência talvez do excessivo trabalho a que me entreguei desde a minha chegada; vieram-me tais perturbações que o médico chamado entendeu ser necessário submeter-me a rigoroso regímen calmante e tônico, e começou por impor-me absoluto repouso intelectual e grande exercício físico... Eu sujeitei-me sem resistência, porque compreendi afinal quanto a saúde me é necessária para realizar o meu plano de vida. Fiz de pronto uma alteração radical em meus hábitos; durante cerca de duas semanas, nada escrevi e quase nada li — imagine que sacrifício isso me custou; agora que já me sinto muito mais forte, e o coração (onde o médico encontrou o principal abalo nervoso) já vai batendo mais tranquilo, volto pouco a pouco, mas com grande moderação, à minha vida de estudo; suprimi, porém, o trabalho noturno, que me estava prejudicando inegavelmente a saúde.

O que me vale é a robustez do meu organismo, apesar de tudo, e a facilidade, a *souplesse*[1], com que ele recupera o vigor momentaneamente perdido.

Graças a Deus, com o meu tratamento atual (que é quase exclusivamente higiênico) sinto-me outro; e conto que, no inverno, a esgrima, a equitação e outros exercícios corporais acabarão de fortalecer-me.

Montevidéu já principia a entrar na estação da moda; os grandes calores vão acabando, as tardes e as noites já são frias; as famílias ricas regressam das casas de campo ou das quintas dos arrabaldes; nas praias de banhos a concorrência diminui; dentro em pouco se abrirão os teatros e os salões.

Os orientais têm em alto grau o dote da sociabilidade; em toda parte e por todos os modos procuram reunir-se entre si e com os estrangeiros; no verão, as praças e os jardins públicos, o *Paso del Molino*, que dizem eles ser um *Bois de Boulogne* em miniatura, e a *Playa de los Pocitos*, onde há um restaurante e uma ponte sobre o mar, são pontos de encontro, continuamente frequentados, cada qual no seu dia próprio, por toda a gente elegante e fina da cidade. Agora que o tempo começa a arrefecer, e esses lugares, um pouco desabrigados, já não oferecem tantos atrativos, e ainda é um pouco cedo, por outro lado, para as recepções e os bailes, *todo Montevidéu* escolheu para se reunir, às quartas e aos sábados, os pavilhões da exposição de agricultura, indústria e criação de gado!

A exposição, como tal, é insignificante, quase ridícula; também, quase ninguém vai lá ver uvas, queijos e bois... Mas há muito espaço, muita luz; o pavilhão central é vasto e bem adornado, agradável o parque de entorno; que mais é preciso para que as pessoas conhecidas possam ali passar juntas a noite, passeando e ouvindo uma pouca de música? E assim se faz; à claridade viva das lâmpadas elétricas, por entre as pilhas de presuntos e as pirâmides de garrafas, passam, em graciosos grupos, as moças mais lindas, os rapazes mais distintos e galanteadores do Uruguai. Conversa-se, ri-se, e sobretudo, cumpre-se uma obrigação restrita de toda a mocidade aqui, seja nacional ou forasteira; *el dragoneo*, que assim denominam eles o namoro. Os usos da terra não permitem que um rapaz viva só e egoisticamente; há de ter por força a sua querida, ou real, ou suposta; assim que um moço chega a Montevidéu e começa a relacionar-se com a alta sociedade, logo todos se põem em campo a observá-lo, a interrogá-lo, a espioná-lo, para saber qual é a rapariga com que ele conversa mais a miúdo, e a maneira por que a trata, e os olhares que se trocam entre os dois, e as frases que ambos pronunciam... Verificado tudo isso, e universalmente aceito que a namorada de Alfredo é a *Señorita Carmen*, por exemplo, um belo dia, no meio da roda mais numerosa, uma voz pergunta alto e bom som: Então, Alfredo, como vai Carmen? E outra diz: Que linda é Carmen! e outra: Ela gosta muito de V*ocê*! e outra ainda: V*ocê* gosta muito dela? e todos, em coro: Oh! já sabemos! já sabemos! não negue!... — Se se nega, é pior; o mais acertado é concordar com a opinião unânime dos povos. E daí por diante fica oficialmente estabelecido que Alfredo é noivo da *señorita* Carmen, e por toda a parte se fala nisso, e ninguém se lembra de o pôr em dúvida. Mas noivos, assim, com essa facilidade? Sim, nada menos. Mas o caso é que a posição de noivo, mesmo *formal*, como aqui dizem, não envolve grandes compromissos. É a coisa mais comum em Montevidéu o seguinte diálogo entre dois rapazes: Maria Tal é tua noiva? — É — Quando é o casamento? — Ah! não; não penso em casar-me! — E deste modo se passam três, quatro e mais anos, até que um dia, ou o consórcio se decide, caindo de maduro, ou o noivado se rompe, sem dificuldades, sem complicações dramáticas, dando-se este motivo: Os nossos caracteres não se combinam... E os namorados da véspera tornam-se simplesmente bons amigos... Pois se o ex-presidente da República, talvez o maior talento político do Uruguai, Julio Herrera y Obes[2], tem uma noiva há quase quinze anos, e diz que ainda não se casou por *falta de posição conveniente* (ele, ex-chefe de Estado!) — É verdade que para não perder tempo, já a moça lhe deu dois ou três filhos... Delicioso, não lhe parece?

O que há de mais adorável aqui é a moralidade da política... Quer saber um dos muitos fatos que caracterizam os costumes administrativos na República Oriental? Em Montevidéu há cólera, tão bom como o de Buenos Aires e muito mais fino que o do Rio. Trata-se de firmar um *modus vivendi* entre o Brasil, a R*epública* Argentina e o Uruguai para suprimir as quarentenas que tanto prejuízo causam ao comércio e à navegação; o governo oriental opõe-se tenazmente — e por quê? todos o dizem, a própria imprensa o insinua... porque altos personagens, começando, ou acabando pelo Presidente *Senh*or Don Juan Idiarte Borda[3], são sócios do lazareto da ilha das Flores[4]!

No Brasil, a política tem muitas vezes descido a vilanias estranhas; mas até esse ponto suponho que nunca baixou.

Atualmente, vejo com prazer que a situação aí vai melhorando, e o governo parece decidido a extinguir de vez certos elementos perturbadores, que, tendo sido tirânicos no poder, são logicamente anárquicos na oposição. Creio que o povo, cansado de constantes desordens, desiludido de aventuras perigosas de que só ele é vítima, quer positivamente viver em paz, concertar o seu crédito e o seu erário, e ser, enfim, dono em sua própria casa.

Calcule a ardente curiosidade com que procuro os jornais, quando há telegramas de sensação, como o que comunicava a revolta da escola militar e as enérgicas providências com que o governo a reprimiu.

Esses acontecimentos que aí mesmo alvorotam os ânimos, imagine que importância têm para um brasileiro que vive em terra estranha.

Mais, ainda mais me interessam as novidades literárias; com que gosto leio a *Revista Brasileira*, a *Semana* e a *Gazeta de Notícias*, em especial aos domingos por causa das crônicas! O *Jornal do Brasil* é que bem podia, para honra própria e conveniência do público, desistir das ridículas e cerebrinas *páginas literárias*, compostas de anúncios comerciais, historietas funambulescamente disparatadas da *Senh*ora *Dona Inês Sabino*[5], e versos intragáveis de uns parvos desconhecidos. Venha sempre, que será bem-vinda, a prosa tersa de Cosme Peixoto[6]; é, a meu ver, a única coisa que se salva da folha do *Senh*or Fernando Mendes[7]!

Eu tinha grandes projetos literários para este ano, e já me estava lisonjeando com a satisfação de consagrar-lhes o melhor do meu tempo. Infelizmente, julgo que não poderei realizar nem a metade; a minha anemia acompanhada de debilidade nervosa impede-me de trabalhar como eu desejaria, e por ordem rigorosa e inflexível do médico vejo-me obrigado a repousar por alguns meses, sob pena de perder sem remédio a saúde. Triste condição para quem no trabalho encontrou sempre o melhor consolo das suas tristezas, e a mais eficaz educação do seu caráter! Permita Deus, ao menos, que o sacrifício seja recompensado em breve, e dentro em pouco possa eu recobrar com dupla atividade os dias imolados à *ditadura médica*! (Veja o que é conversar com doutores; há pouco estive com o meu, e as últimas páginas desta carta, escritas depois da consulta, revelam um desânimo tão grande...)

Escreva-me, querido Mestre e Amigo. Aqui fico à espera das suas cartas.

Cumprimentos de Mamãe. Um abraço cordialíssimo do sempre seu

Magalhães de Azeredo.

---

1 ∾ Elasticidade, flexibilidade.

2 ∾ Herrera y Obes (1841-1912), ao tornar-se secretário do general Venâncio Flores (1808-1868) durante a guerra do Paraguai, ganhou projeção nacional, a partir do que construiu uma sólida carreira política, tendo participado de momentos decisivos da vida uruguaia, entre os quais: a reorganização do partido Colorado e a transição à democracia em 1890, depois de um período de governos militaristas. (SE)

3 ∾ Juan Bautista Idiarte Borda y Soumastre (1844-1897), do partido Colorado, exerceu a presidência de março de 1894 até 25/08/1897, quando, após assistir ao *Te Deum* na Igreja Matriz de Montevidéu, foi vítima de um tiro certeiro no coração dado por Avelino Arredondo, seu desafeto político. (SE)

4 ∾ Ver nota 2, carta [308]. (SE)

5 ∾ Maria Inês Sabino Pinto Maia (1835-1911). (SE)

6 ∾ Alferes Cosme Peixoto, pseudônimo usado por Carlos de Laet* no *Jornal do Brasil* no período de Floriano Peixoto. Depois, com a eleição do primeiro presidente civil, Laet passou a assinar-se Cosme de Morais, em alusão a Prudente de Morais. (SE)

7 ∾ Fernando Mendes de Almeida (1845-1921), diretor e redator-chefe do *Jornal do Brasil*, filho do senador Cândido Mendes de Almeida. (SE)

[314]

Para: MAGALHÃES DE AZEREDO
Fonte: Manuscrito Original, Arquivo ABL.

Respondi no dia 27 de abril[1]
Rio de Janeiro, 2 de abril 1895.

Meu querido am*i*go e poeta,

Prometa-me que só lerá esta carta, depois que me houver absolvido do meu longo silêncio. Terá razão se for inflexível; mas eu conto com a sua afeição, e daí a esperança de que a leitura se fará sem ressentimento. Eu é que não escreverei sem remorsos. Com efeito, mediou tanto tempo entre a sua carta de 22 de Março (ontem recebida) e a anterior, que a suposição de que esta se houvesse extraviado era natural, e a sua queixa de esquecimento justa. Nem uma nem outra coisa. Todo o mal veio dos adiamentos; mas não falemos mais nisto. Verá daqui em diante que, salvo casos de moléstia, estou emendado.

A segunda carta dá-me notícia da moléstia que teve, ou antes da agravação que lhe trouxe o excesso de trabalho à sua dispepsia nervosa, e assim também dos trabalhos da cura. Eu não sei se teria agora tanta paciência; e, contudo, já fui doente exemplar, quando padeci de uma retinite e me proibiram ler. Estive assim longas semanas. Era minha mulher que me lia tudo. Para o fim serviu-me de secretária. As *Memórias Póstumas de Brás Cubas* foram começadas por esse tempo; ditei-lhe creio que meia dúzia de capítulos.

Deixe-me dizer-lhe que entre as duas cartas a que respondo acho diferenças de tom. Pode ser que a primeira fosse já escrita sob a ação da agravação da moléstia, mas não é preciso estar doente para que as primeiras impressões de um país não sejam boas. Falo do que não sei; mas presumo que há de ser, não digo para todos, mas para quem tiver alguma coisa mais que a simples curiosidade dos olhos. Não bastam coisas novas para matarem logo as coisas velhas. A segunda carta, porém, traz já a liberdade do espírito repousado, conquanto a tristeza não perca os seus direitos. Desta vez tem a causa na necessidade de refrear o trabalho, como higiene, e não cumprir o programa literário que formulara. É de lastimar que assim seja, mas o melhor conselho é que se poupe. Na idade em que está, não lhe falta tempo de produzir, e se for menos, por alguns meses, basta que seja sempre bom. Há de custar-lhe a limitação; desforrar-se-á depois.

De resto, alguma coisa tenho visto aqui, prosa e verso, e ainda agora o conto *Em alto-mar*, publicado na *Gazeta* de 29 e 30 do mês que acabou. Achei a descrição do mar excelente; dá uma impressão do crepúsculo e da queda da noite. Quanto à ação, que é quase nenhuma, está bem concentrada na alma do fantasma, quero dizer no estudo psicológico do homem, no da influência do ouro, herdado "com a avareza", segundo ele mesmo diz. Pela data vejo que é obra de Montevidéu e do mesmo dia em que me escreveu a primeira carta, 14 de Fevereiro. A impressão geral dá bem a sua feição literária, e as suas preferências artísticas. Lá vem a nota de melancolia, que é o fundo da sua alma.

É curioso o que me escreve *del dragoneo* e dos noivados daí. O caso do noivado intervalado de crianças é realmente delicioso. A natureza é dona, e onde escasseiam padres, não faltam altares. Gracioso, em verdade. O que concluo é que há de haver aí, entre os dois sexos, mais familiaridade, intimidade, liberdade, o que quer que seja que não faz da *señorita* uma moça da roça; assim podem manter-se entre duas criaturas as esperanças e o respeito, e desfazer-se o laço com a facilidade com que ele foi feito.

Estimo que a volta do inverno lhe traga ocasiões de distrair-se e matar o tempo que lhe sobrar das suas duas artes, literária e diplomática. Sempre é alguma coisa, quando a pátria está longe, embora a melhor porção dela, sua mãe, esteja a seu lado; mas também ela se achará expatriada e os dois se consolarão do que fica longe.

Daqui não tenho nada que lhe dizer que não saiba pelos jornais. Diz-se que o seu ministro pediu demissão[2], e citam-se nomes de substitutos, entre eles o do Henrique Cavalcanti[3], que é um bom rapaz; rapaz, entenda-se, do meu tempo. Entretanto, por ora, não há nada.

Esperam as câmaras, cuja sessão uns creem que seja violenta, outros que não, e eu vou mais para estes, não acreditando em violências anunciadas. Daí pode ser que me engane. Não é difícil, em matéria que excede a minha competência e o meu gosto; mormente na minha idade, quem viveu de letras, há de morrer com elas. Pode ser que elas aflijam alguma vez; mas é pelas canseiras que trazem, e não raro pelos azedumes, não por elas, coitadas! De resto, são aflições que passam depressa, e até dão vida.

Creio que já lhe disse estar com um livro no prelo[4], simples coleção de contos, já dados na imprensa diária; é uma escolha deles, ainda me ficam outros. Nas horas que me sobram do trabalho administrativo, que é muito, como sabe, vou trabalhando em algumas páginas que aparecerão este ano, se puder ser. E o seu livro de contos e novelas, quando aparece? E o de versos[5]?

Desejo ver cartas suas, a despeito da demora desta. Espero-as carinhosas e amigas, como sabem ser. As suas impressões da sociedade em que ora vive ser-me-ão sempre agradáveis. As suas esperanças acharão em mim o apoio que merecem. As próprias tristezas, quando as tiver, serão bem-vindas ao meu espírito, não por serem tristezas, mas por serem suas.

Adeus, meu querido poeta; desculpe sempre a vulgaridade do conselho, não esqueça as musas. Apresente os meus respeitos à sua boa mãe. Minha mulher recomenda-se-lhe, e eu abraço-o de todo coração. Repito-lhe que me escreva e creia no

Velho amigo

Machado de Assis.

---

1 ～ Magalhães de Azeredo anotou. (SE)

2 ～ Vitorino Monteiro foi substituído por José Tomás da Porciúncula*, que, aliás, continuou diretor da Diretoria-Geral do Ministério das Relações Exteriores. (SE)

3 ～ Henrique de Barros Cavalcanti de Lacerda, naquele momento, era enviado extraordinário e ministro plenipotenciário de 1.ª classe na república do Chile. (SE)

4 ～ *Várias Histórias*, cuja primeira edição sairá à luz em 1896 pela Laemmert; a segunda em 1903, pela H. Garnier e a terceira em 1904, reproduzindo em grande parte a segunda. (SE)

5 ～ *Procelárias* (1898). (SE)

[315]

De: MAGALHÃES DE AZEREDO
Fonte: Manuscrito Original, Arquivo ABL.

Montevidéu, 27 de abril de 1895.

Meu querido Mestre e Amigo,

Como guardar ressentimento, se ressentimento houvesse, lendo a sua boa e deliciosa carta? Mas não havia ressentimento pelo seu longo silêncio (eu não sou tão mau assim) — havia somente pesar e ansiedade. Confesso-lhe que vendo chegar correio sobre correio, sem vir a sua resposta, eu me sentia triste. Digo triste, e não desconfiado. Certamente, eu não pensava sequer por um instante: Quão depressa o meu querido Mestre me esqueceu! Mas ia cogitando entre mim: Também ele *tem preguiça* de escrever-me...

Tal era exatamente o meu estado de alma. A sua carta, bondosa e expansiva, como eu a desejava, teve o poder de reanimar-me, principalmente porque espero ver cumprida de ora avante a sua promessa de pontualidade. Escreva-me sempre que possa; e por assídua correspondência anulemos os efeitos comuns da distância e do tempo; as almas fortes, seguras de si mesmas e dos seus sentimentos, bem podem dispensar a presença material das pessoas que prezam, e nutrir a constância do afeto pela simples lembrança, tendo-as em verdade tão vivas na memória, como se as tivéssem diante dos olhos. Para mim, a sua amizade é dessas, em que o homem pensa com prazer e ufania quando sente a necessidade de um grande apoio moral. Por muito penoso que seja este sacrifício de viver fora da pátria, por muito cruel que eu reconheça o perigo de ser pouco a pouco esquecido de tanta gente no Brasil, serei firme e trabalharei corajosamente, enquanto tiver a certeza de viver no seu espírito e em alguns outros.

Sei que se alegrará, sabendo que vou melhor, mas muito melhor, dos meus incômodos. Já não posso dizer mal da medicina; a docilidade de noviço, com que me subordinei ao doutor, tem produzido excelentes resultados. Ele interessa-se realmente pela minha saúde, estuda-me com escrúpulo, fala-me com sensatez e seriedade, e, sobretudo, sabe incutir-me ânimo e confiança, o que, no meu caso, é meio caminho andado. Sem dúvida, me custa sujeitar-me a regímen tão rigoroso; dormir muito e trabalhar pouco — são duas coisas que no Rio me pareceriam impossíveis, e agora estão no meu programa diário. Eu, que aí me levantava sempre às seis horas, tendo-me deitado à meia-noite ou à uma, deixo-me ficar na cama até as oito. É verdade que essa condescendência é particularmente agradável, com o frio que já vai fazendo.

Assim, durante alguns meses, produzirei menos — deixarei para mais tarde um romance que ia começar; mas, paciência! quando estiver robusto e sadio, trabalharei duplamente e com duplo proveito.

O meu livro de novelas parece estar sob a ação de uma *jetatura* — e essa não é outra senão a imbecilidade do meu editor, ou será o nariz descomunal, fantástico, que a natureza lhe deu a ele num momento de ironia. Pelo último vapor me mandou o homem nove pacotes de livros brasileiros e portugueses que eu precisava, em encomendas do correio (!), e uma carta em que prometia pôr à venda a *Alma Primitiva* em Maio sem falta[1].

Fico à espera. Receio muito, porém, que a demora tenha já prejudicado a obra, e que ela passe quase despercebida. Tratando-se do meu primeiro livro, calcule como isso me desespera.

Quanto ao de versos, estou agora acabando de dar-lhe os últimos retoques; prefiro que saia tarde a que saia imperfeito; e, graças à minha perseverança e à severidade com que eu próprio vou julgando cada página, espero que o volume das *Procelárias* será, não bom, mas o *melhor que eu posso fazer*.

As *Baladas e Fantasias*, composições quase todas ligeiras, ainda que no estilo delas me esmero quanto é possível, estão quase prontas. Depois aparecerá outro volume de novelas, a que vou dar o título de *Melancolias* que exprime bem o conjunto. Quando estará concluído é que não sei; e o mesmo digo das *Rústicas e Marinhas* que vão muito lentamente, ao sabor de impressões que nem sempre estão a meu dispor[2].

Impaciente aguardo o seu livro de contos; tenho aqui na minha pequena biblioteca todas as suas obras, menos *Tu, só tu, puro amor*, que, segundo me escreve o Cunha, não foi possível encontrar aí à venda; ainda nos últimos dias reli *Histórias da meia-noite* e *Histórias sem data*, e vou reler agora *a Mão e a Luva*. Qual é o outro trabalho em que se ocupa nas horas que lhe sobram das tarefas administrativas? não poderei sabê-lo? creia que sou discreto; e faça-me essa confidência. Para merecê-la, aqui lhe faço também eu uma confidência, pedindo que guarde segredo. Não adivinha o que é. São uns versos que perpetrei em espanhol... Leia-os e não se ria:

> *Solo para guitarra*
>
> Hay en tus ojos ternura,
> Hay en tu boca maldad;
> Y en tu ojos, y en tu boca,
> Mi corazon (*sic*) preso (*sic*) está.
>
> Si tus miradas me aceden (*sic*)
> En llamas vivas de amor,
> Tus palabras no me inspiran
> Más que implacable rencor...
>
> Asi (*sic*), cuando en tus encantos
> Yo pienso a solas aqui (*sic*)
> Rencor y amor se pelean,
> Como dos fieras, en mi (*sic*);
>
> Y de esa continua lucha
> Entre una y otra pasion (*sic*),
> Figurate las heridas,
> Que tiene mi corazon (*sic*)!

Lembra-me que numa carta escrita no ano passado se declarava inimigo do calor e decidido partidário do frio, moderado todavia. Sendo assim, sentir-se-ia deveras bem agora em Montevidéu.

Estamos no outono, a mais bela e deliciosa estação do ano nesta terra. Dias lindos, lindas noites; céu claro, ar leve, temperatura fresquíssima, um pouco fria mesmo, e de vez em quando umas lufadas de pampeiro, vibrante e rijo, verdadeira ducha atmosférica, que chicoteia as carnes, ativa a circulação do sangue, e dá saúde e vida. Os grandes frios ainda não vieram, ainda não se acende o fogo nas chaminés, ricamente revestidas de mármores multicolores. Entretanto, já começam as recepções e as festas; daqui a poucos dias, a Legação Inglesa dará um grande baile para celebrar o aniversário da *Gracious Queen*[3]. Sabe que pesados e aborrecíveis são os bailes oficiais; não tenho remédio senão ir; mas não conto decerto divertir-me. Já ontem tive de passar por uma das amolações frequentes na minha carreira; assisti como todo o corpo diplomático ao funeral dos náufragos do — *Reina Regente*[4] — A cerimônia durou três longas horas, durante as quais, nós colocados no sítio de mais evidência, tivemos de guardar correção irrepreensível e inverossímil.

Não se sabe ainda quem virá de ministro para aqui. De longe em longe, os telegramas atiram-nos um nome: Afonso Pena, ou Ubaldino, ou Rodrigo Octavio; nunca, porém, os boatos se confirmam[5]. A verdade é que ninguém, ou tenha ambição de subir, ou simplesmente zelo pelo seu próprio prestígio, quer aceitar a terrível responsabilidade de representar aqui o Brasil nestas circunstâncias. As questões que se hão de impor pela própria força das coisas ao novo ministro quem quer que ele seja, são ainda mais complicadas do que parecem e não sei como se resolverão.

Adeus, meu querido Mestre e Amigo. Recomende-nos à sua *Excelentíssima Senh*ora. Mamãe, que vai bem, o cumprimenta com afeto. Eu, à espera de cartas suas, o abraço de todo o coração. Sempre seu

Magalhães de Azeredo

---

1 ∾ Cunha, nominalmente citado na carta, e um dos sócios da editora que lançará somente em agosto de 1895 o livro de contos *Alma Primitiva*. (SE)

2 ∾ As *Baladas e Fantasias* saíram somente em 1900; não se conhecem na bibliografia de Azeredo livros intitulados *Melancolias* ou *Rústicas e Marinhas*. É possível que tenha redistribuído esses textos que intentava publicar em outros volumes que de fato publicou. (SE)

3 ∾ Vitória (1819-1901), rainha do Reino Unido, faria 76 anos no dia 24 de maio. (SE)

4 ∾ *Reina Regente*, o primeiro cruzeiro da armada espanhola dotado de canhões duplos, zarpou de Cádiz para Tânger, em missão oficial – levar de volta o embaixador do sultanato do Marrocos. Naufragou em águas do estreito de Gibraltar, tendo desaparecido os seus 420 tripulantes. (SE)

5 ∾ Nenhum dos três assumiu a legação brasileira. Vitorino Monteiro será substituído por José Tomás da Porciúncula*, nomeado para Montevidéu em 05/07/1895. (SE)

[316]

De: COELHO NETO
Fonte: Cartão de Visita Original, Arquivo ABL.

[Rio de Janeiro,] 29 de abril de 1895.

Ao grande mestre e amigo
COELHO NETO
agradece com todo o coração[1]

---

1 ∾ Machado comentara *Fruto Proibido* em "A Semana", *Gazeta de Notícias* de 28/04/1895. (IM)

[317]

Para: ERNESTO CIBRÃO
Fonte: Relatório da Diretoria do Gabinete Português de Leitura no Rio de Janeiro: 1895-1898. Rio de Janeiro: Jornal do Comércio, 1899.

Rio [de Janeiro], 29 de abril de 1895.

Meu caro Ernesto Cibrão,

Possuía dois manuscritos da minha peça dramática, *Tu só, só tu, puro amor...*[1]. Um, como sabe, foi para a Biblioteca Nacional, onde se fez a exposição camoniana; o outro ficou comigo, e foi bastante V*ocê* sabê-lo para desejá-lo, e desejá-lo para obtê-lo, pois é difícil negar-lhe nada do que intente possuir para aumentar a coleção do Gabinete Português de Leitura, em boa hora confiado aos seus esclarecidos esforços. Não me atreveria a oferecer-lho, mas também não me atrevo a negar-lho. Aí vai ele para o repositório dos documentos que o Gabinete guarda, por menos que possa lembrar o esplendor das festas que aqui se celebraram em honra do grande épico.

Adeus. Creia sempre no velho amigo

Machado de Assis

---

1 ∾ O *Relatório da Diretoria do Gabinete Português de Leitura no Rio de Janeiro: 1895-1898* registra:

"Entre as novas riquezas adquiridas pela nossa biblioteca, merece especial menção o manuscrito original da mimosa composição dramática 'Tu, só tu, puro amor...' do insigne poeta brasileiro Machado de Assis, o mestre, como apropriadamente lhe chama a hodierna geração literária. Esta joia da língua portuguesa que se adorna por título com um formoso hemistíquio de Camões, foi escrita expressamente para as festas do Centenário do grande épico, realizadas pelo Gabinete Português de Leitura, com aquela grandeza e lustre, ainda hoje lembrados e que a mão do tempo não apagará jamais da memória de quem as viu, nem das páginas da história. Uma cópia autógrafa que esteve na exposição camoniana da Biblioteca Nacional, ali se guarda, limpa de borrões, de rasuras e entrelinhas; mas a original está conosco, ciumentamente guardada, com a formosura e opulência das suas entrelinhas, das suas rasuras e dos seus borrões."

Cabe observar que o manuscrito e a primeira edição da comédia trazem como título "Tu, só, tu, puro amor", conforme o verso camoniano. Mas o próprio Machado altera sistematicamente a pontuação. Sobre a peça ver em [180], tomo II, notas relativas às comemorações do 3.º centenário da morte de Camões, promovidas pelo Gabinete Português de Leitura. (IM)

[318]

> Para: MAGALHÃES DE AZEREDO
> *Fonte:* Manuscrito Original, Arquivo ABL.

Rio de Janeiro, 26 de maio de 1895.

Meu querido amigo e confrade

Desta vez não me demoro em responder, ainda que o não fizesse logo, mas depois de alguns dias. Relendo a sua última carta, senti mais fundamente a impressão que me dou a primeira leitura. Vi pelo tom geral que a melhora que me anuncia existe realmente, e grande; ainda bem. Ela viria, por certo, graças aos verdes anos, que reagem contra o abatimento e restituem ao organismo a força necessária e própria. Mas, tanto melhor se a higiene se faz companheira do tempo, e ambos concertam a máquina por um instante desobediente.

Já não posso dizer a mesma coisa de mim. Cansado de longos trabalhos, não robusto, vejo irem-se os anos, mais depressa do que vieram, e não sei se, em breve, terei de parar, à espera que passe o trem derradeiro, que me levará ao meu lugar eterno. *Revertere ad locum tuum.*

Veja que bom consolador lhe saio hoje! Acabo falando em coisas tristes. Há minutos desses que não se podem tirar do relógio da alma; o mais que se alcança é dar outro aspecto ao mostrador. O ponteiro marca a alegria, enquanto a mola interior vai na direção do pesar. Passou; não suprimo o *trecho,* para lhe deixar esta prova de confiança.

Não lhe importe a suspensão do trabalho a que é obrigado pela perfeição da cura. Não perderá com isso a flor do engenho, e ganhará validez maior. Em todo caso, não há absoluta inação; vai retocando umas coisas e compondo outras, até *solos para guitarra.* Gostei destes versos; não pedi a publicação deles na *Gazeta,* por não saber se seria indiscrição pôr-lhes a sua assinatura, e não achar que devessem sair sem ela. Tomara ver as *Procelárias*[1] cá fora; mas, aplaudo o gosto de as aperfeiçoar primeiro, e longamente. Na sua idade esse gosto não é comum. Ninguém pede já os nove anos de Horácio; mas os nove meses da gestação humana não são demais. Pelo que me diz, tem mais três livros de prosas, um quase acabado, dois em andamento, ainda que vagaroso. Já me tinha falado de um, e creio que também do último, *Rústicas e marinhas*. Venham eles, a seu tempo. *A Alma primitiva* ainda não apareceu, e estamos em 26 de Maio[2]; mas, como o editor lhe disse que, por todo este mês estaria pronto o livro, não faltou ainda à palavra. Editores não são sempre pontuais; força é acostumar-se às delongas. Certo é que eles lutam com o pessoal; ao menos, é o que lhes ouvi dizer muitas vezes.

Pelo que me toca, o livro em que trabalho é ainda um romance. Não estou certo do título que lhe darei; já lhe pus três, e eliminei-os. O que ora tem é provisório; ficará, se não achar melhor. Disse-lhe romance, mas subentenda que no gênero do meu *Quincas Borba*, o melhor que se acomoda ao que estou contando e à minha própria atual feição. Não trabalho continuadamente; tenho grandes intervalos de dias, e até de semanas. As tarefas administrativas são muitas, como já lhe disse, não tenho noites. Se puder concluir o livro este ano, tanto melhor[3]. Se pudesse fazer uma escolha das *Semanas*, publicá-la-ia; mas valeria a pena o trabalho? Demais, há em muitas delas erros tipográficos, palavras trocadas, não emendadas oportunamente, e que me obrigariam agora a fadigas sem utilidade. Já lá vão três anos que faço esta crônica da *Gazeta*... Como passa o tempo!

Vejo o que me diz dos meus livros; folgo que os tenha completos, menos um. Admire-se agora de ler que não tenho coleção completa deles; faltam-me poucos, e desses, alguns há que não sei onde os ache. Digo *livros* contando até opúsculos de ocasião, que mais depressa se perdem. Penso em ver se o sucessor do Garnier[4] quer reimprimir as *Memórias Póstumas de Brás Cubas* e o *Quincas Borba*. Disse-me o representante dele que já lhe escreveu a tal respeito, e só daqui a dois meses poderá receber resposta. A questão principal, quanto a mim, é o direito da segunda edição. Se o atual Garnier não quiser reimprimi-los, e não houver dúvidas de outra espécie, procurarei fazê-lo com outro editor. O representante afirma que nada pode resolver por si.

O livro que lhe falta (*Tu, só tu, puro amor*) é duvidoso que haja no mercado; tiraram-se apenas cem exemplares. O Lombaerts, que o editou, indo eu lá aqui, há tempos, disse-me não ter nenhum exemplar; contudo, volto lá, a ver se é possível achar algum, esquadrinhando bem, e esse será seu.

Indo agora à última parte da sua carta, não lhe direi senão que, na carreira diplomática, não há remédio senão aturar canseiras e cerimônias. Cada ofício tem os seus tédios, e cada tédio faz-se suportável com a continuação. É verdade que, segundo me disse, não pretende seguir a carreira diplomática; adotará outra que lhe permita ficar aqui. De um ou de outro modo, o principal é não esquecer as letras. Não tome isto como um conselho. Vocações verdadeiras não precisam de tais avisos; vão por si mesmas aonde devem ir, e acham no próprio exercício a melhor das exortações.

Daqui nada lhe posso dizer que não saiba pelos jornais. A sessão do Congresso começou já ardente, e é provável que assim continue. Pelo que me diz, a Legação aí tem de dar grandes trabalhos ao Ministro, e as questões são ainda mais complicadas do que parecem. Assim creio, e tanto pior para os que presumem que tudo está ou estará acabado com pouco, para os que desejam ver findar tudo para todos, em suma.

Agora, adeus. Minha mulher agradece-lhe os seus cumprimentos, e recomenda-se-lhe. Peço-lhe que nos recomende à sua digna e afetuosa Mamãe. Adeus, meu querido amigo; deixe-me confessar-lhe que esta carta, não podendo ir no outro paquete, vai no de amanhã, 4 de Junho, tendo sido o fecho escrito à última hora, a ver se haveria alguma coisa que acrescentar. Não há nada. Adeus, receba um abraço apertado do

Velho amigo

Machado de Assis.

---

1 ∞ Saíram em 1898. (SE)

2 ∞ Somente em 02/09/1895, Azeredo comunicará a Machado que vai remeter-lhe pelo vapor um exemplar de *Alma Primitiva*, que deve ter saído em agosto. (SE)

3 ∾ Depreende-se que *Dom Casmurro* teve uma longa gestação, já que somente veio a lume em 1899, pela casa Garnier; além disso, o seu título variou bastante até encontrar o definitivo. (SE)

4 ∾ Hippolyte Garnier*. (SE)

[319]

De: MAGALHÃES DE AZEREDO
Fonte: Manuscrito Original, Arquivo ABL.

Montevidéu, 30 de maio de 1895.

Meu querido Mestre e Amigo,

 Como há muito não tenho notícias suas, escrevo-lhe para pedi-las e dar-lhe minhas. Estas não são das melhores. Passei por uma grave enfermidade, de que só agora me vou restabelecendo pouco a pouco. Uma violenta e pertinaz febre gástrica prostrou-me no leito durante mais de uma semana, e tem-me retido em casa há cerca de quinze dias a extrema fraqueza proveniente dela.

 Essa moléstia veio perturbar e inutilizar quase por completo o regímen a que estava sujeito no tratamento da minha dispepsia. Não me surpreendeu, entretanto, porque há muito me sentia preparado para uma doença séria e logo previ que ela me assaltaria com a entrada do inverno, demasiado súbita para o meu organismo debilitado. Agora felizmente entro em convalescença franca, e ouso esperar que a febre gástrica tenha sido uma dessas crises ásperas, mas benéficas, que resolvem as situações *equívocas* de uma saúde incerta e sempre vacilante. A natureza é previdente, sabe e procura com acerto reparar os danos que sofre; demais, a mocidade é uma grande coisa, e, graças a ela e aos cuidados maternais que me têm assistido sempre, sinto que as forças me estão voltando e que dentro em pouco tempo estarei pronto de todo para a vida ativa. Fraco embora, não me tenho entregado ao um ócio essencialmente avesso aos meus hábitos e gostos.

Livre da febre, e iniciado nas delícias de uma convalescença tranquila, alguma coisa tenho escrito; ainda ontem terminei um poemeto — a *Rainha Morta* — que breve lerá na *Gazeta*; e estou começando outro — a *Espada*¹ — que mandarei logo que esteja pronto.

Esta carta é breve, porque, insulado por quase um mês de todas as preocupações exteriores, tenho agora muitas coisas a resolver ao mesmo tempo. Escreva-me. Tenho estranhado o seu silêncio. Receba um abraço meu, e não esqueça assim o seu discípulo e amigo verdadeiro

Magalhães de Azeredo

---

1 ∾ Este poema faz parte das *Procelárias* (1898), dedicado a Leopoldo de Freitas, cuja prisão, segundo Azeredo (2003), precipitou a sua ida para São João Del Rei em 1893. Durante a 2.ª Revolta da Armada, as garantias constitucionais foram suspensas no Rio de Janeiro e, pela cidade, disseminou-se um pesado clima de delação. Por toda parte havia espiões atentos às manifestações de simpatia à causa rebelde. Numa tarde, ainda em setembro, logo após um passeio pelo cais de D. Pedro II, em que os dois amigos bravateavam em alta voz contra a ditadura militar, Leopoldo foi detido pela polícia de Floriano, o que resultou em vários meses de cárcere. Assim que a notícia da detenção se espalhou, a família de Azeredo decidiu enviá-lo para São João Del Rei, Minas, onde o estado de sítio não tinha sido decretado, a fim de salvaguardá-lo do chefe de polícia do Rio de Janeiro, a serviço de Floriano. (SE)

[320]

De: VISCONDE DE TAÍDE
Fonte: Manuscrito Original, Arquivo ABL.

Rio de Janeiro, 31 de maio de 1895.¹

*Ilustríssi*mo e *Excelentíssi*mo *Senho*r

Comunico a *V*ossa *Excelênci*a que estou investido de procuração geral do *Excelentíssi*mo *Senho*r Miguel de Novais², proprietário do prédio que *V*ossa *Excelênci*a ocupa³, com todos os poderes para receber os aluguéis e outros efeitos, e por isso, peço a *V*ossa *Excelênci*a o obséquio de mandar satisfazer, na minha residência, à rua do Cosme Velho, 20, até o dia 5 de cada mês, o aluguel vencido no último dia do mês precedente.

Com toda a consideração, sou

De Vossa Excelência

Muito Atento

Visconde de Taíde

---

1 ∾ Carta tarjada de luto. (SE)

2 ∾ É de se observar que Miguel de Novais*, em suas cartas deste período (1890--1900), andava reclamando da crise financeira que assolava tanto Portugal onde vivia, quanto o Brasil onde ele e sua mulher Joana* possuíam imóveis, dos quais obtinham vultosa renda. Além disso, registre-se que há uma carta de Miguel em que se desculpa de não tê-lo excluído do rol dos locatários que sofreriam aumento no aluguel. A esse respeito, ver o *post-scriptum* da carta [283]. (SE)

3 ∾ O chalé número 18 da rua Cosme Velho. (SE)

[321]

Para: MAGALHÃES DE AZEREDO
Fonte: Manuscrito Original, Arquivo ABL.

Rio de Janeiro, 16 de junho de 1895.

Meu querido poeta e amigo

Cá tenho, desde o dia 14, a sua carta de 30 de Maio queixando-se de não ter notícias minhas; mas espero que pouco depois de a expedir haverá recebido a resposta que dei à sua anterior. Esta não foi escrita tarde (refiro-me à resposta), mas foi tarde enviada pela razão, que suponho haver-lhe comunicado no fim. Tanto melhor se me render mais outra sua. O pior é o que me conta agora, acerca da doença que teve, e de que ora se acha livre. Uma vez que se trata de crise, como me diz, com grande precisão de termos, espero que não volte o mal, e que a sua mocidade reaja contra qualquer ameaço futuro, O pior foi interromper o tratamento higiênico, o regímen em que ia. Higiene não digo que seja tudo, nada é tudo, mas vale e muito como auxílio poderoso; e uma das minhas lacunas foi não atender a essa necessidade da vida.

O melhor, porém, é que nem a moléstia o arredou da poesia, e logo que sarou compôs (ou completou) os dois poemas de que me dá notícia. Aqui os aguardo. As duas enfermeiras, mamãe e a musa[1], são bastantes para trazê-lo livre do abatimento e da inércia. Verá, meu amigo, que a poesia é ainda boa consoladora.

Estive com o Mário Alencar, que me disse estar o seu livro quase pronto[2]; sairá no fim do mês. Venha ele em boa hora, e sigam-se os outros, sem precipitação, é verdade, mas também sem atraso. O conselho há de ser aceito, porque é o seu próprio sentir. Oxalá que a *Alma Primitiva* não venha cair no meio de algum sucesso político. Não digo isto, porque espere algum, mas a nossa terra é das coisas inesperadas. Nada, porém, faz crer a menor sombra de crise, ao contrário. Há algum calor nas câmaras mas raro e passageiro. O papel acaba. Adeus, meu querido amigo e poeta. Talvez esta carta cruze alguma outra sua em caminho. Continue a lembrar-se do

Velho amigo
Machado de Assis.

---

1   Possivelmente, Maria Luísa de Caymari. (SE)

2   Mário de Alencar responsabilizara-se por cuidar da edição feita no Rio de Janeiro do livro *Alma Primitiva* pela editora Cunha & Irmão. (SE)

[322]

> Para: JORNAL DO COMÉRCIO
> *Fonte*: Transcrições, Arquivo ABL.

Rio de Janeiro, 19 de junho de 1895.

Ao *Jornal do Comércio*[1] agradece o abaixo-assinado a fineza do convite que lhe mandou para o banquete que dará sábado, 22 do corrente em homenagem a S*ua* Ex*celência* o D*outo*r Conselheiro Tomás Ribeiro[2], Enviado Extraordinário e Ministro plenipotenciário de S*ua* M*ajestade* Fidelíssima, ao qual terei a honra e o prazer de comparecer.

Machado de Assis

---

1 ∾ José Carlos Rodrigues*, diretor do *Jornal do Comércio*, era muito próximo ao presidente da República Prudente de Morais. (SE)

2 ∾ Em março de 1894, após a intervenção do comandante de um navio português na 2.ª Revolta da Armada, no Rio de Janeiro, o governo Floriano Peixoto rompeu as relações diplomáticas com Portugal, cujo monarca era D. Carlos I (1863-1908). Quando do restabelecimento das relações entre os dois países, Tomás Antônio Ribeiro (1831-1901) foi nomeado ministro acreditado junto ao governo brasileiro (1895-1896). Sobre o ministro português, ver nota 11, carta [22], tomo I. Sobre a Revolta da Armada, ver nota 4, carta [283]. Sobre o incidente diplomático, ver nota 10, carta [326], de 17/07/1895. (SE)

[323]

> De: BELMIRO BRAGA
> *Fonte*: Manuscrito Original, Arquivo ABL.

Estação do Espírito Santo – Vargem Grande, 21 de junho de 1895.

Glorioso Mestre:

Desculpai-me, antes de tudo, a ousadia que cometo – escrevendo-vos estas desornadas linhas – eu – o mais obscuro dos filhos destes penhascos de Minas.

A grande admiração que tenho pelos vossos extraordinários escritos, fez-me pôr à margem certos escrúpulos, e aqui sei – hoje – que completais mais um ano de fecunda e promissora existência, apresentar-vos, por esse motivo, os meus sinceros parabéns.

Possuo todos os vossos livros – desde *Crisálidas* até o *Quincas Borba*, e são eles os de minha predileção – com especialidade *Quincas Borba, Brás Cubas, Papéis avulsos, Histórias sem data, Helena, A mão e a luva* e *Falenas*.

Em frente à minha mesa de trabalho, e num modesto quadro, tenho o vosso retrato – (o que nos deu o *Álbum* em seu segundo *número*).

Guardo também como relíquias a vossa magnífica tradução do *Corvo*, de Edgar Poe, e o discurso que lestes por ocasião do assentamento da I.ª pedra do monumento em honra a José de Alencar; e sei de cor o belo e justo artigo do malogrado Artur Barreiros e que veio acompanhando o vosso retrato[1].

Não tive estudos; o m*ui*to pouco que sei é devido a leituras que faço de bons livros; se os tivesse – em traços mais largos seria traçada essa minha pobre carta de parabéns.

Que por longos e dilatados anos se repita esse memorável 21 de Junho e que a vossa ilustrada pena não se recuse de dar-nos mais alguns livros para nossa honra e para nossa glória.

As vossas formosas crônicas da *Gazeta* são já bastante; mas p*ara* quem é tão rico em joias como vós – é muito pouco. "Que a vossa mão esquerda saiba o que deu a direita e dê mais que ela; que a direita saiba o que deu a esquerda e dê mais que ela. Dai com ambas as mãos e não saireis do Evangelho."

Terminando cientifico-vos que por mais que o tempo vos acumule de anos haveis de ser sempre um jovem.

Vosso admirador e amigo sincero –
Belmiro Braga[2]

---

1 ∞ *A Semana*, 21/02/1885, ver em [242] tomo II. (IM)

2 ∞ Em *Dias Idos e Vividos* (1936), Belmiro Braga afirma ter lido na *Gazeta de Notícias*:

"Faz anos hoje Machado de Assis – o nosso eminente colaborador da Semana. Dobro o jornal e tomo nota da data: – 21 de junho. /.../ Em junho de **1891**, **antes alguns dias do dia 21**, não me contive e escrevi-lhe uma carta de parabéns acompanhada destes versos ['Quando ela fala...']"

Ora, Machado iniciou a seção "A Semana" em abril de **1892**. Além disso, a presente carta é visivelmente a primeira missiva em que o autor se apresenta a Machado de Assis. Que o poeta mineiro se tenha equivocado quanto ao ano, tanto tempo depois, é compreensível. Mas que no capítulo seguinte apresente a resposta de Machado [324], de 24/06/1895, datada de **1891** (p. 132-133), só poderia se justificar pelos esclarecimentos dados na "Explicação Prévia" aos *Dias Idos e Vividos*:

> "Este livro, **com datas, nomes e lugares trocados**, foi inscrito no concurso que a Cia. Editora Nacional, sob o título *Prêmio Machado de Assis*, abriu em 1934. Depois do julgamento, soube que o meu modesto trabalho fora posto de lado – não porque deixasse de ter algum merecimento, mas porque fugia às condições do concurso, isto é, porque **não era um romance**." (IM)

[324]

Para: BELMIRO BRAGA
Fonte: Transcrições, Arquivo ABL.

Rio de Janeiro, 24 de junho de 1895.[1]

Meu caro poeta.

Recebi e agradeço-vos muito de coração a carta com que me felicitais pelo meu aniversário natalício. Não tendo o gosto de conhecer-vos, mais tocante me foi a vossa lembrança. Pelo que me dizeis em vossa bela e afetuosa carta, foram os meus escritos que vos deram a simpatia que manifestais a meu respeito. Há desses amigos, que um escritor tem a fortuna de ganhar sem conhecer, e são dos melhores. É doce ao espírito saber que um eco responde ao que ele pensou, e mais ainda se o pensamento, transladado ao papel, é guardado entre as coisas mais queridas de alguém. Agradeço-vos também os gentis versos que me dedicais e trazem a data de 21 de junho, para melhor fixar o vosso obséquio e intenção.

Disponde de mim, e crede-me

amigo muito agradecido.

Machado de Assis.

1 ∞ Nada se sabe sobre os manuscritos originais das missivas machadianas ao jovem poeta mineiro apresentadas neste volume. Esta pomposa resposta à carta [323], com o uso da segunda pessoa do plural, destoa flagrantemente da forma como Machado se dirige aos jovens admiradores. Acrescentamos que a transcrição, no Arquivo ABL, estampa o ano de 1895, e que em [493], de 05/11/1899, e [510], de 26/02/1900, apresentam-se outras discordâncias textuais. De caráter um pouco mais "autêntico" é a carta [398], de 22/06/1897, em que Machado de Assis também agradece os cumprimentos pelo seu aniversário. Assinale-se, finalmente, que Galante de Souza, no artigo "Crítica e Mistificação" (suplemento "Letras e Artes", de *A Manhã* em 03/05/1953), contesta um elogio de Machado estampado em *Dias Idos e Vividos*, p. 219, como tosca apropriação de uma crítica machadiana a *Estrelas Errantes*, de Quirino dos Santos, publicada na *Ilustração Brasileira*, em 15/08/1876. (IM)

[325]

De: MIGUEL DE NOVAIS
Fonte: Manuscrito Original, Arquivo ABL.

Lumiar, 7 de julho de 1895.
Amigo Machado de Assis.

Recebi com toda a satisfação a sua carta de 12 de junho[1] felicitando-me pelos 66 anos. — Diz-me coisas tão bonitas que eu quase estou vaidoso da minha pessoa. Mas o que é verdade no fim de tudo é que estou velho — nada lá por onde andar. Teve notícias nossas pelo amigo Visconde de Taíde? — Ninguém por certo lhas poderia dar tão circunstanciadas.

Além de nos vermos amiudadas vezes, ele e a Senhora faziam-nos o favor de vir jantar conosco todos os domingos, e francamente temos sentido a sua falta. Diz a Julieta a Julieta[2] não disse nada. Diz a Carolina que eu faltei à minha palavra, prometendo ir ao Brasil, e não cumprindo a minha promessa. — Escrevo-lhe hoje fazendo as considerações eu julguei dever fazer sobre a projetada viagem. Não prometerei mais, mas não perderei a esperança de lá ir breve.

Notícias não tenho a dar-lhe porque nada há por aqui que possa interessá-lo. Muito maior interesse tenho eu por certo pelo que passa nessa Capital e o amigo nem uma só palavra me diz sobre os acontecimentos mais ou menos anormais que por aí se dão. — Os falecimentos do valente Marechal Floriano[3], e do revolucionário Saldanha da Gama[4] devem influir poderosamente na política desse país e concorrer para a pacificação do Rio Grande[5].

Oxalá assim seja — porque já é tempo de que essas coisas por aí entrem em ordem. Por aqui tudo vai bem. Festas e mais festas, todo o mundo se diverte, sem pensar no dia de amanhã, isto é que é um povo feliz. Gritam contra os impostos, vão os operários aos bandos pedir aos Ministros que deem trabalho, têm fome, faltam-lhes os meios para prover ao sustento de suas famílias, fazem até bandos precatórios, tudo é miséria, tudo são lágrimas — o governo que faz? promove umas festas sob qualquer pretexto, dá-lhe[s] foguetes e bichinhas de rabear — e eles lá vão todos, contentes e satisfeitos, vai-se embora a fome e enquanto a pândega dura, não há lamúrias nem descontentamentos.

Isto cá é assim. — Todas as coisas se debelam com foguetes e luminárias — os nossos *Reis* tomam parte dos divertimentos— a Rainha[6] vai dançar para a praça da Figueira na noite de Santo Antônio, e não sei se também não saltou por cima das fogueiras. — É uma patuscada permanente.

Adeus.

Tenha saúde, espero que daqui a 10 anos complete os seus 66 anos. Seremos então da mesma idade. Um abraço do seu do coração amigo

Miguel de Novais

---

1 ∾ Machado desta vez atrasou-se em cumprimentar Miguel, que discretamente, assinala o esquecimento: a data do seu aniversário era 11 de junho. (SE)

2 ∾ Sobre Julieta, enteada de Miguel de Novais, consultar tomo II. (SE)

3 ∾ Floriano Peixoto faleceu em 29/06/1895, aos 56 anos, numa fazenda em Divisa, para onde tinha ido na esperança de recuperação. (SE)

4 ∾ O monarquista Luís Felipe Saldanha da Gama (1846-1895), ainda como desdobramento da 2.ª Revolta da Armada, havia se aliado aos maragatos, federalistas do Rio Grande do Sul, contra os pica-paus legalistas, aliados do presidente do estado Júlio

de Castilhos. Em 24/06/1895, no Combate de Campo Osório, Saldanha da Gama à frente de 400 homens lutou até a morte. (SE)

5 ∾ A Revolução Federalista no sul do Brasil teve o seu fim determinado pela batalha de Campo Osório, com a morte do almirante Saldanha da Gama. A revolução durou de fevereiro de 1893 a agosto de 1895, tendo como causa a instabilidade provocada pela disputa entre os antigos líderes federalistas, chefiados por Joca Tavares e Gumercindo Saraiva, e o grupo dos pica-paus, que naquele momento detinha a presidência do estado do Rio Grande do Sul, pelas mãos de Júlio de Castilhos. (SE)

6 ∾ Dona Amélia de Orleans (1865-1951), rainha consorte de D. Carlos I (1863--1908), o último rei de Portugal. (SE)

[326]

De: MAGALHÃES DE AZEREDO
Fonte: Manuscrito Original, Arquivo ABL.

Montevidéu, 17[1] de julho de 1895.

Meu querido Mestre e Amigo,

Esta é a primeira carta que lhe escrevo com grande atraso, e o motivo é ainda que tenho estado doente. Doente como nunca, ou como poucas vezes estive na minha curta vida; doente, não de corpo, mas da alma. Que é, senão gravíssima enfermidade, esta melancolia profunda, angustiosa, infernal, que ultimamente me oprime, e para tudo me inutiliza? De ordinário, dá-se muito maior importância aos fenômenos físicos que aos morais na existência humana. Julgar-se-ia, por exemplo, um exagero afirmar que a perda de uma ilusão fundamental do espírito é exatamente idêntica à amputação de um órgão essencial às funções do organismo; e que não há a menor diferença entre o estado de absoluto pessimismo a que alguns homens — raríssimos, é verdade — chegam após sucessivos desgostos, e o próprio fato tão comum da morte. Não pense que vou aplicar a mim mesmo qualquer dessas duas comparações; ainda não cheguei lá, nem espero chegar, porque creio haver em mim algo capaz de reagir sempre vitoriosamente contra os desenganos e as adversidades de toda a ordem, que assaltam a todos, a uns mais, a outros menos. Mas não se trata, quanto a mim, de adversidades nem de desenganos; a perguntarem-me a causa do meu inexplicável e invencível aborrecimento, eu mesmo não saberia responder; ou se algumas pequenas *contrariedades* tenho, só me posso queixar da minha imaginação exaltada, que as aumenta e complica, emprestando-lhes importância maior do que na realidade elas têm. Aos filósofos cabe, porém, preocupar-se com a causa de um sofrimento, assim como aos médicos investigar a origem de uma moléstia; mas ao enfermo o que lhe importa é a sua enfermidade, e ao desgraçado a sua desgraça. Vindo ao meu caso: se tem razão de ser a minha melancolia, não sei; o que é certo é que ela existe; eis o fato, e o fato é tudo nesta ordem de coisas. Uma linda e piedosa moça, adorável pelo caráter, pelo espírito e pela beleza, interessando-se por mim e não gostando de ver-me tão abatido, enviou-me o seu livro de *Exercícios espirituais*, assinalando nele um capítulo sobre "os danos que resultam da tristeza". Nessas páginas, realmente bem escritas, Apóstolos, Padres e Doutores da Igreja se aliam para desmoralizar de todo a tristeza, chamando- a filha do demônio, verme e úlcera do coração, e irmã gêmea da Morte. Eu li o capítulo todo com muita atenção e respondi a essa gentil moça, que, se tal assunto fora dos que se decidem com argumentos, eu tentaria refutar as opiniões contrárias à tristeza, fazendo dela um panegírico religioso, que começaria com as célebres palavras de Cristo no Horto: *Tristis est anima mea usque ad mortem...*[2] Mas que, a falar a verdade, argumentos não vinham ao caso; e mais do que os textos dos seus *Exercícios espirituais* poderiam influir sobre a minha tristeza os próprios olhos dela[3]. Não acha que respondi com acerto? Direi ainda, para concluir, que a jovem a que me refiro não é nenhuma oriental ou porteña; é uma brasileira.

Eu nunca fui alegre; é melancólico o meu temperamento; sou sobretudo muito inclinado ao tédio, mas a um tédio absoluto e universal, que me faz desejar às vezes o que exprime Baudelaire no seu verso sinistro:

Une oasis d'horreur dans ce désert d'ennui![4]

Reconheço que isso, na minha idade especialmente, é um sentimento mau; e eu seria muito culpado se não reagisse contra ele. Mas não é certo que o combato, que procuro vencê-lo pelo estudo, pelo trabalho, pelo sincero interesse que ligo a tudo o que é bom, grande, nobre, digno de entusiasmo e de amor? Simplesmente, nesta luta constante, a fadiga me prostra de quando em quando, e eu me vejo entregue, sem possibilidade de resistência, *à mes noires pensées*[5]. Acho-me num desses períodos funestos. Que quer? Vejo tudo severo e hostil. Dir-se-ia que a minha esperança capitulou; diante de quê? diante de uma muralha de sombra, mais quimérica ainda, provavelmente, que os moinhos de *Dom Quixote*.

Parece-me que na minha visão do futuro tudo o que eu sonhava desapareceu de repente, como um quadro de lanterna mágica quando a luz se apaga; e que, por mais que eu trabalhe, não conseguirei nada; e que por ter saído do Brasil o meu nome foi riscado da memória do público e já não acorda um eco de simpatia na alma de tantos que me liam; e que, enfim, o esquecimento, como incoercível mortalha, me envolverá ainda vivo, e moço...

Seja indulgente, meu querido Mestre e Amigo, com todas essas loucuras de que eu chego a ter remorso, afigurando-se-me que não sei defender com a devida tenacidade a *fé juvenil* que é o melhor tesouro da minha idade... Seja indulgente, e procure consolar-me e fortalecer-me; a sua afeição, tão bela e sincera, pode muito sobre mim.

Deixemos, porém, esse paul doentio da minha tristeza e vamos a outros assuntos, que a semana é rica de acontecimentos, e tenho aqui duas cartas suas a que responder. Suponho que terá assistido, como espectador apenas, às exéquias do marechal Floriano[6], e aos distúrbios que a morte dele provocou, para que o último ato não desdissesse das outras partes do drama. Estimaria que me desse, com o seu largo conhecimento dos homens em geral, e, em particular, dos fluminenses, a sua impressão sobre o *efeito moral* produzido pelo desaparecimento desse vulto, cujas feições ainda não estão, nem poderiam estar, nitidamente fixadas no conceito público. Parece-lhe que houve realmente, mesmo em pequena escala, *luto popular*[7]? Não creio, por minha parte; sem entrar na apreciação do caráter e dos sentimentos do Marechal Floriano, é preciso reconhecer que ele não possuía uma só das qualidades exteriores que atraem a popularidade, e que em tão alto grau se reuniam no Imperador e no Marechal Deodoro. Não tinha figura física majestosa ou sequer decente, não tinha olhar claro e comunicativo, mas apagado e turvo, não era expansivo, não era amável, não era familiar, não sabia nunca encontrar uma dessas palavras, um desses gestos, que conquistam num momento a alma das multidões. Por isso, ainda quando a história, o que eu não penso, modificasse, corrigisse, melhorasse a sua antipática fisionomia moral, na imaginação do povo a sua lenda seria sempre fria, quase sinistra — a lenda do desaparecido, do invisível, do homem-mito, que faz sentir a sua influência clandestinamente, sem se mostrar a ninguém... Talvez seja o meu juízo demasiado severo; talvez se ressinta ainda da aversão incontrastável que ele sempre me inspirou como brasileiro e como homem. Que Deus lhe conceda a eterna paz e o supremo perdão! É o voto que eu faço com toda a sinceridade cristã da minha alma.

Quanto ao almirante Saldanha que por uma coincidência estranha, pereceu dias somente antes do seu maior inimigo, parece que a ferocidade humana lhe nega o último privilégio a que todos têm o direito de aspirar: o de repousar para sempre sob uma cruz, em um cemitério consagrado. Um mistério lúgubre e odioso envolve o seu cadáver, que ainda não foi entregue à família, nem creio que o seja mais, apesar das ordens terminantes do Presidente da República[8] e do próprio Júlio de Castilhos[9], transmitidas pela legação aqui acreditada. Mutilado horrivelmente — dizem uns; queimado a querosene, dizem outros, acrescentando poderem indicar quem o comprou e onde... É um desastre e uma vergonha para nós tal requinte de perversidade, que deveria ser poupado a esse homem ilustre, valente, leal e compassivo sempre com os seus prisioneiros, que, como eu escrevia hoje ao Bilac[10], deixando-se matar no campo de batalha, deu aos seus adversários a suprema satisfação que eles lhe exigiam desde a rendição de 13 de Março de 94[11]. É certo que os governistas negam energicamente a mutilação e a queima; o cadáver, porém, não é encontrado, e já lá se vão quase dez dias.

Agora, a novidade maior, que sem dúvida já se saberá aí por telegrama, é o armistício estabelecido entre os dois partidos, para uma conferência entre os generais Galvão e Tavares[12]. Resultará disso a feliz terminação da guerra? Deus o queira. Tantos e tão complicados são os elementos dela, que não me animo a conjeturar nada. Se se acaba essa abominável luta civil, o *doutor* Prudente de Morais pode considerar-se excepcionalmente ditoso, pois colherá os melhores frutos sem ter semeado nada. Desgraçadamente — seja isso dito entre nós — ele não tem energia bastante para emancipar-se do seu diminuto partido; e, entretanto, a meu ver, a verdadeira doutrina é como ainda há pouco eu lia no *Balmaceda*[13] de Joaquim Nabuco, que o Presidente deve considerar-se um homem cedido à nação pelo seu partido, que não o pode mais reclamar dela. Isso ainda quando se trate de partidos com programa definido — o que não sucede no Brasil onde agora se formam grupos por uma espécie de *afinidade eletiva* de interesses e ambições.

O erro capital do governo, e a mais flagrante confissão da sua debilidade, foi, na minha opinião, ter entregado ao Congresso a questão do Rio Grande em vez de tentar ele mesmo resolvê-la, tomando a responsabilidade inteira da sua ação. Confiar esse problema vital ao caos do nosso Parlamento — ingenuidade excessiva e imperdoável num homem como Prudente de Morais que devia conhecer bem, pela sua prática de longos anos, os efeitos dissolventes da retórica nacional!

Noto, entretanto, que, insensivelmente, estou abusando dos assuntos políticos; passemos a outro terreno — ainda que neste momento mesmo entrou na Legação um conhecido meu, trazendo o boato de uma nova revolução aí, feita pelo elemento jacobino do Congresso para depor o Presidente. Que haverá de verdade nisso? Estamos, como é natural, alarmados. Esta terra é, porém, tão fértil em boatos sobre o Brasil, que acredito ser isso uma invenção como as outras.

Como transição da política para a literatura, nada mais próprio que o *Balmaceda*, de Joaquim Nabuco, a cuja bondade devo um exemplar da sua obra. Embora seja um livro de crítica sobre outro livro, ou, como pretende o autor com excessiva modéstia, um simples resumo do estudo de Bañados Espinosa — é seguramente um dos trabalhos mais belos, mais sólidos, mais preciosos, mais ricos de ideias, que têm aparecido no nosso país. A República afastou da política e restituiu às letras essa personalidade eminente, que depois de ter adquirido a mais pura glória na campanha abolicionista, entendeu que o melhor exemplo para uma nação destituída de convicções e princípios políticos era o da perfeita coerência do homem com o seu passado, mesmo à custa do seu futuro. É para mim um imenso prazer, amigo como sou de Joaquim Nabuco, vê-lo resignar-se nobremente à perda da sua influência partidária para ser a mais bela coisa que é possível ser neste mundo: um grande escritor. **Não tenho espaço para estender-me aqui em largas considerações, acentuando por exemplo a responsabilidade de Nabuco sobre Afonso Celso Júnior — responsabilidade que aliás se impõe por si mesma.**[14]

— Diz-me que está trabalhando em um novo romance, e a notícia me alegra muitíssimo. Venha ele juntar-se a Brás Cubas e a Quincas Borba, formando todos certamente um grupo de livros dos mais originais e inimitáveis da literatura, não digo brasileira, mas americana.

Além disso, espero também o volume de contos e o de versos que há mais tempo me prometeu. E por que não há de reunir em livro as suas *Semanas?* Vejo-o hesitante a esse respeito, e não lhe acho razão. Três anos de trabalho perseverante, trazendo cada domingo uma nota inteiramente nova sobre os fatos mais notáveis da vida fluminense — não podem ficar relegados à duração efêmera de um jornal. Sinto não estar aí, que muito o poderia auxiliar na tarefa de rever-lhes os erros tipográficos, que lhe custará sem dúvida muito, com os pesados trabalhos que tem. Fala-me de reimprimir Brás Cubas e Quincas Borba; por que não pensa em fazer uma edição completa das suas obras?

A *Alma Primitiva* parece vítima de um sortilégio; Maio já passou, Junho também, e nem ela sai do prelo, nem eu tenho notícia alguma do seu destino. Olhe que na verdade é caiporismo! Se ainda por cima ao sair, se encontra na rua com um distúrbio político, como o primeiro livro dos

Goncourts se encontrou com o golpe de Estado de 2 de Dezembro[15], é caso para encomendar logo exéquias sumárias ao recém-nascido. Ausente do Rio, nada podendo fazer pela *Alma Primitiva*, especialmente a recomendo aos seus cuidados amigos — seguro de que a melhores mãos não é possível confiá-la.

Estou muito queixoso da *Gazeta*; há dias escrevi ao doutor Araújo uma carta sentidíssima; a razão é que há mais de um mês mandei para a redação várias poesias minhas, e ao passo que saem outras, essas não aparecem. Ali reinou sempre quanto a escritos de colaboração uma incurável desordem; o paginador é, pelo que vi muitas vezes, árbitro supremo em matéria de precedências relativamente a artigos literários.

Na sua primeira carta — das duas que tenho aqui — falava-me de publicar na *Gazeta* o meu pobre *solo para guitarra*. Com o meu nome, creio que não vale a pena; sem ele, entre algumas linhas humorísticas, talvez não ficasse mal. Mas, enfim, para lhe mandar alguma coisa destinada à *Gazeta*, dando-lhe assim leitura de escrito inédito, e tendo a certeza de que o fará publicar logo, aí vai com esta carta um dos poemetos de que lhe falei, compostos durante minha convalescença. O outro, com outros versos meus, está sepultado provavelmente na tipografia da *Gazeta*, até que o doutor Ferreira de Araújo se digne exumá-lo de lá. Continuando essa negligência quase ofensiva para mim, deixarei de colaborar na *Gazeta*, pois não estou disposto por nada deste mundo, a pedir como favor a inserção de escritos meus nessa folha.

Adeus, meu querido Mestre e Amigo; realmente não sei se tinha o direito de tomar-lhe imenso tempo com esta carta-relatório. Seja como for, espero que verá nela ao menos uma prova do gosto que tenho em escrever-lhe. Como lhe dizia ao começá-la, estou profundamente triste; ela, porém, serviu para confortar-me um pouco, e agora me sinto melhor.

A vida diplomática é brilhante, mas fria e áspera para os corações que, como o meu, precisam de muito afeto. Duro é ser sempre estranho e forasteiro na sociedade que se frequenta, estar isolado de contínuo principalmente em país como este em que o estímulo intelectual é nenhum, e nenhumas as curiosidades dignas de interessar o espírito. Depois, é horrível a falta de um amigo íntimo; o meu melhor companheiro aqui, o Alencar[16], parte breve para Berlim. Alegro-me por ter o governo recompensado com essa remoção os seus grandes serviços, mas sinto ficar sem ele. Em suma, tenho com frequência a impressão de um grande abandono; felizmente, minha Mãe aqui está.

Adeus, adeus. Escreva-me. Abraça-o cordialmente o seu

Magalhães de Azeredo.

---

1 ∞ O dia do mês de julho está ilegível, e sobreposto a lápis está o número 17. (SE)

2 ∞ A minha alma está numa tristeza mortal... (SE)

3 ∞ Possivelmente primeira referência a Maria Luísa de Caymari, com quem se casará em 1896. (SE)

4 ∞ Um oásis de horror nesse deserto de tédio. (SE)

5 ∞ Pensamentos negros. (SPR)

6 ∞ Floriano Peixoto (1839-1895), co... a saúde abalada, oficialmente sem condições de passar o governo a Prudente de Morais, o primeiro presidente civil da história brasileira, determinou em novembro de 1894 que o ministro da Justiça, Alexandre Cassiano do Nascimento o fizesse, e retirou-se da vida pública. Em junho de 1895, refugiou-se na fazenda Paraíso, na cidade de Divisa, município de Barra Mansa, onde faleceu no dia 29 de junho. Na mesma noite trasladou-se para o distrito federal o corpo do ex-presidente, que chegou à estação de São Cristóvão às 7h e 30m do dia 30, e dali para a residência do marechal onde foi embalsamado pelo doutor Costa Ferraz*. As exéquias ficaram a cargo do estado-maior do exército, com anuência da Presidência da República. No dia 2 de julho, o corpo foi exposto à visitação pública na igreja Santa Cruz dos Militares até a manhã do dia 6, quando foi removido em grande cortejo civil para o cemitério de São João Batista. Registre-se, por fim, que cinco dias antes da morte de Floriano (em 24/06), o almirante Saldanha da Gama havia perecido na batalha de Campo Osório, combatendo ao lado dos federalistas do sul contra as tropas legalistas. (SE)

7 ∞ Na crônica de 07/07/1895, Machado não narrou a comoção que a cidade viveu por ocasião da morte do marechal, mas escreveu as suas impressões sobre o drama que se encerrava:

"Os mortos não vão depressa como quer o adágio; mas que eles governam os vivos, é coisa dita, sabida e certa. **Não me cabe narrar o que esta cidade viu ontem,** por ocasião de ser conduzido ao cemitério o cadáver de Floriano Peixoto, nem o que vira antes, ao ser transportado para a Cruz dos Militares. Quando há sete dias falei de Saldanha da Gama e dos funerais de Coriolano que lhe deram, estava longe de supor que, poucas horas depois, teríamos notícia do óbito do marechal. O destino pôs assim, a curta distância, uma de outra, a morte de um dos chefes da rebelião de 6 de setembro e a do chefe de Estado que tenazmente a combateu e debelou." (SE)

8 ∞ Prudente José de Morais e Barros (1841-1902), membro do Partido Republicano Federal, eleito em 10/03/1894, empossado em novembro. (SE)

9 ∞ Júlio Prates de Castilhos (1860-1903) foi presidente do Rio Grande do Sul de 15/07 a 23/11/1891, quando deixou o governo do estado, exatamente no mesmo dia em que Deodoro se afastou da presidência da República, depois do malogrado golpe de 3 de novembro. Castilhos foi reeleito presidente do estado em 1893 e conteve a Revolução Federalista. (SE)

10 ∞ Azeredo e Olavo Bilac* estiveram juntos em Juiz de Fora, quando do exílio de ambos, desenvolvendo uma boa camaradagem a partir de então. (SE)

11 ∞ Dia em que os almirantes Custódio de Melo e Saldanha da Gama, demais oficiais e praças rebelados (493) asilaram-se nas corvetas portuguesas *Mindelo*, *Afonso de Albuquerque* e *Pedro III*, divisão naval sob o comando do oficial Augusto de Castilho. O episódio deflagrou uma crise entre os dois governos. Para o governo brasileiro, o crime era de pirataria e não crime político; portanto os rebeldes não teriam direito a asilo, e deveriam ser entregues às autoridades brasileiras. O governo português interpretava como crime político, endossando oficialmente a atitude do comandante Castilho, mas comprometendo-se a não desembarcá-los em território estrangeiro, mantendo-os a bordo até a solução diplomática. O comandante, no entanto, seguiu com a divisão naval pelas águas do Prata, ocorrendo a fuga de 254 asilados do *Pedro III*, entre eles o contra-almirante Saldanha, que foi unir-se aos revolucionários federalistas em Santa Catarina. Isso determinou o estremecimento das relações entre os dois governos. Em 13/05/1894, o ministro das Relações Exteriores, Cassiano do Nascimento, comunicou à representação portuguesa que o governo do marechal Floriano Peixoto rompera relações diplomáticas com Portugal. (SE)

12 ∞ Inocêncio Queirós Galvão e Joca Tavares assinaram o termo de paz a 23/08/1895, em Pelotas. (SE)

13 ∞ O livro (1895) reúne uma série de artigos publicados no *Jornal do Comércio*, por Joaquim Nabuco*, entre janeiro e março de 1895. Baseado no livro de Julio Bañados Espinosa — *Balmaceda, su Gobierno y la Revolución de 1891*, Nabuco faz uma resenha crítica dos acontecimentos que resultaram na guerra civil, concluindo que o drama chileno encerrava lições com as quais a América do Sul e particularmente o Brasil deveriam aprender. Nabuco analisou a situação de exceção à que foi levado o Chile pelo presidente José

Manuel Balmaceda (1840-1891), ao romper com a sociedade chilena, instaurando uma ditadura, que levou o país à guerra civil e terminou com o seu suicídio. (SE)

14 ∞ O trecho em negrito encontra-se fortemente riscado a caneta no original. Registre-se também que a rasura foi feita com tinta diversa da utilizada por Magalhães de Azeredo. (SE)

15 ∞ A repercussão do primeiro romance dos irmãos Goncourt, Edmond (1822--1896) e Jules (1830-1870) foi esvaziada pelo fato de que o dia escolhido para o lançamento coincidiu com o golpe de estado de Luís Bonaparte. (SPR)

16 ∞ Filho de José de Alencar* e irmão mais velho de Mário de Alencar*, Augusto Cochrane de Alencar* servia como secretário na legação brasileira. (SE)

[327]

De: SALVADOR DE MENDONÇA
Fonte: Manuscrito Original, Arquivo ABL.

BRAZILIAN LEGATION

Keene Valley, Adirondacks[1], New York, 21 de julho de 1895.

Meu caro Machado de Assis.

Há já tempo imemorial que não te escrevo, nem tenho carta tua. Hoje, ao completar meus 54 anos, e estando a escrever aos irmãos[2] e a mandar-lhes meu retrato, vi que me faltava alguém da família, um irmão dos antigos tempos, — pois estamos ficando velhos, meu Machadinho! – e aí tens o motivo desta missiva.

Continuo a ler-te sempre, e quando na *Semana* falas de 30 ou 40 anos passados, do bom Saldanha Marinho[3], do labial e *labioso* Garnier, e de outros que se vão indo, vejo já bem longe esses nossos tempos de que tenho muita saudade. No meio da gente nova que enche a nossa velha cidade, já em 1891[4] tive a impressão, não de que era eu estranho, mas de que era essa gente um bando de intrusos. Que direito têm eles de encher-nos as ruas? o que sabem eles do Rio de Janeiro dos bons tempos? Não sabem nem o que foi o Paula Brito, nem a Petalógica[5], nem o Bacharel Gonçalves[6] e o Herculano[7]? Não chegaram a ver o Provisório[8] quanto mais a ouvir nele as aves cantoras que de 1856 em diante vinham, nas estações próprias, deleitar-nos os ouvidos exigentes. O que sabem eles do *São Januário*[9] e do *São Pedro*[10] com o grande João Caetano[11]? Do Lírico com a Ristori e com o Rossi[12], nos tempos em que o Chico Paz[13] (entrega a este outro preguiçoso para cartas o retrato que para ele incluo) dizia-me, quando tínhamos ambos as mãos quentes das palmas que batêramos: "Pouco, mas bem montado!" Gente que não foi desses dias não tem para mim o direito de nos atrapalhar o caminho, a nós veteranos dessas campanhas. Afigura-se-me que estão todos eles com a nossa velha cidade por menagem e mais nada. Para pertencer-lhe é preciso tê-la conhecido como a conhecemos.

Mário[14] casou no dia 1.º de Junho com Miss Charlotte Rogers, e ambos se recomendam a ti e a tua Senhora. Comunica-o de minha parte ao Chico Paz e dize-lhe que à vista disso longe vão os tempos do Chiarini[15], onde ele levava o Mário.

Aceita lembranças de minha Senhora e filhos para tua Senhora e para ti. Abraço-te

   Teu amigo velho
   Salvador de Mendonça.

Post Scriptum. Além do retrato para o Paz, peço-te o favor de entregares o terceiro ao Pacheco[16].

---

1 ∾ Keene Valley, região montanhosa com intensa atividade de turismo de inverno, situa-se na região do parque Adirondacks, no condado de Essex, estado de Nova York. (SE)

2 ∾ Salvador, o mais velho de todos, teve sete irmãos: Francisco, João, Cândido, Lúcio*, Júlia, Amália e Mercedes, todos chegaram à idade adulta e deixaram descendência. (SE)

3 ∾ Machado de Assis e Salvador conheceram-se por volta de 1857, nas rodas da tipografia de Paula Brito (1809-1861). Sobre Saldanha Marinho ver cartas [60], [61], [62], [70] e [71], tomo I. (SE)

4 ∾ Segundo o seu biógrafo (1971), Salvador esteve no Brasil entre outubro de 1890 e janeiro de 1891. (SE)

5 ∞ A Sociedade Petalógica foi uma roda de intelectuais, cuja descontração os fez nomear assim as reuniões de fim de tarde na loja do livreiro Paula Brito. Ver nota 2, carta [5], tomo I. (SE)

6 ∞ João Antônio Gonçalves da Silva (1828-1861), nascido no Rio de Janeiro, tomou grau de bacharel em letras em 1845, como era usual aos egressos do Imperial Colégio Pedro II. Em 26/02/1858, foi nomeado professor de história e geografia antigas daquela instituição. Em 12/03/1859, professor de francês na Escola de Marinha e, em seguida, na Escola Central (mais tarde Escola Politécnica). Professor estimado dos alunos, com grande facilidade em ensinar, frequentador das rodas e sociedades literárias de seu tempo, era também conhecido por ser exímio capoeirista. (SE)

7 ∞ Até o presente não se obtiveram dados a respeito. (SE)

8 ∞ Quando o Teatro de São Pedro de Alcântara pegou fogo, o Rio de Janeiro ficou sem um palco para as grandes companhias de ópera e balé europeias que costumavam vir ao Brasil desde 1840. Decidiu-se então construir um teatro de emergência para que não se interrompesse uma tradição tão cara ao público carioca. Esse teatro *provisório* manter-se-ia em atividade por três anos, até que o novo São Pedro de Alcântara estivesse reerguido. A construção do Provisório, iniciada em 21/09/1851, por Vicente Rodrigues, concluiu-se em seis meses, sendo inaugurado em 29/02/1852, com *Macbeth*, de Verdi. Em 1854, com o prédio do São Pedro de Alcântara reerguido, decidiu-se manter o Provisório em razão de suas qualidades acústicas e arquitetônicas, passando a chamar-se Teatro Lírico Fluminense. A sua reinauguração se deu a 19/05/1854, com *Ernani*, de Verdi e, ao longo de vinte anos, o teatro tornou-se a verdadeira *opera house* da cidade, no Campo da Aclamação, atual Praça da República. Com a inauguração do Teatro de Dom Pedro II, em 1875, o Provisório entrou em declínio, perdendo espaço para o novo teatro, mais bem localizado (Largo da Carioca) e com condições arquitetônicas e acústicas superiores. (SE)

9 ∞ Antigo Teatro da Praia de D. Manuel, construído por volta de 1830-1833, por uma companhia de atores portugueses num terreno da rua do Cotovelo. Ver nota 2, carta [40], tomo I. (SE)

10 ∞ Antigo Teatro de São João (1813-1824), nomeado Teatro Constitucional (1824), depois Teatro Constitucional Fluminense (1831), por fim Teatro São Pedro de Alcântara (1839-1916) e, atualmente, Teatro João Caetano, desde 1923. (SE)

11 ∞ É curioso o comentário saudoso, porque João Caetano (1808-1863) não foi um ator que contasse com a preferência dos jovens intelectuais da década de 1860, entre os quais Machado e Salvador. À sua forma romântica de representar, eles opunham os postulados da arte de atuar do teatro realista francês, da qual os jovens críticos consideravam ser Furtado Coelho* o grande exemplo. Há, aliás, diversas crônicas de Machado daquele período em que o crítico trata a matéria; mas, o tempo muda tudo. (SE)

12 ∾ Com a proclamação da República, o Teatro de Dom Pedro II, palco onde se apresentavam as companhias de óperas desde 1875, passou a chamar-se Teatro Lírico. Sobre a Ristori e o Rossi, ver carta [107], tomo II. (SPR)

13 ∾ Francisco Ramos Paz*, ver cartas nos tomos I e II. (SE)

14 ∾ Mário de Mendonça, filho do primeiro casamento de Salvador de Mendonça, e seu secretário no consulado. (SE)

15 ∾ A partir de 1830, os grandes circos europeus começaram a vir e alguns a fixar-se no Brasil. Giuseppe Chiarini, herdeiro de tradição familiar, descendente de antigos saltimbancos italianos, era equilibrista, ginasta, dançarino e mestre de cordas. O seu circo apresentou-se por todo Brasil, com grande sucesso. *Em Vida Cotidiana em São Paulo do Século XIX* (1998), há o registro de uma litogravura de autor desconhecido (periódico *Vida Fluminense*, 27/11/1869), pertencente à Biblioteca Municipal Mário de Andrade, cujo titulo é "Giuseppe Chiarini e seu cavalo General Grant". (SE)

16 ∾ Joaquim José Pacheco (1830-1912) iniciou-se na daguerreotipia com o irlandês Frederic Walter, no Ceará. Em 1855, fixou-se no Rio de Janeiro, adotando o nome de Insley Pacheco, tornando-se um dos mais requisitados retratistas da corte imperial. No acervo da ABL, há retratos de Machado e de Carolina* com o logotipo do fotógrafo. O relacionamento de Insley e Machado é antigo, pois na introdução de *Quase Ministro*, Machado diz:

> "Os cavalheiros que se encarregaram dos diversos papéis foram os Senhores Morais Tavares, Manuel de Melo, Ernesto Cibrão, Bento Marques, **Insley Pacheco**, Artur Napoleão, Muniz Barreto e Carlos Schramm. O desempenho, como podem atestar os que lá estiveram, foi muito acima do que se podia esperar de amadores." (SE)

[328]

De: COELHO NETO
Fonte: Manuscrito Original, Arquivo ABL.

[Rio de Janeiro,] 19 de agosto de 1895.

Meu querido mestre

Mais um livro, bem velho este porque em Maio devia ter aparecido mas, por um capricho dos homens da tipografia, só em Agosto aparece.

Confesso que já não me atrevo a procurá-lo porque não sei como hei de sair de tamanha dívida de gratidão[1]. Livros, livros, livros e sempre abençoados pelo maior de nossos artistas, o chefe incontestado da resumida tribo de intelectuais. Queira o meu governo proteger-me e dentre os meus volumes amados, os meus queridos livros tão sonhados sobre a bendita terra, sobre os extensos mares, sobre as alterosas matas, sobre os heróis, quase obscuros, do meu país, um terá a glória infinita de levar no frontispício o vosso nome como nas idades heroicas os escudos dos bravos levavam, para proteção, um símbolo da divindade propícia. Será bem difícil vencer o trabalho sem o auxílio oficial porque, amado mestre, sinto-me descoroçoado quando penso nas grandes dificuldades dessa obra, superior às minhas forças mas, à qual arremeto ousadamente para cair, talvez, em meio da aventura, e, ao mesmo tempo na luta pelo pão; as horas perdidas no Senado a fazer extratos, os escritos avulsos que representam a necessidade do dia a dia, todo esse horroroso trabalho absorvente, dispersivo, fatigante.

Vou tentar aproximar-me dos meus homens e, mesmo sem o subsídio lentamente, com sofrimento, tentarei o meu kyrie nacional que começa com os galeões da frota cabralina supreendendo a Pátria virgem na sua nudez inocente e acaba no Cubatão com o clamor dos escravos avistando a Liberdade. Esse conjunto dará aos meus patrícios, senão a história fiel da Pátria, ao menos a rápida visão da sua vida desde que ela saiu do mistério dos mares até a hora solene da libertação dos que primeiro celebraram o Outono nos seus campos. Dreams! Dreams! Dreams!

Mas é muito enfadá-lo, não só com as minhas brochuras e agora ainda com epístolas. Ponto.

Grato para o sempre, discípulo e admirador sincero

Coelho Neto

---

1 ∾ Machado comentara *Miragem* a 11/08/1895 em "A Semana", *Gazeta de Notícias*. (IM)

[329]

De: ANTÔNIO JERÔNIMO
MENDES SAMPAIO
Fonte: Impresso Original, Arquivo ABL.

SECRETARIA DO GRÊMIO LITERÁRIO PORTUGUÊS

Pará, 1.º de setembro de 1895.

I*lustríssi*mo E*xcelentíssi*mo Senhor

Cabe-me a subida honra de passar às mãos de V*ossa* E*xcelência* o incluso diploma de sócio correspondente do GRÊMIO LITERÁRIO PORTUGUÊS[1] no Pará que a diretoria desta sociedade, por proposta do seu Presidente houve por bem conferir-lhe[2].

Esta distinção com que a diretoria acaba de distinguir V*ossa* E*xcelência*, ao mesmo tempo que é uma justa homenagem prestada ao seu elevado talento, é também um motivo de júbilo para a nossa agremiação que o pode contar desde hoje no número dos seus sócios.

Congratulo-me com a aceitação do nome de V*ossa* E*xcelência*, convicto do apoio e coadjuvação que doravante lhe merecerá a associação a que tenho a honra de pertencer.

I*lustríssi*mo e E*xcelentíssi*mo S*en*hor
D*out*or Machado de Assis

o 1.º Secretário

Ant. J. Mendes Sampaio

---

1 ∞ O Grêmio Literário Português de Belém do Pará foi fundado em 1867, constituindo-se numa entidade cultural típica do século XIX, seguindo um modelo híbrido de liceu literário e gabinete de leitura, ou seja, oferecendo cursos de língua nacional e estrangeira para seus associados, como um liceu; e organizando permanentemente um valioso acervo de livros, como um gabinete. A instituição existe até os dias de hoje. (SE)

2 ∞ Não se tem notícia da resposta de Machado. (SE)

[330]

De: MAGALHÃES DE AZEREDO
Fonte: Manuscrito Original, Arquivo ABL.

Montevidéu, 2 de setembro de *1895*.

Meu querido Mestre e Amigo,

Creio que é de princípio de Julho a última carta que lhe escrevi — uma carta longa e íntima, onde muito lhe dizia da minha alma e da minha vida. Sei que a recebeu, pois com ela foi a minha poesia — *A Espada* — que a *Gazeta* publicou pouco depois; e, como suponho que me terá respondido, tenho mais um motivo de queixa contra o correio, que, extraviando naturalmente a sua carta, abriu largo intervalo em nossa correspondência. Esta — por nada deste mundo a quero eu dispensar; é um dos meus grandes consolos neste desterro. Por isso espero que notícias suas não se hão de demorar muito; e para melhor lhe recordar a sua promessa, dar mais força ao meu pedido, e garantir-lhe ainda uma vez a minha imperecível afeição — mando-lhe, como embaixador, esse retrato, que, na minha opinião e na de muitas outras pessoas, é dos melhores que tenho tirado até hoje.

Pelo último vapor lhe enviei um exemplar da *Alma Primitiva*; e a propósito desta apresso-me em dar-lhe os meus mais sinceros e fervorosos agradecimentos. Devo-lhe demais uma explicação pelo meu telegrama que o foi surpreender. Bem sabe as apreensões que eu já tinha sobre a sorte do meu livro antes de sair ele do prelo; confiei-lhe os meus receios e desânimos. O editor me tinha assegurado que o não poria à venda antes de prevenir-me a tempo de poder eu tomar algumas precauções necessárias; esqueceu-se disso, entretanto, e, quando eu recebi os primeiros exemplares com uma carta dele, já o volume tinha aparecido[1]. Chegam, dias depois, os jornais do Rio; silêncio, silêncio absoluto, ou quando muito, referências breves, superficialíssimas. Quanto à *Gazeta*, nem notícia dava do aparecimento do livro... Considerei-o perdido, naufragado irremissivelmente; imaginei que o editor o não tivesse distribuído às redações; que os sucessos políticos atuais o houvessem abafado de todo; enfim, não sei dizer-lhe quantas coisas me passaram pela cabeça e em que estado a puseram. Até doente fiquei, doente deveras, de não poder fazer outra coisa mais que ir-me deitar.

Tão débil está o meu organismo, tão delicados tenho agora os nervos, que não posso sentir uma comoção forte sem que a saúde pague as custas. Em tais circunstâncias, a primeira ideia que tive foi telegrafar-lhe, certo de que acharia de sua parte ao menos, o apoio preciso. Vi, porém, pela sua resposta, e depois pela *Gazeta* de 25 de Agosto que o meu desejo fora satisfeito antes mesmo de formulado, que a sua amizade fora mais pronta que a minha necessidade de recorrer a ela. As suas belas e afetuosas expressões, com a autoridade literária e moral que as reveste, consagraram o meu trabalho, e bastariam elas sós para compensar-me de qualquer esquecimento ou de qualquer injustiça. Que bem me fez com elas, que coragem me deu, como animou e fortaleceu os meus projetos, as minhas aspirações, o meu amor ao trabalho e à glória! Ainda uma vez, muito e muito obrigado; o meu coração é dos que não esquecem provas como essa. Lembra-se de que foi o primeiro a estimular os meus ideais de artista, quando, ainda bem criança, lhe mostrei os meus ensaios tímidos de colegial? Assim, já muito lhe devo — e espero dever-lhe mais ainda.

Tenho dois livros prontos, prontos: as *Procelárias* e as *Baladas e Fantasias*[2]. Aguardo somente oportunidade para tratar das edições. O primeiro, que, como sabe, é o *meu livro*, por excelência, quero que seja impresso sob minhas vistas, inteiramente a meu gosto, e conto poder assistir eu próprio à sua saída, no Rio de Janeiro. As *Melancolias*[3] serão novelas de certa extensão, e em uma delas começarei a trabalhar um destes dias; como já as tenho quase todas planeadas, fixadas nas suas linhas gerais, creio que as concluirei brevemente, sem apressar-me demasiado contudo, por ser isso contrário aos meus hábitos e princípios; antes se demore mais um trabalho, mas saia bem feito, que é o essencial. Em relação às *Rústicas* e *Marinhas*, a única dificuldade era o exclusivismo dos assuntos; a princípio, eu pensava em fazer esse livro com *impressões de campo e mar*; alarguei, porém, o meu plano; haverá não só impressões mas *episódios*, antigos e modernos; e não lhe parece que é uma boa ideia a de fazer pequenos poemas sobre cenas rústicas e marinhas na era grega, na era romana, na idade média, e mesmo em nossos dias?

Há uma obra de fôlego, que me tenta, e cujo título, ainda não encontrado, não figura na lista dos meus trabalhos a publicar. É um romance paulista, cujos personagens e episódios têm já na minha imaginação todo o relevo, toda a nitidez, todo o movimento que eu desejo pôr no livro. Poderei escrevê-lo este verão, como tenciono? Tudo é questão de saúde, e a minha ainda não é muito robusta, nem me permite grandes esforços. Veremos o que se pode fazer.

Sabe que estive quase, quase a ser removido para uma boa legação na Europa? Conto-lhe isto com certa reserva, mas garanto-lhe que tenho absoluta certeza. Ia para Madri, creio eu[4]. O novo Ministro brasileiro aqui, o *Doutor* Porciúncula[5], que foi o primeiro a dar-me a notícia, impediu que a transferência se fizesse agora, porque, como o Augusto Alencar vai para Berlim[6], ele não quereria ficar aqui sem um secretário já mais ou menos prático no serviço desta legação. Assim, tenho que demorar-me nestas terras platinas mais algum tempo; espero que não seja muito. Como estarei melhor na Europa, e que bem me fará ao espírito e ao corpo uma viagem ao velho continente! Além de outras vantagens, teria a de poder ficar no Rio, de passagem, dois ou três meses.

Adeus, meu querido Mestre e Amigo. Mamãe o cumprimenta e comigo se recomenda à sua *Excelentíssi*ma Senhora. O seu artigo sobre o meu livro causou-lhe grande prazer.

Escreva-me — escreva-me. As suas cartas são insubstituíveis.

Abraço-o de todo o coração, e sou sempre o mesmo discípulo e amigo dedicado

        Magalhães de Azeredo.

1 ∾ O livro (Cunha & Irmão; agosto, 1895) compõe-se de 15 contos, todos com dedicatória, e 14 datados. O conto "De Além Túmulo", escrito em São João Del Rei, com data de 10/10/1893, é dedicado a Machado de Assis. Pouco depois da publicação, em 25/08/1895, Machado deu notícia do livro em sua crônica dominical da *Gazeta*. (SE)

2 ∾ As *Procelárias*, publicadas em 1898 e *Baladas e Fantasias* (contos), em 1900. Quanto à *Rústicas e Marinhas*, não se encontraram referências bibliográficas. (SE)

3 ∾ Com este nome, Azeredo não publicou livro algum de contos; ou mudou-lhe o nome ou desistiu. (SE)

4 ∾ Para a vaga de 2.º secretário em Madri, foi removido Cipriano Fenelon Guedes Alcoforado Júnior. Azeredo será removido em janeiro de 1896, para a Itália. (SE)

5 ∾ Ver carta [315]. (SE)

6 ∾ Ver carta [334], de 06/10/1895. (SE)

[331]

Para: MAGALHÃES DE AZEREDO
Fonte: Manuscrito Original, Arquivo ABL.

Rio de Janeiro, 3 de setembro de 1895.
Respondi a 6 de Outubro[1].

Meu querido amigo e poeta

Já lá há de ter, desde quarta-feira da semana passada, um telegrama em resposta ao seu de segunda-feira, relativamente à *Alma Primitiva*. Não sei se haverá entendido o meu; quis dizer-lhe que desde o domingo anterior tinha escrito sobre o seu livro. Fi-lo na *Semana*, que é, como sabe, a minha gazeta da *Gazeta*[2]. Aqui apareceram algumas notícias, e ouço que aparecerão outras. É preciso esperar[3]. A *Alma Primitiva* ficou um bom livro. Já no meu artigo notei as qualidades gerais da obra e do autor. Citei alguns dos cantos, e aqui lhe repito a impressão que todos me deixaram. Também falei dos seus hábitos de austeridade e paciência. Não falei do seu caráter afetuoso, que igualmente transparece daquelas páginas; mas aqui o digo, e deixe-me repetir-lhe que escreva e trabalhe. Quem lhe fala, trabalhou muito, e naturalmente perdeu muito, com os nossos hábitos de imprensa, mas não descansou, e já agora é provável que morra com a pena na mão, se a doença não acabar por empecer-lhe o ofício. A velhice não creio. Não sou dos que dão para octogenários.

Não se entristeça com o silêncio; não o há completo, e em todo caso, console-se com a ideia de que há vinte e trinta anos era pior. Alencar mais de uma vez se me queixou da maneira por que a imprensa de então acolhia os seus livros, e já tinha nome feito. Não os acolhia mal, ao contrário; mas a nossa imprensa então era mais comercial e política. As notícias literárias eram simpáticas, mas curtas, as palavras quase tabelioas.

Não desanime, é moço, tem talento real, nobre ambição e respeito a si próprio. Vá para diante. Venham agora os versos para que as duas feições do seu engenho fiquem logo estreadas.

A carta que me mandou, e a que ora respondo[4], com algum atraso, trouxe algumas palavras de tristeza, que não fazem mal. As de desespero, porém, são muitas e afligem. Um pouco de melancolia, ou muito que seja, traz inspiração: veja Lamartine e Musset. Mas "essa melancolia profunda, angustiosa, infernal, que ultimamente o oprime, e para tudo o inutiliza", isso não pode ser senão doença, contra a qual vale mais a higiene que os medicamentos. Não se importe de não ser alegre; também eu o não sou, ainda que pareça menos triste. Mas há em tudo um limite. Sacuda de si esse mal. A arte é um bom refúgio; perdoe a banalidade do dito em favor da verdade eterna.

O livro que tenho no prelo[5] não sei quando sairá, posto falte somente imprimir as últimas folhas e esteja todo composto. Dou, porém, um mês, ou dois, para irem alguns dias de quebra. O que estou escrevendo imagine que ainda não está acabado, e que terá de ser impresso depois[6]. Se levar a demora deste é negócio para saudar o próximo século; mas pode ser que não. Quando digo saudar o próximo século, não é que conto lá chegar, mas pode ser que sim. Em todo caso, não me demorarei muito por este mundo. Espero que, uma vez entrado nos seus cinquenta anos, não se haverá esquecido de mim e de algumas palavras que me ouviu *outrora*. Aos rapazes que então começarem, se os achar com as suas qualidades, diga-lhes o que lhe disse, e espere como eu espero que a semente caia em boa terra.

Esta carta é breve. Daqui a dias lhe mandarei outra. As notícias literárias já lá terão chegado; o Coelho Neto publicou em livro o *Rei Fantasma*[7], pouco depois da *Miragem*, e está dando a *Cega* na *Gazeta*: é dos mais operosos.

Agora me lembro que não tenho aqui um número da *Gazeta* em que veio a *Semana*, com algumas correções a pena. Aqui é a Secretaria. Mandar-lhe-ei depois. Meus respeitos a Mamãe, e um apertado abraço do

Velho am*ig*o e ad*mira*dor

Machado de Assis

---

1 ∾ Letra de Magalhães de Azeredo. (SE)

2 ∾ Na *Semana* de 25/08/1895, Machado faz uma longa análise favorável ao recém-lançado livro de Azeredo, sobretudo do conto "A Escrava". (SE)

3 ∾ Na carta de 17/07/1895, Azeredo mostrou-se profundamente deprimido, talvez porque seu livro não tivesse tido a repercussão que esperava na imprensa brasileira, fosse pelos acontecimentos políticos que tomavam conta dos noticiários, fosse pela distância que o deixava sem a pressão de sua presença física no meio jornalístico, fosse pela insegurança quanto à qualidade de sua poesia. É a isso que Machado está respondendo. (SE)

4 ∾ Na carta [326], de 17 de julho, Azeredo pedira-lhe uma apreciação sobre a reação popular à morte de Floriano, que segundo ouvira tinha acontecido e lhe parecera surpreendente:

"Estimaria que me desse, com o seu largo conhecimento dos homens em geral, e, em particular, dos fluminenses, a sua impressão sobre o *efeito moral* produzido pelo desaparecimento desse vulto, cujas feições ainda não estão, nem poderiam estar, nitidamente fixadas no conceito público. **Parece-lhe que houve realmente, mesmo em pequena escala, luto popular?**"

Machado ignorou completamente o assunto no âmbito da sua correspondência íntima; mas no espaço da crônica jornalística não deixou passar em branco a morte do ditador, que foi comentada longamente em 07/07/1895. Tampouco deixara de comentar a morte de Saldanha da Gama, ocorrida dias antes da de Floriano, na crônica de 30/06/1895. Ambas na *Gazeta de Notícias*. (SE)

5 ∾ *Várias Histórias* (1896). (SE)

6 ∾ *Dom Casmurro* (1899). (SE)

7 ∾ Coelho Neto* publicou os dois folhetins em livro – *Miragem* e *Rei Fantasma*, em 1895. (SE)

[332]

> Para: SALVADOR DE MENDONÇA
> *Fonte*: Manuscrito Original. Arquivo-Museu da Literatura Brasileira da Fundação Casa de Rui Barbosa, Coleção Machado de Assis.

Rio de Janeiro, 22 de setembro de 1895.

Meu caro Salvador de Mendonça.

Com grande prazer recebo teu retrato e a carta que o acompanhou, cheia de tantas saudades e recordações. Tens razão; compreendo que, ao ver tanta gente nova, em 1891[1], toda ela te parecesse intrusa por nada saber dos nossos bons tempos nem dos homens e coisas que lá vão. Alguns intrusos vingam-se em rir do que passou, datando o mundo em si, e crendo que o Rio de Janeiro começou depois da guerra do Paraguai[2]. Os que não riem e respeitam a cidade que não conheceram, não têm a sensação direta e viva; é o mesmo que se lessem um quadro antigo que só intelectualmente nos transporta ao lugar e à cidade. Este Rio de Janeiro de hoje é tão outro do que era, que parece antes, salvo o número de pessoas, uma cidade de exposição universal. Cada dia espero que os adventícios saiam; mas eles aumentam, como se quisessem pôr fora os verdadeiros e antigos habitantes.

Já que me falaste na *Semana*, dir-te-ei que ainda ontem tive de fazer referência a uma dessas pessoas do nosso tempo, a Eponina, viúva de Otaviano³. Morreu quarta-feira, e uma só folha, creio, deu notícia da morte, sem uma só palavra, a não ser o nome do marido. Assim se vão as figuras de outrora!

Venhamos ao teu retrato. Acho-o excelente; não te importes com os 54 anos; eu cá vou com os meus 56 e não digo nada. Vivam os quinquagenários! Entreguei ao Paz e ao Pacheco os exemplares⁴ que lhes mandaste.

Felicito-te pelo casamento do Mário, que conheci tão menino. A ele e a sua jovem esposa darás da parte de minha senhora e da minha iguais felicitações. Agradecemos as lembranças de tua senhora e de teus filhos e peço-te que as retribuas da nossa parte.

Adeus, meu querido Salvador. Recebe um apertado abraço do

Teu velho amigo

Machado de Assis.

---

1 ∾ Esta parece ser a resposta à carta [327], de 21/07/1895. (SE)

2 ∾ O fim da Guerra do Paraguai se deu em 01/03/1870, quando o Paraguai capitulou oficialmente diante das forças aliadas. Aliás, a mudança do nome da rua Direita, a mais antiga rua do Rio de Janeiro, para rua Primeiro de Março, no centro histórico da cidade, tem origem aí. (SE)

3 ∾ Na crônica de 22/09/1895, Machado diz que D. Eponina até o fim permaneceu "elegante, a despeito dos anos, espartilhada e toucada, não sem esmero, mas com a singeleza própria da matrona. Tinha também que recordar os tempos da mocidade vitoriosa, quando os salões a contavam entre as mais belas." (SPR)

4 ∾ Insley Pacheco e Francisco Ramos Paz*, amigos de juventude dos missivistas. Sobre Insley Pacheco, ver nota 16, carta [327], do presente tomo. (SE)

[333]

> Para: MAGALHÃES DE AZEREDO
> *Fonte:* Manuscrito Original, Arquivo ABL.

Rio de Janeiro, 22 de setembro de 1895.
Respondi a 6 de Outubro[1].

Meu querido amigo

Escrevi-lhe uma carta, há duas semanas mais ou menos, em resposta à que me escreveu depois de alguma demora, e pela data terá visto que a minha demora não foi menor que a sua. Respondo agora à de 2 deste mês, que recebi com o seu retrato; é mais um que me dá, e sou também de opinião que é dos melhores. O que não recebi pelo paquete anterior à carta última foi o exemplar da *Alma Primitiva*, que me diz haver mandado. O seu editor, passando eu pela rua de São José[2], chamou-me e deu-me um exemplar, que li e guardei; mas não foi de ordem sua, nem tal me disse. Provavelmente ficou em alguma das malas do correio, e se foi por alguém, a pessoa não cumpriu a sua ordem nem o meu desejo. Dou-me pressa em dizer isto para explicar o meu silêncio.

Já leu o que disse na minha *Semana*[3], e aqui lhe repito em uma só palavra, — que tenho grande fé no seu futuro. O livro saiu bom. Vê-se que é de autor que inventa, observa e compõe com amor. Compreendo os tédios que lhe levou o silêncio dos primeiros dias; mas a impressão geral foi boa. Sabe que tem aqui amigos que sabem o valor de uma palavra de longe. Pela minha parte, não tem que agradecer o que escrevi; não desejo senão que confirme as minhas esperanças e profecias.

Aguardo os seus livros prontos. Pelo que me diz, das *Procelárias*, vê-lo-emos em pessoa no Rio de Janeiro. Boa notícia para os seus amigos. Venha o autor e venham as *Procelárias*. Quanto ao plano das *Rústicas e Marinhas* parece-me bom, e até indispensável para a variedade da coleção. Pela amostra que já nos deu na *Gazeta*, espero que corresponda ao que considera ser o primeiro dos seus livros. Refiro-me aos três sonetos, *Invocação, Ao mar sereno, Ao mar bravio*, todos bem inspirados e bem acabados.

A ideia do segundo corresponde perfeitamente à do terceiro, pelo contraste. Aquela é inteiramente nova. Esta, se alguém já achou no mar a sensação da liberdade, não fixou tão bem a comparação com o próprio homem, nem com tal vigor:

> Servo das leis, do mal, do acaso, eu triste
> Te adoro, ó Mar sublime, e te amo e penso
> Que em ti somente a liberdade existe!

Gosto da poesia assim, em que há alguma [coisa] mais que belos versos. O final do segundo é lindamente poético:

> Talvez soluce nelas a agonia
> Dos que em teu seio absorves cada dia,
> Dos pais, das mães, dos filhos, dos amantes...

Já lhe disse e repito que acho bom o plano que me expôs, e, como estou certo que não trabalha precipitadamente, fio que terá cuidado na escolha dos assuntos apropriados ao título da obra. Venha também o romance, e atrás desses virão os demais livros, que os anos lhe irão inspirando.

Estimo muito que se realize a notícia que me deu reservadamente de ser transferido em breve para uma boa legação da Europa. Eu é que já não sei se algum dia lá irei também; não completei ainda o meu tempo de administração e não sei se, acabado este, terei forças para uma viagem. Sinto-me cansado. Tudo, porém, é possível, até mesmo transpor o Atlântico, quando menos se conta com isso, e viver além do fim do século. Guardo o seu segredo e desejo vê-lo realizado. Como me diz que, em tal caso, passará aqui uns dois ou três meses, teremos mais esta vantagem.

Não me estendo mais como quisera, porque escrevo para que a carta fique hoje mesmo no Correio, a fim de sair pelo vapor de amanhã. Amanhã pode ser que chegue tarde.

Minha mulher manda-lhe felicitações, e recomenda-se à sua Mãe, como eu também. Responda-me e creia sempre na afeição e confiança deste

Am*i*go velho

Machado de Assis

---

1 ⚭ Com letra de Magalhães de Azeredo. (SE)
2 ⚭ Uma das livrarias de Cunha & Irmão situada na rua de São José, 116. (SE)
3 ⚭ Crônica de 25/08/1895, na *Gazeta de Notícias*. (SE)

[334]

De: MAGALHÃES DE AZEREDO
Fonte: Manuscrito Original, Arquivo ABL.

Montevidéu, 6 de outubro de 1895.

Meu querido Mestre e Amigo,

Pelo Augusto de Alencar[1] apenas pude mandar-lhe — pois não houve tempo para mais — um bilhetinho, que já lhe terá sido entregue provavelmente quando esta carta aí chegar. Sabendo pela sua última que se havia extraviado o exemplar da *Alma Primitiva* que lhe mandara daqui, pretendia enviar-lhe outro, e o fiz encadernar especialmente para isso; o trabalho, porém, não se concluiu a tempo, e agora só irá o livro quando houver outro portador seguro; no correio não tenho grande fé. Creio que se sumiram mais exemplares remetidos por mim para o Brasil. Que fazer? de longe tudo se torna mais difícil.

Vi partir o Augusto com saudade e com inveja. Lá se foi ele para esse caro Rio de Janeiro, tão próximo aliás, mas a que eu só posso dar um passeio com autorização especial do Governo! Que bem, que imenso bem me faria um banho de auras fluminenses! Tenho na verdade a nostalgia das montanhas, como disse no meu estudo sobre a *Família Medeiros* que a *Gazeta* só há poucos dias publicou. Já lhe notei que a paisagem aqui é muito pobre, escassíssima a vegetação, e que o próprio mar, no porto de Montevidéu, está longe de dar as mesmas impressões da nossa amada Guanabara. A cidade é quanto a asseio, higiene, e sistema de construção, superior ao Rio de Janeiro, o seu aspecto é risonho e gracioso, mas vê-se bem que não passa de pequeno centro, onde apesar de todo o progresso e da assimilação dos costumes europeus, ainda há muito de aldeia. Aqui todos se conhecem uns outros, e o resultado é ficar a gente numa evidência que, até certo ponto, diminui a liberdade. O nosso novo Ministro, D*outo*r Porciúncula, que é, digo entre parênteses, homem de grande valor e perfeita distinção, estava em Montevidéu havia dois dias, e já um desses pequenos vendedores de bilhete de loteria, que constituem aqui verdadeira praga, lhe dizia: Um bilhete, S*enho*r Ministro! a sorte grande, S*enho*r Ministro! — Isto é terra pequena; entretanto, a verdade é que o povo daqui se esforça mais que o do Brasil em tornar brilhante a sociedade e cômoda a vida. Já lhe disse como aqui se aproveita e se faz render o pouco e o mau que dá a natureza; nesse empenho, a municipalidade e os particulares se auxiliam mutuamente — o contrário do que entre nós sucede. Ao passo que no Rio o Jardim Botânico fica às moscas e o Campo de Santana aos soldados, aqui, por exemplo, a *Plaza de la Independencia*, que é um largo vasto, mas mal arborizado, se transforma em imenso salão de visitas nas noites de verão, e na *Playa de los Pocitos*, que tem apenas um grande restaurante e uma ponte sobre o mar, reúne-se, também nas noites calmosas, todo o *high-life* de Montevidéu, para ouvir e contar histórias, respirando ar mais puro e fresco. Se cá não nos divertimos muito, não é, cumpre reconhecê-lo, culpa dos orientais. Pois se só este ano Montevidéu *aun que chiquita* sustentou três companhias líricas — e o Rio não teve nenhuma!

Mas que importa isso tudo? Não é preciso ir muito longe, para verificar os gravíssimos defeitos, alguns realmente vergonhosos, que tanto prejudicam o Rio de Janeiro. Já não falo de Buenos Aires, única na América do Sul; mesmo em Montevidéu, e, dentro do Brasil, em *São Paulo*, encontra o carioca muita ocasião de humilhar-se. Mas com esses vícios todos, com todas essas mazelas, a nossa cara pátria, a nossa velha Ama é adorável! Bem me parece que para nós, criados em seu seio e afeitos às suas belezas incultas mas grandiosas, não há novidade peregrina que a faça esquecer. Há nove meses que a deixei, e ainda não perdi, já não digo saudades dela e dos amigos aí deixados (que essas não perderei nunca), mas o desejo, a necessidade de certos hábitos que eu tinha no Rio. Não sei se me explico bem. Por exemplo, das 5 às 6 da tarde, sinto a falta da nossa boa palestra à porta da *Gazeta*, do nosso cálice de *bier*[2] (escreve-se assim?) na Cooperativa[3], e do nosso *bond* das Laranjeiras. Aqui, a essa hora, há o clássico passeio pela grande Avenida 18 de Julho, a que eu não concorro quase nunca. É aquele um amplo e extenso *boulevard*; mas eu me entretinha mais e melhor na nossa estreita e mal calçada rua do Ouvidor. Não quero referir-me a Botafogo, ao Cosme Velho, ao pequeno e lindo jardim de minha casa, a outros sítios e aspectos deliciosamente familiares daí, para não avivar lembranças comoventes demais. Será uma festa contínua para mim o tempo que conto passar no Rio quando me removerem para Europa. Diz-me na sua carta que não sabe se ainda terá ânimo de transportar-se ao velho mundo. Por que não? Hoje, com tanta facilidade de comunicações, quase se trata apenas de um passeio à outra banda do Atlântico. Os países antigos não lhe são desconhecidos; através das várias literaturas, já muito viajou por eles. Assim terá o fino prazer de cotejar a realidade com a imaginação. Se eu lá estiver quando se resolver a ir, desde já lhe ofereço a minha residência para fazer dela a sua tenda fixa. Será honra e fortuna para mim hospedar sob o meu teto humilde o meu querido Mestre e Amigo.

Folgo em ver que lhe agradaram os meus três sonetos das *Rústicas* e *Marinhas*. Como muito bem pensa, esse livro será feito lentamente, e eu forcejarei por bem escolher os assuntos. Assim que receber de Lisboa umas informações necessárias, começarei a mandar para lá por partes o manuscrito das *Procelárias*. Desejo, como há muito combinamos, que seja seu o prefácio desse livro; para isso lhe enviarei oportunamente o volume com todas as poesias já classificadas.

A *Alma Primitiva*, que não distribuí propriamente à imprensa daqui, mas de que dei exemplares a alguns jornalistas de minhas relações, tem sido otimamente acolhida. *La Razón*, que é, como sabe, uma folha de primeira ordem, redigida pelo ilustre Carlos María Ramirez[4], fez ao meu livro referências entusiásticas e publicou, traduzido, o conto — *A Agonia do Negro*; tenciona o doutor Ramirez publicar outros contos do volume, e já me pediu autorização para isso. Ele insta sempre comigo para que eu colabore em *La Razón*; aproveitando a ocasião, pretendo escrever um breve estudo sobre a literatura brasileira, para ver se desperto aqui e em Buenos Aires, um pouco de curiosidade intelectual a nosso favor. Nesse sentido tentara eu já alguma coisa, pedindo ao principal livreiro daqui, o *Senhor* Barreiro, que aceitasse o lugar de agente da *Revista Brasileira*, e pondo-o em comunicação com a Casa Laemmert, para a venda de obras de valor publicadas aí no Rio. Infelizmente, a Casa Laemmert por deplorável falta de critério, mandou, entre pouquíssimos livros bons, outros de todo insignificantes, que dariam triste ideia do nosso movimento literário. Prometi ao *Senhor* Barreiro, que parece animado das melhores intenções, uma lista das obras principais do Brasil: dar-lha-ei quando saírem os meus artigos.

Durante alguns dias, coisa muito prosaica me impediu de trabalhar: uma dor de dentes. Desde ontem me deixou essa visitante importuna, e estou aproveitando este domingo para despachar a minha correspondência, e concluir o escrito que tenho de mandar para a *Gazeta*. Também destinado a essa folha, envio-lhe — para enviar-lhe algo — um soneto já feito há meses.

E adeus, meu querido Mestre e Amigo. Não é preciso que lhe repita o meu pedido constante: escreva-me sempre que possa. As suas cartas estão entre os melhores presentes que me podem vir dessa querida Pátria.

Mamãe lhe manda cordiais cumprimentos, e comigo muito se recomenda à sua *Excelentíssima* Senhora.

Afetuosamente o abraço, e sou sempre de coração o seu

Magalhães de Azeredo.

1 ∾ Removido em 22/12/1894 do posto de 1.º secretário no Uruguai, Augusto Cochrane de Alencar* iria para o Rio de Janeiro apresentar-se ao ministério, para em seguida viajar a Berlim, onde assumiria o posto de 1.º secretário junto ao Império Alemão, para o qual foi nomeado em 01/07/1895. (SE)

2 ∾ Segundo Magalhães Jr. (2008), Azeredo embora tenha escrito *bier* referia-se a *bitter*, que é uma bebida de sabor amargo e de teor alcoólico, tomado em pequenos cálices. (SE)

3 ∾ Ainda não se encontraram dados sobre esse lugar. (SE)

4 ∾ Foi Joaquim Nabuco* quem forneceu carta de recomendação a fim de aproximar Azeredo de *Don* Carlos María Ramirez, homem de grande projeção no Uruguai, deputado e redator-chefe de *La Razón*, que franqueou as colunas do jornal ao jovem diplomata brasileiro. Ramirez, nascido no Brasil (1847-1898), tinha atividade política e literária intensas; publicou novelas, ensaios e discursos que tiveram grande repercussão em seu país. Em 1873, foi nomeado representante da legação uruguaia junto ao Império do Brasil. (SE)

[335]

De: MAGALHÃES DE AZEREDO
Fonte: Cartão Manuscrito Original, Arquivo ABL.

Montevidéu, 23 de outubro de 1895.

Meu querido Mestre e Amigo.

Há dias lhe escrevi uma longa carta: recebeu-a? Hoje, visto fecharem-se daqui a pouco as malas do *Brésil*, vão somente algumas linhas, acompanhando um artigo destinado à *Gazeta*. É uma fantasia paradoxal, uma *blague à froid* sobre o cometa de Faye[1], e a notícia de que ele terá um choque com a terra, destruindo-a, a 14 de Março de 96. Traduzido e publicado em *La Razón*, desta cidade, foi aqui muito bem acolhido esse trabalho; lê--lo-á em espanhol em um número desse jornal que lhe envio, e em outro que também aí vai, o meu conto — *A Agonia do Negro* — com cuja tradução me fez *La Razón* uma surpresa. — É preciso que o artigo sobre o cometa saia com a maior brevidade; aliás deixará de ser oportuno; é por isso é que lho envio, e não ao nosso amigo Senhor Araújo, que deixa os escritos de colaboração criarem mofo na tipografia. Encarregue-se, pois, de *lui donner un coup d'épaule*², e perdoe mais esta maçada que lhe causo. Vejo que passou e foi sancionada a anistia³, o que é uma grande vitória, restam ainda tantas questões: Trindade⁴, Amapá⁵, que sei eu! mas aquela era a principal...

Adeus; escreva-me. Até breve. Um afetuosíssimo abraço do seu

M. de Azeredo.

---

1 ∽ Pilhéria sobre o cometa periódico descoberto em 1843 pelo astrônomo francês Hervé Faye (1814-1902). (SE)

2 ∽ Literalmente *dar-lhe um golpe de espádua*, cujo sentido se aproximaria ao de dar-lhe [em Ferreira de Araújo*] um empurrãozinho para publicasse o texto. (SE)

3 ∽ Pelo decreto legislativo n.º 310 de 21/10/1895, sancionado pelo presidente Prudente de Morais (1841-1902), foram anistiados todos os que direta ou indiretamente haviam se envolvido nas ações revolucionárias recentemente ocorridas em todo o território da República brasileira, vale dizer, Revolta da Armada e Revolução Federalista. (SE)

4 ∽ Por sua posição estratégica no Atlântico Sul, o arquipélago de Trindade e Martim Vaz, na costa do Espírito Santo, foi objeto de disputa entre os governos brasileiro e britânico. Em janeiro de 1895, forças britânicas tomaram Trindade. Diante do protesto brasileiro, o *Foreign Office* informou que a ilha era tida como devoluta, e a intenção seria instalar um cabo telegráfico submarino para atender Buenos Aires. O Brasil recusou a proposta de arbitramento internacional de litígio, pois não havia o que contestar quanto à sua soberania na ilha; mas aceitou a mediação diplomática portuguesa, que dispunha de documentos históricos sobre o descobrimento e a posse da ilha. A Grã--Bretanha desistiu em 03/08/1896. Atualmente, o Brasil mantém um Posto Oceanográfico da Ilha de Trindade. (SE)

5 ∽ A questão do Amapá era antiga. Desde o século XVIII, a França colonialista não reconhecia o rio Oiapoque como limite entre a sua possessão (hoje um departamento francês no Ultramar) e o Amapá, reivindicando parte do território brasileiro. A questão só encontrou solução cinco anos mais tarde, em 01/12/1900, por meio do laudo de arbitragem de litígio expedido pelo presidente da Suíça, Walter Hauser (1837-1902), com a fronteira definida pelo rio Oiapoque. O barão do Rio Branco* esteve à frente das negociações diplomáticas. (SE)

[336]

> De: MAGALHÃES DE AZEREDO
> *Fonte*: Manuscrito Original, Arquivo ABL.

Montevidéu, 7 de novembro de 1895.

Meu querido Mestre e Amigo,

 Entregar-lhe-á esta carta um prezado amigo meu, o Capitão de Fragata Benjamim de Melo[1], que com grande saudade vejo partir de Montevidéu. É um desses homens que, quanto mais os conhecemos, mais simpatia e estima nos merecem pelos dotes intelectuais e pelas qualidades de caráter; tendo-o por assíduo companheiro desde os primeiros dias da minha residência aqui, habituado a vê-lo todos os dias, em toda a parte, e a tratá-lo com intimidade cordial, vou decerto sentir muito a sua ausência; mas não quero ser egoísta; alegro-me pelo seu regresso à pátria, de que há mais de um ano saíra emigrado, tendo diante de si o exílio e a guerra com todas as suas incertezas e vicissitudes[2]. Assim pudesse eu ir também!...

 Com esta carta vai um exemplar da *Alma Primitiva* a que já me referi outra vez. Mandei encadernar três: um para minha Mãe, outro que lhe é destinado e outro para o Mário de Alencar. Bem vê que, se como presente pouco vale, como demonstração de amizade significa muito. Espero, pois, que lhe será grata essa lembrança.

 Vai ainda outra coisa; uns versos franceses para a *Gazeta*. Recomendo-lhos com muito empenho, pela correção das provas. Peço-lhe que se encarregue disso, porque se em português mesmo escapam horrores, imagino o que será em francês. O que pode fazer, como eu fiz algumas vezes, é pedir as provas e revê-las de dia, na véspera da publicação.

 Já me deliciei com a leitura das *Várias Histórias*[3]. Assim que me chegou o volume, mandado pelo Mário de Alencar, agarrei-me a ele e não quis saber de mais nada. Quando cheguei ao fim, senti que tivesse acabado tão depressa; queria mais, mais! Vou relê-lo, e estou certo de que o meu prazer ainda será maior. Conhece a frase de Chateaubriand: Escritor original não é tanto o que não imita aos outros, como o que não pode ser imitado. — Essa ideia pode ser-lhe aplicada; uma das suas grandes glórias é ser único na literatura brasileira; porque o seu estilo corresponde a certo temperamento, a certos estados de alma, a certas qualidades de espírito, a certos *modos de ver*, que são somente seus, e de que ninguém se poderia apropriar artificialmente.

Vi em números da *Gazeta* chegados pelo vapor de hoje o meu artigo humorístico — *O mundo in extremis*. Esperava carta sua. Virá talvez depois de amanhã no *Rio Grande*? Assim seja.

Estou agora concluindo um conto — *A Jarra do Diabo*, que faz parte das *Baladas e Fantasias*[4]. Penso em reunir num volume alguns artigos críticos que publiquei sobre livros brasileiros, e outros escritos mais ou menos congêneres; esse volume seria o primeiro de uma série de estudos literários, históricos, filosóficos — Que lhe parece a ideia? — Tenho justamente a dançar-me na cabeça, impacientes por dançar sobre tiras de papel, uns ensaios de crítica geral — por exemplo — *A Epopeia Moderna*, o *Renascimento da Poesia*, o *Decadentismo*, *Autópsia da Escola Naturalista*, etc. etc. Tenho muitos apontamentos, planos já feitos, para esses artigos. Mas... sinto-me um tanto preguiçoso. Passe-me daí uma pequena repreensão, meu querido Mestre, a ver se sacudo dos ombros esse peso de contrabando.

Adeus. Escreva-me. Mamãe o cumprimenta, recomendando-se comigo à sua *Excelentíssi*ma Senhora.

Abraça-o de coração o seu discípulo e verdadeiro amigo

Magalhães de Azeredo

---

1 ∾ O capitão de fragata Benjamim de Melo participou da 2.ª Revolta da Armada; era secretário e braço direito do contra-almirante Saldanha da Gama (1846-1895), e um dos asilados fugidos do vapor *Pedro III*, para Montevidéu, episódio que deflagrou uma séria crise diplomática entre os governos brasileiro e português. De Montevidéu, Benjamim seguiu para Lisboa, hospedando-se no Hotel Mata, na avenida Liberdade, em companhia de Rui Barbosa*, que preventivamente também saíra do Brasil. Melo acabou intimado no dia 16/06/1894 a deixar imediatamente o país, sendo levado de

trem por um agente da polícia administrativa até Badajoz, na Espanha. A acusação era de que organizava a fuga de asilados brasileiros de Buenos Aires e Montevidéu para Portugal. Isso poderia agravar a crise, já que a fuga dos rebelados, nos vasos de guerra da marinha portuguesa, fora o estopim para o rompimento das relações diplomáticas em 15/03/1894, e que só foram reatadas em 16/03/1895. Registre-se que Rui Barbosa decidiu sair de Lisboa, preparando a sua viagem a Paris, na noite do dia em que Benjamim foi expulso. (SE)

2 ◦◦ Benjamim de Melo, que participara das ações revolucionárias, naquele momento anistiadas pelo decreto presidencial de 21/10/1895, depois de expulso de Portugal, retornara a Montevidéu. Azeredo (2003) se refere a certo militar rebelado, apenas por seu sobrenome, ao narrar a convivência pacífica entre os secretários da legação (ele e Augusto de Alencar*), os rebelados exilados no Uruguai e a oficialidade brasileira que descia no porto. Ele diz:

> "Naturalmente, das palestras com eles eram banidas as questões políticas. Ainda hoje me admira que essa atitude não nos haja posto em sérias dificuldades; mas era tão conforme à inata generosidade brasileira, que os oficiais da esquadra legalista, os únicos que podiam levantar objeções, nenhuma levantaram nunca, vivendo conosco nos melhores termos; entre eles me apraz rememorar com profunda simpatia o capitão Santos Porto, comandante do *Aquidabã* – uma das vítimas, depois, da trágica explosão do seu couraçado [1906], e entre os contrários, **os futuros almirantes Melo** e Penido." (SE)

3 ◦◦ Livro de contos machadianos que, embora tenha na folha de rosto o ano de 1896, começou a ser distribuído em outubro de 1895. O volume reunia dezesseis textos já divulgados na imprensa, entre os quais "A Cartomante", "Um Homem Célebre", "A Causa Secreta", "O Enfermeiro", "A Desejada das Gentes", "Um Apólogo". (SE)

4 ◦◦ Livro publicado em 1900. (SE)

[337]

De: MÁRIO DE ALENCAR
Fonte: Manuscrito Original, Arquivo ABL.

[Rio de Janeiro, sem data.][1]

Participo ao meu querido Mestre Machado de Assis que o meu casamento se realiza às 8 horas da noite de 3 de Dezembro na casa número 6 da rua Marquês de Abrantes. Quer esta participação dizer que eu desejo muitíssimo ver a minha festa honrada com a presença do meu precioso amigo e de sua Ex*celentíssi*ma Senhora.

Discípulo e admirador,

Mário de Alencar

I ∾ Como o casamento de Mário de Alencar e Helena Cochrane de Afonseca ocorreu em 03/12/1895, situou-se o presente convite com a margem de um mês. (SE)

[338]

> Para: JOSÉ VERÍSSIMO
> Fonte: *Revista da Academia Brasileira de Letras*, XXXIII, n.º 103, jul. 1930.

Rio [de Janeiro], 2 de de*zembro* de 1895.

I*lustríssi*mo am*i*go e colega.

Creio que houve um pequeno equívoco entre nós. Quando me falou pela primeira vez no artigo[1] para a *Revista Brasileira*, deu o prazo até 5 do corrente. Assim, quando anteontem lhe disse que o dia de ontem era dedicado ao artigo, não cuidei que o prazo ficava encurtado. Daí esta consequência: fiz o borrão apenas, resta-me copiá-lo e revê-lo. É o que vou fazer e se o equívoco foi meu, releve-mo. Creia no

Velho am*i*go e adm*ira*dor.

M. de Assis.

I ∾ Trata-se do conto "Uma Noite", publicado em dezembro de 1895, na *Revista Brasileira*, renascida sob a direção de José Veríssimo. Magalhães Jr. (2008) observa que Machado (ou outro membro do júri) designou como "artigos", na ata de julgamento, os contos apresentados à *Gazeta de Notícias*, em concurso de 1894. Ver em [295]. (IM)

[339]

Para: MAGALHÃES DE AZEREDO
Fonte: Manuscrito Original, Arquivo ABL.

Rio de Janeiro, 9 de dezembro de 1895.
Respondi a 1.º I. 96[1]

Meu querido poeta e amigo,

Deve estar zangado comigo, e com tanta razão que não me atrevo a pedir-lhe desculpa. Não é só a demora desta carta, é a demora de todas. As suas são mais prontas. Verdade é (sempre tenho uma desculpa) que desta vez esperava por pessoa que me levasse também o seu exemplar do meu último livro, com segurança igual à que lhe ficou incumbindo o Capitão de Fragata Melo de me trazer o meu exemplar da *Alma Primitiva*. Pensei em falar à Secretaria do Exterior; mas o obséquio era tão particular que fui adiando, até que de todo abri mão dele. Afinal foi o nosso Mário de Alencar[2] que me deu a solução do problema, a mais simples, a que eu queria justamente evitar: meter o livro na mala, registrado. Disse-me que foi assim que fez chegar às suas mãos um exemplar das *Várias Histórias*. É o que ora faço com o mesmo livro. Se a carta chegar sem ele, comunique-me logo para "os devidos efeitos" como se diz nas secretarias de Estado.

O meu exemplar da *Alma Primitiva* é primoroso[3]. Agradeço-lhe muito e muito o obséquio de incluir-me no número dos que foram lembrados tão particularmente pelo seu coração, colocando-me entre sua feliz mãe e seu dedicado amigo Mário de Alencar. Não precisava de mais provas para conhecer que me ama e estima. Entre a boa senhora que acha em seu filho o melhor da vida, e o amigo tão verdadeiro, como eu sei que é o Mário, este pobre homem avelhantado, senão velho, espera não fazer má figura, se a afeição e a confiança bastam por título.

No dia do casamento do Mário[4], falamos a seu respeito, e notamos os dois que faltava a sua pessoa. O Mário estava contente e feliz. Não o vi ainda depois, mas sei que está bom; o sogro deu-me notícias dele, re[ce]-bidas da Tijuca⁵, onde os noivos acharam ninho adequado.

Há de ter visto que os seus franceses saíram na *Gazeta*. Não saíram logo pela razão que vou dizer. Pedi ao Ramiz Galvão⁶ que me mandasse as provas, a tempo de serem corrigidas, como o autor me recomendara e eu queria. Respondeu-me ele que, pelo método do serviço da folha, não era possível este processo; mas ofereceu-se com toda a gentileza para revê-los na noite em que ficasse de *plantão* na Tipografia e os versos pudessem sair, — o que de antemão não podia dizer. Aceitei a oferta, os versos demoraram--se alguns dias, mas contra o que eu esperava, e ele também, saíram erros, que os conhecedores da língua saberão serem tipográficos; aqueles, porém, a quem doem erros tipográficos saberão, como o autor, o que custa ler tais coisas. As minhas *semanas* raro saíram com pequenas trocas de letras, trazem sempre erros mais ou menos graves. Eu, algumas vezes, mando correção; as mais delas calo-me. Crônicas não se fizeram para ficar lembradas. Os erros vão no mesmo enxurro. Quanto aos seus versos, se eu pudesse, tê-los-ia feito reimprimir. São mui bonitos; não admira que tragam o sentimento poético, uma vez que o autor o possui, mas a forma não desmente do sentido, e a língua foi vencida, posto que estranha. Vejo que tem grande facilidade em apreender a técnica poética de outro idioma; pouco depois de estar em Montevidéu deu-nos as galantes estrofes espanholas.

Ainda lhe não agradeci as boas palavras que me escreveu acerca das *Várias Histórias*. O que me agradou nesse livro foi ver que, embora composto, parte dele, há dez anos, não pareceu velho aos que o leram; concluo que há nele alguma coisa que prescinde do momento da concepção. Há de lembrar-se que presumi isso mesmo relativamente a uma das coleções anteriores, *Histórias sem data*⁷; mas nessa, realmente, a data podia supor-se eliminada. Os contos recentes era natural que fossem lembrados; se mereceram aprovação é outra coisa. Enfim, o efeito não foi mau. É provável que para o ano, dê outro.

Tem lido a *Revista Brasileira*? Vai passar agora a uma sociedade anônima, com cinquenta contos de capital. Creio que é já no princípio do ano.

Tem dado bons trabalhos, e há dedicação da parte dos que escrevem, e muito zelo na direção do José Veríssimo. Amigos deste têm tomado a peito levar a cabo a nova forma da publicação. Fora disto, temos as belas fantasias do Olavo Bilac, e o livro que o Coelho Neto está dando nas colunas da *Gazeta*. As folhas de *São Paulo* têm vários colaboradores daqui, Sílvio Romero, Bilac, Coelho Neto, Ferreira de Araújo, Afonso Celso. Já me propuseram também escrever para uma delas, mas respondi que, por ora, não podia aceitar nada. Não tenho tempo. Escrevo uma ou outra coisa, como terá visto, por exemplo, na *Gazeta* de 15 de Novembro, folhas soltas, promessas de pronta execução. O que não posso é aceitar obrigações periódicas e regulares.

E os seus livros? Os seus contos? *A Jarra do Diabo* está acabada e cinzelada? Pela última carta recebida, vejo os planos de obras que imagina, e acho-os dignos de animação. Trazem todos o que notei sempre no seu espírito: a tendência às concepções sérias e o horror à banalidade. Meu querido amigo, não há necessidade de dar conselhos a quem os tem de si mesmo. A poesia é uma nota sua, já no verso, já na prosa; não a perca. A filosofia que se sente em muitas das suas páginas dá-lhes a vida forte. Gosto de lê-lo e de ouvi-lo, com os seus tenros anos, e o amor das coisas literárias. Trabalhe agora e sempre; o futuro é dos que souberam trabalhar e pensar; quando menos, adquirem qualidades sólidas e consciência da arte e da vida.

Adeus. Vou levar ao correio o meu livro; irá registrado. Já lhe disse, se não chegar, mande avisar-me imediatamente. Ainda não vi o Mário depois do casamento; mas sei que já está de volta da Tijuca. Adeus. Apresente os meus respeitosos cumprimentos à sua feliz mãe, e os de minha mulher, que também se lhe recomenda. De mim receba um destes abraços longos para descontar o mar que nos separa, e adeus, ainda uma vez, e muitas saudades do

Velho amigo

Machado de Assis

---

1 ∾ Anotado por Magalhães de Azeredo. (SE)

2 ∽ Em vários momentos da correspondência entre Machado e Azeredo, Mário de Alencar* será referido como o *nosso Mário*, o que no caso não é mera cortesia. Nas suas *Memórias* (2003), Azeredo testemunha dois amigos da vida inteira: o carioca Mário de Alencar e o são-joanense João de Carvalho Mourão. Num artigo de sobre Azeredo na *Revista Moderna*, de 20/08/1898, Alencar historia essa amizade dizendo:

"A promessa já se realizava em 1889, quando eu o conheci no nosso primeiro ano de Academia em São Paulo. /.../ Tornei a vê-lo em 1893. Magalhães de Azeredo tinha então 21 anos; estava formado e mudava-se definitivamente para o Rio de Janeiro." (SE)

3 ∽ Em carta anterior, Machado lembrou-lhe que havia lido o livro por tê-lo recebido do editor de Azeredo, quando passava pela loja na rua de São José, o que fez com que o diplomata lhe enviasse o volume por intermédio do capitão de fragata Benjamim de Melo, com encadernação especial. (SE)

4 ∽ Mário casou-se em 03/12/1895. Sobre o casamento, ver cartas [306], [307] e [337]. (SE)

5 ∽ Sobre a residência do alto da Tijuca, ver nota 2, carta [74], tomo I. (SE)

6 ∽ Benjamim Franklin de Ramiz Galvão (1846-1938) foi secretário de redação da *Gazeta de Notícias* de 1894 a 1899. Foi também diretor da Biblioteca Nacional do Rio de Janeiro (1870-1882) e membro da Academia Brasileira de Letras, eleito em 12/04/1928 para Cadeira 32, na vaga de Carlos de Laet*. Registre-se o episódio em que Machado declina o convite para chefiar a seção de manuscritos da Biblioteca Nacional. Ver nota 5, carta [218], tomo II. Ver também Ubiratan Machado (2008). (SE)

7 ∽ Livro de contos publicado em 1884, pela B. L. Garnier, porém impresso na tipografia de Lombaerts. Sobre o livro, ver Ubiratan Machado (2008). (SE)

[340]

De: MAGALHÃES DE AZEREDO
Fonte: Manuscrito Original, Arquivo ABL.

Montevidéu, 23 de dezembro de 1895.

Meu querido Mestre e Amigo

Zangado, zangado não estava, pelo seu silêncio; mas impaciente, sim, aborrecido, e, segundo o costume (aliás bem justificado as mais das vezes) ia lançando todas as culpas ao correio da nossa terra. Vinham vapores e mais vapores — e da sua carta nada! E eu só tinha o consolo de ler as *Semanas*, regularmente publicadas cada domingo, provando pelo menos que saúde lhe não faltava. Finalmente — bendito *Madalena*[1]! — veio a carta, e com ela o livro. Aqui estão; recebi-os como amigos longamente esperados, que têm direito ao melhor lugar na casa. Estou lendo ainda uma vez as *Várias Histórias*; já li, reli e ainda hei de tornar a reler a sua carta, tão afetuosa e cativante

E, voltando agora a esta minha, veja que caprichos pode ter a sorte de uma carta! Esta, começada a 23 de Dezembro, só agora, a 1.º de Janeiro[2], pode ser continuada. Pelo fim do ano, tanto trabalho se acumulou na Legação, que tive de interromper toda outra tarefa.

Le roi est mort — *vive le roi* (eis aqui uma frase banal, mas, apesar de tão gasta, sempre expressiva). Acabou 95; começa 96. É ocasião de desejar--lhe, segundo o estilo, mas de todo o coração, e não por mera formalidade, um ano tranquilo, venturoso e fecundo. Sabe a sinceridade destes votos, em que Mamãe me acompanha, cumprimentando comigo a sua *Excelentíssi*ma Senhora.

Dou-lhe uma novidade que já não o será de certo quando a receber; vou ser removido para a nossa Legação junto ao Vaticano[3]. O Ministro do Exterior[4], que é, como sabe, grande amigo meu, mandou-me propor esse lugar, e eu o aceitei, satisfeito por poder realizar um sonho antigo, e grato ao *Doutor* Carlos de Carvalho, que espontaneamente se recordou de um desejo manifestado há muito, em conversa, quando ele ainda estudava autos no escritório da rua da Quitanda, em vez de elaborar tratados e protocolos como hoje na secretaria do cais da Glória. Acenaram-me também com a possibilidade de uma promoção a 1.º secretário na América; mas refleti no caso, horrorizou-me a ideia de ficar condenado, sabe Deus por quantos anos, à insipidez da Bolívia, aos calores do Equador, ao pesadíssimo trabalho de Montevidéu, sem viajar com proveito intelectual... Não; decidi-me pela remoção. Roma é um ideal, é uma cidade cheia de simpatia e encantos para o meu espírito literário e cristão. Representar o

Brasil perante uma grande potência é uma missão brilhante; mas representá-lo perante uma pura Tradição consagrada pelos séculos tem alguma coisa de glorioso e sublime.

Quanto a vantagens práticas, há a do clima que é dos mais brandos da Europa; a do *dolce far niente* na Legação, que deixa todo o tempo livre para estudos e excursões, numa terra, em que não existe rua nem beco, onde não se tenha muito a aprender; há a proximidade de Paris, a 24 horas de viagem, há a modicidade da vida, tão oposta a esta de Montevidéu, que, sendo insípida e monótona, consome dinheiro e mais dinheiro, a tal ponto que, para dar-lhe um pormenor, só de hotel gasto eu por mês, com minha Mãe e duas criadas, 240 pesos ouro, isto é, um conto e trezentos mil réis ao câmbio atual!

Tendo alguns trabalhos que fazer ainda aqui, e também por interesse da minha saúde e para fazer imprimir cá ou em Buenos Aires o meu livro de versos pedi ao Ministro do Exterior uma demora de três meses, que me foi amavelmente concedida, e talvez mais tarde será prolongada. Peço-lhe reserva sobre isso. Assim, espero que nos veremos em Abril ou Maio[5], pois, antes de partir para o meu posto, tenciono passar no nosso caro Rio ao menos duas ou três semanas. Aproveitarei a ocasião para publicar aí as *Procelárias*[6], que, já prontas, estão pesando inutilmente na minha bagagem. Não esqueceu seguramente a sua promessa de escrever o prólogo desse livro. Mandar-lho-ei para esse efeito, logo que as composições dele estejam definitivamente classificadas. Outro favor que lhe peço desde já é o de entender-se com o Laemmert, seu editor, para que ele se associe a mim, mediante uma comissão razoável, para a venda do volume. Bem sabe que certos cuidados comerciais, necessários à vida de um livro, não os pode empregar o autor, incompetente e inexperto em tal assunto. A casa Laemmert pela sua influência e pela sua honradez oferece as melhores garantias.

O meu primeiro intento era propor ao Laemmert a edição das *Procelárias* vendendo ou mesmo cedendo o manuscrito para que ele tomasse a si as despesas da impressão, ficando com a propriedade da obra, ou as dividisse comigo, dividindo também os lucros na mesma proporção. Creio que não seria difícil realizar um contrato assim; mas o que me impede de oferecê-lo é a quase absoluta certeza de que o meu livro, imprimindo-se aí, não estaria pronto, nem em quatro, nem, porventura, em seis meses. A *Alma Primitiva* foi uma boa lição a tal respeito. Levou-me quase um ano.

Tenho aqui a coleção completa da *Revista Brasileira* em 1895. Ela representa um esforço intelectual perseverante, para o qual nenhum louvor é demasiado. O nosso Amigo Doutor José Veríssimo tem uma competência especialíssima para empreendimentos dessa ordem, e, além disso, foi auxiliado por alguns colaboradores de primeira qualidade. Ele mesmo apresentou belos trabalhos de crítica, lúcidos, imparciais, serenos, isentos de toda paixão, que revelam espírito preparado e suma independência de caráter. Li no número de 15 de Dezembro um delicioso conto seu – *Uma noite*[7]. Este mais uma vez prova como o seu gênio é arguto e penetrante, e com que magistral sutileza sabe esquadrinhar o coração humano, descobrindo e analisando as mais íntimas nuanças do sentimento.

Permita Deus que a *Revista* consiga transformar-se segundo o plano do Doutor Veríssimo e entrar num período de plena e duradoura prosperidade. Tenciono publicar nela um estudo, já prometido há muito, sobre o eminente homem americano, general Mitre, e outro sobre a República Oriental, tendo já para este último notas quase completas. Aproveitarei também a minha demora aqui para fazer alguns relatórios úteis, dos quais o primeiro, que espero concluir em poucos dias, será sobre a instrução primária, relativamente muito adiantada neste país. De quando em quando, publico algum artigo em *La Razón*; recebeu os números em que saíram a *Agonia do Negro* e o *Mundo in Extremis*? Envio-lhe agora um, com *Ajeeb o Turco*, fantasia sobre um jogador automático, ou pseudo-automático que apareceu aqui numa quermesse, e o número de hoje, onde, entre trabalhos diversos, alguns de valor, aparece um ensaio meu sobre o *Espírito Americano*. Leia-o, e diga-me a sua opinião. Não lhe parece que há aí algumas verdades, que era preciso dizer com inteira franqueza? Foi até certo ponto, um *tour de force* meter-me eu, diplomata, a tratar semelhante assunto, em pleno conflito anglo-americano; mas acho que me saí bem e não feri nenhuma susceptibilidade.

A propósito dos versos franceses que lhe mandei, dir-lhe-ei que José Lúcio e Madeleine[8] são duas adoráveis crianças, sobrinhos de uma adorável Senhora, um dos mais perfeitos modelos de distinção que ainda conheci. É ela uma argentina, que viveu muitos anos em Paris, e chama-se Madame Ocampo de Heimendahl. Foi, dizem, uma formosura, e ainda hoje, passada há muito a juventude, revela o que foi. Não digo que seja velha; está nessa idade, não ainda crepuscular, mas de ocaso incipiente, em que a mulher, conservando muitos traços de beleza antiga, tem já na fronte uma auréola venerável de santidade maternal. Elegante, inteligente, instruída, rainha do *grand monde*, conheceu e tratou de perto os mais célebres representantes das letras e artes francesas, entre os quais alguns foram ou são seus amigos, como Barbey d'Aurevilly, Bonnat, e Paul Bourget, que ela viu ainda jovem e obscuro, e que a considera, como ela diz, *une bonne soeur aînée*. No convívio desses ilustres engenhos, não adquiriu pedantismos nem impertinências de *bas-bleu*, pois o seu espírito fino e puro é o que há mais incompatível com qualquer espécie de pretensão tola. Demais, como base das suas qualidades brilhantes, possui ela virtudes ao mesmo tempo simpáticas e austeras, que a tornam realmente uma alma superior. Essa senhora é uma grande amiga minha; diz que me adora, e tem para mim carinhos quase maternais. É um afeto que me honra, e um entusiasmo que eu sinto acima do meu mérito. Outra Senhora, que vive conosco no mesmo hotel, e com cuja família Mamãe e eu temos a maior intimidade, é Madame Caymari[9], que o conheceu muito aí. É outro tipo de nobreza feminina; desses que nos fazem amar a humanidade, apesar dos tantos monstros que ela produz todos os dias. Lembra-se dela? Jovem e bela era quando residia no Brasil; bela, é ainda, e os seus cabelos branquíssimos, cercando um rosto sem rugas animado por um meigo sorriso e dois grandes olhos negros, parecem dizer que o tempo, implacável para todos, foi para ela inofensivo. Entretanto, a sua existência não se passou sem graves desgostos, e o seu coração, terno por natureza, só foi salvo pela sua índole privilegiada — feliz na resignação. Madame Caymari é filha de um dos herois e mártires da primeira revolução Cubana, o General Goicouría, que morreu condenado ao garrote vil, por uma crueldade selvagem que deve envergonhar eternamente a Espanha; ele próprio disse, momentos antes da execução, aos oficiais que o guardavam: "Desenganem-se, senhores; a Espanha não é uma nação civilizada, porque manda garrotar um general, que tinha pelo menos o direito de ser fuzilado." O seu único filho pereceu em batalha, na mesma campanha. Esses e muitos outros golpes, enlutando a alma da digna Senhora, não a envenenaram, inspirando-lhe movimentos de revolta contra o destino, que tanto gastam os caracteres violentos e fracos. Dedicada ao marido e às filhas, empregou o talento que lhe dera posição brilhante na sociedade, em fazer delas verdadeiros tesouros, cultivando-lhes os ricos dotes nativos por uma educação esmerada que ela pessoalmente inspecionou sempre. Não lhe posso dizer o que são essas moças, todas brasileiras, exceto a mais velha, norte-americana, mas que foi para o Rio com onze meses de idade. A segunda, que já não encontrei aqui, fez-se freira, por uma vocação irresistível, e, está hoje no Chile, em um convento das Damas do Sagrado Coração. A terceira... não lho ocultarei, é quase minha noiva; para suprimir o — quase — faltam só as formalidades do pedido em regra. Não preciso dizer mais para mostrar-lhe que a adoro; conhece-me bem, e sabe que eu não teria noiva em outras condições. Demais, ela, felizmente, não é rica.

Ainda não fiz tal confidência a ninguém daí, nem tenho necessidade de fazê-la; rogo-lhe, pois, que a guarde para si só. Não acrescentarei que encontrei nela a minha natural companheira a mulher mais própria para partilhar comigo a vida, pelas suas altas virtudes, pelo seu caráter doce e afetivo, e pela sua inteligência capaz de compreender e amar o Belo artístico em todas as suas manifestações. Poderia levar isso à conta de um entusiasmo cego, muito explicável nos noivos; creia, porém, que não é assim [;] a admiração, neste caso, precedeu o amor, e a estima foi o primeiro alicerce deste.

Que lar feliz poderemos ter em Roma, se Deus quiser, Mamãe, ela e eu! Que atmosfera salutar para o meu coração, e propícia aos meus estudos e trabalhos!

Aí vê, meu querido Amigo, o ambiente em que tenho vivido fora da pátria. Na intimidade dessas senhoras e moças que lhe descrevi a largos traços, achou a minha atividade literária um estímulo suave e discreto, não decerto tão ruidoso mas seguramente mais fino que o do mesmo aplauso público.

Como complemento, o escritório de *La Razón* proporcionou-me muitas vezes campo largo para o exercício das ideias; o redator-chefe, Carlos Ramirez, é um espírito eminente, e o seu auxiliar, Samuel Blinen, tradutor dos meus artigos, tem um posto dos mais elevados na literatura uruguaia. Entre os homens de talento desta terra, conheço, aliás, de perto a poucos; em geral, tanto os escritores como os políticos, são retraídos, e quase inacessíveis ao estrangeiro.

Que longuíssima carta esta! 6 folhas de papel! É deveras um abuso! Aproveito esta última página para pedir-lhe (ainda um abuso!) que me mande com a maior brevidade o compêndio de Literatura Brasileira de Fernandes Pinheiro[10] e algum outro estudo crítico mais recente, que abranja o movimento literário até a última geração. Preciso disso, embora como *razão de ordem* apenas (para falar em linguagem acadêmica) para um trabalho que estou fazendo e *que* será publicado aqui.

Já recebi uma cartinha do nosso caro e feliz Mário. Vou escrever-lhe hoje. Renovamos os nossos cuprimentos à sua Senhora. Um afetuoso abraço do seu

Magalhães de Azeredo

---

1 ∾ Referência ao vapor *Madalena* (1889-1921), da *Royal Mail Steam Packet*, que fazia a rota de Ouro e Prata, ligando Southampton-Buenos Aires, passando por Vigo, Porto, Lisboa, Canárias, Cabo Verde, Salvador, Rio, Santos e Montevidéu. Na ida ao continente sul-americano, embarcava máquinas equipamentos ferroviários, bens de consumo industrializados; na volta, produtos agropecuários (carne, lã, café, algodão, cacau, açúcar). (SE)

2 ✧ Apenas o primeiro parágrafo e parte do segundo foram escritos em 23 de dezembro, todo o restante foi produzido em 01/01/1896. Encontraram-se algumas cartas assim, o que por vezes cria um lapso na continuidade estrita do fluxo cronológico. (SE)

3 ✧ Removido como 2.º secretário para a legação brasileira junto à Santa Sé em 02/01/1896. (SE)

4 ✧ Carlos Augusto de Carvalho (1851-1905), ministro das Relações Exteriores no governo de Floriano Peixoto (1891-1894) e no de Prudente de Morais (1894-1898). (SE)

5 ✧ Azeredo ficará de licença por três meses, mas não foi imediatamente ao Rio de Janeiro, como parecia ser a sua intenção; esteve no Brasil por um curto tempo, duas ou três semanas, hospedando-se em Petrópolis, onde o sogro Bernardo Caymari tinha casa. (SE)

6 ✧ 1898.

7 ✧ Foi posteriormente publicado na *Gazeta de Notícias* em janeiro de 1897. Na *Obra Completa* (Aguilar, 2008), faz parte da coletânea "Contos Avulsos". (SE)

8 ✧ José Lúcio de Ocampo e Madalena Ocampo, sobrinhos de Adela Ocampo de Heimendahl, a amiga de Azeredo. (SE)

9 ✧ Amália Goicouría, nascida em Cadiz, Espanha, filha de Domingo de Goicouría (1805-1870) e Carlota Mora. Amália e Bernardo Caymari (1838-1907) eram pais de Evangelina, Margarida e Maria Luísa, por quem Azeredo está apaixonado e com quem casará em 01/06/1896. (SE).

10 ✧ O *Curso de Literatura Nacional* (1862), escrito pelo Cônego Fernandes Pinheiro* (1825-1876), é o primeiro livro a adotar uma perspectiva de conjunto da literatura brasileira, sem considerá-la mais um apêndice da literatura portuguesa, embora ainda se valendo de formulações teóricas produzidas por autores portugueses. Inicialmente, idealizado para as suas aulas no Imperial Colégio de Pedro II, o *Curso* era dividido em 43 lições, sendo a primeira uma pequena introdução; a segunda, um breve histórico e periodização; e somente na terceira lição, inicia propriamente a sistematização do *corpus* literário. (SE)

[341]

Para: MAGALHÃES DE AZEREDO
Fonte: Manuscrito Original, Arquivo ABL.

[Rio de Janeiro,] 30 de dezembro de 1895.

Meu querido poeta e amigo

Esta é curta. Serve unicamente de capa a uma carta que achei na *Gazeta de Notícias*, com o seu nome no sobrescrito[1]. Tomei a mim remeter-lha. Há de ter já recebido a carta com que lhe respondi à sua última e a qual foi acompanhada de um exemplar do meu livro[2]. Desculpe a pressa; escrevo na Secretaria, à ultima hora.

Adeus, meus respeitos à Mamãe e um abraço apertado do

Velho amigo

Machado de Assis

---

1 ∾ Essa carta, de autor ignorado, não foi localizada entre os papéis de Azeredo na ABL. (SPR)

2 ∾ *Várias Histórias*. Sobre o livro, ver Ubiratan Machado (2008). (SE)

[342]

Para: MAGALHÃES DE AZEREDO
Manuscrito Original, Arquivo ABL.

Rio de Janeiro, 12 de janeiro de 1896.

Meu querido amigo,

Ontem recebi a sua carta de 23 do mês passado[1], que me foi entregue pelo Graça Aranha, a quem o Fausto Cardoso[2] a dera, por estar aquele quase todos os dias comigo. Vim lê-la em casa, segundo é meu costume com as cartas que merecem ser lidas aos goles, vagarosamente.

Assim, quando dei com a notícia da folha 5.ª página 4, tive uma impressão súbita, não só de espanto, visto não contar com ela, mas também e principalmente de gosto. Vai casar, tanto importa dizer que vai ser feliz, porque o seu coração haverá escolhido com acerto. A descrição que me faz da noiva é bastante para crê-lo; mas eu conheci a formosa senhora, mãe dessa menina, e estou certo que esta terá a mesma distinção e qualidades finas de caráter. Há uma frase na sua carta que me encantou, sem me admirar; é a que fala da felicidade que vai ter em Roma, com o seu lar: "Mamãe, ela e eu!" A prioridade da boa senhora, modelo de mães, mostra que o filho merece a que tem, e que esta vai ser mais feliz ainda do que até agora. A notícia fica em segredo, e tanto melhor se me deu a primazia, para que eu seja o primeiro que lhe envie daqui o meu abraço de parabéns.

Quando recebi a sua carta, estava prestes a mandar-lhe um cartão de felicitações pela remoção para Roma. Vi logo que lhe seria a mais agradável de todas; a carta o confirma, e o que eu conheço do seu espírito e do seu coração era bastante para adivinhá-lo. Roma pontifícia é, na verdade, colocação apropriada a uma alma tão docemente cristã, tendo de mais o engenho, a cultura das letras e o amor das artes. Tudo isso, com um lar feliz, e vinte e poucos anos de idade. Creia; é um belo espetáculo e uma sensação boa para os homens vencidos de anos (ao menos, para mim) a felicidade assim completa e merecida, em plena juventude.

Pelo que me escreve acerca de Madame Ocampo de Heimendahl, das qualidades que a distinguem, e da amizade que lhe tem, vejo que vive aí numa atmosfera de afeição e de espírito que lhe deve ser sobremodo agradável. O estímulo que acha nisso, vê-se pelo que escreve e planeia. A propósito, não recebi o número da *Razón*, que me anunciou na carta. Tinha recebido os dois anteriores, com a *Agonia do Negro*[3] e o *Mundo in extremis*. Tê-lo-ia enviado à *Gazeta*? Irei lá amanhã (hoje é domingo) para saber dele. Li aqui na *Revista Brasileira* os seus versos denominados *A Chama*; assunto feliz, tratado com felicidade. A *Revista* merece que lhe deem boas páginas. José Veríssimo trata agora, como deve saber, de a melhorar e consolidar. Tem bons auxiliares consigo; está formando uma sociedade em comandita para assegurar-lhe capital.

Amanhã falarei à casa Laemmert, acerca das *Procelárias*, propondo-lhe as condições que me indica, e se não ficar decidido logo, mandar-lhe-ei dizer o acordo final, tão depressa o obtenha, sem aguardar carta sua. Quanto ao prefácio, não me esqueci da promessa, e aqui estou para cumpri-la com o prazer que sabe.

Vai pelo correio o *Curso de Literatura Nacional*, do Cônego Fernandes Pinheiro. Suponho que é isto que quer. Não há outro livro nas mesmas condições, abrangendo a geração presente. Há a crítica do Sílvio Romero, mais desenvolvida. Mande-me a este respeito as suas ordens.

Transmiti à minha mulher os comprimentos de sua Mãe e seus; ela os agradece e retribui. Pela minha parte não é preciso dizer que faço a mesma coisa, com igual cordialidade.

A carta não é mais longa, porque ainda tenho de escrever para a Europa, não contando que já despachei alguns papéis da Secretaria. Não sabendo se acharei o *número* da *Razón*, peço-lhe que me mande outro; ficarei com dois, se achar o primeiro. Adeus, e até breve, antes de Abril ou Maio. Abrace de longe ao

Velho am*ig*o

Machado de Assis

---

1 ∾ Carta [340], de 23 de dezembro, cujo conteúdo fora quase todo escrito em 01/01/1896. (SE)

2 ∾ Fausto de Aguiar Cardoso (1864-1906), intelectual sergipano, que viveu no Rio de Janeiro de 1890 a 1906, ocupando diversos cargos: professor de história na Escola Normal; professor do *Pedagogium* e de história das artes na Escola de Belas-Artes, bem como colaborador em diversos jornais. Fausto liderou a revolta contra as oligarquias sergipanas em agosto de 1906, na qual terminou assassinado com um tiro no peito na porta de casa. (SE)

3 ∾ "Agonia de Negro" faz parte de *Alma Primitiva* e foi dedicado a Joaquim Nabuco*. (SE)

[343]

Para: MAGALHÃES DE AZEREDO
Fonte: Manuscrito Original, Arquivo ABL.

Rio de Janeiro, 20 de janeiro de *1896*.

Meu querido amigo e poeta

Já lhe escrevi respondendo à carta última que daí recebi. Disse-lhe então que falaria ao Laemmert, e mandaria a resposta por um bilhete. Este é o bilhete. Falei-lhe, ou antes ao Gustavo Massow[1], com quem me entendo sobre estes negócios. Propus-lhe o que me mandou dizer (1.ª hipótese) visto que a outra proposta é inadmissível por falta do tempo. Confessou-me que a impressão não ficaria acaba[da] nos quatro ou cinco meses. Quanto à proposta de ocupar-se somente da venda e das despesas do anúncio e distribuição, disse-me que pede 40%. Pedirá apenas 20%, se as despesas de distribuição e anúncios correrem por conta do autor. Creio que a primeira forma é preferível: um autor é o menos próprio para cuidar das minúcias, e isso mesmo creio que me disse em sua carta.

Escrevo isto, à última hora, na Secretaria. Não lhe digo que estou adoentado, porque uma vez que aqui estou, posso escrever aos amigos; mas, em verdade o trabalho de hoje agravou as dores da cabeça e do corpo. Mande-me dizer o que lhe parece melhor, e conte com o

Velho amigo

Machado de Assis

---

1 ∾ Um dos sócios da Livraria Laemmert, depois da morte dos fundadores. (SE)

[344]

> Para: GRAÇA ARANHA
> *Fonte:* Manuscrito Original, Arquivo ABL.

[Rio de Janeiro,] 22 de janeiro de 1896.

Meu caro amigo Doutor Graça Aranha

Quando ontem ajustávamos o jantar de hoje, não supunha que viesse achar morto o vizinho fronteiro, de quem penso haver falado no chá das cinco. Tínhamos relações de família, e não posso deixar de ir ao enterro. Este é às *três horas da tarde*, não me dá tempo de ir primeiro ao Laemmert. Vou escrever também ao José Veríssimo; caso a minha carta não o encontre (mandá-la-ei da Secretaria, donde sairei às duas horas), peço-lhe a fineza de lhe comunicar o conteúdo desta.

Amanhã, a tarde é livre, e podemos ir a Santa Teresa; estarei no Laemmert à hora marcada para hoje.

Um abraço do

amigo e admirador

Machado de Assis[1]

---

1   Até a presente data, só dispomos desta carta (inédita) de Machado a Graça Aranha e de um postal de 05/01/1904. A polidez e forma de tratamento contrastam com as expansivas manifestações do destinatário ao se dirigir ao mestre, que aliás lhe escreveu várias vezes, conforme se depreende por alusões de Graça em sua correspondência. (IM)

[345]

> De: MAGALHÃES DE AZEREDO
> *Fonte*: Manuscrito Original, Arquivo ABL.

Montevidéu, 31 de janeiro de 1896.

Meu querido Mestre e Amigo

Não posso escrever-lhe hoje uma carta longa como desejava. Aumento de trabalho e, nos últimos dias, ligeira indisposição de saúde me impediram de dedicar-me à correspondência. Agora, falta pouco para fechar-se a mala do *Orellana*, e tenho de resumir-me para chegar a tempo.

Agradeço-lhe muito ter-me mandado, e com tanta presteza, a *Literatura Nacional* de Fernandes Pinheiro[1]; era justamente o que eu desejava. Quanto ao estudo crítico de Sílvio Romero, se é a *Literatura Brasileira e a Crítica Moderna*[2], não preciso dele; se é outro livro mais completo, e conciso ao mesmo tempo, gostaria de tê-lo aqui, para poder acompanhar o movimento literário do Brasil até a geração atual. Mas não devo abusar assim da sua bondade; não é sem certo remorso que dou tanto trabalho a um Amigo, cuja vida é tão atarefada sempre.

Falemos agora sobre as *Procelárias* e a casa Laemmert. Penso em propor outro negócio. Francamente lhe direi que nesta ocasião não creio poder arcar com as despesas da impressão de um livro. Viu decerto nos jornais a minha remoção com a nota — a pedido — Não sei se já lhe expliquei o sentido e o alcance desta expressão no caso atual. A remoção foi, como creio que lhe disse, proposta pelo *Doutor* Carlos de Carvalho e não solicitada por mim. Ele, porém, mandou-me dizer por um amigo comum, que, em vista das condições do orçamento e da necessidade de economizar, não daria ajuda de custo a nenhum dos removidos, e não podia criar sem escândalo uma situação privilegiada para mim; e por isso desejava que eu concordasse em publicar-se a remoção como — a pedido — para justificar a falta da ajuda de custo. Tenho, pois, de fazer a viagem e instalar-me em Roma a expensas minhas; tenho também de casar-me antes de partir. Pode calcular os enormes gastos que isso tudo representa.

Já vê que, em tais circunstâncias, me é impossível editar o meu livro. Por outro lado, eu quero absolutamente publicá-lo agora; não desejo levar para Europa essa bagagem inútil, e além disso creio que não há ensejo melhor de fazer sair as *Procelárias* que a minha demora de alguns dias no Rio antes de partir para Roma.

Assim, o que desejo é que a casa Laemmert seja a editora do volume. Ora, fazê-lo imprimir aí seria absurdo, visto que não estaria pronto antes de 6 ou 8 meses. Portanto, o melhor é imprimi-lo aqui, pagando os gastos a casa Laemmert e adquirindo a propriedade da obra. Há aqui uma oficina impressora de primeira ordem, sob a firma – Dornaleche y Reyes – Rivaliza com as melhores da Europa. Fui lá falar, e garantiram-me esses *Senhores* que se comprometiam a dar-me o livro primorosamente feito em um mês sendo preciso. Quanto ao preço, é imensamente inferior ao que no Rio se ofereceria; por mil exemplares de 300 páginas, em ótimo papel, com tipo e frontispício escolhidos por mim, 400 pesos ouro, isto é, ao câmbio de hoje, mais ou menos 2 contos de réis. Peço-lhe que veja o que diz a isso a casa Laemmert. Não acho que razoavelmente se possam opor dificuldades à minha proposta. Não sou de todo em todo um principiante, e vendi sem o mínimo esforço a *Alma Primitiva* a um editor de muito menos recursos que a casa Laemmert. Mesmo, no caso presente, nada peço pelo manuscrito; quero apenas libertar-me das despesas da impressão. Quanto a ser esta feita fora do Rio, não importa, pois aqui estou eu para inspecioná-la, para fazer cumprir todas as condições do contrato que se faça, para corrigir as provas, em suma para tudo o que seja preciso; e eu próprio levarei comigo os 1000 exemplares quando for para o Rio.

Espero que a casa Laemmert aceitará este negócio, e rogo-lhe que lho proponha; se o aceitar, imediatamente farei começar o trabalho, visto que o livro já se acha preparado e é só entregá-lo. Se na casa Laemmert não se puder arranjar nada, pode-se então falar ao Lombaerts; e em último caso, à *Gazeta de Notícias*. Desculpe este incômodo que lhe causo; se gratidão pode retribuir um favor de amizade, creia que a minha é cada vez maior.

Adeus, meu querido Mestre e Amigo. Esta carta tem a secura antipática das cartas de negócio que eu detesto; para modificar-lhe um pouco o tom aborrecido, aqui lhe envio de todo o coração, com os cumprimentos da Mamãe, e os nossos para sua Senhora, um afetuosíssimo abraço do sempre seu

Magalhães de Azeredo.

---

1 ∾ Ver nota 10, carta [340]. (SE)

2 ∾ Publicado por João Paulo Ferreira Dias, em 1880. (SE)

[346]

De: OLAVO BILAC
Fonte: Manuscrito Original, Arquivo ABL.

Rio [de Janeiro], 10 de fevereiro de 1896.

Mestre!

> Feio por quê?[1] — só porque é feio
> Ser modesto demais...
> — Formoso coração de rimas cheio,
> Cheio de sonhos celestiais!
> — Quando te vejo a lira ao colo,
> Fica sabendo que eu
> Te acho mais belo do que Apolo,
> Mais belo do que Orfeu!

Olavo Bilac

---

1 ∾ Pelo tom trata-se de uma poesia de circunstância, possivelmente em resposta a alguma crônica em que Machado tenha feito alusão aos próprios dotes físicos, dizendo-se feio. (SE)

[347]

> Para: MAGALHÃES DE AZEREDO
> *Fonte*: Manuscrito Original, Arquivo ABL.

Rio de Janeiro, 21 de fevereiro de 1896.

Meu querido amigo e poeta

    Esta carta é a mais breve que lhe terei escrito; di-la-ei brevíssima, como vai ver. Não a demoro, para aproveitar o paquete que sai amanhã, e por estar em preparativos de mudança para o Hotel do Corcovado[1], onde vou estar algumas semanas, por motivo de moléstia de minha mulher. Subo amanhã às 8 horas. Só agora escrevo, porque só agora posso dar completa resposta à última que me escreveu acerca das *Procelárias*. Na ordem em que me incumbiu, falei primeiro ao Laemmert, que me pediu alguns dias para responder. A decisão que me deu foi negativa; teria muito prazer em tomar a si as despesas e a venda, mas achou aquelas muito elevadas. O Lombaerts, a quem falei depois, deu-me razões que me pareceram válidas, logo à primeira vista. O seu principal e quase exclusivo negócio são assinaturas de jornais. Não tem edições de livros. Demais, julga que a situação da casa, na rua dos Ourives, é nociva à venda do livro, coisa mais fácil na rua do Ouvidor. Finalmente, esperei poder entender-me com o Araújo[2], que está em Petrópolis, para onde sobe cedo. Logo que lhe pude falar expus-lhe a questão. A resposta foi ainda negativa. Não tem meios nem pessoal para a venda do livro, do mesmo modo que teriam livreiros. Citou-me o caso de romances publicados na *Gazeta* e postos em livro, com pequena despesa, por estar pronta a composição. As edições ficaram em casa. Sinto, meu caro poeta e amigo, que esta carta não contenha outras palavras melhores, e sou obrigado a parar aqui, pelas razões dadas no princípio. Desculpe e escreva-me. Adeus.

O velho amigo

Machado de Assis.

1 ∾ O Hotel Corcovado, pertencente à Estrada de Ferro Carril Carioca, foi construído em 1884 na estação das Paineiras. Chegava-se até lá pela estrada de ferro ou pelo caminho que começava na rua do Cosme Velho. (SE)

2 ∾ Ferreira de Araújo*, um dos diretores da *Gazeta de Notícias*. (SE)

[348]

Para: JOAQUIM NABUCO
Fonte: Fundação Joaquim Nabuco.
Fac-símile do Manuscrito Original.

Rio [de Janeiro], 24 de março de 1896.

Meu caro Nabuco,

Nenhum de nós esqueceu ainda, nem esquecerá aquela senhora gentilíssima, dona Marianinha Teixeira Leite Cintra da Silva, esposa do meu amigo Joaquim Arsênio Cintra da Silva, morta no esplendor da mocidade, já lá vão muitos anos[1]. Você escreveu sobre ela, então enferma, algumas palavras de comoção, de verdade e de poesia, na crônica do *J. do Comércio*, de 21 de agosto de 1881. Joaquim Arsênio, querendo que no túmulo da esposa se gravasse condigno epitáfio, colheu algumas das suas palavras e fê-las inscrever nesta disposição:

"À esposa extremosa arrebatada na plenitude da vida, como os anjos da Bíblia, nas vestes deslumbrantes que mal tocavam a terra... Saudade eterna!"

Deu-me uma fotografia do monumento e pediu-me que lhe comunicasse esta notícia a *Você*; mas não nos tendo encontrado há muitos dias, dou-lha por carta, e nesta mesma data o anuncio a Joaquim Arsênio, segundo havíamos combinado[2].

Adeus, meu caro Nabuco.

Saudades do velho amigo

M. Assis

1 ∾ Ver em [204], tomo II. (IM)

2 ∾ Graça Aranha* apresenta a seguinte nota:

"Não se trata mais da 'pobre Marianinha', morta há quatorze anos. O 'viúvo inconsolável' passou a outras núpcias, e agora, no túmulo desta segunda mulher, gravou o epitáfio esculpido no túmulo da primeira com as mesmas tocantes palavras de Nabuco."

Ao que pudemos verificar, Dona Marianinha foi a segunda esposa de Joaquim Arsênio Cintra da Silva* e, nesse caso, a homenageada com epitáfio semelhante teria sido a terceira esposa, Dona Guilhermina Reis. (IM)

[349]

De: MAGALHÃES DE AZEREDO
Fonte: Manuscrito Original, Arquivo ABL.

Montevidéu, 2 de abril de 1896.

Meu querido Mestre e Amigo,

Chegou — enfim! — a sua vez de queixar-se do meu silêncio com aparente justiça; mas só aparente e não real, como já verá pelas razões que vou expor. A primeira razão e a primeira notícia, que não o surpreenderá, pois já deve esperá-la, é que estou noivo; e a noivos creio que bem se lhes deve perdoar algum descuido na correspondência, não é verdade? O meu casamento com a querida Maria Luísa de Caymari será, se Deus quiser, em Maio[1]. Devia ser antes, e eu, nomeado para Roma desde Janeiro[2], recebera ordem para seguir no primeiro vapor do mês que corre; como, porém, é justo que nos demoremos um pouco aí de passagem, e a família de minha Noiva tem com razão muito medo da febre amarela, tanto mais que Maria Luísa está há muitos anos fora do Brasil, conseguiu-se do Ministro permissão para que eu fique em Montevidéu mais algum tempo[3]. Não fico, entretanto, vadiando, nem a minha consciência estaria em paz com isso; fico trabalhando deveras, em áridos relatórios, bem cansativos para o espírito... Mas que importa isso? que tarefa, por mais árdua e penosa, não faria eu com prazer nas condições em que me acho, tendo tão delicioso prêmio na presença e no afeto da minha Noiva adorada? Assim, aí me terá nos primeiros dias de Junho; e espero que durante a minha permanência no Rio, nos veremos frequentes vezes, para compensar antecipadamente a separação que talvez, agora, seja longa.

Agradeço-lhe de coração o trabalho que tomou a si de tratar da edição das *Procelárias*; foi inexcedível a sua boa vontade, e a sua gentileza também, e decerto o resultado do muito que se fatigou por mim seria ótimo, se no Brasil os editores não fossem tão tímidos, tão acanhados de vistas, tão incapazes de arriscar um pouco de dinheiro por um livro. A resposta do Laemmert é um puro sofisma; creio que ele mesmo, tendo tipografia em casa, não poderia fazer o trabalho, nas condições que eu propunha, tão barato como aqui. Mais custou ao Cunha da rua de São José a edição da *Alma Primitiva*, e Deus sabe que miserável e ridícula saiu! O que houve, pois, da parte do Laemmert não foi estranheza do preço, mas receio de fugir à rotina consagrada, medo de imprimir um livro em Montevidéu como se a minha presença aqui não fosse garantia bastante para que tudo se fizesse satisfatoriamente. Quanto ao Lombaerts, não lhe negarei razão, visto não fazer ele profissão de editor, e ser inconveniente para a venda de livros a situação de sua casa; e outro tanto digo da *Gazeta*, sendo como afirma o Doutor Ferreira de Araújo. Se visse que lindas edições se fazem aqui, e sobretudo em Buenos Aires onde estive há pouco tempo! Mas aí, parece que os editores consideram dinheiro perdido o que se emprega em fazer um livro de gosto e de luxo... Esta dificuldade em imprimir as *Procelárias* me contraria imensamente; o volume todo está pronto, página a página; e eu desejava muitíssimo poder publicá-lo durante os dias que passasse no Rio antes de ir para a Europa. Talvez, se eu procurasse entender-me com o Domingos de Magalhães[4], ele aceitaria a minha proposta; não tenho, porém, inteira confiança na pontualidade dele em pagamentos, e, se concluída a impressão, ele se pusesse com delongas, tudo sairia do meu bolso... e isso infelizmente não é possível, como já lhe expliquei em vista das avultadas despesas que tenho de fazer. De Lisboa recebi propostas mais vantajosas quanto a preço, reduzido a menos de metade; e ainda mais fácil me será em Roma fazer uma edição esplêndida gastando muito menos relativamente.

Mas isso destrói o meu plano de publicar o livro estando eu próprio no Rio... Paciência! veremos o que se pode fazer.

Vou-lhe fazer outro pedido, e este já o tenho por satisfeito, visto que só depende da sua bondade sempre igual para comigo. Estou organizando uma coleção de autógrafos[5], e espero torná-la valiosíssima com o tempo, para o que a minha vida de diplomata oferece todas as facilidades. Tenho já alguns da Europa, e da América muitíssimos; quero que a *seção brasileira* seja a mais completa, e é claro que a sua letra ocupa nela principalíssimo lugar. Peço-lhe, portanto, que me mande uma das suas poesias escrita de seu punho; e peço-lhe também que, se não faz coleção e tem autógrafos importantes que me possa ceder sem prejuízo, mos dê aí quando estivermos juntos.

Como disse antes, estive em Buenos Aires alguns dias; da impressão que me causou essa bela cidade lhe dará ideia um estudo que breve mandarei à *Revista Brasileira* sobre o General Mitre[6], ilustre personalidade que tive a honra e o gosto de conhecer lá. Oh! se no Rio de Janeiro houvesse gente capaz de fazer o que se tem feito em Buenos Aires, que capital magnífica teríamos, realçada por essas adoráveis paisagens brasileiras que faltam à República Argentina! Quantos palácios, quantos teatros suntuosos, que ruas largas, que avenidas imensas! Quando vi que a *Prensa*[7] está construindo para a redação e as oficinas um edifício igual ao do *New-York Herald*[8], e me lembrei do prédio em que ainda hoje funciona a nossa cara *Gazeta de Notícias*, senti uma tal vergonha, que nem lhe sei dizer![9]

Adeus, querido Mestre e Amigo. Escreva-me; não me imite desta vez, por outras muitas em que eu não o imitei também quando as suas cartas tardavam.

Aceite cumprimentos meus, de minha Mãe, e também de minha Noiva, que há muito o conhece por mim. Agradeceremos muito que nos dê notícias da saúde de sua *Excelentíssi*ma Senhora.

Cordialmente o abraça o seu

Magalhães de Azeredo.

1 ⚭ A data do casamento será alterada para junho. Ver carta [350], de 15/04/1896. (SE)

2 ⚭ A sua nomeação saiu em 02/01/1896. (SE)

3 ⚭ Algumas vezes, Azeredo referir-se-á ao temor de sua mulher à febre amarela como explicação para evitar a cidade do Rio. No Brasil, o casal preferia hospedar-se em Petrópolis, que à época gozava da fama de ser imune à doença. (SE)

4 ⚭ Editor da Livraria Moderna, situada na rua do Ouvidor 54, com oficinas na rua do Lavradio 126. Domingos de Magalhães editou importantes autores da virada do século XIX para o XX, entre eles Aluísio Azevedo* e Adolfo Caminha. (SE)

5 ⚭ Na presente carta, Azeredo pede a contribuição de Machado para a sua nascente coleção de autógrafos, anunciando que, em trânsito para Roma, irá de férias ao Rio, por dois ou três meses, ocasião em que poderão se encontrar. Na carta [353], de 4 de maio, Machado promete-lhe um bilhetinho de Garrett, preferindo, no entanto, repassá-lo pessoalmente, já que Azeredo estaria para chegar. Em [355], 20 de maio, ainda de Montevidéu, Azeredo anuncia mudanças de planos: as férias cariocas seriam curtas, e sobre os autógrafos pede que "os procure e mos dê aí no Rio, sobretudo o seu e o bilhetinho de Garrett". Em [357], já em Petrópolis, em 22 de junho, despedindo--se de Machado na véspera de embarcar, lamenta que se tenham visto pouco em razão dos seguidos desencontros, o que deixa claro que estiveram juntos, levando, portanto, a crer que o desejado bilhetinho de Garrett lhe foi repassado pessoalmente, como era do desejo de ambos. (SE)

6 ⚭ Militar, jornalista, escritor e político, Bartolomeu Mitre (1821-1906) presidiu a Argentina entre 1862-1868. Mitre fundou o jornal *La Nación*, um dos mais influentes da Argentina. O artigo também foi publicado na *Revista Moderna*. (SE)

7 ⚭ Fundado em 1869 por José C. Paz; o jornal foi considerado por intelectuais argentinos do século XIX defensor apenas dos interesses ingleses no país. (SE)

8 ⚭ Jornal de ampla distribuição que existiu de 1835 a 1924, quando foi comprado pelo *New York Tribune* (1841), transformando então em *New York Herald Tribune*. (SE)

9 ⚭ Inexiste entre os originais a parte final desta carta; seguiu-se a lição de Carmelo Virgillo (1969). (SE)

[350]

De: MAGALHÃES DE AZEREDO
Fonte: Manuscrito Original, Arquivo ABL.

Montevidéu, 15 de abril de *1896*.

Meu querido Mestre e Amigo,

 Lembra-se ainda do que eu lhe escrevi há tempos sobre um conto meu que estava concluindo, intitulado *A Jarra do Diabo*? Pois não é outra coisa o volumoso manuscrito que acompanha esta carta; muitos meses dormiu ele na minha gaveta, pela indecisão em que eu estava sobre se o publicaria ou não; ainda hoje é com certa hesitação que o mando para a *Gazeta* por seu intermédio. Desejo que o leia primeiro; e peço-lhe que me diga francamente a sua opinião sobre ele. É uma novelazinha mais extravagante ainda que original; muita gente a vai achar absurda, como de fato o é, se a forem julgar pelas regras de qualquer escola. Os realistas dirão que é inverossímil (nem foi minha tenção fazê-la verossímil); os fantasistas dirão que, para conto fantasista, há minuciosidade e exatidão demasiadas nas descrições; e todos concordarão em que se nota ali grande mescla de elementos de várias procedências. Não me importam muito tais observações porque nunca pertenci nem quero pertencer a nenhuma escola, e não me preocupo absolutamente com os preceitos convencionais de qualquer delas. A minha questão é outra: vale alguma coisa o conto? harmoniza-se o imaginário do assunto com a base filosófica que eu lhe quis dar? é suprida a parcimônia, quase insignificância da ação, sendo aliás longo o escrito, pelo interesse do diálogo e das descrições, pela vivacidade e pelo movimento do estilo? em suma, justifica-se por alguma qualidade relevante a excentricidade da concepção, que destoa talvez muito da minha simplicidade habitual? Procurando entre os contos que conheço se algum havia tão *estrambótico*, só encontrei, além dos de Hoffmann e Edgard Poe, o Peter Schlemihl de Chamisso[1], escritor alemão, que decerto conhece.

De resto, provavelmente são ociosas tantas explicações sobre um trabalho ligeiro como é o meu; seguramente eu não as daria ao público, e, se aqui as ponho, é pela muita intimidade que há entre nós e pelo muito que prezo a sua opinião. Seja, pois, sem mais preâmbulos exposta no mostrador da *Gazeta* a *Jarra do Diabo*; vejamos se agrada a algum amador dessas coisas.

Na minha última carta fazia-lhe a participação *oficial* do meu próximo casamento, confirmando a notícia *confidencial* que já lhe dera antes. Está marcado para 1.º de Junho[2], se Deus quiser. Meu propósito é ainda ir ao Rio depois dele, de passagem para Europa; mas não sei se alterarei esse plano, indo à nossa terra no mês próximo, voltando aqui nesse caso para casar-me, e seguindo diretamente para a Itália sem tocar mais no Brasil. Como é natural, a Família de minha Noiva, que vive há muitos anos fora do nosso país, tem verdadeiro terror da febre amarela, de que se deram em sua casa dois casos fatais[3]. Por isso não consideram o Rio bastante seguro até meado de Junho. Por outro lado, parece que o Ministro do Exterior[4] tem urgência de mandar-me para Roma, e eu não quero fazê-lo esperar tanto. Assim, talvez seja adotada, como termo médio, a solução de ir eu só ao Rio, embora seja para mim, como facilmente compreenderá, um sacrifício bem doloroso.

De qualquer modo, espero que nos veremos breve, pois que, vá eu ao Rio antes ou depois do casamento, já não haverá lugar para grandes demoras. Já estou ansioso por deixar Montevidéu; como cidade já não me oferece nada novo, porque um ano de residência é mais que bastante para começar a gente a aborrecer-se da vida tão restrita e monótona daqui; além disso, não posso sentir-me bem na minha posição ambígua, nomeado para um lugar e com serviço em outro. E mais que tudo, há o desejo de casar-me, de rever a minha pátria, de principiar a minha viagem de núpcias, e de estabelecer em Roma o meu lar tranquilo, entre os meus dois Anjos tutelares.

Parece-me que por muitos motivos me será particularmente agradável passar alguns dias no Brasil. Não falando já no natural prazer de saudar de novo essa boa terra, de abraçar a Família e os amigos depois de tão longa ausência, creio que encontrarei aí muitas diferenças para melhor. Pelo que de longe posso julgar, noto que começa a reinar certa tranquilidade no nosso país, e a manifestar-se, apesar de mil esforços em contrário, uma reação do bom senso e da virtude cívica, quer na política, quer nos negócios; e uma prova é que a recente moção do *Club* Militar, censurável afirmação de tendências políticas na classe armada, sob a aparência de mero apoio ao Governo, foi mal aceita mesmo por distintos oficiais do exército e da armada. O Governo tem-se mantido e inspira confiança, porque a merece; nem uma mudança houve ainda no ministério; as questões exteriores estão muito bem encaminhadas; as mais graves crises internas têm-se resolvido com uma felicidade em que, há apenas um ano, ninguém acreditaria. Estamos ainda longe, sem dúvida, da prosperidade completa; mas já estamos no caminho dela, o que é muito. Essa convicção me dá novas forças. Onde a situação está séria, é no Chile e na República Argentina; restam somente tenuíssimas esperanças de decidir a divergência sem guerra.

Adeus, querido Mestre e Amigo. Nossos cumprimentos à Excelentíssima *Senho*ra, que desejamos se ache de todo restabelecida. Neste cantinho de papel vai um abraço do seu

Magalhães de Azeredo

---

1 ～ Na *História Maravilhosa de Peter Schlemihl*, do poeta romântico Adalbert von Chamisso (1781-1836), o herói vende a sua sombra ao diabo. (SPR)

2 ～ Azeredo e Maria Luísa casaram-se em Montevidéu, na igreja de Nossa Senhora de Lourdes. A cerimônia contou com a presença do presidente da república uruguaia; em seguida, o casal recebeu os convidados numa grande festa no Hotel Oriental. (SE)

3 ～ Não foi possível saber quais terão sido as vítimas da febre amarela na família Caymari. (SE)

4 ～ O ministro Carlos Carvalho seria substituído por Dionísio Evangelista de Castro Cerqueira em 01/09/1896, o mesmo que assinará a exoneração de Azeredo no episódio Badaró. (SE)

[351]

De: MIGUEL DE NOVAIS
Fonte: Manuscrito Original, Arquivo ABL.

Lumiar, 20 de abril de 1896.[1]

Amigo Machado de Assis

Recebi a sua carta acompanhada de um exemplar do seu último livro Várias Histórias[2].

Se eu soubesse que o meu amigo procurava de tal modo remediar a falta que notei no 1.º exemplar com que me obsequiou, de certo nada lhe teria dito[3], mas já que assim quis é justo que eu lhe repita os meus agradecimentos. Eu não tenho todas as suas obras publicadas e desejaria completar a coleção. Sei de cor o que me falta e se ainda se encontrar aí no mercado alguns exemplares dos que eu não conto na minha livraria, pedir-lhe-ei talvez o favor de mos comprar, mas isso fica para uma outra vez.

Segundo vejo nos jornais e sinto diariamente na algibeira, as dificuldades financeiras aí continuam ainda e infelizmente terão de prolongar-se por mais alguns anos. Isso não mudaria de caminho sem um conjunto de medidas enérgicas que acabaria com poderosos especuladores que interessam com este estado de coisas. Com o governo atual da República Brasileira sucede uma coisa extraordinária. Todos exaltam a honradez do supremo chefe[4], os dotes intelectuais e a honestidade dos ministros que o cercam e [,] apesar disso [,] terminada a questão do Rio Grande[5] [,] não havendo lutas intestinas cujo desenvolvimento deva temer-se, estando o comércio em plena atividade e sendo inegável a prosperidade do país — o câmbio continua numa baixa desesperadora, dificultando cada vez mais a vida desse povo especialmente do que vive alheio ao comércio, esgotando o Tesouro público pela enorme quantidade de ouro que se vê forçado a comprar para satisfazer os seus compromissos na Europa, e o governo, o ministro da Fazenda especialmente, não acha um meio já não digo de pôr cobro por completo às torpes especulações do alto comércio, mas ao menos de modificar esse estado de coisas, que desacreditam o país e o vão lentamente consumindo. É nestas situações difíceis que as grandes capacidades se revelam, porque de resto quando tudo corre normalmente até eu era capaz de ser Ministro da Fazenda. Lançar novos impostos para aumentar receita é processo que está ao alcance de todos, mas é também necessário pensar se o povo que paga já tudo por exageradíssimo preço poderá aguentar com maiores encargos. Essa é a principal questão. Ora, como eu entendo que para situações anormais é necessário medidas extraordinárias e de imediato alcance, e como nada veja que se pareça com isso, sou chegado a dizer que não basta só a honradez e a honestidade para ser um bom ministro. Carece-se de mais alguma coisa. Enfim, esperamos a ver no que param as modas e creia o meu amigo que não é o fato de ver a minha fortuna reduzida à terça [parte] que me faz falar assim porque suposto lamente muito isso, eu vou vivendo hoje tal qual vivia em outro tempo e nenhuma alteração se produziu [,] o que poderia suceder era eu ter aí no fim do ano alguns contos de réis a menos que na liquidação das contas, e com o câmbio a 8 e pouco como tem estado, chegando do mesmo modo para as minhas despesas que ficam equilibradas com a receita — saldos nem a favor nem contra [,] o que já não é mau de todo — mas sinto desgosto em ver o Brasil nessa situação tão perniciosa para o seu crédito.

Deixemo-nos porém de coisas tristes e de lamentações inúteis — o que for soará. Não me tirando tudo, eu já fico contente.

Sei que a febre amarela tem aí feito estragos extraordinários e sei também que eu se não sinto os incômodos da moléstia não deixo de suportar as consequências dela porque os inquilinos mudam-se de casas, e as pinturas e obras que sucedem a esse abandono custam sempre muito dinheiro.

Por aqui não há febre amarela, mas, apareceu este ano a tal *influenza* com um caráter benigno de princípio, tornando-se mais tarde uma moléstia séria de que tem morrido imensa gente.

Aqui em casa ninguém escapou de ser ameaçado, mas felizmente todos resistiram corajosamente e ninguém foi à cama. Eu devia dizer *ninguém guardou o leito*, que é como se usa agora, mas é tarde já para me habituar a estes francesismos que detesto — Sempre me ficou porém alguma coisa [,] resultado da luta com a influência foi uma tosse impertinente que não quer deixar-me por mais esforços que empregue para isso.

Este é um ano excepcional — o amigo não sabe por experiência mas não ignora que o inverno em Portugal se acentua entre os meses de Dezembro a Março, e que que (*sic*) em Abril há sempre chuvas torrenciais e que só em Maio a primavera aparece com todos os seus encantos e belezas. Pois muito bem — nós, este ano, não temos chuva desde o princípio de Janeiro — um Sol ardente nos meses de inverno, que tem sido constante até hoje, e o céu sempre claro e límpido, não nos dando esperanças de que mude. É claro que a agricultura tem sofrido imenso com isto e que se passará um ano de fome. Semearam-se os trigos, os milhos, feijões etc. e para que as sementes germinassem era preciso que houvesse a umidade no terreno. Não há, as sementes secam e portanto não haverá a produção destes cereais tão necessários, indispensáveis mesmo para a alimentação pública. Será preciso mandá-los vir do estrangeiro, terão de pagar-se as remessas em ouro e daqui a sua carestia [,] com que o nosso povo dificilmente aguentará. Que diabo tinha eu com o trigo e com o milho de Portugal! – dirá o Machado depois de ler esta estopada e tem razão. Já estou arrependido de lhe ter feito perder o tempo com coisas que o não interessam — mas — já não há remédio.

Agora peço-lhe o favor de participar a Carolina que no dia 11 de Abril morreu o nosso primo João Novais[6]. Estou portanto de luto. Eu era muito amigo dele e era um homem muito considerado pela sua muita honestidade e honradez.

Nunca falava com ele que me não perguntasse pela Carolina e Machado. Deixa a viúva mas sem filhos. A viúva ficou herdeira universal dos seus bens, que não são muitos, mas que lhe asseguram uma existência decente sem privações nem necessidades. Carolina fazia bem em lhe mandar um cartão de visita dando-lhe os pêsames. Ela teria em grande apreço essa atenção. Ela *chama-se Dona Vitória Novais e mora na Rua de Passos Manuel n.º 39. Lisboa.*

Mando o endereço mas isto não obriga a Carolina a este cumprimento — é se o quiser fazer.

Parece que esta carta já vai tomando proporções de desafio [,] mas leia até onde quiser e deixe o resto para qu*an*do não tenha nada de que se ocupar.

Adeus.

Minha mulher que chegou agora aqui (é qu*e* fez hoje 61 anos[7]) pede-me para lhes dar lembranças suas. Adeus, desculpe-me e creia-me seu amigo

Miguel de Novais

---

1 ∞ Esta carta de Miguel é inédita, bem como a [387], de 28/03/1897 e a [389], de 13/04/1897. Por motivo desconhecido, não foram incluídas em "O Reflexo no Espelho", de Pérola de Carvalho (1964). (SE)

2 ∞ Segundo Galante de Sousa (1955), *Várias Histórias* saiu em outubro de 1896. Depreende-se, contudo, do texto que Miguel recebeu um exemplar bem antes de abril daquele ano, assinalando por carta, cujo paradeiro se desconhece, algum problema textual ou de edição, e que motivou providências de Machado. O escritor enviou-lhe então novo exemplar corrigido, a que Miguel alude no momento. Novais era de fato um leitor machadiano privilegiado, leu o livro muito antes de sua divulgação nas livrarias, com tempo inclusive para lhe apontar um senão. Ver também nota 3, carta [336]. (SE)

3 ∞ O que teria ele percebido no exemplar que motivou essa observação? É bom assinalar que Miguel era editor bissexto; foi o primeiro tradutor para o português do livro *Cuore*, de Edmondo De Amicis (1846-1908), sucesso de público no fim do século XIX e na primeira metade do XX, livro, aliás, que editou às suas expensas. Sobre o assunto, ver nota 4, carta [241], tomo II. (SE)

4 ∞ Presidente Prudente de Morais (1894-1898).

5 ∞ A paz fora assinada em 23/08/1895 em Pelotas. A partir daí, o Rio Grande do Sul entrou em processo de pacificação e acomodação; é exatamente ao momento posterior ao tratado de paz que se refere Miguel. (SE)

6 ∞ Não se obtiveram dados sobre os primos de Carolina* e Miguel, João e Vitória Novais. (SE)

7 ∞ Nascida em 20/04/1834, Joana Maria* não irá viver muito; em 18 de março do ano seguinte virá a falecer. (SE)

[352]

Para: RAFAELINA DE BARROS
Fonte: CAROLLO, Cassiana Lacerda. (Org.)
Emílio de Meneses: Obra Reunida. Rio de Janeiro –
Curitiba: José Olympio – Secretaria da Cultura
e do Esporte do Paraná, 1980.

Rio de Janeiro, 20 de abril de 1896.

Prezada Senhora D*ona* Rafaelina de Barros,

Só anteontem, 18, recebi a sua carta de 6[1], e pode crer que me incomodou muito, a forçada demora desta resposta, mas a culpa não é minha. Na *Gazeta de Notícias* há um lugar para as cartas. É preciso ir buscá-las com frequência para não suceder que ali esperem muito tempo pelos destinatários, como já me tem sucedido, e agora sucedeu.

Ontem, domingo, copiei o *Corvo*, e aqui o remeto incluso[2]. A letra verá que é minha, mas tive de apertá-la por causa da estreiteza do papel, extensão de alguns versos e variedade de estrofes. Este *Corvo*, de que tanto gosto, deve saber que é apenas uma tradução minha. Se lhe agrada, é porque fui feliz no trabalho.

Sobre a outra promessa, pesa-me confessá-lo, há razão que só à vista lhe poderei dizer, e que me impede de a cumprir, como deseja cordialmente. Creio que o meu pesar é maior que o seu, por mais amável que seja da sua parte sentir algum[3].

Peço-lhe que me escreva dizendo se recebeu esta carta e o *Corvo*. Assim, como houve demora aqui, talvez a haja na Agência do Mendes, e ambos ficamos sem saber nada. Pode mandar a carta à *Gazeta de Notícias*. Adeus. Ainda uma vez releve-me e creia no

Seu ad*mirador* e ob*rigado*

Machado de Assis

---

1 ∾ Essa carta ainda não foi encontrada. (IM)

2 ⚭ Tradução de "The Raven", de Edgard Allan Poe (1809-1849). Deduz-se que D. Rafaelina pedira cópia da versão machadiana publicada em *A Estação* (1883) e na *Gazeta de Notícias* (1888), mas ainda inédita em livro. O verdadeiro interessado no poema seria Emílio de Meneses que, separado da mulher, uniu-se à escritora Rafaelina de Barros em 1897. Emílio dedicou-se à tradução de "O Corvo" na década de 1890, embora sua publicação só ocorresse em 1917. (IM)

3 ⚭ O maior interesse desse episódio está no tom da carta, que sugere uma curiosa proximidade de Machado com Rafaelina, anterior ao pedido que ela lhe fizera, e esse tom se acentua em nova carta de Machado de Assis [356], de 25/05/1896, também cheia de mistérios e subentendidos. (IM)

[353]

Para: MAGALHÃES DE AZEREDO
Fonte: Manuscrito Original, Arquivo ABL.

Rio de Janeiro, 4 de maio de 1896.

Meu querido poeta e amigo

Conquanto responda a duas cartas suas, não posso escrever-lhe longamente, visto que o *Madalena* parte amanhã cedo para o Rio da Prata, e receio que a resposta fique aqui. Em tal caso, poderia desencontrar-se com o destinatário, se é certo, como me disse, que vem agora em Maio ao Rio de Janeiro.

Primeiramente agradeço-lhe a comunicação oficial que me faz do seu casamento. Repito-lhe agora o que lhe disse por ocasião da notícia confidencial, posto não seja preciso afirmar ainda uma vez como e quanto desejo a sua felicidade. Estou certo dela. Estou também certo de que continuará a merecê-la, e que, entre sua esposa e sua mãe, moço, forte, instruído, com a educação esmerada que recebeu, terá invejável futuro. Da intensidade dos seus sentimentos tive aqui amostras nas duas composições que saíram na *Gazeta de Notícias*, — a *Alma de Violino* e a *Fantasia*, ambas cheias de poesia e sentimento.

Vamos à *Jarra do Diabo*[1]; li-a com muito prazer. A ideia é linda, e o estilo rico e apurado. Não se vexe dos louvores que ouvir; está na idade de os ir merecendo, pelo natural progresso do espírito e da imaginação. Os arabescos da jarra são numerosos, bem dispostos e bem cabidos; mas isso mesmo impede que a publicação se faça, como eu também quisera, de uma vez. O Ramiz Galvão[2], com quem me entendi, sobre a publicação, fez-me notar que não dará menos de seis colunas, e que as proporções da *Gazeta* e afluência de matéria não permite a satisfação do nosso desejo. A princípio, resolvi escrever-lhe para que me dissesse se consentia na divisão; mas logo depois, resolvi o contrário; o Ramiz prometeu-me que ele mesmo faria a divisão, no melhor ponto possível, e eu pedi-lhe que me mostrasse antes da impressão.

Fico incerto se o verei aqui este mês ou depois de casado, em Junho. Em todo caso, terei o gosto de o ver ainda uma vez; depois Roma, o espaço, e por fim a minha despedida deste mundo nos separarão de todo. Feliz seria se deixar alguma saudade no coração dos amigos. Não lhe mando já o autógrafo que me pediu, pela incerteza em que estou da sua vinda; pode ser que esta carta já o encontre em caminho. Cá o terei pronto. Mas, se houver tempo, e, quiser que lho mande antes, escreva-me um simples bilhete. Não sei se tenho outros autógrafos; penso ter um bilhetinho de Garrett, não sei onde para (um bilhete de Garrett!) entre tantos papéis e cartas que possuo de longos anos. Matéria de busca. Se achar outros que valham figurar na coleção, são seus[3]. Adeus, meu querido amigo; peço-lhe que apresente os meus respeitosos comprimentos à sua Mamãe, à sua Noiva, "os dois anjos tutelares", como as define. De mim receba um abraço apertado, crendo sempre na amizade que me inspirou desde os primeiros dias do nosso conhecimento. Até breve, meu jovem amigo; cá o espera o

Velho am*ig*o e obr*igado*

Machado de Assis.

1 ∾ O conto fará parte das *Baladas e Fantasias* (1900). (SE)

2 ∾ Sobre Ramiz Galvão, ver nota 5, carta [218], e nota 2, carta [226], tomo II. (SE)

3 ∾ Em carta de 02/04/1896, [349], escrevendo ainda de Montevidéu, Azeredo pedira a contribuição de Machado para a sua nascente coleção de autógrafos. Sobre o assunto ver cartas [355], de 20/05/1896 e [357], de 22/06/1896. (SE)

[354]

De: MÁRIO DE ALENCAR
Fonte: Manuscrito Original, Arquivo ABL.

Capital, 12 de maio de 1896.

Ilustre amigo.

Não posso acompanhá-lo no jantar da *Revista Brasileira*[1]. Negócios de família, com que ontem não contava, me obrigam a ir para a Tijuca hoje à tarde[2].

Vou com água na boca e pesar no coração.

Para as outras vezes, serei mais previdente, vencendo de antemão quaisquer embaraços que venham se opor à grande alegria, hoje frustrada, de apreciar a palestra e o apetite de amigos ilustres.

Admirador e amigo certo

Mário de Alencar

---

1 ∾ Machado e Mário haviam combinado de ir juntos ao primeiro jantar da *Revista Brasileira*, confraternização idealizada pelo diretor da revista, José Veríssimo*, que tinha a intenção de promover a convivência mensal entre os colaboradores do periódico, garantindo assim alguma coesão de grupo. Magalhães Jr. (2008) afirma que o bilhete foi motivado pela ainda recente vida de casado do jovem Mário. (SE)

2 ∾ Adquirida pelo avô de Mário de Alencar em nome de sua avó, D. Helena

Augusta Nogueira da Gama, em 1855, a propriedade recebera o nome de Chácara do Castelo, local em que a família passava o verão e onde José de Alencar* conheceu Georgiana, mãe de Mário. A chácara depois da morte do avô passou a ser chamada de Parque Cochrane e se manteve na família. Estava situada na estrada da Gávea Pequena, começando perto da estrada de Furnas, poste 44 e terminando na estrada da Vista Chinesa. (SE)

[355]

De: MAGALHÃES DE AZEREDO
Fonte: Manuscrito Original, Arquivo ABL.

Montevidéu, 20 de maio de 1896.

Meu querido Mestre e Amigo,

Já neste mês não vou ao Rio, como supunha; o Ministro achou inútil apressar a viagem, desde que eu tinha de voltar a Montevidéu para tomar o rumo da Itália. Agora só verei a pátria depois de casado; também poucos dias faltam para isso, pois o casamento está marcado para 1.º de Junho e a viagem para 6, pelo *Portugal*[I]. Assim, muito breve nos abraçaremos. Estamos já em preparativos de partida, e bem pode calcular que enorme trabalho isso traz. Vejo ao redor de mim, nos quartos e no salão, um sem-número de coisas espalhadas, fora do seu lugar habitual, esperando outra colocação; roupas, livros, papéis, quadros, móveis, tudo em desordem[2]. Sempre lhe direi que não tenho temperamento diplomático; não é sem comoção e tristeza que me arranco de um país para outro; não que me falte resolução firme para as grandes mudanças; mas os detalhes materiais que elas exigem são dolorosos para mim. Dir-se-ia que, deixando uma casa longo tempo habitada, deixo a própria vida. Quando repousarei na minha cara terra? Entrei para a diplomacia com a tenção de fazer dela uma escola, um complemento da minha educação por alguns anos, e não uma carreira definitiva; tenho ainda o mesmo propósito. Não me resigno a ser uma ave de arribação, um Ahasvero, estrangeiro em toda a parte; quero ter mais tarde um lar fixo no ponto do universo em que a sorte me fez nascer; quero viver e morrer entre os meus. Mas, por enquanto, viajar é o meu destino. Adiante, pois, e à graça de Deus!

Quanto sinto não o ter presente aqui no dia 1.º de Junho. Gostaria tanto de vê-lo a meu lado no ato soleníssimo que se vai celebrar! Mas, de longe, o seu espírito me acompanhará certamente, feliz com a minha felicidade.

Estimei muito o seu juízo sobre a *Jarra do Diabo*. A sua esclarecida e elevada consciência de homem e de escritor é uma das poucas que me inspiram absoluta confiança. Lembra-se de que foi um dos primeiros que me animaram a seguir a nobre vida das letras, a mais nobre de todas quando paixões cegas e grosseiras não turvam a clareza do entendimento? Encetei-a sob o feliz auspício dos seus conselhos, e penso que até a morte hei de perseverar nela.

Fez bem em determinar a publicação da novela em dois ou três números consecutivos da *Gazeta*, já que em um só não pode ser. O essencial é que a divisão seja bem feita, e sê-lo-á seguramente; estando ao seu cuidado. Há muito que mandei para a *Gazeta* outro trabalho, intitulado *Melancolia medieval*; ainda não saiu; é incrível a demora que sofre o mais pequeno artigo para aparecer nessa folha. É por isso que não escrevo para ela com tanta frequência como eu desejaria; esse sistema de delongas não me pode estimular decerto. Um contrato de mensalidade com a *Gazeta* me seria muito mais vantajoso; porque assim, ganhando eu sempre o mesmo, seriam obrigados a publicar os meus trabalhos à medida que eu os fosse mandando.

Por fim, não pude mandar imprimir aqui as *Procelárias*; vão elas fazer ninho em Roma, e de lá atravessarão o Atlântico em demanda do Brasil. Eu preferia, como é natural, publicar esse livro estando no Rio; a *Alma Primitiva* sofreu muito com a minha ausência. Mas tive de renunciar a esse belo sonho. A sua última carta, como outras anteriores, traz um cunho de melancolia e desânimo que me comove profundamente. Sei bem que a sua alma não é das que deixam ver a muitos as tristezas íntimas; abrindo-se a mim, prova-me particular estima e confiança. Creia que eu a mereço, que a sei apreciar e sei compreendê-lo; não exagero dizendo que há alguma coisa de filial na amizade que lhe dedico. Não se deixe levar por ideias sombrias; não me fale em despedir-se do mundo. Por que não o verei um dia na Europa? Que prazer será para mim hospedá-lo! Espero ainda vê-lo livre da secretaria e senhor de seu tempo.

Adeus, até breve. Mamãe e Maria Luísa o cumprimentam. Eu o abraço de todo o coração.

Seu

Magalhães de Azeredo.

Post Scriptum — Uma palavra sobre os autógrafos. Peço-lhe que os procure e mos dê aí no Rio, sobretudo o seu e o bilhetinho de Garrett.

---

1 ∾ O vapor *Portugal*, da *Messageries Maritimes*, fazia parte da Rota de Ouro e Prata; saiu a primeira vez de Bordeaux em agosto de 1887 com destino aos portos brasileiros, permanecendo nesta linha até 1899, quando foi transferido para a linha de Marselha-Alexandria, no Egito, até 1912, quando incendiou-se. (SE)

2 ∾ Anotado com a letra de Azeredo na lateral da página 2:

"Ainda há pouco estava arrumando as cartas que enchem uma grande gaveta, tão forte é a minha correspondência; umas vão para o fogo, outras para o Rio. Mas não tive coragem de separar-me das suas; levo-as comigo para Roma." (SE)

[356]

Para: RAFAELINA DE BARROS
Fonte: CAROLLO, Cassiana Lacerda. (Org.).
Emílio de Meneses: Obra Reunida. Rio de Janeiro – Curitiba: José Olympio – Secretaria da Cultura e do Esporte do Estado do Paraná, 1980.

Rio [de Janeiro], 25 de maio de 1896.

Excelentíssima Senhora Dona Rafaelina

Já tive ocasião de lhe dizer que a sua carta chegou às minhas mãos[1]. Devendo-lhe, porém esta resposta escrita, não quero demorá-la por mais tempo. Seria imperdoável.

Que o Corvo tivesse produzido nessas serranias[2] o efeito da ave alegre e feliz, é notícia que me lisonjeia muito, mas não atribua só a mim este grande regalo. É principalmente do poeta americano. Sem a beleza original da concepção, é certo que eu não chegaria a fazer coisa que prestasse. Como, porém, servi de intermediário à inspiração original, fico satisfeito pela parte que tive nas suas comoções. Sobre as lágrimas de tempos idos não lhe digo mais nada, além do que falamos sábado. É memória que nunca perdi, e pode imaginar se me haverá penalizado tamanha dor sem culpas de um e por causa involuntária de outro.

Não entendi bem o que me disse acerca da descida dos Mendes para o Méier. Tenho ideia de que é breve, mas não sei se definitiva. Se é para a sua felicidade, seja definitiva.

Espero que me escreva logo, para saber se esta carta chegou. Fui, não esquecido, mas demorado em responder à sua última; estou certo de que não me imitará, e já tive prova disso, em relação à que ora respondo.

Creia-me sempre com grande estima,

Machado de Assis[3]

---

1 ∾ Carta não localizada. (IM)

2 ∾ Na fonte citada, "serrarias". A referência é à tradução do poema de Poe, assunto tratado na carta [352]. (IM)

3 ◦ Novamente, Machado de Assis escreve com intensidade incomum e, como em outras missivas, mantém mistério sobre fatos e sentimentos referidos. Sublinhamos que ele não conservou cartas de Rafaelina de Barros entre os seus papéis. (IM)

[357]

De: MAGALHÃES DE AZEREDO
Fonte: Manuscrito Original, Arquivo ABL.

Petrópolis, 22 de junho de 1896.

Meu querido Mestre e Amigo,

Já o não verei mais antes de embarcar. Sinto bem que a nossa despedida fosse tão rápida, e que mal pudéssemos, durante a minha curta permanência no Brasil, ter uma hora de expansiva convivência.

A estada em Petrópolis[1], necessária pelos motivos que sabe[2], deixava-me tão pouco tempo aproveitável, que realmente não pude fazer nem a metade do que devia e queria.

Desejaria procurá-lo tantas vezes! Mas justamente à hora em que a liberdade lhe era restituída, ao sair da secretaria, perdia eu a minha, escravizado à barca das 4 em ponto. Em suma, sei que me compreende, e não digo — que me desculpa — porque na verdade ninguém é réu por não fazer o impossível.

O oceano vai agora abrir entre nós uma distância maior; mas espero que esta não impedirá os nossos corações de viver unidos como até hoje. Não preciso dizer-lhe quanto agradeço a sua gentileza, a sua afetuosa bondade para comigo, quanto tenho aproveitado com os seus conselhos, quanto tenho lucrado intelectualmente com a sua correspondência. Peço-lhe que continue a escrever-me, e guarde-me sempre na sua grande alma os mesmos sentimentos de amizade que tanto me honram.

Adeus, meu querido Mestre e Amigo, sou obrigado a terminar aqui, porque ainda tenho muito que arrumar e o tempo urge. Adeus, adeus, e até breve, Deus o queira! Aceite os melhores cumprimentos de minha

Mãe, de Maria Luísa e meus para si e sua Excelentíssima Senhora. E receba também o abraço de despedida, que de todo o coração lhe dá o seu

Magalhães de Azeredo

---

1 ∾ Bernardo Caymari, sogro de Azeredo, tinha residência em Petrópolis, tanto para fugir aos rigores climáticos do Rio de Janeiro quanto para cuidar de interesses comerciais. Um dos primeiros industriais da cidade, em 1872 instalou no Quarteirão Westfália a Companhia Petropolitana de Fiação e Tecelagem, da qual foi presidente e principal acionista. A fábrica situava-se do lado direito do rio Piabanha, na Cascatinha; tendo o projeto ficado a cargo do engenheiro André Rebouças (1838-1898). Registre-se também que foi em Petrópolis que Azeredo conheceu Quintino Bocaiúva*, que também veraneava na cidade e era diletíssimo amigo de Caymari havia já muitos anos. (SE)

2 ∾ O temor da febre amarela. (SE)

[358]

De: MIGUEL DE NOVAIS
Fonte: Manuscrito Original, Arquivo ABL.

Lumiar, 22 de junho de 1896.

Amigo Machado de Assis.

Creio que não tenho nenhuma carta sua nem da Carolina a que deva resposta – que estejam bons de saúde é o que nós estimamos.

Há dias pediram-me com muito empenho para que eu lhe apresentasse, por meio de uma carta, dois artistas que aí deviam ter chegado no Chile que são Viana da Mota[1] e Moreira de Sá[2]. – Não conheço nem um nem outro. – Sei que são dois artistas de mérito e com especialidade, segundo tenho lido e ouvido, o pianista Viana da Mota, mas eu não tenho relações nenhumas com eles, e foi só para satisfazer a um pedido que escrevi a carta de apresentação, não me interessando francamente em coisa alguma que lhes diga respeito.

Eu já sei o que sucedeu a um célebre maluco – José Arriaga[3] que lhe recomendei. Ora, como sei que o meu amigo não se poupa a fadigas para obsequiar pessoas que aí se apresentam com carta de apresentação minha – e apesar de eu me esquivar quanto é possível a tais recomendações, a verdade é que eu me vejo às vezes forçado a escrevê-las. Fiquemos portanto doravante assentes no seguinte: Quando alguém lhe apresentar carta minha com a minha assinatura sempre usada – Miguel de Novais – é porque me interesso pelo apresentado e aceitarei os favores que lhe dispensar como feitos a mim próprio – se eu assinar M. de Novais – é mero obséquio que pareço fazer à pessoa que me pede. Minha mulher não tem passado bem[4]: um ataque de ictericia (derramamento de bílis) que há tempos a persegue sem ceder ao tratamento aplicado, tem-na levado a um estado de debilidade e fastio que muito a faz sofrer. Como teve sempre uma saúde regular mais lhe custa sofrer este incômodo.

Isabelinha e Rodrigo devem chegar aí breve[5]. Adeus. – Lembranças a Carolina e para si um abraço do seu amigo

Miguel de Novais

---

1 ∽ José Viana da Mota (1868-1948) tornou-se pianista de renome internacional; formado pelo Conservatório de Lisboa, foi estudar em Berlim onde foi aluno de Franz Liszt. (SE)

2 ∽ Bernardo Valentim Moreira de Sá (1853-1924) tornou-se violinista consagrado, percorrendo a Europa e as Américas em *tournées* com o pianista Viana da Mota, com Pablo Casals e Harold Bauer. Estudou violino na Alemanha com Joseph Joachim. Deixou publicada uma vasta obra de história e temas relacionados à música. (SE)

3 ∽ Não se obtiveram dados sobre o *célebre maluco* José Arriaga. (SE)

4 ∽ Única referência ao mau estado de saúde de Joana de Novais*, que virá a falecer nove meses depois, aos 62 anos. Sobre a morte de Joana ver carta [387], de 28/03/1897 e [389], de 13/04/1897. (SE)

5 ∽ Rodrigo tinha uma situação funcional bastante instável no corpo diplomático brasileiro e desejava efetivar-se. Por vias indiretas, soube do concurso para cônsules e chanceleres a ser realizado em 20/08/1896. Desapareceu de Lisboa em 08/06/1896 sem comunicar nada ao cônsul-geral João Augusto Vieira da Silva,

como era de praxe, transferindo-se ao porto do Havre, já com passagem comprada para 14/06/1896 no *La Plata* em direção ao Brasil. Nessa mesma data, o cônsul--geral oficiou ao ministro das Relações Exteriores relatando o ocorrido. O ministro Carlos de Carvalho despachou a demissão em 2 de julho, mas esta foi anulada, e Rodrigo foi admitido ao concurso no Cais da Glória. No que diz respeito ao concurso, Machado mais uma vez buscou auxiliá-lo, como se poderá observar na carta [360], de 19/08/1896, véspera dos exames, dirigida ao secretário da Presidência da República, Rodrigo Octavio*. (SE)

[359]

De: MAGALHÃES DE AZEREDO
Fonte: Manuscrito Original, Arquivo ABL.

Rocca di Papa, 11 de agosto de *1896*.

Meu querido Mestre e Amigo,

Não é de Roma que lhe mando minhas mais afetuosas saudações. Escrevo-lhe de Rocca di Papa[1]; desde ontem que estamos nesta velha aldeia secular, no alto de uma montanha, onde o ar é puro e os costumes são simples, embora a Cidade Eterna fique apenas a duas horas de viagem. Roma no verão é tão quente como o nosso Rio de Janeiro; o nosso organismo, já debilitado por um estio americano, não podia, sem intervalo, suportar o estio da Europa. Fizemos o que faz aqui toda a gente; viemos *vilegiar*; somente, em vez de procurar, como muitos que preferem a moda ao conforto, uma cidade de águas ou uma falsa povoação de campo, escolhemos sinceramente uma verdadeira aldeia, pitoresca, original e sadia, onde se goza toda a paz e toda a liberdade da natureza.

Aqui estamos na nossa pequena sala reunidos em família; sob a lâmpada de petróleo (porque até cá não chega nem gás nem luz elétrica) minha Mãe e Maria Luísa bordam, conversando comigo. Já todas as casas de camponeses, que rodeiam a nossa, dormem, e o silêncio de entorno é completo. Acho-me, pois, nas melhores condições para contar-lhe o muito que tenho para lhe contar.

Tivemos ótima viagem, embora um pouco longa; as senhoras enjoaram bastante; mas eu nada. A bordo passo admiravelmente; e as belezas do oceano são muitas, para quem se interessa por elas. Já deve ter lido as minhas impressões de travessia, se é que a *Gazeta* não as está deixando dormir um desses longos sonos, de que só um mago prestigioso as pode acordar. Seja, se for preciso, esse mago, e esperte a vontade ao Araújo e ao Ramiz. Estou continuando a escrever o que vejo e sinto na Itália; como vou tratando essa matéria sem a mínima sujeição às ideias dos que as trataram antes de mim, espero que, com esses *meus* estudos, se possa fazer um livro interessante; nele estarão contidos os assuntos mais diversos: aspectos da natureza, efeitos de arte, observações sobre a vida mundana, *caracteres*, em suma, tudo quanto mereça a minha atenção e a dos leitores. Esta terra é de fato única no orbe, e por mais que a explorem, nunca se esgota.

Por este correio mando para a *Gazeta* os meus esboços de Gênova e Pisa; estive muito pouco tempo nessas duas cidades e não as pude conhecer como desejo e elas merecem; voltarei mais tarde, se Deus quiser. Que lhe direi de Roma, querido Mestre?

Oh! se se resolvesse a vir cá, e fizéssemos juntos esses clássicos passeios, cujo encanto as almas artísticas sentem tão profundamente! Entretanto, por agora, pouco vimos da grande Cidade, apesar da nossa curiosidade ansiosa. O calor que reina lá obriga a gente a ficar em casa o melhor do dia; só se pode sair de manhã e à tarde ou à noite. Além disso a temperatura das basílicas e dos museus é geralmente frigidíssima até nesta estação, e a passagem repentina da rua candente para a casa gélida pode causar danos terríveis à saúde: é esse um dos modos mais seguros de apanhar a famosa *malária*, aliás hoje muito mais rara que há vinte anos.

Contudo, sempre passeamos um pouco, e já conhecemos o aspecto geral da cidade, esplêndida com as suas colinas, as suas cúpulas, os seus edifícios históricos que saudamos como conhecidos velhos... As grandes fontes, sobretudo, dão um aspecto suavemente poético a Roma; aqui há, parece, um verdadeiro culto da água, como se as náiades ainda habitassem entre as pedras úmidas e musgosas.

Estivemos em *São* Pedro. O exterior do sublime templo é bem diverso do que nos representam os mosaicos e as oleografias baratas. Não há essa abundância de cores violentas, esse *polido*, esse *novo*, que lhe empresta a arte industrial. A colunata célebre e a fachada da basílica têm a majestade severa dos séculos, e a uniforme tinta cinzenta da velhice, manchada aqui e ali de cárie negra, atesta o trabalho do tempo e as injúrias dos elementos. O frontispício de *São* Pedro merece as críticas que lhe fazem muitos arquitetos; na verdade são quase ridículas as duas cupulazinhas laterais, microscópicas, ao pé da formosa e gigantesca abóbada central; as janelas, ou *loggias*, abertas sobre o frontão grego são também de efeito mesquinho. Mas o conjunto é divino, e dá uma sensação de grandeza como poucas se terão no mundo. Inolvidável também é a impressão que se apodera de nós ao entrarmos no templo. Que imensidade e que proporção! Que força e que harmonia! Pela sua enormidade, a basílica deveria confundir a vista e esmagar o espírito; mas tal é a perspectiva admirável com que a construíram, que as suas linhas suavizadas encantam e elevam, em vez de oprimir. Quanto à riqueza de mármores, alabastros, lápis-lazúlis, malaquitas e outras pedras finas, quanto ao valor incalculável dos quadros, dos relevos, das esculturas que contém *São* Pedro, muitas páginas me tomaria uma descrição de tudo isso. Falando-lhe do baldaquino de Bernini, da *Pietà* de Miguel Ângelo, do Pio VI e do túmulo de Gregório XIII, pelo moderno Canova, terei dito bastante para excitar a sua curiosidade, mas não chegarei à trigésima parte das maravilhas de *São* Pedro. Quero, porém, dizer-lhe algo da maravilha máxima do Vaticano e de Roma, Leão XIII[2]. Ainda não lhe fui apresentado oficialmente, apesar da gentileza do Cardeal Secretário de Estado[3], porque o nosso Ministro D*outor* Badaró, que bem pouca importância dá a tudo o que é da Legação, passando mais da metade do ano fora de Roma (em confiança lhe conto isso), ainda não se deu o incômodo de levar-me ao Papa. Entretanto, assisti com minha Família a uma missa celebrada por ele, e depois fomos recebidos em visita particular. Como está velho, magro, transparente, o grande Leão XIII! Tão curvado, que sendo de alta estatura está hoje abaixo da mediana;

tão pálido e branco, no rosto, nas mãos, nos cabelos, como a sua mesma veste branca de Sumo Pontífice. Todo ele treme, e nem tem forças para levantar o cálice na missa. Entretanto, a sua voz é forte e volumosa, os seus olhos negros, pequenos mas vivíssimos, têm um fulgor juvenil de diamantes, o seu sorriso é fresco e sem fadiga, e o seu espírito — oh! o seu nobre espírito voa ainda e sobe tão alto como as águias no firmamento, acima das nuvens e das tempestades. Sente-se um choque estranho de assombro e de respeito, quando se pensa em tudo o que esse fraco velhinho tem feito e quer fazer de belo e santo, na sua obra vasta, audaz, elevada e conciliadora, que o coloca no primeiro lugar, talvez, entre os maiores homens deste tempo. O *maximum* de alma no *minimum* de corpo; eis Leão XIII. A sua tão falada semelhança com Voltaire é exata, mas só nos traços; a expressão é outra inteiramente, e a expressão é tudo na fisionomia; em vez do desdém irônico e amargo do filósofo, a bondade indulgente e simples do apóstolo. O Papa nos tratou paternalmente; tomou entre as suas as minhas mãos, unindo-as ao seu coração, e assim as teve durante toda a audiência; enfim, saímos encantados por esse Velho adorável.

Agora, aqui estamos, a 700 metros acima do mar, sentindo frio em pleno Agosto; que delícia! Vim encontrar de novo as impressões rústicas que tivera quando estive na Europa em pequeno. O campo aqui é muito diferente do da América; lá a natureza é ainda mais bela e grandiosa, mas falta à vida bucólica certo elemento indefinível que há aqui. Lá temos fazendas, chácaras, estâncias mas não temos *aldeias*. A casa em que moramos é simples, sem o mínimo luxo, mas tão limpa! Embaixo, em roda, tudo boa gente do campo. Lenhadores, pastores, ferreiros, mulheres que fiam a lã e fazem meia. Ao pé, grandes bosques de castanheiros, nogueiras, pinheiros; a estrada por onde passam longos rebanhos de cabras; ao longe colinas cultivadas de vinha e oliveira, o lago de Albano, a campanha estéril, e no fundo do quadro, de um lado Roma, do outro, muito distante, o mar... Veja que paisagem sedutora. Até Outubro não voltaremos para a cidade; isto é, eu irei à Legação, de manhã, três vezes ou quatro por semana.

Quero mandar-lhe uma pequena água-forte [,] muito linda reprodução do Leão XIII, de Chartran[4]; não sei se irá com esta carta porque está em Roma.

Adeus, querido Mestre. Nossos melhores cumprimentos. Escreva-me com frequência. Um abraço cordialíssimo do seu

Magalhães de Azeredo.

Endereço:
Légation du Brésil
près le Saint-Siège
Rome

---

1 ∾ Pequena cidade italiana no Lácio, província de Roma, cuja existência remonta ao século XII. Edificou-se em torno do castelo do papa Eugênio III (papa entre 1145-1153). Em 1541, o castelo foi destruído por Pier Luigi Farnese, duque de Parma. (SE)

2 ∾ Azeredo era católico praticante, homem de profunda fé religiosa. Muito rapidamente aproximou-se do Vaticano, sendo recebido pelo papa Leão XIII (1810-1903), por quem desenvolveu uma admiração incondicional, inclusive tornando-se íntimo de sua família. Na edição de 02/02/1898, da *Revista Moderna*, Azeredo publicará um artigo sobre o papa. (SE)

3 ∾ Nesta carta Azeredo fala da gentileza do cardeal Rompolla, que franqueou o acesso ao papa, permitindo a audiência, informação diferente da que consta nas *Memórias* (2003), em que diz que o ministro Badaró, por sua condição de representante de um país católico, rapidamente conseguiu-lhe a desejada audiência com o papa. Ver carta [386], de 23/03/1897. (SE)

4 ∾ Théobald Chartran (1849-1907), pintor acadêmico e retratista bem sucedido; pintou retratos de personalidades do meio cultural e político do século XIX, como Sarah Bernhardt (1844-1923), os presidentes Carnot (1837-1894) e Theodore Roosevelt (1858-1919). Chartran foi também caricaturista da *Vanity Fair*. (SE)

[360]

Para: RODRIGO OCTAVIO
Fonte: Manuscrito Original, Arquivo Particular.

DIRETORIA GERAL DE VIAÇÃO
GABINETE DO DIRETOR GERAL

[Rio de Janeiro,] 19 de agosto de 1896.

Meu caro Doutor Rodrigo Octavio,

Acabo de saber que Você foi nomeado para substituir o Doutor Amaro Cavalcanti[1] na mesa examinadora de candidatos ao lugar de cônsul e de chanceler, amanhã. Um desses candidatos é o meu amigo Senhor Rodrigo Pereira Felício, para o qual peço a sua indulgência em tudo o que não for contrário à justiça, — o que aliás é inútil, sabendo que o seu espírito é reto e moderado. O Senhor Rodrigo Felício, conquanto já exercesse o lugar de chanceler, é a primeira vez, creio eu, que se apresenta em concurso, e a timidez pode prejudicar a habilidade[2].

Creia-me sempre,

Velho amigo e admirador

Machado de Assis

---

1 ∾ O político e jurista Amaro Cavalcanti Soares de Brito (1849-1922) era nessa ocasião um dos principais auxiliares do presidente Prudente de Morais, de quem Rodrigo Octavio foi secretário. (IM)

2 ∾ Como já assinalado nesta *Correspondência*, Rodrigo Ferreira Felício (filho do conde de São Mamede) é o enteado de Miguel de Novais*. Tanto este quanto a mãe de Rodrigo, Joana*, escreveram a Machado, as cartas [298], [299], [301] e [302], pedindo o seu empenho na regularização da meio instável carreira de Rodrigo. (IM)

[361]

De: MAGALHÃES DE AZEREDO
Fonte: Manuscrito Original, Arquivo ABL.

Rocca di Papa, 22 de setembro de *1896.*

Meu querido Mestre e Amigo,

Vai esta pequena carta *muito sentida* manifestar-lhe o assombro em que estou pelo seu silêncio, seu e de quase todos os meus amigos daí; não sei a que atribuí-lo; estranho tanta frieza e tanto esquecimento.

Poderia até ontem recear que não me escrevesse por doença; mas uma carta que recebi do nosso Doutor José Veríssimo tornou felizmente impossível essa suposição[1]. Vapores do Brasil para aqui não faltam; ao menos uma vez por semana há correspondência; neste momento trouxe-me o correio papéis oficiais e cartas de Montevidéu com data de 31 de Agosto; ora, eu parti do Rio a 23 de Junho; quanto tempo sem uma palavra, sem uma lembrança dos meus amigos mais caros!

Nem sequer a *Gazeta* me mandam! não tenho notícia dos artigos enviados para esse jornal e que já deviam ter sido publicados. Só a *Revista Brasileira* vem pontualmente; e é mais um motivo para eu ser grato ao Doutor José Veríssimo, sempre tão gentil para comigo. Enfim, vou-me consolando, e esperando que uma carta sua venha, e falo muito a seu respeito com Mamãe e Maria Luísa, e lemos juntos as *Várias Histórias* e outros livros seus que trouxe para Rocca di Papa.

Estamos ainda aqui passando o resto do verão; voltaremos para Roma em Outubro.

Não posso escrever mais hoje; em consequência do excessivo trabalho, sinto há cerca de um mês certa fraqueza na vista e um pouco dos antigos fenômenos neurastênicos, que me obrigam a uma grande moderação de leitura e escrita. Por isso estão interrompidos alguns artigos em que eu trabalhava com muito gosto.

Adeus, meu querido Mestre e Amigo. Aceite os melhores cumprimentos da Mamãe e de minha Mulher.

Quanto a mim, envio-lhe bem do coração um abraço, pedindo-lhe que se mostre mais lembrado do seu muito amigo e devedor

Magalhães de Azeredo.

---

1 ∞ Apesar do que diz Azeredo neste parágrafo, é possível que Machado não andasse bem. Magalhães Jr. (2008) afirma que, no mês de agosto, o escritor licenciou-se para tratamento de saúde e, segundo o *Diário Oficial*, foi substituído interinamente na chefia da Diretoria Geral da Indústria, por Augusto Fernandes. O fato é que a correspondência deste período sofrerá um relativo hiato por parte de Machado. A sua última carta é de 4 de maio e a próxima será de 17 de novembro. Neste meio tempo, Azeredo lhe escreveu cinco cartas: 20 de maio, 22 de junho, 11 de agosto, 22 de setembro e 12 de outubro. Nos jornais, a sua última aparição foi em 19 de julho; e só retornou à imprensa em 15 de novembro, como colaborador do novo *A República*, no qual publicou "Um Agregado", com o subtítulo "Capítulo de um livro inédito". (SE)

[362]

De: JOÃO MONTEIRO
Fonte: Manuscrito Original, Arquivo ABL.

São Paulo, 6 de outubro de 1896.

rua de *São* João, 251[1].
Ilustríssimo e Excelentíssimo Senhor Joaquim Maria Machado de Assis.

Tão afeiçoado ao meu espírito trago o nome de Vossa Excelência — e não é de agora, mas desde que (quão longe vão aqueles felizes tempos!), em férias acadêmicas, representei, em faceiro teatrinho familiar, à rua Marquês de Abrantes, *O Caminho da Porta*; — tão convencido estou de que os mestres são benevolamente acessíveis, que me animo, desconhecido de Vossa Excelência, a fazer ao inimitável estilista brasileiro, que ainda ontem escreveu *A Semana* da *Gazeta de Notícias*, o seguinte pedido[2].

Estou incumbido da 6.ª conferência preparatória do tricentenário de Anchieta, a realizar-se em Dezembro. A tese que me foi distribuída é esta: *Anchieta na poesia e na lenda brasileira*. Pobres são as fontes do meu estudo: imagine agora V*ossa* E*xcelência* quanto fiquei contrariado ao ouvir o meu colega Brasílio Machado me roubar o

> Vós os que hoje colheis, por esses campos largos,
> O doce fruto e a flor [etc., etc.]³!

Pois venho rogar que V*ossa* E*xcelência* enriqueça a minha oração com outros versos — fruto e flor que, novos, deleitarão o meu auditório, e a mim darão honra só por si capaz de assegurar esplêndido êxito na tribuna⁴.

Um soneto, sim?

Que custam quatorze versos a V*ossa* E*xcelência*?

E se V*ossa* E*xcelência* tiver conhecimento de alguma poesia ou lenda sobre Anchieta, e mo transmitir, que enorme favor, com que acabrunhará a quem é, com velha e crescente admiração,

De V*ossa* E*xcelência*

obscuro confrade e criado

D*outo*r João Monteiro.

---

1 ∾ O papel da carta traz impresso "Dr. João Monteiro / Advogado". (IM)

2 ∾ Em crônica de 04/10/10/1896, Machado escreveu:

> "Enquanto eu cuido da semana, S. Paulo cuida dos séculos, que é mais alguma coisa. Comemora-se ali a figura de José de Anchieta, tendo já havido três discursos, dos quais dois foram impressos, e em boa hora impressos; honram os nomes de Eduardo Prado e de Brasílio Machado que honraram por sua palavra elevada e forte ao pobre e grande missionário jesuíta. A comemoração parece que continua." (IM)

3 ∾ Versos iniciais de "Os Semeadores", em *Americanas* (1875). (IM)

4 ∾ Para a celebração do terceiro centenário da morte do padre José de Anchieta, no dia 09/06/1897, foram previstas doze conferências preparatórias a serem pronunciadas em São Paulo. A primeira ocorreu em 17/07/1896, falando o Arcediago Francisco de Paula Rodrigues, na catedral paulista, perante autoridades e grande público.

As cinco seguintes, confiadas a Eduardo Prado, Brasílio Machado, Teodoro Sampaio, padre Américo de Novais e, finalmente, a João Monteiro, também reuniram grandes plateias. Três deixaram de ser proferidas (Rui Barbosa*, Ferreira Viana* e Capistrano de Abreu*) e outras três (general Couto de Magalhães, cônego Manuel Vicente da Silva e Joaquim Nabuco*), como estavam escritas, integraram o primoroso volume organizado pelo fundador da Cadeira 40, Eduardo Prado, sob o título de *III Centenário do Venerável José de Anchieta* (1900). O jurista João Pereira Monteiro, ao preparar seu trabalho "Anchieta na poesia e nas lendas brasileiras", pede um poema a Machado de Assis. Nesta carta e em [364] e [366], respectivamente datadas de 01/11 e 12/11/1896, acompanha-se a gênese de "José de Anchieta" que integraria as *Ocidentais*, em *Poesias Completas* (1901). (IM)

[363]

De: MAGALHÃES DE AZEREDO
Fonte: Manuscrito Original, Arquivo ABL.

Roma, 12 de outubro de 1896.

Meu querido Mestre e Amigo,

Outra vez chegou hoje correio do Brasil, e ainda não tive uma carta sua. Creia que começo a entristecer-me com o seu silêncio, e a recear que a distância, maior agora, o tenha feito esquecer-se de mim, como, se em vez de passar o oceano Atlântico, eu tivesse passado o oceano que separa este mundo do outro. É esta a quarta vez que lhe escrevo. Espero que não deixará de responder-me com a brevidade necessária para tranquilizar-me.

Deixamos Rocca di Papa há dias porque já começou o outono. Creio que numa das minhas cartas lhe descrevi sumariamente aquele sítio delicioso; verá um quadro mais completo no 4.º capítulo dos *Aspectos da Itália*[1], que estou concluindo para enviar à *Gazeta*. Mamãe e minha Mulher passaram muito bem lá; eu infelizmente não tive perfeita saúde. Suponho que o ar da montanha era forte demais para o meu organismo débil; além disso, foi provavelmente um longo excesso de trabalho literário que fez voltar as vertigens e outros sintomas neurastênicos de que padeci em outro tempo. Fui obrigado a repousar cerca de um mês quase absolutamente, e ainda não posso ler e escrever muitas horas seguidas. Mas já vou melhor, graças a Deus. Agora estamos de novo em Roma, e já tomamos casa; estes dias têm-se passado em tarefas de arrumação, que causam não pouca fadiga. Uma vez que tudo esteja pronto, começaremos a aproveitar a estação, que é ótima, para com vagar ver o muito que há aqui digno de ser visto e revisto; mas é preciso ver com tempo de classificar as próprias impressões; há gente que visita todos os monumentos de Roma em quinze dias; só de pensá-lo tenho dor de cabeça; é para enfastiar para sempre da arte e da história.

Julgo que breve irão a imprimir-se as *Procelárias*; digo – julgo – porque já tantas vezes tenho pensado nisso, e ora por um motivo, ora por outro, o projeto é adiado. Farei a edição em Lisboa, onde se pode conseguir trabalho perfeitíssimo por preço muito razoável. Preciso de desembaraçar-me desse livro para dar lugar a outros que estou começando ou concluindo.

Tenho em mãos, além de estudos sobre a Itália, que a *Gazeta* irá publicando sucessivamente, uma novela tão original como a *Jarra do Diabo*, intitulada *Das Memórias de um Mandarim*, e algumas poesias das *Rústicas* e *Marinhas*. Quero ver si concluo a *Hera*, começada em Rocca di Papa, para lha mandar com esta carta, pedindo-lhe que a faça publicar na *Revista Brasileira*. Em todo o caso aí vai, para a *Gazeta*, um soneto meu.

Mando-lhe também os retratos que lhe prometi, de Leão XIII. Um é reprodução em água-forte do célebre quadro do pintor francês Chartran; o outro é a última fotografia que se fez do Papa, e está de uma semelhança inexcedível.

Já lhe escrevo do meu gabinete de estudo, arranjado segundo o meu gosto; nele o seu retrato veio ocupar, entre os dos amigos mais queridos, o lugar que já tinha em Montevidéu. Não só eu lhe quero muito; minha Mãe e minha Mulher lhe votam a mais alta estima; o seu nome é um dos que nesta casa se pronunciam com mais afeto. Assim o tenho sempre presente em espírito neste pedaço da pátria estabelecido em Roma, como espero estar eu também presente em espírito a seu lado. Não esqueço nem esquecerei nunca o muito que lhe devo em provas de afeição e de estima; posso afirmar-lhe que um dos vínculos mais fortes que me prendem ao nosso Brasil é a sua amizade tão honrosa para mim. E quando poderei agora voltar a essa terra, em que não deixo de pensar todos os dias, ora com prazer e orgulho, ora (o que sucede bem a miúdo) com tristeza e vergonha pelos desatinos que aí se cometem, pelo muito que se ilude o povo e especula para maus fins sobre sentimentos ingênuos, sinceros e fáceis de inflamar? Quando tornar ao Brasil, não será decerto por tão poucos dias e tão às pressas como da última vez; melhor fora talvez ter vindo diretamente de Montevidéu a Roma, tal foi a agitação incômoda em que andei, disputado a toda a hora por negócios urgentes, e sem tempo para cumprir como eu desejara deveres de coração para com os amigos mais queridos. Resolvi não ir à pátria por menos de seis meses, ainda que tenha de esperar muito para consegui-lo. Então, teremos ensejo de reatar as nossas longas conversas, de que tenho tantas saudades; mas enquanto isso não é possível, rogo-lhe encarecidamente que me escreva com frequência como me escrevia para Montevidéu. Aqui tenho todas as suas cartas que lá recebi; não sei se lhe disse que não me pude separar-me delas. Adeus.

Mamãe e Maria Luísa o cumprimentam e comigo se recomendam à *Excelentíssima Senhora*.

Um abraço afet*uosíssi*mo do seu

M. Azeredo.

Numa *vila* romana
(*Das Rústicas e Marinhas*)

Rangem portões de bronze em velhos quícios...
Deuses de pedra, fontes a silvedo,
Só vós sabeis, só vós, todo o segredo
Desta morada augusta de patrícios!

Quanto aí passou – paixões, virtudes, vícios,
Glórias e infâmias, tirania e medo,
Lutos, festas, traições de baixo enredo,
Amores verdadeiros e fictícios...

Tudo na paz dos séculos é findo:
Ora em lendas românticas se perde
A antiga ostentação, brilhante e fátua...

Só Vênus dorme, entre árvores, sorrindo...
Como é doce do bosque a sombra verde
Sobre o mármore branco de uma estátua!

Magalhães de Azeredo

Rocca de Papa (Castelli Romani) 19-IX-96.

---

1 ∽ O ensaio *Aspectos da Itália* foi parcialmente publicado na *Gazeta de Notícias* e na *Revista Brasileira*. (SE)

[364]

De: JOÃO MONTEIRO
Fonte: Manuscrito Original, Arquivo ABL.

São Paulo, 1.º de novembro de 1896.

Excelentíssimo Senhor Machado de Assis.

Chegou Novembro, e com ele me veio a necessidade de iniciar o meu estudo para a conferência anchietana de Dezembro: preciso, pois ter presentes todos os fatores do meu discurso[1].

Eis porque me atrevo a pedir o cumprimento da promessa que Vossa Excelência me fez em sua carta de 11 próximo passado, que tanto prazer e subida honra me deu[2].

Aguardando o prometido soneto, antecipo os meus mais cordiais agradecimentos, e afirmo mais uma vez a afetuosa admiração com que sou[3]

De Vossa Excelência

confrade e obrigadíssimo

Doutor João Monteiro.

---

1 ~ Ver em [362]. (IM)

2 ~ Carta ainda não localizada. (IM)

3 ~ Ver em [366], de 12/11/1896. (IM)

[365]

De: COELHO NETO
Fonte: Manuscrito Original, Arquivo ABL.

[Rio de Janeiro,] 7 de [novembro][1] de 1896.

Meu ilustre mestre

Saúde.

Donas e donzelas e um cavalheiro louro vieram em comissão pedir-me que obtivesse do amigo a comédia: "Não consultes médico..." que pretendem representar na próxima noite de 19[2].

Nada respondi [;] entretanto donas e donzelas e o cavalheiro louro já andam a discutir os papéis.

Vai com o pedido a afirmação de que zelarei pelo precioso manuscrito como se o houvesse recebido no Sinai[3].

O portador é um levita.

Seu muito amigo

Coelho Neto

1 ∾ Coelho Neto datou esta carta manuscrita de "7 de **dezembro** de 1896". Verificou-se que era impossível conciliar tal data com os fatos comentados nas notas 2 e 3, e foi feita a retificação. (IM)

2 ∾ Segundo Magalhães Jr. (2008), a peça foi representada em festa beneficente, organizada pela Comissão do Sagrado Coração de Jesus, no Cassino Fluminense, em 18/11/1896. No domingo, 22 de novembro, Machado assim abriu a crônica de "A Semana":

> "A natureza tem segredos grandes e inopináveis. Não me refiro especialmente ao de anteontem (*sic*), no Cassino Fluminense, onde algumas senhoras e homens de sociedade nos deram ópera, comédia e pantomima, com tal propriedade, graça e talento, que encantaram o salão completo. Não é a primeira vez que a comissão do Coração de Jesus ajunta ali a flor da cidade. Aos esforços das senhoras que a compõem correspondem os convidados – e desta vez apesar do tempo, que era execrável –, e aos convidados, em cujo número se contava agora o sr. vice-presidente da República, corresponderam os que se incumbiram de dizer, cantar ou gesticular alguma coisa. Outros contarão por menor e por nomes o que fizeram os improvisados artistas. A mim nem me cabe esta nota de passagem, em verdade menos viva que a do meu espírito; mas, pois que saiu, aí fica."

E mais: Joaquim Nabuco*, escrevendo a José Veríssimo* numa "quarta-feira" – 25 de novembro – pede desculpas por não comparecer ao jantar da *Revista Brasileira* daquela noite porque teve uma febrícula:

> "Estou entregue a um curandeiro mais exigente do que qualquer médico, mas, uma semana depois do *sucesso* de nosso Mestre, eu não podia consultar médico. Queira apresentar minhas desculpas e salamaleques à Academia de Letras."

Além da óbvia alusão à comédia machadiana, é interessantíssima a referência à Academia de Letras, cujo "grupo fundador" só se reuniria, formalmente, em 15/12/1896. (IM)

3 ∾ A comédia *Não Consultes Médico* foi publicada na *Revista Brasileira* em dezembro de 1896. Ver carta de Machado de Assis em [372], de 24/12/1896. (IM)

[366]

De: JOÃO MONTEIRO
Fonte: Manuscrito Original, Arquivo ABL.

São Paulo, 12 de novembro de 1896.

Excelentíssimo Senhor Machado de Assis.

Recebi os belíssimos tercetos com que Vossa Excelência, que eu tenho como o mais perito dos contemporâneos lapidários da língua portuguesa, veio enriquecer a minha conferência[1].

Riquíssimos, aqueles tercetos[2], tão cheios de inspiração verdadeiramente brasília[3]!

Beijo as mãos de Vossa Excelência; e se a intensidade da minha gratidão merece de Vossa Excelência mais um assinalado favor, peço que doravante me conte no número dos amigos, que no dos admiradores me alistara no mesmo dia em que, pela primeira vez, li o festejado mestre.

De Vossa Excelência

admirador e amigo obrigadíssimo

João Monteiro.

---

1 ∾ Em resposta às cartas [362] e [364], Machado enviara o poema "José de Anchieta". João Monteiro (1900), depois de comentar e citar outros autores, assim apresentaria ao público a contribuição machadiana:

> "Eis aí, tão resumidamente quanto me permitia o dever de não fugir do assunto, que só a generosidade dos colegas, exageradamente lisonjeiros, me pudera ter confiado, como, na poesia e nas lendas brasileiras, passa a luminosa figura de Anchieta. Ei-lo, como fizeram os nossos poetas e lendários, que são os poetas da história. E se a minha conferência se pudesse enquadrar em poucos versos, eu o houvera feito com os seguintes esculturais tercetos, que um dos mais peritos dos contemporâneos lapidários da língua portuguesa teve a cresiana generosidade de enviar-me, para honra minha e do meu discurso. / Eis aqui como Machado de Assis esculpiu, em majestosa síntese, a obra do genial Anchieta."

Segue-se a transcrição integral do poema, **considerado por especialistas como inédito até sua inclusão nas *Ocidentais*, em *Poesias Completas* (1901)**. Em nota manuscrita à margem do item 1241 da *Bibliografia* machadiana de Galante de Sousa, o possuidor e exímio anotador do exemplar, Plínio Doyle, faz referência aos "Discursos de João Monteiro, SP, 1897, p. 177", porém não assinala a edição que nos serviu de fonte. (IM)

2 ∾ O poema tem doze tercetos e termina com um quarteto: "Onde nada se perde nem se esquece, / E no dorso dos séculos trazido, / O nome de Anchieta resplandece / Ao vivo nome do Brasil unido." (IM)

3 ∾ No original, "brazilea" (brasileira, brasílica). Observe-se o mesmo adjetivo no poema épico "Riachuelo" de Luís José Pereira da Silva, em [76], tomo I. (IM)

[367]

Para: MAGALHÃES DE AZEREDO
Fonte: Manuscrito Original, Arquivo ABL.

Rio de Janeiro, 17 de novembro de 1896.

Meu querido poeta e amigo,

Creio que é a primeira vez que lhe escrevo respondendo a três cartas seguidas. Certamente o meu silêncio lhe haverá causado algum desgosto, como me diz, mas não o atribua a esquecimento. Não pode havê-lo onde há afeição, e eu não perdi a que tinha ao meu jovem poeta. A última das três cartas é já de Roma, e ver uma carta datada de Roma, para quem não há de ver nunca a cidade, dá grande melancolia. Recebi com ela, e muito lhe agradeço, a última fotografia do Papa. É a primeira vez que tenho notícia exata do atual Leão XIII. Li também a impressão direta que teve dele, assaz viva e com certeza, fiel. Recebi também a reprodução da obra de Chartran[1].

Vejo o que me diz de sua Mãe e de sua Esposa, e da felicidade que elas lhe dão, como merece. Peço que apresente a ambas os meus respeitos. Ao pé delas, nessa Roma a que já queria antes de conhecer, e que lhe falará por duas línguas, a antiga e a católica, pode crer que terá a vida a que fez jus. Não é preciso que lho diga aqui de longe; melhor há de senti-lo que compreendê-lo. Eu cá vou, com meus trabalhos de vária espécie, um tanto cansado do corpo e dos olhos, e naturalmente do espírito. Nada há que dizer daqui, a não ser o que já sabe, que é a moléstia do Doutor Prudente de Moraes[2] e a substituição do governo. Estamos nos primeiros dias do Doutor Manoel Vitorino, que tem agradado bastante.

Todas as suas cartas dão notícias de trabalhos literários, o que muito me alegra. A felicidade não lhe faz calar a Musa; ao contrário, é a outra companheira, formando assim um *tríplice* doméstica e rara. Quero ler seu estudo sobre a Itália, as novelas, as poesias recentes. Uma destas apareceu agora na *Revista Brasileira* que só se distribuiu ontem à tarde; é bonita e elevada, como aliás costumam ser os seus versos; estes pertencem naturalmente ao prelúdio do seu consórcio. O metro corresponde bem ao sentimento, o verso é artístico. O belo soneto que me mandou com a última carta, *Numa vila romana*, será dado na *Gazeta*. Vênus como última relíquia é uma boa ideia. Escusado é dizer que li e apreciei os escritos que a *Gazeta* publicou.

A primeira carta que me escreveu de Rocca di Papa (não ponho a data para não acentuar a distância desta) deu-me invejas pela descrição de Roma. Fala-me em lá ir, mas eu já agora tenho outra e única Roma, mais perto e mais eterna. Não creio já na possibilidade de ir ver o resto do mundo. Aqui nasci, aqui morrerei; terei conhecido apenas duas cidades, a de minha infância e a atual, que na verdade são bem diversas; fora destas, alguns lugares do interior, poucos. Há de adivinhar o pesar que me fica. A Itália dá-me não sei que reminiscências clássicas e românticas, que faz crescer o pesar de não haver pisado esse solo tão amassado de história e de poesia. Talvez algumas coisas não correspondam à imaginação; a mor parte delas há de excedê-la, e onde houver ruínas, quaisquer que sejam, há um mundo de coisas perenes e belas. Onde as achar, onde vir palácios, quadros, um recanto de costumes, não se esqueça de mim, que lerei as suas notas com grande prazer. Farei de conta que sou que as vejo; as suas letras farão de realidade.

Espero as *Procelárias*, e concordo que é tempo de as soltar a este mundo. A vista do livro fará crescer a vontade de compor outros ou acabar os que tiver entre mãos, e assim os irá dando cá para fora e formando a obra completa.

Não tenho visto o Mário ultimamente. Este meu jovem amigo é muito seu amigo, e de ambos nós merece afeição e estima. É bom, é leal, é dedicado. É também feliz, entre a Esposa e a Mãe, que o adoram.

Adeus, meu querido amigo e poeta; releve-me a demora da carta e não lance à conta de esquecimento o que não merece tal escrituração. Adiamentos por uma ou outra circunstância trazem destes efeitos. Mas tudo se resgata em havendo boa-fé. Peço-lhe o favor de apresentar os meus respeitos às *Excelentíssimas* Senhoras, e continue a não esquecer-me, como eu não o esqueço. Escreva sempre; vai entrar em um século novo, que lhe pedirá contas deste; eu, se lá entrar, será para fazer as minhas despedidas, mas é possível que não entre. Adeus. Acuse-me recepção desta carta para que eu saiba que o silêncio se não prolonga por culpa do correio. Recomendações de minha Mulher à sua *Excelentíssima* Família. Da minha parte receba um abraço m*ui*to apertado, e saudades do velho am*i*go, adm*i*rador e obr*i*ga*do*,

Machado de Assis.

---

1 ∾ Sobre Chartran, ver nota 4, carta [359]. (SE)

2 ∾ Em 28/10/1896, Prudente de Morais submeteu-se a cirurgia de emergência para extração de cálculos na bexiga. Sob condições extremamente penosas e tendo perdido muito sangue, o seu estado de saúde agravou-se. Em 11/11/1896, foi substituído pelo vice-presidente Manuel Vitorino (1853-1902), ligado ao grupo de Francisco Glicério, que apesar de oficialmente ser o líder e porta-voz do governo no Congresso, tornara-se adversário político do presidente afastado. Vitorino sentiu-se então muito à vontade a ponto de mudar quase todo o ministério. Em 04/03/1897, Prudente de Morais, ainda com a saúde abalada, desceu de Teresópolis onde descansava, sem avisar a Vitorino, e reassumiu o poder. Registre-se que o vice-presidente Vitorino transferiu a sede do governo do palácio Itamaraty para o palácio do Catete. Sobre a crise entre Prudente de Morais e Glicério, ver nota 8, carta [407], de 11/11/1897. (SE)

[368]

> De: OLAVO BILAC
> *Fonte*: Manuscrito Original, Arquivo ABL.

Rio [de Janeiro], 8 de dezembro de 1896.

Amadíssimo e ilustre Mestre,

A Bruxa[1] vai publicar no dia de Natal um número extraordinário, de larga tiragem, e orgulhar-se-ia com poder inserir qualquer coisa sua, pequena peça de prosa ou poesia. É possível? Que glória para mim e para *A Bruxa* seria o deferimento favorável desta petição! Era preciso que o artigo ou poesia aqui estivesse até sábado... Não sei que resposta vou ter; mas tenho um palpite bom — creio que *A Bruxa* vai merecer a distinção que lhe pede.

Creia, mestre e amigo, na amizade e na admiração do

Muito seu,

Olavo Bilac

---

1   Em maio de 1895, Olavo Bilac e o caricaturista português Julião Machado (1863-1930) lançaram *A Cigarra*, revista ilustrada destinada ao restrito público leitor de revistas parisienses, que eram impressas em papel especial e finamente ilustradas; entretanto a revista não prosperou. Em 07/02/1896, os dois lançaram a *Bruxa*, de propriedade de João Lage & Cia, que trouxera muito dinheiro para divulgar o governo do presidente do estado paulista, Manuel Ferraz de Campos Sales. Aliás, o primeiro número foi todo dedicado ao estado de São Paulo. A revista tinha oito páginas impressas em três cores, insistindo no projeto gráfico sofisticado, tendo Bilac na direção editorial e literária, e Julião Machado, com seu traço elegante, na editoria de ilustração. Registre-se que Machado de Assis em crônica de 23 de fevereiro inseriu uma breve e simpática nota a respeito da revista:

> "/.../ Não sei para que tais mulheres querem as crianças dos outros. Se são bruxas, não são da família da *Bruxa* do Olavo Bilac e Julião Machado; esta rapta, mas tão somente as nossas melancolias."

A revista inicialmente fez grande sucesso, chegando a 64 edições (1896-1897). Nela, Bilac se valeu de pseudônimos *diabólicos*, tais como, Belzebu, Diabo Coxo, Mefisto,

Lúcifer, Belial, Diabinho e o já famoso Fantásio; mas raramente publicou versos líricos ali; contudo foi na *Bruxa* que saiu "Inania Verba", já em sua forma definitiva e que faz parte da *Alma Inquieta*. As colaborações da revista eram de alto nível: Coelho Neto*, Guimarães Passos, Luís Delfino, Emílio de Meneses, Figueiredo Pimentel*, Alphonsus Guimaraens, entre outros. Machado de Assis ali colaborou apenas uma vez, com o "Soneto de Natal", certamente atendendo à presente carta:

> Um homem — era aquela noite amiga,
> Noite cristã, berço do Nazareno, —
> Ao relembrar os dias de pequeno,
> E a viva dança, e a lépida cantiga,
>
> Quis transportar ao verso doce e ameno
> As sensações da sua idade antiga,
> Naquela mesma velha noite amiga,
> Noite cristã, berço do Nazareno.
>
> Escolheu o soneto... A folha branca
> Pede-lhe a inspiração; mas, frouxa e manca,
> A pena não acode ao gesto seu.
>
> E, em vão lutando contra o metro adverso,
> Só lhe saiu este pequeno verso:
> "Mudaria o Natal ou mudei eu?"   (SE)

[369]

De: MAGALHÃES DE AZEREDO
Fonte: Manuscrito Original, Arquivo ABL.

Roma, 9 de dezembro de 1896.

Meu querido Mestre e Amigo,

Acabo de receber a sua excelente carta. Preciso de acrescentar que hoje é dia de festa para mim? Estava realmente muito, muito triste com o seu prolongado silêncio; tão seguro da afeição que me tem como da que lhe dedico, sentia essa espécie de abandono sem saber a que atribuí-lo. Peço--lhe e espero que desta vez me atenderá — seja de ora em diante mais assíduo; bem lho mereço eu, escrevendo-lhe com tanta frequência.

Com esta carta receberá* para si e sua Excelentíssima Senhora um retrato meu e de Maria Luísa; apesar de tirado na melhor fotografia de Roma, e das várias provas que se fizeram, não saiu tão bom como esperávamos; não é que esteja malfeito ou pouco semelhante; mas não dá ideia dos trabalhos excelentes de platinotipia que se fazem na casa Orlay de Karova. O meu que mandei à *Revista Brasileira* está melhor acabado. (*) Veja o *Post Scriptum*.

Há poucos dias vi de novo o Papa em toda a pompa de um Consistório público, na *sala regia* do Vaticano. Precediam-no os cardeais, com as murças de arminho e os longos mantos de seda; depois, na *sedia gestatoria*, com pluvial e mitra cintilante, protegido pelos *flabelli* de plumas brancas, rodeado pelos belos guardas-nobres, pelos gentis-homens de capa e espada e pelos vários prelados familiares, vinha Leão XIII, abençoando a multidão que enchia a vasta quadra e o aclamava em delírio.

Fez-se a "imposição do chapéu" aos novos cardeais, segundo o cerimonial antigo, muito curioso. Estava presente o jovem rei da Sérvia[1] na tribuna dos soberanos; e nas suas tribunas respectivas assistiam o corpo diplomático e a aristocracia romana. Esse conjunto, entre os grandes quadros a fresco pintados por Mestres no teto e nas paredes era de um efeito magnífico.

Não compreendo os que censuram as galas esplêndidas do culto externo; não é uma prova da natureza intelectual do Catolicismo a ideia de fazer concorrer todas as artes para a glorificação de Deus na terra? A frieza nua do protestantismo me parece muito menos humana.

Entre os escândalos principescos que se dão na Europa a cada momento, o mais original e o mais recente é a fuga da infanta Dona Elvira de Bourbon[2] com o pintor Folchi, que além de tudo é casado e tem filhos. Já deve ter sabido do caso pelos jornais. A aventura não parece deste nosso século de utilitarismo e oportunismo. Uma princesa que assim sacrifica não só o orgulho da sua estirpe, mas toda a possibilidade de ser feliz na sociedade em que nasceu, para tornar-se irremediavelmente *desclassificada* num exílio perpétuo, lembra muito esses contos das rainhas que fugiam com pajens para habitar uma choupana nas montanhas. A carta de Dom Carlos anunciando ao mundo que "a filha morreu" e pedindo a Deus misericórdia para essa alma desventurada semelha um documento dos tempos heroicos do Cid. Diz-se que os dois amantes pretendem mudar de nome e procurar vida tranquila e ignorada na América. Quem sabe se ainda aparecerão aí pelo Brasil?

As *Procelárias* irão breve para Lisboa, e conto que no princípio do ano vindouro apareçam no Rio de Janeiro, impressas com gosto e arte. Realmente há muito deviam ter saído; ora uma circunstância ora outra as tem demorado. Sempre ideando e compondo páginas novas, raro tenho tempo para ocupar-me das que já estão feitas. Mas espero que a publicação das *Procelárias* abrirá caminho a outros livros meus quase prontos.

Nada falta hoje à minha felicidade para ser completa senão a saúde. Não tenho passado bem em Roma; os antigos incômodos nervosos de que me vi livre em Montevidéu recomeçaram com maior intensidade; todos os médicos que tenho consultado são concordes em que eu não sofro lesões orgânicas de nenhuma espécie, mas só desordens funcionais; a anemia e a neurastenia são os meus dois males. Mas sabe o que significa isso? Significa que padeço vertigens frequentes, sufocações, falsa angina de peito, perturbações da vista, enfim, mil sintomas imitados de moléstias que na realidade não existem. Deixo-lhe calcular quantos dias me tenho visto impossibilitado de trabalhar, e quantos esforços penosíssimos me têm custado certas páginas escritas ultimamente. Mas, logo que apanho uma hora propícia, atiro-me aos meus versos e às minhas prosas. A vocação literária é em mim mais forte que tudo.

Adeus, meu querido Mestre e Amigo. Nossos cumprimentos para a sua E*xcelentíssi*ma Senhora. Aceite muitas recomendações de Mamãe e Maria Luísa, e um abraço muito afetuoso do sempre seu

Magalhães de Azeredo.

O nosso Mário escreve-me muito assiduamente, e eu a ele. Sei quanto ele me quer, e eu correspondo com toda a sinceridade da minha alma a essa amizade, uma das que eu espero que sejam eternas. Tenho verdadeiro pesar de que as qualidades intelectuais e morais do Mário não lhe tenham dado ainda a posição a que ele tem direito. Quando vejo que tantos homens nulos, à força de proteções de toda a sorte, conseguem quanto querem, entristece-me a pouca sorte desse moço tão bom, tão inteligente, tão laborioso. Assim tivesse eu influência bastante para obter a favor dele o que seria somente ato de pura justiça³.

Post Scriptum. Encontrei um amigo meu que parte amanhã para o Brasil, por Lisboa. Confiei-lhe entre outras coisas o retrato que devia ir com esta carta, e que lhe será entregue aí por meu Tio. Assim não me arrisco a que se extraviem nos correios esse e outros que vão pelo mesmo portador.

---

1 ∾ Alexandre I (1876-1903) ascendeu ao trono em 1893, aos dezessete anos, após a renúncia de seu pai Milan I. Em 1900, o jovem rei fez uma união impopular ao casar-se inesperadamente com uma dama de companhia de sua mãe, a viúva Draga Masin, enfrentando pesada oposição por isso. Em 11/06/1903, o rei e a rainha foram assassinados no palácio real, por um grupo de conspiradores. (SE)

2 ∾ A princesa Elvira (1871-1929) e o conde Filippo Folchi (1861-?) conheceram-se durante a viagem de visita da princesa à irmã, Beatriz (1874-1961), em Roma. Em novembro de 1896, os jornais italianos noticiaram o escândalo na alta roda: a princesa Elvira, filha do duque de Madri, Dom Carlos de Bourbon (1848-1909), pretendente ao trono espanhol, fugira com um homem dez anos mais velho, casado e com filhos. (SE)

3 ∾ Há nas *Memórias* (2003) referência à amizade de Mário de Alencar*, com quem diz ter travado boas relações, embora não fossem íntimos, quando ambos estudavam em São Paulo. Já no Rio, em 1893, no período em que eclodiu a Revolta da Armada, aproximaram-se e tornaram-se amigos de toda a vida:

> "De fato essa amizade, que em breve se tornou fraternal em toda a extensão da palavra, perdurou, sem uma sombra nunca, na atmosfera da mais plena confiança recíproca, e a despeito de dilatadas separações, até o último suspiro dele; e em mim perdura ainda, e perdurará perpétua, sob a forma de uma sempre comovida saudade." (SE)

[370]

De: ANTÔNIO COELHO RODRIGUES
Fonte: Cartão de Visita Original, Arquivo ABL.

[Rio de Janeiro,] 18 de dezembro de 1896.

(*Reservado*)

Ao Excelentíssimo Amigo o Senhor Machado de Assis

DR. COELHO RODRIGUES Cumprimenta e avisa, da parte de um anônimo, que tem para as despesas de instalação da sua nova *Academia* 100$réis[1].

40, rua Torres-Homem

---

1 ～ Este foi o primeiro – e espontâneo – apoio financeiro recebido pela Academia. Comenta Josué Montello (1986):

"Em face de esmola tão grande, os pobres desconfiaram. Quereria o Dr. Coelho Rodrigues, com esse gesto, fazer-se incluir no quadro dos acadêmicos, ainda em elaboração? Ele próprio se encarregou de apagar a desconfiança, com outra carta para Machado de Assis."

Ver a segunda missiva em [380], de 17/01/1897. (IM)

[371]

De: ARARIPE JÚNIOR
Fonte: Manuscrito Original, Arquivo ABL.

Capital Federal, 22 de dezembro de 1896.

Senhor Presidente interino da Academia Brasileira de Letras.

Tenho a honra de confirmar perante vós a declaração feita na sessão instaladora do dia 15 deste mês pelo nosso confrade Lúcio de Mendonça de que concordo inteiramente na ideia da fundação dessa Academia e aceito a distinção de ser incluído entre os seus membros efetivos, segundo me foi proposto.

Vosso confrade em letras e admirador

Tristão de A. Araripe Jr.

[372]

> Para: JOSÉ VERÍSSIMO
> Fonte: *Revista Brasileira*, Tomo X, 58.º fascículo.
> Rio de Janeiro, 1897.

[Rio de Janeiro,] 24 de dezembro de 1896.

AO DIRETOR DA REVISTA BRASILEIRA[1]

Sabe a que razão de urgência devemos não ter saído apensa à minha comédia *Não consultes médico...*, publicada no último número da *Revista*, uma nota comemorativa[2]. Vai agora o que devia ter ido então. A comédia foi representada no Cassino Fluminense, em uma das festas organizadas pela Comissão do Sagrado Coração de Jesus, a que zelosamente preside a Excelentíssima Senhora Dona Maria Nabuco. Havendo eu refundido nessa ocasião a primeira forma da peça, ainda inédita, esta ressente-se da brevidade do trabalho; mas as distintas senhoras e cavalheiros encarregados dos papéis supriram na representação os defeitos do texto. Realmente, é difícil encontrar em pessoas de sociedade tanta habilidade como revelaram as Excelentíssimas senhoras Dona Emília de Barros Barreto, Dona Lucina de Andrade e Dona Francisca de Saldanha da Gama, e os Senhores Carlos de Carvalho e José Barros Barreto. A primeira já me havia dado igual prova, representando em um dos mais brilhantes salões daquele tempo duas comédias minhas; não me admirou que saísse agora tão bem. A novidade esteve nas suas duas graciosas companheiras, Dona Lucina de Andrade Pinto e Dona Francisca Saldanha da Gama, incumbidas dos papéis de Carlota e Adelaide, que se houveram com igual brilho, assim como os *Senhores* Carlos de Carvalho (Cavalcante) e Barros Barreto (Magalhães). Não faço aqui distinções; elas se fizeram pela maior ou menor importância dos personagens, aos quais a graça e a inteligência daquelas senhoras e cavalheiros deram, na medida de cada um, o sabor adequado. Assim o reconheceu o numeroso e brilhante auditório do Cassino. O que este não viu, e só pôde conhecer pelo resultado, foi a boa vontade, a dedicação e o gosto com que todos se houveram no estudo e nos ensaios, guiados nisso pela competência do *Senhor Doutor* Luís de Castro, ensaiador daquelas festas.

[Machado de Assis]

---

1 ∾ Esta carta, jamais incluída na correspondência machadiana, tem como apresentação: "Do nosso colaborador Sr. Machado de Assis recebeu a seguinte carta o diretor da Revista". (IM)

2 ∾ Ver as circunstâncias da apresentação da comédia em [365]. (IM)

[373]

De: VALENTIM MAGALHÃES
Fonte: Manuscrito Original, Arquivo ABL.

Rio [de Janeiro], 25 de dezembro de *1896*.

Meu ilustre Mestre e Amigo.

Boas-festas — antes de tudo, e cordialíssimas.

Escrevo-lhe hoje, entre as magnificências tórridas deste Natal, para pedir-lhe a fineza e o obséquio de dizer algo de *Flor de Sangue*[1], na sua próxima *Semana*[2]. Como tem visto, os *borrachudos* da "crítica de escada abaixo" têm me caído em cima e mordiscado impiedosamente, sem caridade nem senso crítico, sem equidade nem sintaxe[3]. Ora [,] é preciso que o meu livro tenha um pouco de crítica também. Sei que achará defeitos e falhas grandes; mas há de encontrar-lhe qualidades, que as tem, como colorido, interesse, vigor, segundo o meu amigo já me fez a honra de dizer. Creia que não tive intenção de explorar a nota crua; se me demorei nela em alguns passos do livro foi, é possível, por ter achado nisso algum *prazer físico*, não por especulação... O temperamento entra por muito nestas coisas. Não é elogio que lhe peço e bem ocioso é dizer-lho; o que eu não desejaria era o seu silêncio, que representaria uma reprovação, que, de certo, não está em seu pensamento. Desculpe, meu amigo, esta cartinha, que por si se explica e à situação do autor, e acredite na estima, respeito e consideração do

Amigo muito grato

Valentim Magalhães

---

1 ∾ Primeiro e único romance do autor. (IM)

2 ∾ "A Semana", crônica de Machado de Assis na *Gazeta de Notícias*. Ver nota em [375], de 28/12/1896. (IM)

3 ∾ A alusão seria dirigida a Sílvio Romero*. (IM)

[374]

De: RUI BARBOSA
Fonte: Manuscrito Original, Arquivo ABL.

Rio de Janeiro, 26 de dezembro [de 1896].[1]

Ilustríssimo Excelentíssimo Senhor Machado de Assis

Sendo Vossa Excelência quem presidiu, pelos títulos que todos lhe reconhecem, a sessão inaugural da Academia de Letras[2], cumpre-me comunicar-lhe que estando ausente, com minha família, em Nova Friburgo, não me era possível acudir ao convite, que para aquele ato me coube a honra de receber.

Creia a na alta estima,

        Com que sou

        de Vossa Excelência

        Admirador e confrade afetuoso

        Rui Barbosa

---

1 ∾ Ano assinalado em cópia manuscrita feita por autor não identificado e reunida ao original da ABL. Seguiu-se a lição. (SE)

2 ∾ Rui Barbosa foi convidado para a 2.ª reunião preparatória da Academia Brasileira de Letras, marcada para 23/12/1896, na sede da *Revista Brasileira*, na rua Nova do Ouvidor, 31, atual travessa do Ouvidor. A 1.ª reunião ocorrera na semana anterior, no dia 15 de dezembro, com a adesão dos primeiros fundadores. É curioso o fato de ter respondido só três dias depois de a reunião ter acontecido. Estaria demonstrando algum desagrado por ter sido lembrado a participar somente da 2.ª reunião? (SE)

[375]

De: VALENTIM MAGALHÃES
Fonte: Manuscrito Original, Arquivo ABL.

Rio [de Janeiro], 28 de dezembro de 1896.[1]

Ilustre mestre e amigo

    Estou doente e com alguma gravidade. Os médicos aconselham-me a partida imediata para Lambari, com estada de 40 a 60 dias.

    Por esse motivo não posso comparecer à sessão de hoje nem as que se lhe vão seguir – o que me penaliza deveras. Aprovo, porém, quanto se haja de resolver e faço votos para que a nossa *Academia* prospere e cresça[2].

    Saúda-o

        Amigo e colega obrigado

        Valentim Magalhães

1 ✆ Papel com monograma e a divisa *Fac et spera* (Faz e espera). (IM)

2 ✆ Na sessão de 28/12/1896, o 1.º Secretário, Rodrigo Octavio*, comunicou o teor desta carta e acrescentou que Valentim Magalhães oferecia à Academia um exemplar de sua obra *Flor de Sangue*. Tal registro em ata tem duplo interesse: *Flor de Sangue* passou a ser o volume inaugural da Biblioteca da Academia, recém-fundada; e a justificativa de ausência, pelo autor, traduzia a sua grande mágoa pela má acolhida da crítica, sobretudo porque, em crônica de 27/12/1896, Machado de Assis fez restrições à obra na sua seção "A Semana", da *Gazeta de Notícias*, melindrando o autor da carta esperançosa [373]. O que o prejudicara, entre outros defeitos na construção do romance, foi "querer fazer longo e depressa". (IM)

[376]

De: FILINTO DE ALMEIDA
Fonte: Cartão de Visita Original, Arquivo ABL.

[Rio de Janeiro, 28 de dezembro de 1896.][1]

Amigo e Senhor Machado de Assis.

Por incômodo de saúde sou obrigado a ir para casa cedo. Os consócios da Academia de Letras que desculpem a minha ausência na sessão de hoje.

Cumprimentos do amigo e confrade

Filinto de Almeida.

---

1 ✆ Cartão sem data. A ata da terceira sessão preparatória, de 28/12/1896, registra a comunicação de Filinto de Almeida, tornando-se possível a datação aqui apresentada. (IM)

[377]

De: MAGALHÃES DE AZEREDO
Fonte: Manuscrito Original, Arquivo ABL.

Roma, 4 de janeiro de 1897.

Meu querido Mestre e Amigo

Há dias lhe escrevi uma carta muito longa; esta será breve porque escrita às pressas, entre muitas tarefas urgentes.

Li nos jornais ultimamente vindos daí que grande número de escritores brasileiros se reuniu para fundar a academia de letras, aclamando-o presidente[1], como era de justiça. Aplaudindo a ideia e achando-a capaz de produzir benéficos e brilhantes resultados, peço-lhe que na primeira reunião que houver depois de recebidas estas linhas, declare aos sócios em meu nome que, embora de longe, me identifico com eles no mesmo intuito, e me ofereço para prestar à nova Academia todos os serviços que eu possa prestar daqui[2].

Dou-lhe meus parabéns pelo triunfo obtido com a sua comédia representada no Cassino; tenho muito e vivo desejo de a ler, já que não pude assistir à récita; e não pude também, infelizmente tomar parte no banquete que lhe foi oferecido nessa ocasião[3]. Foi esse um dos prazeres de que me privou a minha ausência da pátria. Bem sabe que nada do que lhe toca de perto me pode ser indiferente.

Estou admirado de que a *Gazeta* não continue a publicar os *Aspectos da Itália*[4]. Há muito mais de um mês que mandei um artigo sobre Roma. A *Gazeta* de vez em quando tem, a meu respeito, desses períodos de letargia. Nem sequer o meu soneto *Numa vila romana* apareceu ainda.

Adeus, meu querido Mestre e Amigo. Mandei-lhe no dia 1.º os nossos cartões de boas-festas. E o retrato, já o recebeu[5]?

Aceite cumprimentos nossos para si e sua *Excelentíssi*ma Senhora.

Abraço-o de coração o seu

Magalhães de Azeredo.

1 ∾ No relatório lido na I.ª sessão solene da Academia por Rodrigo Octavio*, consta que na I.ª reunião preparatória para a fundação, em 15/12/1896, Machado de Assis foi aclamado presidente, pelo colegiado presente. Pela importância do evento e dos nomes envolvidos, os jornais certamente noticiaram amplamente a indicação. Azeredo ou soube por um dos jornais brasileiros que assinava ou por letra de amigo comum. (SE)

2 ∾ Embora sem deixar vestígios de seu trabalho de persuasão, é certo que Machado fez ressoar o desejo de Azeredo entre seus pares. Quando a Academia foi instalada, na 7.ª reunião preparatória de 28/01/1897, os 30 fundadores elegeram os 10 que completariam o quadro. Nesta eleição, Azeredo obteve quase a unanimidade dos votos. (SE)

3 ∾ Hábito da vida social de fins do século XIX e início do XX, o banquete reunia pessoas por diversos motivos, nos clubes e hotéis elegantes do Rio de Janeiro, como, aliás, foi o caso deste oferecido a Machado após a representação de *Não Consultes Médico*, no Cassino Fluminense, na rua do Passeio, Lapa. Segundo Magalhães Jr. (2008), a encenação ocorreu em 18/11/1896 durante o 3.º festival promovido pelas Senhoras Protetoras da Capela do Sagrado Coração de Jesus, de Petrópolis. A comédia foi editada pela *Revista Brasileira* (janeiro-março de 1897). Ver carta [372]. (SE)

4 ∾ Sobre *Aspectos da Itália*, ver nota 2, carta [381], de 23/01/1897. (SE)

5 ∾ Documentos ainda não localizados.

[378]

De: GRAÇA ARANHA
Fonte: Manuscrito Original, Arquivo ABL.

[Rio de Janeiro, sem data.]

Machado de Assis,

Ainda cheio das suas penetrantes palavras, de suas comovedoras invocações, reli ontem à noite que Jó, depois de loucamente disputar com Deus, tapou a boca. Eu estou diante de V*ocê* na postura do grande Humilhado. Mas... não recapitulemos aqui o livro santo. Não precisa V*ocê* perguntar onde me achava quando Jeová criou o Brás Cubas. Rendo-me à discrição; cedo às honrosas instâncias suas e do nosso amado Joaquim Nabuco; sou um "forçado" da Academia. Para consolo deixem-me a certeza de que a amizade, também é um princípio. E então exclamarei com o coração aliviado: como é doce a incoerência! Explicará V*ocê* ao valoroso fundador Lúcio de Mendonça que uma carta só serve para desmentir outra?[1]

Graça Aranha

---

1 ∽ O Acadêmico Alberto Venancio Filho (2004), no magnífico trabalho que abriu o ciclo do sesquicentenário de Lúcio de Mendonça*, observa:

"Graça Aranha, que a princípio recusara o convite que lhe fizera Lúcio de Mendonça, acabou cedendo depois, e em condições especialíssimas: era o único que ainda não publicara um livro. As razões de tal recusa, deu-as em carta /.../."

Segue-se o primeiro parágrafo daquela carta, cuja cópia autógrafa encontra-se arquivada na Fundação Casa de Rui Barbosa. Tal documento deve entrar na correspondência machadiana, posto que dá sentido à carta [379], datada de 13/01/1897, que profetiza a famosa ruptura do autor de *Canaã* com a Academia, em 1924. Na conferência "O Espírito Moderno", pronunciada no Petit Trianon, Graça Aranha então desferiu:

"A fundação da Academia foi um equívoco e foi um erro. /.../ O equívoco permaneceu, porque geralmente se imagina que um país de academias literárias alimenta-se de um vasto manancial de produção, que é preciso reger e disciplinar. No Brasil não existe tal produção. A Academia está no vácuo."

Coelho Neto*, como o "último heleno", defendeu a instituição, da qual Graça Aranha se desligou por meio de uma carta que bem sublinha o calibre da sua (in)coerência. Passemos ao texto integral da recusa para entrar na Academia, proposta e fundada por Lúcio de Mendonça, em 1896:

"Confrade [originalmente, Exmo. Sr.] Dr. Lúcio de Mendonça.

Fez-me V. uma insigne e honrosa surpresa convidando-me a ser um dos membros da Academia de Letras, que por sua iniciativa vai ser fundada. Confesso que fiquei embaraçado para imediatamente recusar, como devia, o lugar que a sua bondade me assinala entre os imortais brasileiros. Resolvi, porém, escrever-lhe e deste modo dizer porque não aceito a seu convite. Antes de tudo, há uma razão de ordem pessoal, que se refere à minha situação literária. Como sabe V., eu não sou autor de livros, não sou um escritor. Raros artigos publicados na 'Revista Brasileira' não me fariam ornar com este distintivo. Quando muito sou um aspirante à profissão, aguardando sem pressa que as circunstâncias definam-me a vocação e mostrem-me o rumo a seguir. A Academia não é uma simples sociedade recreativa literária; tem missão mais elevada, diretoria no mundo intelectual, e por isso presume-se ascendência em seus membros, escritores feitos, tendo contribuído para enriquecer a literatura em sua vasta compreensão, enobrecendo-a, e influindo nas gerações, na cultura de seu tempo. Sob esse aspecto a Academia não é um ninho onde se emplumem aves; é uma consagração. Que se tome e se confie a proeminência, ou como se quer agora a autoridade (digamos a palavra odiosa) aos Srs. Machado de Assis, Rui Barbosa, José Veríssimo, Joaquim Nabuco, Aluísio Azevedo, Taunay, R. Correia e ao poeta das 'Canções de Outono' [o próprio Lúcio de Mendonça] compreende-se. A mim, porém? E por quê? Não vejo como qualificar o *meu direito* e assim peço-lhe que me dispense de fazer figura de 'sepulcro branqueado', simulacro de escritor, cujos títulos tenham por origem a condescendência e a camaradagem. Se tal é o meu caso, temo que entre os quarenta escolhidos outros estejam nas mesmas condições, e nesta mesma hipótese a instituição, lisonjeando a vaidade dos principiantes, confundindo medíocres e notáveis, aniquilará o esforço coletivo, destruirá o estímulo individual e será perniciosa a todos.

Por outro lado, se eu tivesse voto na matéria, seria contrário à fundação da Academia. Não que a repute ridícula. Não me sinto com disposição para reeditar Chamfort [Sébastien-Roch Nicolas de Chamfort (1740-1794) ingressara na Academia Francesa graças a seu "Elogio de Molière", de 1769, mas atacou a instituição acadêmica em 1791, com o "Discurso sobre as Academias"]. Uma instituição criada por V. e naturalmente composta de homens, como os que acima apontei, deve ser tomada a sério. Mas exatamente por isto a considero prejudicial à literatura brasileira. Pelas minhas tendências francamente libertárias, sou contrário a toda proteção do Estado. É certo que a Academia funda-se livremente, mas, em virtude de uma tentativa falha, disfarça o jogo e busca imediatamente os favores oficiais. Quer dizer: a literatura vai ser enfeudada ao Governo, exatamente como fez Richelieu, convertendo-a em instrumento do Estado. O caso da França é único no seu gênero e sem dúvida pela força de expansão, de originalidade, de liberdade não se pode equiparar a literatura francesa à da Inglaterra, onde a política em relação às letras é positivamente diversa. Seria impossível entre ingleses o espetáculo de literatos oficiais forçando rimas em louvor do Tzar. Tem-se dito que na França domina a regra, e a ordem ali passa firme, a unidade compreende todas as manifestações da vida. Na Academia não penetrar[am] os desordeiros, os exuberantes, os fortes. Mas não foram eles os criadores, os Molière, os Rousseau, Diderot, Balzac, Flaubert para citar somente aqueles que têm renovado as faturas do espírito literário?

No Brasil, que não é a França, a coisa é pior. A matéria intelectual, a produção não é tão viva, tão luxuriante que precise ser arregimentada. Trata-se de um pequenino ribeiro, cujas águas se quer agora captar para levá-las a um piscina limpa, ladrilhada, porém estéril, secando-o por falta de seiva em sua fonte. Deixemos o filho da floresta entregue à sua braveza natural. Deixemo-lo engrandecer-se livremente.

Graça Aranha."

Segue-se, no manuscrito: "Cópia feita por ele mesmo". (IM)

[379]

De: GRAÇA ARANHA
Fonte: Manuscrito Original, Arquivo ABL.

[Rio de Janeiro,] 13 de janeiro de 1897.

Machado de Assis,

Ainda cheio das suas penetrantes palavras, de suas comovedoras invocações, reli ontem à noite — que Jó, depois de loucamente disputar com Deus, tapou a boca. Eu estou diante de V*ocê* na postura do grande Humilhado. Mas... não recapitulemos aqui o livro santo. Não precisa V*ocê* perguntar onde me achava quando Jeová criou o Brás Cubas.

Rendo-me à discrição; cedo às honrosas instâncias suas e do nosso amado Joaquim Nabuco; sou um "forçado" da Academia[1].

Para consolo deixem-me a certeza de que a amizade, como base da solidariedade humana, também é um princípio libertário.

E então exclamarei com o coração aliviado: como é doce a incoerência!

Graça Aranha.

---

1 ∽ Ver em [378]. Aos 28 anos, o fundador da Cadeira 38 publicara apenas alguns artigos e elaborava *Canaã*, romance que veio a lume em 1902, obtendo notório sucesso. (IM)

[380]

De: ANTÔNIO COELHO RODRIGUES
Fonte: Manuscrito Original, Arquivo ABL.

Rio [de Janeiro], 17 de janeiro de 1897.

Meu caro S*enho*r Com*enda*dor Machado de Assis.

A pessoa, que, por meu intermédio, ofereceu-lhe 100$*réis*, para as despesas da instalação do nosso futuro Instituto, não é candidato à imortalidade e, portanto, a sua oferta pode ser aceita antes da eleição dos imortais, que faltam, sem risco de arrependimento posterior.

Pode, pois, mandar receber o cheque incluso, ou devolvê-lo, se tiverem resolvido não aceitar aquele auxílio; porque não gosto nada de guardar o alheio¹.

Sem assunto para mais subscrevo-me com muita consideração e estima

Seu A*mi*go e co*le*ga mu*i*to obr*i*ga*do*

A. C.º Rodrigues.

Respondida²
7/3/97

---

1 ∾ Nesta carta cheia de humor, o benemérito "anônimo" ainda conferiu a Machado de Assis o título de "Comendador". Sobre a doação, ver em [370], bem como a fina resposta em [385], de 07/03/1897. (IM)

2 ∾ Anotação de Machado de Assis. (IM)

[381]

De: MAGALHÃES DE AZEREDO
Fonte: Manuscrito Original, Arquivo ABL.

Roma, 23 de janeiro de *1897*.

Meu querido Mestre e Amigo,

Começo pedindo-lhe um favor, e ao mesmo tempo desculpa de o importunar ainda uma vez; mas a amizade velha e provada dá desses direitos, e eu conto com a sua indulgência. O serviço que espero merecer-lhe é o de apresentar uma reclamação justa e séria em meu nome ao nosso comum amigo D*ou*tor Ferreira de Araújo. Tenho-lhe escrito a ele por muitas vezes, mas desconfio que as minhas cartas são interceptadas por alguém na *Gazeta* e não chegam até o seu destinatário. Eis em que se funda essa suspeita. Há seguramente três meses que mando com frequência escritos meus para a *Gazeta*, sem que um só fosse ainda publicado, salvo o soneto — Numa vila romana — que foi enviado por seu intermédio. Por ocasião dos funerais de Carlos Gomes[1], compus uns versos que remeti imediatamente; isto foi em Outubro; esses versos nunca saíram. Suponhamos que se houvessem extraviado no correio, ainda que foram registrados, como tudo que eu mando para a *Gazeta*; mas também se extraviou a segunda cópia que foi mais tarde, e até hoje não apareceu? Também se extraviou um artigo sobre Roma, que eu preparei com tanto estudo e capricho, e do qual não sei o que fizeram, sendo assim que os *Aspectos da Itália*[2], tão felizmente começados, estão interrompidos desde 27 de Setembro, isto é, há mais de três meses, sem eu saber por quê? Ora, esses casos e outros semelhantes só se podem explicar pela minha suposição que as minhas cartas e os meus trabalhos, endereçados todos pessoalmente ao Doutor Ferreira de Araújo, não tenham sido entregues, mas sim subtraídos por alguém que conheça a minha letra e tenha interesse em contrariar-me. Se, porém, tal suposição é errada, se o Doutor Araújo tem recebido os meus escritos, então, meu querido Mestre, não farei comentário algum a esse modo de proceder, deixando-lhe o encargo de qualificá-lo na sua consciência imparcial. Mas, como disse, estou na minha suspeita de interceptação, e não posso crer que o Doutor Araújo, tão gentil sempre para comigo, tão atencioso e tão sério em todos os seus atos, falte assim às regras mais rudimentares da cortesia e premeditadamente me prejudique nos meus interesses literários sem ter contra mim motivo algum de queixa. Não posso crer sobretudo que, confiando-lhe eu um trabalho que era uma homenagem à memória do nosso grande Carlos Gomes, ele quisesse impedir-me de juntar a minha voz ao imenso coro de louvores que fez dos seus funerais uma verdadeira apoteose.

Sempre me esforcei por ser amável e amigo nas minhas relações com a *Gazeta*; nunca me importaram questões mesquinhas de lucro; ainda há pouco tempo, escrevendo-me o Doutor Araújo que teriam de suspender o pagamento da minha colaboração até que melhorassem as condições do jornal, apressei-me a responder que mandaria os meus artigos sem retribuição alguma enquanto durasse a crise econômica. Mas naturalmente quero que esses artigos saiam com regularidade, que não fiquem criando mofo nas gavetas da redação. O Doutor Araújo prometeu-me formalmente, quando eu aí estive, que faria aparecer com a devida frequência os meus trabalhos. Não vale a pena cansar-me a escrever constantemente para que aí se suponha que eu nada faço, que sou um vadio, porque a *Gazeta*, em vez de me auxiliar, me fecha as portas da publicidade.

Ainda uma vez lhe rogo que me perdoe o incômodo que lhe dou. O melhor será dar a ler tudo isso ao Doutor Araújo; transmita-me com brevidade a resposta dele. Se de fato ele não tem recebido os meus escritos, espero que fará inquérito rigoroso para saber quem se permite tal abuso de confiança — subtrair a correspondência dirigida pessoalmente ao redator-chefe. Se ao contrário tem recebido os artigos e não os publica, diga ao menos por que assim procede: e a não mudarem aí de sistema para comigo, buscarei embora com pesar, outra folha para colaborar, pois os meus trabalhos não aspiram ao apetite dos ratos e das traças. Tenho pronto o 4.º capítulo dos *Aspectos da Itália*; não o mando porque ainda não apareceu o 3.º, *Roma*, expedido a 16 de Novembro de 1896: o Doutor Araújo que diga o que é feito dele.

Todos esses obstáculos me têm contrariado deveras. A distância ainda me agrava o aborrecimento, impedindo-me de agir com prontidão. — Entretanto, eu não desanimo; sou de fibra forte.

As *Procelárias* estão prontas; o manuscrito irá nesta semana para o Porto, para ser impresso na *Empresa Literária*[3]. Oportunamente lhe enviarei o volume para o prefácio prometido há 8 anos; do livro infantil que ele devia preceder já nada existe, ou quase nada, no que vai aparecer agora. Esta é a minha *primeira mocidade*. As *Baladas* e *Fantasias* já estão também concluídas; uma dessas composições, o *Natal de Frei Guido*, mandei-a há dias para a *Revista Brasileira*. Com os *Aspectos da Itália* espero fazer um livro interessante; o assunto é belo e rico, pouco tratado na nossa língua, e as minhas apreciações são sinceras, de primeira mão o que não é comum em viajantes.

A sua lindíssima comédia[4], que tive finalmente o gosto de ler na *Revista* inspirou-me a ideia de compor uma do mesmo gênero. Chamar-se-á provavelmente *Um candidato*.

Vou também começar por estes dias uma vasta composição dramática, mas para ser lida e não representada. Funda-se numa crônica medieval muito emocionante e quase selvagem.

Quando poderei dedicar-me a um romance brasileiro que tenho todo delineado na mente? A vida de *São* Paulo, que eu conheço tão bem, pois lá morei seis anos, forneceu-me para isso matéria abundante. Mas é preciso tempo, saúde, e concentração de espírito. Ainda não me senti com forças de encetar o livro. E quando poderei ocupar-me de um *poema moderno* com que sonho desde Montevidéu, o *Cristo*, cuja ação se passa em Roma?

Pelo que vejo nas folhas do Rio, o romance do Valentim não teve bom êxito[5], e só por culpa do autor. Esse homem de talento escreve há vinte anos para o público, e ainda não fez coisa capaz de resistir ao tempo. Em vez de adorar a Perfeição, imola tudo à Pressa, nome funestíssimo aos artistas. E pede indulgência para os defeitos do livro porque o compôs com demasiada rapidez. Eis uma desculpa que eu nunca daria. Pois livro é letra que se deve pagar em dia certo? Aí a questão, a meu ver, é de temperamento; o Valentim tem-no de jornalista, mais que de literato; por isso, toda sua obra é de jornalista; versos, contos, crítica, tudo tem jeito de folhetim e artigo de fundo. Mesmo a classificação arbitrária que ele estabelece no prefácio sobre os *gêneros* literários, não parece de um escritor profissional; dir-se-ia antes de um *diletante* incerto das próprias opiniões. Desdenhando a poesia lírica, o teatro, e tanta coisa mais em proveito só do romance e da epopeia, ele processa sumariamente e condena com uma penada ao ostracismo Píndaro e Safo, Sófocles e Aristófanes, Horácio e Cícero, Petrarca e Shakespeare, e quantos outros! A sua apreciação na *Semana* é muito justa e elevada. Decerto não acredita, como eu não acredito tampouco, que o Valentim escreva jamais o livro capital que sonha e promete. Aquele talento de improvisador não dá para isso. E é pena, pois na verdade poucos entre nós têm amado e cultivado as letras com tanta sinceridade e constância como o Valentim[6]; mas ele esquece o dito de Goethe: gênio é paciência...

Neste momento, após muitos e muitos dias de chuva contínua, um sol magnífico alegra as cúpulas de Roma e entra-me jovialmente pelo gabinete de estudo. Bela ocasião para irmos passear por estas ruas antigas e sempre novas. Que diria agora de uma excursão ao Janículo, ou a São Paulo *extramuros*, ou a Santa Maria em *Aracoeli*, ou à Villa Borghese? Assim pudéssemos andar juntos por aqui! No caminho, o cocheiro que nos levasse no seu *fiacre*, e que seria provavelmente espirituoso, e maior de 40 anos, nos contaria casos do tempo dos Papas, amaldiçoando o governo atual. Porque é uma das coisas que me surpreendem em Roma as *saudades* que o *verdadeiro povo* tem da administração pontifícia; falo naturalmente do verdadeiro povo, e não dos funcionários de alta ou baixa categoria que vivem das instituições presentes. O governo do Reino unitário[7] fez muito sem dúvida pelo progresso de Roma, não se pode negar, e deu à Itália uma posição política que ela não tinha na Europa; mas tudo isso à força de tanto imposto, de tanto vexame, que os contribuintes choram pelo extinto poder temporal. Queixam-se do exército permanente que está arruinando o país em proveito da Tríplice Aliança[8]; queixam-se das ambições coloniais que sacrificaram na Abissínia milhares de rapazes válidos e laboriosos; queixam-se das taxas exorbitantes, que tornam a vida cada dia mais difícil e a carestia dos gêneros cada dia mais penosa. E dizem: no tempo do Papa havia dinheiro sonante e não papel, vivia-se por quase nada, uma garrafa de bom vinho custava 3 *soldi* e hoje custa trinta!

De fato, a autoridade *paternal* do Pontífice velava mais diretamente sobre a felicidade do povo que o atual governo militar e parlamentar. Havia menos liberdade, mas também havia menos opressão. Parece um paradoxo isso, mas é a pura verdade.

Adeus, meu querido Mestre e Amigo. Já recebeu o retrato que lhe mandei? Nossos cumprimentos à sua *Excelentíssi*ma Senhora. Mamãe e Maria Luísa se lhe recomendam, eu o abraço afetuosamente.

Sempre seu

Magalhães de Azeredo.

1 ∾ A morte de Carlos Gomes (1836), compositor internacionalmente conhecido, foi um evento de grandes proporções. As homenagens se multiplicaram pelo país, com o povo nas ruas. Falecido a 16/09/1896, em Belém do Pará, o seu corpo foi exposto à visitação pública por dois dias, nos salões do Conservatório de Música. Depois foi levado, num cortejo de cerca de 70 mil pessoas, ao cemitério da Soledade, um misto de panteão e cemitério-jardim, onde estavam sepultados heróis da guerra do Paraguai. O cortejo tornou-se uma celebração cívica, de inspiração positivista, em grande parte por iniciativa do governador do Pará, Lauro Sodré. O maestro, contudo, não foi sepultado em Belém, mas em sua terra natal. A pedido do presidente de São Paulo, Campos Sales, o corpo foi trasladado com honras militares, a bordo do vapor Itaipu, até Santos, e depois para Campinas. Os seus despojos encontram-se hoje no monumento-túmulo, na praça Antônio Pompeu. (SE)

2 ∾ Do que foi concluído dos *Aspectos da Itália*, uma parte foi publicada na *Gazeta de Notícias* e outra na *Revista Brasileira*. Azeredo (2003) assinala que esse trabalho não foi terminado, e mesmo as partes publicadas jamais foram reunidas em volume. (SE)

3 ∾ Finalmente, as *Procelárias* encontraram pouso na prestigiosa editora do Porto (rua de D. Pedro, 184), e de lá sairão para contentamento do autor em 1898. A Empresa Literária e Tipográfica é a mesma que editou *Contrastes e Confrontos* (1907) de Euclides da Cunha*. (SE)

4 ∾ *Não Consultes Médico*. Ver nota 3 da carta anterior. (SE)

5 ∾ Trata-se de *Flor de Sangue*, em cuja capa consta o ano de 1896, mas que saiu a lume em 1897, sendo publicado pela casa Laemmert. Machado fez a crítica do livro, pouco favorável, na sua gazeta de "A Semana" de 27/12/1896. (SE)

6 ∾ Registre-se que nas *Procelárias*, Azeredo dedicou o poema "Eterno Diálogo", datado de 24/05/1893, a Valentim Magalhães*. (SE)

7 ∾ Após o *Risorgimento*, estabeleceu-se na Itália unificada a monarquia da casa de Savoia, com a subida ao trono de Vitório Emanuel II (1861-1878), depois seguido de Humberto I (1878-1900). (SE)

8 ∾ Acordo militar celebrado em 20/05/1882 entre o Império Alemão, a Itália e o Império Austro-Húngaro, em que cada um garantia apoio aos demais em caso de ataque de duas ou mais potências. Por outro lado, a Itália firmou também um tratado de neutralidade caso os dois impérios fossem atacados pelo Reino Unido. Registre-se que o Império Alemão e a Itália firmaram entre si um segundo acordo, caso o ataque fosse francês. Por outro lado, a Itália firmou também um tratado de neutralidade. (SE)

[382]

De: COELHO NETO
Fonte: Manuscrito Original, Arquivo ABL.

[Rio de Janeiro,] 3 de fevereiro de 1897.

Mestre

Salve.

Com o manuscrito da formosa comédia[1] vai o meu novo volume: Sertão. Agradecendo-lhe o primeiro, peço que aceite o segundo, não pelo valor literário mas pelo sentimento que exprimiu que é o da minha grande admiração pelo seu talento.

Seu

Coelho Neto

---

1 ∾ *Não Consultes Médico*, ver em [365]. (IM)

[383]

Para: SALVADOR DE MENDONÇA
Fonte: Manuscrito Original. Arquivo-Museu da Literatura Brasileira da Fundação Casa de Rui Barbosa, Coleção Machado de Assis.

Rio de Janeiro, 9 de fevereiro de 1897.[1]

Meu caro Salvador.

Aqui está uma carta que vai duas vezes retardada; mas como acerta de levar uma notícia agradável aos teus amigos, conto que me desculparás a demora das suas outras partes. A notícia é que foste, como de justiça, eleito pela Academia Brasileira de Letras, que aqui fundou o nosso Lúcio[2]. Poucos creram a princípio que a obra fosse a cabo; mas sabes como o Lúcio é tenaz, e a coisa fez-se. A sua amizade cabalou em favor da minha presidência. Resta agora que não esmoreçamos, e que o Congresso faça alguma [coisa] pela instituição[3]. Cá estás entre nós. O Lúcio te dirá (além da comunicação oficial que tens de receber) que cada cadeira, por proposta de Nabuco, tem um patrono, um dos grandes mortos da literatura nacional.

Era pelas festas do Ano-Bom que eu queria escrever-te, desejando-te a ti e aos teus um ano de dias felizes. Espero que sim, e também que a nossa amizade (a nossa velha amizade) fique no que é e foi, apesar da distância que nos separa há muito. Os anos, meu caro Salvador, vão caindo sobre mim, que lhes resisto ainda um pouco, mas o meu organismo terá de vergar totalmente; e as letras, também elas me cansarão um dia, ou se cansarão de mim, e ficarei à margem.

Deixa-me agradecer-te cordialmente o mimo que me fizeste com o livro *A House Boat on the Styx*[4], obra realmente humorística e bem composta. Na dedicatória do exemplar lembras-te dos *Deuses de Casaca*. *Les Dieux s'en vont*, meu querido. Os tais acabaram trocando a casaca pelo sudário e foram-se com os tempos. Bons tempos que eram! Todos rapazes, todos divinos, mofando da gentalha humana; ai tempos!

Adeus, meu Salvador. Quando puderes, escreve-me. Já te agradeci o último retrato, que cá está na minha sala, com a cabeça encostada na mão; eu quisera mandar-te o meu último, mas não sei onde me puseram os exemplares dele. Se os achar a tempo, meterei um aqui; se não, irá depois. Meus respeitos a *Misstress* Mendonça, a quem minha mulher também se recomenda, e lembranças a todos os teus. Adeus, e não te esqueças do

Velho amigo

Machado de Assis.

---

1 ∾ A carta foi datada pelo missivista como sendo de 1896, mas o assunto e a ligação com as cartas de 1897 esclarecem o equívoco. Como esta carta já circula na tradição epistolar com a data corrigida, manteve-se a lição. (SE)

2 ◦◦ Este trecho reafirma a importância de Lúcio de Mendonça* para a história da Academia Brasileira de Letras, pois Machado de Assis reconhece-o como o idealizador da instituição. (SE)

3 ◦◦ Os acadêmicos tentariam no Congresso o reconhecimento oficial da Academia Brasileira de Letras. Sobre o assunto, ver nota 4 em [534], de 11/07/1900. (SE)

4 ◦◦ Livro do norte-americano John Kendrick Bangs (1862-1922), publicado em 1895, com 12 contos; um de abertura e mais outros onze passados dentro da casa-bote. O conto de abertura é uma introdução em que o autor narra a estranheza do barqueiro Caronte ao deparar com uma casa-bote no rio Estige. Depois seguem-se os outros onze contos, que são episódios fechados, sem relação um com outro. (SE)

[384]

De: GARCIA REDONDO
Fonte: Manuscrito Original, Arquivo ABL.

São Paulo, 13 de fevereiro de 1897.

Ilustre Mestre e Amigo

Para os devidos efeitos, venho trazer ao seu conhecimento, na qualidade de Presidente da Mesa da Academia de Letras, que para patrono da minha Cadeira escolho o poeta Gonçalves Crespo[1].

E para justificar essa escolha, envio-lhe o incluso artigo que publiquei no República de 8 do corrente, artigo que é destinado ao Arquivo da Academia[2], a fim de que todos os membros possam tomar dele conhecimento.

Desejando-lhe boa saúde e muita ventura, sou com estima e alta consideração

Confrade, Admirador e Amigo

Garcia Redondo

Rua Ipiranga 57

Peço-lhe a fineza de acusar o recebimento desta carta.

G. Redondo

1 ◈ Embora as atas acadêmicas não façam referência à escolha de patronos nessa ocasião, o relatório do primeiro-secretário Rodrigo Octavio*, lido na sessão inaugural de 20/07/1897, assinala que:

"A disposição do art. 23 do Regimento mandou que cada acadêmico escolhesse para sua cadeira o nome de um vulto da literatura nacional, reunindo assim, sob o mesmo teto, a veneração respeitosa pelos homens ilustres que engrandeceram a nossa história literária e o esforço fecundo dos que presentemente procuram engrandecê--la ainda. /.../ Alguns de nossos companheiros ainda não se desempenharam dessa obrigação regimental, mas é de esperar que dentro em breve o façam de modo a completar, por esse lado, nossa organização."

A primeira escolha registrada é, pois, a do paulista Garcia Redondo. Ainda estudante em Coimbra, teve ele por amigo (e poeta admirado) Gonçalves Crespo*. O nome, porém, não foi aceito, pois o poeta brasileiro se naturalizara português. Garcia Redondo optou, depois, por Júlio Ribeiro (1845-1890), autor do polêmico romance naturalista *A Carne*. (IM)

2 ◈ Esta é a alusão inaugural ao Arquivo da ABL. Chegamos ao documento após o exame do Arquivo Acadêmico Garcia Redondo, onde se acha a carta manuscrita. (IM)

[385]

Para: ANTÔNIO COELHO RODRIGUES
Fonte: Manuscrito Original, Arquivo ABL.

Rio [de Janeiro], 7 de março de 1897.

Ex*celentíssi*mo Se*nho*r Dou*to*r A. Coelho Rodrigues[1]

Tenho a honra de comunicar a V*ossa* Ex*celência* que a quantia de 100$000, a mim entregue por V*ossa* Ex*celência* para as despesas da Academia Brasileira de Letras, foi por mim transmitida ao Se*nho*r Dou*to*r Inglês de Sousa, tesoureiro da Academia, em sessão da Diretoria desta. A Diretoria incumbiu-me de agradecer a valiosa oferta. Tendo-lhe lido a carta de V*ossa* Ex*celência* de 11 (*sic*) de janeiro[2], nada lhe disse do meu próprio sentimento acerca do autor verdadeiro da doação, que V*ossa* Ex*celência* declara ser pessoa que quer ficar oculta, mas é mui provável que todos participem da minha suspeita de que a pessoa é V*ossa* Ex*celência,* cujo ato generoso fica assim realçado pela modéstia. Para si ou para outrem receba V*ossa* Ex*celência* os agradecimentos da Academia, com os protestos de respeito e estima com que sou

De V*ossa* Ex*celênci*a

Am*i*go at*en*to e adm*irad*or mu*it*o ob*riga*do

M. de A.

---

1 ∾ Rascunho, com algumas emendas. (IM)
2 ∾ A carta é de 17 de janeiro; ver em [380]. (IM)

[386]

De: MAGALHÃES DE AZEREDO
Fonte: Manuscrito Original, Arquivo ABL.

Roma, 23 de março de *1897.*

Meu querido Mestre e Amigo,

A falta de cartas suas tem sido muitas vezes para mim objeto de reflexões melancólicas. Ainda há dias, mexendo nos meus papéis, encontrei a carta *única* que recebi sua aqui; é de 17 de Novembro; isso quer dizer que há 4 meses não tenho diretas notícias suas, como antes passara 5 meses sem as ter. Esses algarismos são eloquentes; e as minhas conclusões têm assim um rigor matemático. Lembra-me que nunca tal sucedeu desde que intimamente nos conhecemos; em Montevidéu, por exemplo, eu recebia com frequência cartas suas, e ainda as tenho aqui guardadas. Dir-se-ia que a vastidão do Oceano, separando-nos, lhe deu (não a mim) a ideia de poderem ser afrouxados por uma distância maior vínculos de afeto, que outras distâncias não haviam afrouxado. Não sei a que atribuir tão estranha mudança; a sua amizade é uma das poucas que eu sempre supus não poderem sofrer do tempo e das vicissitudes humanas a mínima alteração. Sempre me mostrei fiel a esse sentimento, sempre busquei prová-lho; no meu livro das *Procelárias* que se está imprimindo terá ainda uma demonstração disso. Não posso crer que o seu coração tenha mudado para comigo; em que lho mereceria eu? Mas o que creio e vejo é que as manifestações exteriores, visíveis, da sua amizade já não são as mesmas.

Escrevo-lhe hoje em circunstâncias penosas, como pode imaginar. A notícia incompreensível da minha demissão veio surpreender-me em plena tranquilidade de consciência. Foi o *Senhor* Badaró[1] quem ma leu na Legação, e mostrou-se tão surpreendido como eu próprio. Logo depois, o *Jornal*[2] deu-me a chave do enigma; de resto, mesmo sem essa revelação eu saberia onde buscar a origem do golpe; conheço bem o grotesco e detestável Ministro com quem tive a desgraça de trabalhar; toda Roma o conhece e sabe de que é capaz. Só o Governo do Brasil parece não o conhecer; há muitas dessas ignorâncias pelo mundo. Não quero traçar-lhe, querido Mestre e Amigo, o retrato desse homem, que está infelizmente desmoralizando o Brasil aqui. Não quero estender-me muito sobre a fama horrível que ele tem[3], pela sua grosseria, pela sua presunção grotesca, pela má-fé nos contratos, pelo licencioso da sua vida[4], e pela absoluta negligência no trabalho da Legação. Toda a gente sabe que ele reside fora de Roma, que só vem aqui geralmente para receber os vencimentos no princípio de cada mês, e passa a vida em passeios e caçadas pela Itália e pelo estrangeiro. Calcule! Quando cheguei a Roma, esperei-o 10 dias; estava ele na Suíça, e *nem o endereço deixara*, tanto que não lhe pôde ser transmitido um telegrama que eu lhe expedira de Gênova. Agora mesmo, depois da minha demissão, ele foi-se embora, abandonando a Legação por 7 ou 8 dias.

Assim que li a *vária* do *Jornal*, é claro que me retirei para casa sem estender a mão a esse hipócrita, e depois lhe escrevi uma carta, declarando que me considerava incompatível com ele até se me provar a falsidade do que lhe atribuía o *Jornal*, e que se a informação partira dele, eu o obrigaria a exibir perante o Governo a demonstração do que afirmara[5]. Apesar do cinismo que tem sido até hoje a sua grande força, ele não ousou responder-me; foi uma vantagem, porque deste modo se me foi qualquer dúvida, se ainda alguma havia.

Veja a perversidade desse homem, que não tinha contra mim a menor razão de queixa! como escolheu bem a calúnia! De *monarquista*[6], nada menos, me acusou, certo de que em períodos de intolerância e agitação partidária[7] como o que há tantos anos atravessa o Brasil, tais acusações não se discutem e basta que sejam formuladas para dar-se o último golpe ao mais exemplar dos cidadãos. O mesmo é isso que a pecha de herege no tempo do Santo Ofício ou a de suspeito na Revolução Francesa. De fato, o Ministro das Relações Exteriores demitiu-me sem provas, sem me ouvir, sem ordenar um inquérito, por capricho e arbítrio, nada mais. Decerto, isso não ficará assim, eu farei triunfar a verdade[8], e se o Governo não me quiser atender, atender-me-á a opinião pública. Mas até lá quantos aborrecimentos para mim, quantas más suposições contra mim! Naturalmente, para os que me conhecem bem não há necessidade de justificar-me; não duvidarão de que, com o meu caráter, eu nunca, por coisa alguma deste mundo, aceitaria estipêndio da República se não fosse republicano. Mas os outros, os que julgam precipitadamente, pensarão o que quiserem!... E assim, ao menos por algum tempo, estarei eu sacrificado ao capricho de um homem tão indigno, que, segundo todos dizem no Vaticano, o Papa e o Cardeal Rampolla[9] só o aturam ainda por deferência para com o Brasil.

O que muito me doeu nestas circunstâncias foi a atitude ingrata da *Gazeta* para comigo. Nem uma palavra escreveu o Doutor Araújo para obrigar ao menos o Governo a refletir um pouco. No primeiro momento podia isso ser um cálculo de prudência para que eu mais facilmente me pudesse livrar deste embaraço sem agitar inoportunamente a opinião; mas tal reserva não era mais necessária nem admissível depois que outros jornais, como o *Comércio de São Paulo* e a *Liberdade* entraram a discutir a minha demissão. Ora, o Doutor Araújo, com uma pusilanimidade que eu não esperava dele, deixou que a minha situação se complicasse ainda mais, abandonando a minha defesa à imprensa monarquista. Eu jamais lhe poderei perdoar esse inqualificável silêncio.

Vamos agora para Paris esperar os acontecimentos, e prepará-los. Já antes queríamos passar dois ou três meses em casa do meu sogro, e assim aproveitamos a ocasião em que estamos livres. O meu endereço é, com o meu nome: *Aux bons soins de Monsieur Bernardo Caymari. Avenue des Champs-Élysées, 114 Paris*[10]. Digo-lhe porque talvez, ao menos agora, vendo-me em tempo de provação, me quererá consolar com mais frequentes notícias suas.

Saio de Roma — nem preciso dizer-lho — com verdadeiro e profundo pesar. Sentia-me bem aqui; compreendia e amava esta pátria do meu espírito. Paris me dará altas e nobres delícias modernas, mas não estes encantos antigos, estas ruínas veneráveis e santas, estas grandes maravilhas da arte grega e italiana, que formavam um ambiente único no mundo para mim. Melancolicamente me estou despedindo de tudo isso; e vendo às pressas algumas coisas que mereciam ser vistas com muito vagar. Mas enfim, estudei bastante Roma, conheço-a assaz profundamente para terminar com segurança o meu livro; esse vai ser o meu principal trabalho em Paris.

De passagem para lá, demorar-me-ei alguns dias em Florença, em Veneza, em Milão, em Turim. Quem sabe quando voltarei a Roma? Se a política, coisa de si corrupta, fosse compatível com a pura justiça — uma vez provado quem sou eu e quem é o *Senhor Badaró* — ele devia ser demitido e eu reintegrado aqui mesmo. Mas não sou tão ingênuo que espere tal coisa...

Essas contrariedades vieram estragar o prazer que me dera a notícia da minha eleição para a Academia[11]. Sei que a proposta do meu nome foi sua; isso me honra e me penhora; agradeço-lho de coração. Ainda não recebi comunicação oficial da eleição, nem escolhi o nome para a minha cadeira, por não ter a lista dos que já foram escolhidos pelos nossos colegas. Como vai a Academia? Deus queira que ela possa viver e perpetuar-se no Brasil, e que a maldita política não lhe faça os danos que faz a tudo o que é belo e bom.

Adeus, querido Mestre e Amigo. Nossos cumprimentos à sua Excelentíssima Senhora. Mamãe e Maria Luísa o saúdam. Recebeu o retrato que
lhe mandamos? Abraça-o muito saudosamente

o seu

Magalhães de Azeredo.

---

1 ◦∾ O mineiro Francisco Coelho Duarte Badaró (1860-1921) foi constituinte da I.ª Carta Magna republicana (1891), momento em que sedimentou o seu prestígio político. Diferentemente do que diz na carta [359], nas *Memórias* (2003), Azeredo afirma que Badaró, por sua condição de representante de um país católico, rapidamente conseguira a desejada audiência com o papa, mas depois de certo escândalo de alcova, o ministro brasileiro passou a ser malvisto pela cúpula vaticana. Republicano de primeira hora, Badaró era considerado polêmico e jacobino por seus adversários políticos. (SE)

2 ◦∾ A nota do *Jornal do Comércio* de 17/02/1897 diz o seguinte:

"Está demitido do cargo de 2.º secretário da Legação do Brasil junto ao Vaticano o bacharel Carlos Magalhães de Azeredo. / Parece que a demissão foi pedida pelo próprio ministro junto à Santa Sé, por não pensar aquele secretário de acordo com as instituições republicanas." (SE)

3 ◦∾ Azeredo (2003), ao sair de Montevidéu, em sua passagem pelo Rio, antes de assumir o posto na Itália, fora alertado pelo senador Miranda Horta, por Cesário Alvim e pelo conselheiro Carlos de Carvalho, na ocasião ministro das Relações Exteriores, acerca do caráter de seu novo chefe, Francisco Badaró, descrito como um sujeito ambíguo e perigoso, diante de quem deveria manter sempre a defensiva. (SE)

4 ◦∾ Segundo Azeredo (2003), Badaró envolvera-se com uma jovem italiana, por quem se apaixonara e, fazendo uso de subterfúgios, engendrou meios de casar-se na igreja com a dama, que por seu turno, desconhecia ser o seu amado um senhor casado no Brasil. Quando o Vaticano tomou ciência dos fatos, aguardou que a manutenção da legação brasileira na Santa Sé fosse aprovada pelo Congresso, para comunicar ao governo brasileiro que Badaró era *persona non grata*. A sua exoneração se deu no início de 1898, na mesma ocasião, aliás, em que saiu a reintegração de Azeredo à carreira e o seu retorno à Santa Sé, no posto de 2.º secretário. Registre-se que a demissão e a reintegração de Azeredo, bem como a demissão de Badaró se deram na gestão de Dionísio Cerqueira, ministro das Relações Exteriores, a quem nas *Memórias*, Azeredo agradece a hombridade em desfazer o erro que tão profundamente o atingira. (SE)

5 ∾ Em 30/12/1896, Francisco Badaró, fazendo a avaliação dos funcionários sob sua administração, enviou ao ministro das Relações Exteriores, o seguinte ofício:

"Em cumprimento à circular de 21 de junho de 1891, venho prestar a V. E. informações francas e positivas sobre o procedimento oficial e particular do Secretário desta Legação, Sr. Magalhães de Azeredo. / Este funcionário é ainda muito moço e pela primeira vez vem servir na Europa; daí o ser um pouco acanhado, coisa que naturalmente desaparecerá com o tempo. É inteligente e escreve bem. Não tem boa saúde e isto faz com que não seja assíduo ao trabalho. Procede corretamente como funcionário, sendo cortês para com todos. / São estas as informações que em cumprimento do meu dever transmito a V. E., a quem reitero as seguranças da minha mais alta estima e consideração. / Saúde e fraternidade. / F. Badaró." (SE)

6 ∾ No dia seguinte à nota do *Jornal do Comércio*, o *Estado de São Paulo* publicou: "Foi exonerado o Sr. Dr. Magalhães de Azeredo, 2.º secretário da Legação do Brasil junto ao Vaticano, por causa das suas ligações com os monarquistas brasileiros que se encontram na Europa." (SE)

7 ∾ Segundo Azeredo (2003), o golpe deu-se contra ele no momento em Prudente de Morais adoecera, subindo ao poder Manuel Vitorino, jacobino feroz e muito ligado ao grupo de Francisco Glicério. Azeredo foi acusado de conspirar em Roma contra a República brasileira. (SE)

8 ∾ Quintino Bocaiúva*, um dos próceres da República, velho amigo de seu sogro, Bernardo Caymari. Azeredo (2003) ao reconhecer os que o ajudaram diz:

"/.../ não posso todavia calar o muito que concorreram para aquele triunfo o venerando Visconde de Cabo Frio [Joaquim Tomás do Amaral], diretor-geral da Secretaria de Estado, os meus antigos chefes Vitorino Monteiro e José Tomás da Porciúncula, **além da alta autoridade de Quintino Bocaiúva, que desde o princípio tomou a minha causa como sua.**" (SE)

9 ∾ Mariano Rampolla del Tindaro (1843-1913), secretário de Estado da Santa Sé durante o papado de Leão XIII; tornou-se amigo pessoal de Azeredo. (SE)

10 ∾ A edificação ainda existe em Paris. (SE)

11 ∾ Azeredo foi eleito na reunião preparatória de 28/01/1897. (SE)

[387]

De: MIGUEL DE NOVAIS
Fonte: Manuscrito Original, Arquivo ABL.

[Lumiar,] 28 de março de 1897.[1]

Meu caro Machado,

Recebi a sua carta e o seu telegrama de pêsames[2] — que muito agradeço. Desculpe-me se não fui mais pronto no cumprimento deste dever, mas se soubesse como eu trago esta minha cabeça compadecer-se-ia de mim.

Eu nunca me ocupei do governo de casa, e há dois meses que recaiu sobre mim esse encargo.

[D]e dia forçado a atender a milhares de coisas, às noites na sua grande parte junto ao leito da pobre enferma! — e suposto não lhe faltasse a boa vontade de filhos e netos que a rodeavam, compreende-se bem que a certas devoções ela me preferisse. A casa [,] que é grande [,] esteve sempre cheia de gente, dias houve com 18 a 20 pessoas a mais — fora os criados e criadas que não eram em pequeno número.

[D]esgraçadamente toda a dedicação e carinho dispensados à pobre doente não conseguiram mais do que aliviar-lhe um pouco os sofrimentos. A sentença estava lavrada havia muito e se havia ainda por aqui quem se iludisse, não era eu decerto.

Não sei nada da minha vida. Aqui, nesta casa, não fico decerto, porque é enorme para uma pessoa só — Custar-me-á deixá-la mas não pode deixar de ser.

A Lina[3] retornou para sua casa. A Julieta que está há 40 dias retorna hoje para Braga.

Enquanto Rodrigo e a Isabelinha[4] aqui estiveram, estarei também — depois — não sei.

É triste ficar só.

Devo dizer-lhe porém uma coisa — de toda a família aqui — não tinha recebido, depois deste desgraçado acontecimento [,] senão muitas provas de consideração e afeto. Comovem-me às vezes as atenções que me dispensam — e no meio de tudo isto sinto-me só.

Adeus. Um abraço a Carolina do seu amigo

Miguel de Novais.

---

1 ◦◦ Carta inédita. (SE)

2 ◦◦ Documento tarjado de luto. Na *Gazeta de Notícias* de 23 e 24 de março, há o seguinte anúncio:

"J. M. Machado de Assis e sua mulher Carolina Augusta de Novais Machado de Assis mandam dizer amanhã, quarta-feira, às 8 ½ horas, na matriz da Glória, uma missa pelo eterno repouso de Joana Maria Ferreira de Novais, esposa de Miguel de Novais, seu cunhado e irmão, falecida em Lisboa no dia 18 do corrente." (SE)

3 ◦◦ Lina, uma das filhas de Joana*, e viúva de Fernando Castiço. Maria Julieta (1865- -1947), condessa de Carcavelos, filha caçula. Sobre Castiço, ver tomo II. (SE)

4 ◦◦ Rodrigo e Isabelinha, filho e nora de Joana de Novais. (SE)

[388]

De: MAGALHÃES DE AZEREDO
Fonte: Manuscrito Original, Arquivo ABL.

Veneza, 11 de abril de 1897.

Meu querido Mestre e Amigo,

Por jornais do Rio soube que tem estado doente; a isso atribuo o seu longo silêncio, que nestas circunstâncias em que me acho seria inexplicável da sua parte.

Estamos seguindo a minha viagem de Roma a Paris[1] detendo-me nas cidades mais interessantes. Passamos cinco dias em Florença — bem pode imaginar que encantos há em Florença pelo muito que terá lido dessa, por excelência, pátria dos grandes Italianos. Quando se veem por exemplo na célebre *Loggia dei Lanzi*, estátuas como o Perseu de Benvenuto Cellini, a Sabina raptada de João de Bolonha, a Judith de Donatelo, num pórtico da praça, ao ar livre, ao alcance de todos os que passam, é que se compreende o influxo direto e profundo que a arte deve exercer sobre o espírito deste Povo, ainda grande apesar das suas desgraças. As galerias são tão ricas, os quadros de mestres de tal modo se aglomeram às dezenas, que é preciso um esforço quase penoso para fixar a atenção em cada um — e contudo muitos escapam forçosamente. Que lhe direi dos trabalhos de Miguel Ângelo — como quem diria novos trabalhos de Hércules — que encontramos ali? A angústia do Adonis moribundo, o desmaio sensual da Leda, a robustez altiva do Davi, o sono profundo e simbólico da Noite, e a meditação austera do Lourenço de Medicis, chamado por isso *il Pensiero* — tudo isso é de um gigante, de uma alma forte, severa e triste, que o nosso século não o compreenderia. Madonas de Rafael, Perugino, André del Sarto, Correggio, retratos de Tintoretto, Rubens, Van Dyck, Sustermans, Dominiquino, Vênus e ninfas de Ticiano, Guido Reni, Guercino, painéis ingênuos e castos de Fra Angelico, Boticelli e outros primitivos, relevos de Cellini, Ghiberti, João de Bolonha, Donatelo, o palácio Velho e a sua praça, a Catedral e o Batistério, o Convento de *São Marcos* e a casa de Buonarrotti, que mundo de sensações representam essas e outras magnificências?

Agora estamos em Veneza, desde ontem à noite. O que se vê é tão belo, que excede quase as forças do espírito desprevenido. A primeira impressão é quase de tristeza, por mil motivos que se contrastam na alma. Nada, nenhuma palavra pode dar ideia disto; nem o pincel de um grande paisagista... Como a arte eterna consola das injustiças passageiras dos homens, passageiros também na terra!

Saí de Roma com honra; não há ali na boa sociedade quem não esteja contra o *Senhor* Badaró[2]; todos me deram provas de simpatia. O Papa recebeu-me com o maior afeto e ofereceu-me o seu retrato com assinatura — coisa que, dizem, há 10 anos não dá a nenhum diplomata[3]. Isso equivale a um protesto. Adeus, nossos cumprimentos à sua *Senhora*, e votos pelo pronto restabelecimento. Um abraço do seu

Magalhães de Azeredo.

1 ◦◦ Azeredo informara que não iria diretamente a Paris; antes viajaria por cidades italianas. Ver carta [386]. Após a exoneração do serviço diplomático, decidira aguardar fora do Brasil a ação de seus amigos nas esferas de poder da República. Certamente acionou os seus contatos políticos, sobretudo, Quintino Bocaiúva*, o poderosíssimo José Tomás da Porciúncula*, o visconde de Cabo Frio e Carlos de Carvalho, entre outros. Acionou-os e retirou-se para casa parisiense de Bernardo Caymari. (SE)

2 ◦◦ Sobre esse assunto, ver carta de [386]. (SE)

3 ◦◦ Azeredo e sua família assistiram à missa rezada na capela particular do papa; depois foram recebidos em audiência de despedida por Leão XIII, quando certamente o diplomata ganhou o retrato a que alude. (SE)

[389]

De: MIGUEL DE NOVAIS
Fonte: Manuscrito Original, Arquivo ABL.

[Lumiar,] 13 de abril de 1897.[1]

Meu caro Machado de Assis

Muito obrigado pela sua carta[2].

Tem razão em dizer que não há consolações para a dor que me oprime. Eu só sei avaliar o que perdi. As minhas circunstâncias excepcionais agravam muito mais a minha dolorosa situação, porque não tenho aqui família alguma.

Olho em torno a mim, tudo me parece estranho e contudo e *com tudo*, é forçoso confessá-lo, e faço-o cheio de gratidão, que tenho encontrado em toda esta família a quem vivi unido por espaço de vinte anos, por um elo poderoso que a morte despedaçou para sempre, uma bondade, umas atenções e uns carinhos que me comovem em extremo. Todos têm sido nisto bons comigo; e isso, até certo ponto é um lenitivo ao meu sofrimento.

Não sei ainda bem o que digo nem o que faço. As minhas cartas revelam bem o estado do meu espírito, mas o amigo sei desculpará este desarranjo todo.

O Rodrigo está aqui com a Isabelinha [,] e continua ainda a fazer-me companhia a Joaninha, filha do Juca[3] [,] que ainda não saiu daqui desde o falecimento da avó para quem ela foi de uma dedicação extraordinária.

Ainda me conservo aqui no Lumiar enquanto o Rodrigo não toma destino, mas segundo penso, ele partirá para aí no dia 26, visto que a tal nomeação não chega[4]. Depois irei... para onde?

Adeus — Saudades a Carolina e um abraço de seu Cunhado obrigado

Miguel de Novais

---

1 ◦ Carta inédita.

2 ◦ Documento tarjado. Luto por Joana de Novais*, mulher do missivista, falecida em 18/03/1897. Ver anúncio de seu falecimento na *Gazeta de Notícias*, carta [387]. (SE)

3 ◦ Conde Juca; José Pereira Ferreira Felício (1853-1905), filho de Joana de Novais, e 2.º conde de São Mamede. (SE)

4 ◦ Rodrigo Pereira Felício buscava efetivar-se na carreira diplomática desde 1894. (SE)

[390]

Para: MAGALHÃES DE AZEREDO
Fonte: Manuscrito Original, Arquivo ABL.

Rio de Janeiro, 25 de abril de 1897.

Meu caro amigo e poeta,

Respondo à sua carta de 23 do mês passado. Também não a recebi há muitos dias. Antes que ela me viesse às mãos, quis mais de uma vez escrever-lhe, e não é preciso dizer-lhe o motivo particular; mas, não sabendo a direção nova, esperei sabê-la com certeza. O *Senhor* Magalhães[1], com quem falei, respondeu-me que esperasse; finalmente, José Veríssimo disse-me que mandara uma carta à Legação, com pedido ao correio italiano de a encaminhar ao ponto em que se achasse o destinatário[2]. Nisto estava quando recebi a sua carta.

Não é preciso dizer a mágoa que a todos nos causou a sua demissão, cujo motivo não se soube aqui, salvo por uma notícia do *Jornal do Comércio*[3]. As palavras que me escreve acerca das suas opiniões republicanas bastariam para mostrar qualquer *malentendu* neste negócio; mas os pormenores de que me fala por demais o explicam. É realmente extraordinário. Acho acertado defender-se perante o Governo, patentear a verdade dos seus atos, donde resulta a sinceridade das suas convicções e a discrição e lealdade do seu caráter. Está ainda moço; tem longa carreira ante si. Compreendo o pesar que lhe ficou de interromper a residência nessa Roma, que pode chamar sua, literária e religiosamente.

Não creia em mudança alguma da minha parte[4]. Se achou uma só carta minha, desde novembro, não é porque haja nenhuma alteração dos meus sentimentos. Que é que a produziria? O tempo, não; na minha idade o tempo não destrói a estima e a afeição que se criaram a alguém por qualidades relevantes, como a sua. A correspondência pode ter desses hiatos alguma vez; mas logo se recompõe a continuidade. Ultimamente tenho estado assaz fatigado, tanto que deixei por uns três meses a minha *Semana* da *Gazeta de Notícias*. Era meu plano ir passar algumas semanas fora daqui; mas sucedeu a espera de uma notícia de família, triste e fatal[5]: isto me demorou e afinal não saio.

Ainda bem que os desgostos pessoais e de carreira não vêm atrasar os seus trabalhos de escritor e de poeta. Conclua o seu livro sobre Roma. Roma e Grécia não perdem o seu grande prestígio, por mais que hajam fatigado alguma vez. *Qui nous délivrera des Grecs et des Romains?*[6] diriam um dia. Mas nos fins do outro século, Chénier metia os gregos em belos versos, seguindo-se Chateaubriand, que os metia em bela prosa. O pagão e o cristão voltavam às ruínas, onde há sempre um caco de pedra ou galhinho de erva que arrancar. Traga as suas impressões pessoais de Roma. Quanto aos gregos, lemos e apreciamos a sua bonita ode na *Revista Brasileira*.

Cá o invejo de longe. Eu, meu caro amigo, pelo avanço dos anos, e por outras razões não menos melancólicas, creio que irei deste mundo sem ver essa outra parte dele, que atraiu os jovens do meu tempo e continua a atrair os de hoje. Não sei o que serão hoje essa Veneza e essa Verona, que trouxeram para o finado romantismo a imortalidade de Shylock e de Julieta e Romeu. Sei o que Byron ainda pôde achar nas águas do Lido e o que Stendhal contou de Milão, sem esquecer os versos de Musset e de tantos outros. A poesia faz-nos mal, até certo ponto; mas tem esta vantagem grande que aos que acharem uma Itália demasiado administrativa e parlamentar dá as ruínas e pinturas.

Eis-me aqui a falar como em criança. Voltemos ao fim do século e à entrada do novo. Vejo pelo que me diz que as suas *Procelárias* virão à luz, em breve[7]. Venham com o seu título e as belas composições que temos lido separadamente e que juntas farão um volume digno do talento do autor. Venha o mais que houver, prosa ou verso, sem quebra dos seus hábitos clássicos de emenda e apuro.

A *Revista Brasileira* vai indo regularmente sob a direção do nosso *José Veríssimo*, que é assíduo e zeloso, e tem competência para estas publicações. Creio que a terá seguido, como aqui.

Sobre a Academia Brasileira de Letras tenho que lhe dizer que, pelos estatutos, deve inaugurar-se no dia 1 de Maio, e assim está combinado, mas quero ver se adiamos a cerimônia[8]. Temos boa sala de empréstimo; melhor é que a inauguração se faça em sala definitiva, e há promessa de uma excelente; não está ainda concedida, mas a promessa vale pela concessão. De um ou de outro modo, creio que a Academia irá adiante. Agora a cidade está cheia das festas para a recepção dos chilenos, é o assunto do dia. Creio que chegam depois de amanhã.

No dia 1 de Maio inaugura-se a estátua de Alencar[9]; é o aniversário natalício do escritor. Com certeza, as festas chilenas virão prejudicar a da estátua, o que todos sentimos grandemente. A estatura literária de Alencar pedia comemoração esplêndida. Em todo caso, que alegria para o nosso Mário, quando vir a figura de seu pai, no bronze perpétuo! que alegria quando puder mostrar ao filhinho o vulto do ilustre avô! Modesta ou não a cerimônia, o principal é que a geração atual erga à memória do autor do *Guarani* um monumento digno dele e do Brasil.

Adeus, meu caro poeta e amigo. Esta carta vai com o endereço que me indicou em sua carta. O Se*nho*r Magalhães trouxe-me outro em Roma, mas provavelmente é anterior ao que recebi. Peço-lhe que apresente à sua Ex*celentíssi*ma família os meus respeitos. Recebi os retratos, e cá estão entre os dos amigos. Minha mulher recomenda-se-lhe, e eu envio-lhe um abraço apertado e as saudações de

Am*i*go velho e certo

Machado de Assis.

P*ost* S*criptum* em 27

Pelo que acabo de ler, a comissão da imprensa tomou a si fazer da inauguração da estátua de Alencar uma festa solene.

27-4-97

M. de A.

---

1 ∾ O velho e queridíssimo tio-avô Custódio de Magalhães. (SE)

2 ∾ A família Azeredo, em trânsito para o exílio de Paris, viajava antes por Florença, Veneza, Milão e Turim, possivelmente tentando amenizar um pouco o agravo sofrido. (SE)

3 ∾ A notícia saída no *Jornal do Comércio* em 17/02/1897. (SE)

4 ∾ Machado em sua crônica de 21/02/1897 não fez alusão à demissão de Azeredo. Em 28/02/1897, escreveu a sua última *Semana*, despedindo-se da coluna criada quase cinco anos antes (24/04/1892). O momento político era particularmente difícil. Os seguidos revezes das expedições militares contra Canudos exacerbaram a intolerância dos republicanos exaltados, dando início a uma onda de boatos e denúncias, que resultou no ataque aos jornais monarquistas uma semana depois. Nos dias 7, 8 e 9 de março, a desordem multiplicou-se pelo Rio; os jornais O *Apóstolo*, *Gazeta da Liberdade* e *Gazeta da Tarde* foram empastelados, sendo o coronel Gentil José de Castro, responsável pelas duas últimas, assassinado na estação de São Francisco Xavier, quando retornava à sua casa de Petrópolis, depois de passar o dia na capital avaliando os prejuízos e tomando providências. (SE)

5 ∾ A notícia triste e fatal foi o falecimento de Joana Maria*, mulher de Miguel de Novais*, em 18/03/1897, em Portugal. Registre-se que Machado e Carolina*

guardaram luto. Ver anúncio do falecimento em nome de Machado e Carolina na *Gazeta de Notícias*, carta [387]. (SE)

6 ໙ *Quem nos libertará dos gregos e dos romanos?* Frase chistosa do poeta francês Joseph Berchoux (1765-1839), retomada por variadas personalidades ao longo do tempo. A sua posteridade garantiu-se também pelo *La gastronomie ou l'homme des champs à la table*, poema com mais de mil versos, com o qual iniciou o uso do termo "gastronomia" para designar a prática e o conhecimento da arte culinária, e o prazer de apreciar essa arte. Berchoux conferiu ao cozinheiro da cozinha francesa posição de relevância social. (SE)

7 ໙ Sobre as *Procelárias*, ver nota 3, carta [381]. (SE)

8 ໙ A sessão solene de instalação da Academia Brasileira de Letras se deu em 20/07/1897, numa das salas do *Pedagogium*, na presença de 17 membros da instituição. Ver também Ubiratan Machado (2008). (SE)

9 ໙ A estátua de José de Alencar* foi inaugurada em 01/05/1897, na presença da família e de altas autoridades, entre elas o presidente da República Prudente de Morais. O escultor Rodolfo Bernardelli* foi o responsável pelo trabalho, que foi entregue em nome da *Gazeta de Notícias* e do *Monitor Mineiro*. Registre-se que em 12/12/1891 fora lançada a pedra fundamental, ocasião em que Machado e Mário de Alencar* se conheceram. (SE)

[391]

Para: MAGALHÃES DE AZEREDO
Fonte: Manuscrito Original, Arquivo ABL.

Rio de Janeiro, 29 de maio de 1897.[1]

Meu querido amigo,

Quando chegar a Paris, é provável que ache lá carta minha em resposta à sua ultima de Roma. Esta agora responde à de Veneza de 11 de Abril, em que me fala de incômodos meus noticiados em jornais daqui. Realmente, estive prestes uma licença (*sic*), ainda que curta, mas a necessidade de esperar uma notícia da Europa, que afinal chegou, [e] as circunstâncias que sobrevieram obrigaram-me a ir ficando aqui[2], até que se me tornou impossível o repouso absoluto. A minha doença seria antes cansaço que outra coisa. Estou e continuo muito fatigado, e ultimamente por isto ou por aquilo, tenho tido algumas dores nevrálgicas na cabeça; mas vão passando.

Falar de pequenos males a quem deve estar vendo as consequências e os restos do desastre da rua Jean-Goujon é realmente sinal de egoísmo. Vi pelos jornais que Madame Caymari estivera no Bazar de Caridade, tendo sido pouco antes do incêndio³. Peço-lhe que receba e lhe transmita as minhas felicitações.

Por aqui não há nada que importe dizer para tão longe. Trabalhos parlamentares, expedição de Canudos⁴, e grandes festas aos chilenos. Literariamente estamos com a Academia, que ainda se não inaugurou por falta de lugar; mas estamos a ver se podemos estabelecê-la provisoriamente no *Pedagogium*. Logo depois, há esperança de alcançar alguma coisa no Congresso; há, pelo menos, promessa de um deputado que oferece alcançar o acordo de amigos. Os tempos não são bons; trata-se de cortes e economias nos orçamentos, mas será tão pouco o necessário à vida da Academia que alguma coisa se tentará.

A sua carta de Veneza deu-me ainda uma vez rebate à imaginação, não só pelo que me diz da impressão que recebeu ao lá chegar na véspera, mas principalmente pelo que me conta de Florença e das suas obras-primas. Eu, meu caro poeta, não leio nunca nada disso que não sinta das grandes lacunas da minha vida. O destino, — outros dirão as circunstâncias, mas eu não demoro em nomes, — esse quer que é que nos leva através dos tempos fez-me nesta idade alheio e remoto de tantas coisas belas, e, o que é mais, sem a esperança de as ver jamais. Compreendo o que me diz quando acha no espetáculo dessas maravilhas a consolação contra a injustiça dos homens. Em verdade, só uma coisa perdura; todas as mesquinharias da vida não valem o tempo que se gasta com elas. Que saísse de Roma com honra e tivesse provas de afeto do Papa, como me manda dizer, eis o que estimo, e aliás estava certo disso, conhecendo-lhe as qualidades de espírito e de coração.

E o seu livro? Na outra carta falei dele e mostrei-lhe a conveniência de o trazer a público. Não sei se lhe disse então, mas digo-lhe agora que o seu gosto de fazer as coisas com tento, com apuro, nada deixando que lhe pareça inacabado ou incorreto, é uma rara virtude literária. Estou que não a perderá nunca, porque é o seu próprio temperamento. Está moço, e o futuro lhe pagará bem os cuidados de hoje. Venham as *Procelárias*, venham as páginas que puderem ser lidas por um que se adianta em anos e não tem saúde de ferro. Não quero perder o que os nossos verdadeiros talentos derem; é uma consolação que só se pode entender na minha idade.

A casa Garnier fez uma nova edição das minhas *Memórias Póstumas de Brás Cubas*[5]. É a terceira, contando por primeira a publicação na antiga *Revista Brasileira*. Vai também sair uma edição nova do *Quincas Borba*, cuja primeira edição data de 1891[6], e estava esgotada. O primeiro livro há muito que o estava, mas os últimos tempos da doença do finado Garnier (B. L.)[7] eram de apatia; faltava-lhe a antiga atividade. Este ano não creio que dê algum livro; para o outro é provável, mas tudo depende de eventos e circunstâncias.

Adeus, meu querido amigo. Que as musas e a família lhe paguem os amargores cá de fora, e verá que ainda ganha. Minha mulher recomenda-se-lhe e à sua *Excelentíssi*ma Senhora, bem como à sua *Excelentíssi*ma Mãe, e assim eu que fico sendo sempre

O velho am*i*go.

Machado de Assis.

---

1 ∾ Missiva tarjada; luto por Joana Maria de Novais*. (SE)

2 ∾ As circunstâncias que sobrevieram obrigaram-no a permanecer fisicamente no ministério. É possível que com esta frase estivesse aludindo aos efeitos da tensa situação ali, também sujeita aos revezes políticos do período. Talvez percebendo que em breve seria atingido, Machado preferiu não se afastar. (SE)

3 ∾ Criado em 1885, por Harry Blount, o tradicional *Bazar de la Charité* foi consumido pelas chamas, na tarde do dia 4 de maio, quando uma lâmpada de éter do cinematógrafo precisou ser reabastecida. O funcionário acendeu um fósforo sem perceber que o aparelho estava mal isolado, e os vapores do éter entraram em combustão. Houve 146 mortos, a maioria damas da alta sociedade europeia, que atenderam ao convite da duquesa d'Alençon (1847-1897), uma das responsáveis pelo bazar inaugurado na véspera. No momento em que começou o fogo, havia 1200 convidados visitando o

bazar, que ficava na rua citada por Machado, no 8.ème *Arrondissement*, num terreno cedido pelo banqueiro francês Michel Heine (1819-1904). Machado refere-se a Madame Caymari, mãe de Maria Luísa, mulher de Azeredo; entretanto, na carta [393], de 06/06/1897, este só fará menção à sua mulher e a uma cunhada no episódio do *Bazar de la Charité*. Sobre Madame Caymari, ver nota 9, carta [340]. (SE)

4 ∾ Referência à quarta e última expedição a Canudos, preparada em abril de 1897 pelo ministro da Guerra, marechal Bittencourt, sob o comando do general Artur Oscar de Andrade Guimarães, e composta de duas colunas, comandadas pelos generais João da Silva Barbosa e Cláudio do Amaral Savaget, ambas com mais de quatro mil soldados. O arraial de Canudos permaneceu cercado por três meses, sofrendo forte bombardeio e, por fim, foi invadido e arrasado. (SE)

5 ∾ A 3.ª edição de *Memórias Póstumas de Brás Cubas* é considerada a definitiva, Machado celebrou o contrato com a casa Garnier em 17/06/1896. (SE)

6 ∾ Essa 2.ª edição de *Quincas Borba* teve o contrato assinado em 17/06/1896, sendo o livro lançado no mesmo ano. O contrato da 1.ª edição foi assinado em 17/10/1891 e impresso na Tipografia Lombaerts. (SE)

7 ∾ Baptiste Louis Garnier faleceu em 01/10/1893; está celebrado numa crônica das *Páginas Recolhidas* (1896). (SE)

[392]

De: TOMÁS POMPEU DE SOUSA BRASIL
Fonte: Manuscrito Original, Arquivo ABL.

Ceará, 4 de junho de 1897.

Ex*celentíssi*mo S*en*hor D*ou*to*r* Machado de Assis

Penhoradíssimo pelo modo delicado e atencioso com que V*ossa* Ex*ce*lênc*i*a desempenhou a incumbência de representar a Academia Cearense[1] na inauguração solene da estátua do ilustre cearense – José de Alencar[2] – folgo de comunicar a V*ossa* Ex*celênci*a que esse mesmo instituto em sua última sessão encarregou-me de agradecer a V*ossa* Ex*celênci*a aquela prova de solidariedade literária.

A Academia Cearense está a completar o seu segundo ano de existência, e neste lapso de tempo tem se ocupado tão somente de assuntos literários e científicos.

A sua revista, que será remetida a Vossa Excelência, atestará o que acabo de avançar³.

Entre os seus sócios, que aliás são em pequeno número, contam-se o Doutor Guilherme Studart, vice-cônsul inglês, que tem publicado cerca de 30 obras sobre a história de Ceará; Doutor *Justiniano* Serpa, ex-deputado geral, publicista; Doutor Pedro de Queirós e Doutor Álvaro de Alencar, ex--juízes de direito e publicistas; Doutor Álvaro Mendes, ex-deputado geral e juiz de direito; Doutor Teodorico, engenheiro-chefe da estrada de ferro de Baturité, Doutor Drummond, ex-juiz e publicista, José de Barcelos, ex-diretor da Escola Normal, Doutor Valdemiro Cavalcante, atual diretor da mesma escola, Doutor Théberge, engenheiro, e autor de algumas obras sobre o Ceará, etc.⁴

Como vê Vossa Excelência, a Academia Cearense não é sociedade desconhecida, anônima, como deu a entender o Doutor Lúcio de Mendonça em folhetim da *República*.

Queira Vossa Excelência aceitar os protestos de respeito e admiração do

Colega agradecido

Tomás Pompeu de Sousa Brasil

---

1 ∾ A Academia Cearense foi fundada em 15/08/1894, com objetivos literários, científicos, educativos e artísticos, concentrando seu interesse inicial num estudo abrangente do estado do Ceará. Em 1922, adotou o modelo da Academia Brasileira de Letras, com 40 membros e a denominação de Academia Cearense de Letras. (IM)

2 ∾ Inauguração em 01/05/1897, aniversário de José de Alencar*. Representando o Ceará, falou Antônio Sales*. No lançamento da pedra fundamental dessa estátua (12/12/1891), Machado pronunciou um belo discurso, que incluiu em *Páginas Recolhidas* (1899). Ver também carta [390] a Magalhães de Azeredo*. (IM)

3 ∾ A *Revista da Academia Cearense*, de alto nível, foi publicada de 1896 a 1914. (IM)

4 ∾ Foram 27 os fundadores. Dos citados pelo missivista, completamos os seguintes nomes: *Justiniano* Serpa, *Antônio* Teodorico, Drummond *da Costa* e *Henrique* Théberge. (IM)

[393]

De: MAGALHÃES DE AZEREDO
Fonte: Manuscrito Original, Arquivo ABL.

Paris, 6 de junho de *1897*.
114, Avenue des Champs Elysées.

Meu querido Mestre e Amigo,

Finalmente veio a sua tão esperada e desejada carta. Muito contente ficarei se, após tão largos intervalos de sua parte[1], se restabelecer como me promete a continuidade na nossa correspondência. Não repetirei por desnecessário o que tantas vezes lhe disse sobre o apreço que as suas cartas me merecem e o pesar que sinto quando elas escasseiam.

Aqui me tem, portanto, depois de muito peregrinar, neste Paris que merece ser visto mesmo quando se vem da Itália. Como lhe escrevi, a nossa viagem através da península foi um contínuo encanto, e chegamos à fronteira extasiados, e fatigados de tantas impressões deliciosas. Por meu gosto, bem sabe, eu ficaria em Roma dois anos ao menos, e de quando em quando, daria um passeio a Nápoles, à Sicília, a Florença, a Veneza, a Perusa, a Orvieto, a outros mil sítios incomparáveis.

Paris, se bem não tenha obras antigas que valham as da Itália, oferece espetáculos não menos interessantes e atrai o espírito por meios não menos fortes. Mesmo quanto a coisas relativamente antigas, não há pouco que ver: Notre-Dame, a Santa Capela, Igreja de Santa Clotilde, joias de pura arquitetura gótica, entretêm a vista ainda deslumbrada pelas galas da Renascença italiana, e exercem sobre o espírito uma influência certamente mais religiosa.

As galerias do Louvre, enorme e sólido palácio, estão cheias de esculturas gregas e romanas, e de quadros dos principais mestres italianos que os franceses tomaram nas suas excursões de conquistadores; do divino Leonardo da Vinci quase nada possui a Itália, além da *Ceia* que está muito estragada, e de alguns pequenos quadros e ligeiros esboços; ao passo que no Louvre está a célebre *Gioconda*, uma *Sacra Família* que, para mim ainda lhe é superior, o *São João*, o *Baco* e outras pinturas. E cumpre notar que a França, após a derrota final de Napoleão, foi obrigada a restituir a maior parte dos tesouros que havia trazido para cá; a não ser isso, e se a epopeia de Bonaparte continua por mais alguns anos, a Itália não tinha hoje nem um quadro bom, tampouco a Espanha, e o mesmo sucederia à Alemanha e à Holanda. Ora, o que eu não compreendo é que uma nação que de tal modo tem tratado os povos vencidos, grite tanto, e tanto escabuje porque os alemães tiveram a audácia de vencê-la, e impor-lhe uma contribuição de guerra. Não estranho que o amor nacional se lisonjeie com a esperança do desagravo; mas acho que se dá uma latitude excessiva a essa palavra *revanche* tão amiúde pronunciada aqui[2]. A *revanche* cabia justamente aos alemães pelo que lhes havia feito outrora o grande Napoleão, que obrigara o rei da Prússia a entregar-lhe a espada, e tomara a de Frederico II no seu túmulo, e dividira a Confederação em pequenos reinos em principados para os seus irmãos, primos e generais. Mesmo as províncias da Alsácia e da Lorena eram antes alemãs; o tratado de Westfália imposto por um vencedor, as deu à França; outro tratado, imposto por outro vencedor, lhas tirou. É evidente que a Alemanha não as restituirá; só uma nova guerra as poderia restituir; e essa guerra todos se empenham em evitá-la; se ela não se der, não me parece que esse ódio entre a França e a Alemanha possa prolongar-se por muitas gerações; tudo passa, e o tempo há de exercer a sua influência incontrastável...

Por agora, a importância da França na Europa tem notoriamente diminuído. Ela não dirige como outrora as demais potências; é ao contrário rebocada ostensivamente pela Rússia. Não tem coragem de proclamar o seu sistema republicano; busca antes tornar-se conservadora quanto possível, aproximar-se da monarquia na essência e na forma, fazer-se perdoar enfim as suas instituições democráticas. Quanto à política exterior, todos estamos vendo os efeitos dessa timidez agora mesmo em relação à Grécia. A Europa inteira abandonou essa infeliz nação, e a França, unindo-se nisso ao próprio Guilherme II, parece das mais empenhadas a castigá-la pela sua heroica audácia; abandonando as suas tradições de protetora dos cristãos no Oriente, esquecendo o seu papel de guia da civilização latina, não hesita em prestar auxílio à crua barbaria muçulmana para ficar nas boas graças do czar[3], como não hesita em considerar definitivamente morta a pobre Polônia. De resto, na imprensa parisiense, que não está pela sua competência e moralidade insuficientes, à altura deste país, nunca se vê advogada uma causa liberal, uma causa da humanidade; salvo poucas exceções, ela é inimiga da Grécia, como é inimiga de Cuba; só o tremendo Rochefort tem a audácia de afrontar os preconceitos correntes e a liga de interesses que constitui aqui a mola real do jornalismo.

Bem vê por aí que a minha admiração pela França está sujeita a não poucas restrições; muita coisa aqui me desagrada, e em geral eu simpatizo mais com o povo italiano, cujo atitude é mais generosa e mais nobre para com as nações oprimidas. O que merece em Paris a admiração do estrangeiro é sobretudo a beleza da cidade que tem trechos únicos no mundo; tal é o espaço que medeia entre o *Bois de Boulogne* e a *Madeleine*, e onde está compreendida a magnífica Avenida dos Campos Elíseos. A produção intelectual da França me encanta, como me encantava antes que eu viesse cá; em Paris tenho, porém, a vantagem de entabular relações com os escritores e artistas, alguns dos quais começam a interessar-se pelas literaturas americanas. Tal, por exemplo, *José-María* de Heredia[4], que aliás, sendo cubano, mais facilmente compreende o espanhol e por meio deste o português.

Vejo aqui com muita frequência o ilustre romancista Eça de Queirós, que, como já sabe, o tem em grande apreço[5]. Agora se fundou aqui para o Brasil e Portugal um periódico — a *Revista Moderna* — que pela sua elegância de *feitura*, pela impressão, pelas ilustrações rivaliza com as melhores de Paris e é verdadeira novidade na nossa língua. O 1.º número que já deve ter recebido traz um lindo conto do Eça, o 2.º trará outro; já prometi um para o 3.º. A redação deseja vivamente publicar um conto seu, meu querido Mestre, e me encarregou de lho pedir. Espero que mo mandará, e como ele deve ser ilustrado, fará o favor de marcar os trechos — três ou quatro — a que se devem referir as ilustrações.

Envio-lhe um número da *Revista Ítalo-Brasiliana* que se publica em Roma, e onde vem um artigozinho a seu respeito; o artigo, além de não estar muito bem traduzido do francês, não saiu todo como fora escrito; as exigências da paginação fizeram cortar alguns trechos, como um estudo comparativo entre o seu humorismo e o dos ingleses e alemães.

As *Procelárias* vão-se adiantando; mandar-lhe-ei as folhas logo que estejam impressas todas para o seu prefácio.

A minha reintegração está, creio, muito próxima[6], e irei talvez para posto superior ao que tinha. Como a calúnia era, além de perversa, absurda e ridícula, não me foi difícil desfazê-la perante o Governo, mesmo de longe; e demais, houve aí quem pudesse dar fiança das minhas convicções.

Na terrível catástrofe do Bazar da Caridade fomos extraordinariamente protegidos por Deus; imagine que minha Mulher e uma de minhas cunhadas[7] estiveram lá nesse dia, e saíram dez minutos antes de começar o incêndio! Já leu nos jornais os pormenores dessa atroz desgraça; Paris até hoje ainda não voltou a si da sua consternação; um fato assim basta para transformar por muito tempo a fisionomia de uma cidade.

Já é alguma coisa que a nossa Academia Brasileira já tenha sala própria; mas sala não basta, deve ter edifício seu, e vasto e rico. Ao Congresso cabe a obrigação de doar-lho; não há esperança disso nesta quadra de economia?

Aqui lhe digo adeus, até outro dia. Já lhe dei longa palestra. Escreva-me.

Cumprimentos nossos para sua *Excelentíssima* Senhora. Minha Mãe e Maria Luísa se lhe recomendam, e eu o abraço afetuosamente.

Seu de coração

Magalhães de Azeredo

---

1 ∾ É curiosa essa observação do missivista, pois entre a última carta de Azeredo – de 11 de abril e a presente carta, houve duas cartas de Machado para ele – a de 25 de abril e a de 29 de maio. (SE)

2 ◦ Sobre o tema da revanche na França, ver carta [405], de 01/09/1897. (SE)

3 ◦ A Aliança Franco-Russa era um acordo militar assinado entre os dois governos que vigorou de 1892 a 1917, estipulando que os dois países sustentar-se-iam mutuamente em caso de um deles ser atacado por um dos países da Tríplice Aliança (Império Austro-Húngaro, Império Alemão e o Reino da Itália). (SE)

4 ◦ A prima do poeta, Madame Valdez, apresentou-o a Azeredo, que passou a frequentar duas a três vezes por semana o apartamento de Heredia, então na rua Balzac, bem perto da casa dos Caymari na Champs-Elysées. Aos sábados, costumeiramente, os salões dos Heredia abriam-se à fina flor da alta sociedade internacional, o que permitiu a Azeredo conhecer personalidades que admirava. Nascido em Cuba, filho de mãe francesa e pai cubano, Heredia (1842-1905) foi poeta de inspiração parnasiana; os seus sonetos reunidos no volume – *Les Trophées* (1893) eram muitíssimo apreciados por Azeredo. (SE)

5 ◦ Conheceu-o por intermédio de Domício da Gama*. Sobre a *Revista Moderna*, ver notas 1 e 2, carta [406], de 23/09/1897. (SE)

6 ◦ Sobre a reintegração de Azeredo ao corpo diplomático, ver nota 8, carta [400], 25/06/1897. (SE)

7 ◦ Ou Evangelina ou Margarida Caymari. Sobre o *Bazar de la Charité*, ver nota 3, carta [391]. (SE)

[394]

De: PAULO VIANA
Fonte: Manuscrito Original, Arquivo ABL.

GABINETE DO CHEFE DE POLÍCIA DO DISTRITO FEDERAL[1]

[Rio de Janeiro,] 21 de junho de 1897.

Ex*celentíssi*mo S*en*h*o*r D*ou*t*o*r Machado de Assis.

Receba ilustre mestre minhas felicitações.

Paulo Viana

---

1 ◦ O timbre do Gabinete está fortemente riscado. (SE)

[395]

De: JOAQUIM XAVIER DA SILVEIRA JR.
Fonte: Cartão de Visita Original, Arquivo ABL

Petrópolis, 21 de junho de 1897.

Ao mestre ilustríssimo, bom e muito prezado amigo Machado de Assis

J. Xavier da Silveira Júnior[I]

Cumprimenta afetuosamente e felicita

I ∞ Joaquim Xavier da Silveira Jr., vizinho de Machado no Cosme Velho, fora o chefe da polícia do governo Floriano. Foi também prefeito nomeado do Distrito Federal no governo Campos Sales. (SE)

[396]

De: JOAQUIM XAVIER DA SILVEIRA JR.
Fonte: Manuscrito Original, Arquivo ABL

Petrópolis, 21 de junho de 1897.[I]

A Machado de Assis

Nem por viver no ninho meu alpestre
Quase do mundo ausente, eu me deslembro
De que o vosso natal é hoje, Mestre,
Vinte e um de junho (e não março ou dezembro)

Não me deslembro, e nem me rejubilo
Menos que outrora; acresce até a saudade
Que dantes não havia e que hoje o estilo
A enternecidas rimas pensando...

Júbilos e saudade o verso tosco
Exprime pois; há mágoa há alegria:

— A ausência e o natalício. — Sou convosco
Em espírito, Mestre, neste dia!

[Joaquim Xavier da Silveira Júnior]

---

1 ∽ Papel com timbre pessoal. (SE)

[397]

De: ANTÔNIO SALES
Fonte: Manuscrito Original, Arquivo ABL.

[Rio de Janeiro,] 21 de junho de 1897.[1]

Mestre! Doce nos é neste momento
Em [que] fazes na vida mais um passo
Ver estas mostras do contentamento
Que' alma nos enche como o sol o espaço.

Tu, cujo meigo e vigoroso braço,
Neste prélio das letras incruento
De mil vitórias vai deixando o traço,
— Valendo a sagração de um monumento.

Olha em redor e vê que o teu caminho
É juncado de louros e de arminho,
De inteligência e de bondade cheio.

E tuas frases de ouro em lesto bando
À margem dele cruzam-se cantando
— Aves de luz saídas do teu seio.

pelo Bonde[2]

Antônio Sales

1 ∾ Rascunho, com emendas, do soneto que celebra o aniversário de Machado. (IM)

2 ∾ "Bonde" era a denominação do grupo que se reunia, entre 1885 e 1888, na redação de *A Semana*, revista de Valentim Magalhães*. Este fez de Machado — chefe da literatura brasileira — o "condutor do Bonde". Assumiu a mesma designação o grupo da *Revista Brasileira*, iniciador da Academia Brasileira de Letras, que teria a sua sessão inaugural em 20/07/1897. (IM)

[398]

Para: BELMIRO BRAGA
Fonte: Transcrições, Arquivo ABL.

Rio de Janeiro, 22 de junho de 1897.[1]

Prezado senhor e amigo,

Muito me comoveu a carta que me enviou, datada de ontem, cumprimentando-me pelo meu aniversário natalício, e assim também a prova de afeição que me deu enviando-me o seu retrato. Este fica entre os dos amigos que a vida nos depara, e aquela entre os manuscritos dignos de recordação.

Agradeço-lhe os votos que faz pela minha vida e felicidade, e subscrevo-me com estima e consideração,

atento e obrig*ado*

Machado de Assis.

---

1 ∾ Seguimos a transcrição da ABL. Em *Dias Idos e Vividos*, o autor apresenta esta carta como datada de "21 de junho de **1893**". Sobre a confusão de datas e outros aspectos da correspondência entre Machado de Assis e Belmiro Braga, ver cartas [323] e [324], e respectivas notas. (IM)

[399]

Para: JOAQUIM XAVIER DA SILVEIRA JR.
Fonte: Revista da Sociedade dos Amigos de Machado de Assis.
Rio de Janeiro n.º 7, set. 1961.

[Rio de Janeiro,] 23 de junho de 1897.

AO DR. XAVIER DA SILVEIRA

Amigo, ao ler os versos saborosos
Que me mandou por vinte e um de junho,
Vi ainda uma vez o testemunho,
Dos seus bons sentimentos amistosos.

Há para corações afetuosos
(Isto, que escrevo por meu próprio punho,
Não é força de rima, leva o cunho
dos conceitos reais e valiosos),

Há para os corações, como eu dizia,
Um perigo, a distância; – tal perigo
Que as mais ardentes afeições esfria.

Inda bem que esse mal, por mais antigo
Que seja, não atinge neste dia
Um verdadeiro coração de amigo.

    Machado de Assis[1]

---

1   O soneto foi transcrito tal como aparece nas páginas da *Revista* da SAMA, no corpo do artigo "Machado de Assis e Xavier da Silveira", de autoria de Ricardo Xavier da Silveira. Este esclarece que:

"O original deste soneto me foi roubado, mas sua cópia fotostática figura entre as páginas 64 e 65 da obra de Gastão Pereira da Silva sobre meu Pai, denominada 'Xavier da Silveira e a República de 89'." (IM)

[400]

De: MAGALHÃES DE AZEREDO
Fonte: Manuscrito Original, Arquivo ABL.

Paris, 25 de junho de *1897*.
114, Avenue des Champs-Elysées.

Meu querido Mestre e Amigo,

Pela sua carta recebida ontem vejo que está de luto, não sei por quem; receba assim como sua E*xcelentíssi*ma Senhora, os nossos pêsames[1].

Envio-lhe uma lembrança singular, que estou certo lhe será agradável. Fui há dias ao cemitério do Père-Lachaise, necrópole gigantesca onde a população é de 3 milhões de habitantes, maior ainda que a de Paris vivo! Bem sabe que há ali sepulturas ilustres; de algumas dessas, ornadas de piedosas plantas, arranquei flores e folhas, e pensei logo em mandar-lhe a coleção que verá na folha junta. Racine jaz em um belo mausoléu grave e nobre como a sua Musa; Molière e Lafontaine (*sic*) dormem um ao lado do outro, em duas grandes urnas; sobre a do comediógrafo veem-se as suas máscaras clássicas, sobre a do fabulista *Maître Renard* espera o corvo ausente, e em baixos-relevos outros animais mostram quanto se parecem com os homens; no túmulo de Musset[2], melancólico salgueiro (donde tirei as folhas que aí vão) dá sombra ao busto do poeta; e o que torna mais significativa a árvore do pranto são os versos dele gravados ali:

> "*Mes chers amis, quand je mourrai,*
> *Plantez un saule au cimetière;*
> *J'aime son feuillage éploré,*
> *La pâleur m'en est douce et chère,*
> *Et son ombre sera légère*
> *À la tombe où je dormirai.*"[3]

Mas foi junto à campa de Filinto Elísio[4] que mais comovido me senti. É uma pedra rasa, toda coberta de hera lustrosa e tenaz, tão espessa que é preciso afastá-la para ler a inscrição. Quem diria que um jovem brasileiro, cultivador do mesmo idioma que o clássico escritor tão gloriosamente enriqueceu, havia de vir visitar com respeito o jazigo do pobre padre, perseguido pela intolerância, proscrito do seu país, e morto por fim no exílio e na miséria! Lembra-se dos lindos versos que Lamartine lhe dedicou? Essa poesia intitula-se a *Glória* e é a 15.ª das *Primeiras Meditações*:

> "Impose donc silence aux plaintes de la lyre;
> Des coeurs nés sans vertu l'infortune est l'échec
> Mais toi, roi détrôné, que ton malheur t'inspire
> Un généreux orgueil!..."[5]

Aqui não há agora notícias importantes. Todos os olhos estão voltados para Londres, onde com festas de magnificência inaudita se celebra o Jubileu da grande Rainha Vitória[6]. Estivemos quase a ir, a convite de meu sogro que lá se acha, mas o excesso da multidão fez-nos medo; geralmente está a gente mal nos sítios onde há muito povo; eu sobretudo com os meus nervos sensibilíssimos, fujo sempre das aglomerações. Além disso o tempo estava péssimo para atravessar a Mancha; tinha havido um ciclone na véspera, e ainda havia forte vento. Mesmo de longe, porém, essas festas me interessam deveras, e os jornais de Paris dão descrições tão minuciosas que é quase como se o leitor estivesse vendo e ouvindo tudo. É uma grande data, um dia de júbilo e de justo orgulho para os ingleses; júbilo e orgulho que nascem da consciência de um grande poder e de uma grande prosperidade. Não é só o Jubileu de uma feliz Rainha, é o Jubileu de uma nação excepcionalmente feliz. O inventário que nesta ocasião se fez dos progressos realizados pela Inglaterra durante o maior reinado da sua história é assombroso; e os franceses não podem ver isso com bons olhos, embora na aparência batam palmas ao espetáculo; no fundo raivam, porque reconhecem a distância que os separa dali. Já há de ter aparecido no Rio um livro interessantíssimo de Edmond Demolins[7]: *A quoi tient la supériorité des Anglo-Saxons*. Leia-o, que vale a pena. Sei que é admirador da sólida Inglaterra; que ela é a herdeira legítima da antiga

Roma é quase uma banalidade dizê-lo. Rouba de vez em quando, é certo, uma ilha ou mesmo, se pode, todo um continente; mas em suma, quase sempre, a civilização ganha com isso. E mesmo a tal respeito não podemos queixar-nos da gente britânica; a nossa Trindade foi-nos restituída com uma cortesia que prova, não só a evidência do nosso direito, mas também a estima em que nos tem a Inglaterra (pois para ela nem sempre o direito é título bastante nessas questões exteriores). Por isso sinto que na magnífica revista naval de Spithead não haja um só vaso de guerra brasileiro.

Já na carta anterior lhe dei novas das *Procelárias*. A impressão vai em mais da metade, e já instei com o editor para apressar o trabalho. Entre Agosto e Setembro, espero, o livro aparecerá aí.

Dos *Aspectos da Itália* também lhe posso dar favoráveis informações. Breve lerá novos capítulos na *Revista Brasileira*; eis a ordem provável em que sairão: *Colossos romanos* (construções antigas); a *Campanha* e os *Castelos* (neste haverá a propósito de *Tusculum*, um estudo sobre Cícero, que eu admiro e respeito, e quero defender de acusações injustas); *Tivoli* e a *Vila do Imperador Adriano*, que é uma figura interessantíssima de letrado e artista; as basílicas de Roma — o Vaticano — a Santa Sé — Leão XIII — Quadros de arte e de costumes — A questão romana — mundo negro e mundo branco — a vida literária, etc. etc. Depois virão sucessivamente *Nápoles, Pompeia, Florença, Veneza, Milão, Turim*, e um capítulo final de *Conclusões*. Que lhe parece do livro? não será interessante? A matéria é vasta, e eu a estou tratando de maneira concisa, eliminando tudo o que seja supérfluo, e ficarei satisfeito se se puder dizer do volume: não tem uma linha escusada.

Farei também um livro separado — um livrinho diminuto como os da *collection Nelumbo* — uma novela referente ao período de Tito e Domiciano. Além disso fiz alguns versos de assunto italiano para as *Rústicas* e *Marinhas*, e para outro livro que ainda não tem título. Bem vê que aproveitei com a residência, embora curta, na Itália.

Quanto à demissão[8], sabe que a suportei sem abatimento; o meu caráter é forte, e quando o homem sofre uma injustiça, a consciência de não a ter merecido dá tanta serenidade que a própria indignação tira o que ela poderia ter de excessivo. Outra consolação que tenho é a de saber que tudo será reparado em breve; e essa não é menos digna da virtude quando o espírito a considera não mera satisfação do amor-próprio, mas, de um modo mais geral, como vitória da justiça e da razão. Dar-lhe-ei em reserva a notícia que tenho, certo de que a ninguém a transmitirá: vai-se criar na Holanda um lugar de encarregado de negócios, e ser-me-á dado segundo informações dignas de fé. Sendo assim, a reparação será completa e estrondosa[9].

Sinto muito os seus incômodos, e acho que o repouso lhe é necessário; o labor de uma secretaria como a da Viação deve tê-lo fatigado. Eu, pobre vítima da neurastenia, graças ao repouso é que posso trabalhar muito.

Só hoje — 25 de Junho! — é que recebi nota do nosso ilustre colega Rodrigo Octavio com os estatutos da Academia (a nota data de 18 de Maio). Respondi hoje mesmo, mas bem vê que se o ofício chegasse aí, o que não creio, depois de 29 de Julho, em que se cumprem 6 meses da minha eleição, a culpa não seria minha. Tomei posse por declaração: e dei à minha cadeira o nome de Gonçalves de Magalhães; seria triste que ninguém o escolhesse. Tão grande poeta e prosador!

Estimo bem que o Brás Cubas esteja em 3.ª edição; isso quer dizer que se fosse escrito em francês ou inglês, estaria na 15.ª. Mas quando veremos isso no Brasil?

Adeus, querido Mestre e Amigo. Mamãe, Maria Luísa e Madame Caymari o cumprimentam e comigo se recomendam à Excelentíssima Senhora.

Um abraço do sempre seu

Magalhães de Azeredo

---

1 ∾ Na carta [390], Machado diz que passava por período penoso aguardando uma notícia fatal, que afinal veio, sem, no entanto, dizer qual: Joana Maria de Novais* havia falecido. Ver nota 5 daquela carta. (SE)

2 ◦∾ Alfred de Musset (1810-1857) era um dos poetas da predileção de Machado Assis desde a juventude. Em 1883, ao voltar da Europa, Artur Azevedo* trouxe-lhe um galho do salgueiro plantado junto ao túmulo de Musset. Na carta [404], de 21/07/1897, Machado falará da relíquia recebida de um amigo. (SE)

3 ◦∾ "Meus caros amigos, quando eu morrer / Plantem um salgueiro no cemitério; / Amo sua folhagem plangente; / Sua palidez me é doce e cara / E sua sombra será leve / Na terra em que eu dormir." (SPR)

4 ◦∾ Segundo Montello (1986), há nessa notícia um equívoco. Os restos mortais do poeta português, que fora sepultado ali em 1819, haviam sido trasladados em 1843 para um jazigo no cemitério do Alto de São João, em Lisboa. Em *Père-Lachaise*, Azeredo encontrara a apenas a lápide abandonada do poeta neoclássico. Sobre o poeta, ver nota 6, carta [404], de 21/09/1897. (SE)

5 ◦∾ "Impõe pois silêncio aos queixumes da lira; / Dos corações nascidos sem virtude o infortúnio é o fracasso; / Mas tu, rei destronado, que tua desgraça te inspire / Um generoso orgulho!..." (SPR)

6 ◦∾ Em 1897, a rainha comemorou sessenta anos de reinado – *Diamond Jubilee*. Aconselhada por Lord Chamberlain, Vitória deu atenção especial às festividades públicas, com a intenção de que fossem grandiosas, a fim de celebrar também ou sobretudo o poderio político e econômico do Império Britânico. (SE)

7 ◦∾ O livro de Edmond Demolins (1852-1907) foi editado pela Librairie de Paris em 1897. (SE)

8 ◦∾ Carlos Magalhães de Azeredo foi nomeado 2.º secretário da legação brasileira no Uruguai pelo decreto de 30/11/1894, viajando para aquela cidade em 16/01/1895. Foi removido como 2.º secretário junto à Santa Sé pelo decreto de 02/01/1896. Foi demitido do corpo diplomático pelo decreto de 16/02/1897, assinado pelo ministro Dionísio Cerqueira, deixando o exercício do cargo em 16/03/1897. Será readmitido ainda como 2.º secretário junto à legação na Santa Sé pelo decreto de 03/01/1898, entrando em exercício em 26/03/1898. Nesta ocasião serviu como encarregado de negócios de 10 de maio a 21 de setembro do mesmo ano. (SE)

9 ◦∾ Apesar do que diz Azeredo, o posto não foi criado naquele momento. No Relatório do Ministério, em 1897, o cargo de enviado extraordinário e ministro plenipotenciário era ocupado por João Artur de Sousa Correia. Em 1898, 1899 e 1900, o cargo não existia mais. (SE)

[401]

Para: CÂNDIDO MARTINS
Fonte: Revista da Sociedade dos Amigos de Machado de Assis. Rio de Janeiro: 1959, n.º 2. Fac-símile do manuscrito original.

Rio [de Janeiro], 23 de junho de 1897.

Meu caro Doutor Cândido Martins

Deixe-me ver se corrijo a tempo, não uma inadvertência, mas um equívoco. No dia dos meus anos disseram-me em casa: "Zina mandou telegrama de felicitação."[1] Não vi o telegrama, mas imaginei por estas palavras que Dona Zina, estando o seu digno esposo fora, me fizesse a fineza de se lembrar de mim. E para mim "o esposo fora" era esposo em Campos. Daí a resposta exclusiva que mandei a Dona Zina e a carta ao Silveira que enviei com o nome dela. Ao dizer isto à Carolina, ontem, é que soube que o telegrama viera em nome dos dois consortes, que eu tão desastradamente tentei descasar, como se pudesse alterar aquilo que o amor e a igreja fizeram e sagraram. Peço-lhe desculpa do equívoco, e aqui receba os meus agradecimentos de coração.

Sou,

Velho amigo e obrigado

Machado de Assis

---

[1] O Dr. Cândido e D. Zina (Eufrosina) eram muito amigos do casal Machado de Assis. Sobre essas relações de amizade, Herculano Borges da Fonseca, neto dos Martins, publicou o interessante artigo "O pequeno mundo de Machado de Assis", n.º 3 da *Revista* da SAMA (set. 1959). (IM)

[402]

De: MÁRIO DE ALENCAR
Fonte: Manuscrito Original, Arquivo ABL.

Rio [de Janeiro], 11 de julho de 1897.

Ilustre amigo.

Aí vão os remédios que ontem lhe prometi. Deve começar pela *Briônia*[1], 1 gota em ½ cálice de água, de 2 em 2 horas. Se, passados dois dias, não notar melhora, convém mudar para *Gelsemium*[2], dose idêntica, e idêntico intervalo. Acredito que vai ficar inteiramente curado. Entretanto convém auxiliar a ação dos remédios com um poucochinho de fé.

Queira aceitar os cumprimentos de Baby e recomendar-nos à sua ex-*celentíssi*ma Senhora.

Amigo e admirador

Mário de Alencar

---

1 ∾ Designação comum ao gênero *Bryonia*, da família das cucurbitáceas, cultivadas tanto como plantas ornamentais quanto por seus tubérculos, cujas propriedades medicinais as fazem muito utilizadas na homeopatia. Os seus princípios ativos são o tanino e a brionina. (SE)

2 ∾ Nome comum que designa arbustos e cipós do gênero *Gelsemium*, da família das gelsemiáceas, cuja substância *gelsemina* é um alcaloide potente usado na medicina como estimulante do sistema nervoso central, atuando contra nevralgias e enxaquecas. O seu princípio ativo tanto pode agir como medicamento quanto como veneno letal. Muito usado na homeopatia para as chamadas afecções de fundo nervoso. (SE)

[403]

De: OLAVO BILAC
Fonte: Manuscrito Original, Arquivo ABL.

[Rio de Janeiro,] 19 de julho de 1897.

Caro mestre e ilustre presidente da Academia de Letras

Não poderei absolutamente, como havia prometido, dizer versos[1] na sessão de amanhã[2]. Para que o meu nome não seja incluído no programa, apresso-me a fazer essa comunicação, em duas cartas endereçadas à Secretaria de Agricultura e à redação da *Revista Brasileira*. Perdoe-me, caro mestre, a desobediência, e creia que é absolutamente impossível cumprir a ordem que me havia dado. Até amanhã no *Pedagogium*[3].

     Muito seu
    admirador e amigo,
     Olavo Bilac

Catete, 124.

---

1 ∾ Em fins do século XIX, as conferências haviam se tornado programa cultural de prestígio, e Bilac, por sua vez, estava se tornando o conferencista da moda. A bela voz, a presença de cena e a leitura perfeita eram convites a vê-lo e ouvi-lo, como justifica a *Gazeta de Notícias* quando de sua primeira conferência paga:

 "Enfim um sucesso magnífico. À saída, senhoras, diplomatas, deputados, altas notabilidades da magistratura, homens de letras, estudantes fizeram duas alas para deixar passar o ilustre autor da *Via-Láctea* e nós ouvimos de um velho comovido, que perguntava com uma lamúria queixosa: 'Mas por que o Castelões não se lembrou há mais tempo das conferências?'" (SE)

2 ∾ Nesse dia ocorreu a sessão solene de instalação da Academia Brasileira de Letras, numa das salas do *Pedagogium*. O motivo pelo qual Bilac não atendeu ao pedido não pôde ser bem esclarecido, tampouco a recusa pôde ser atribuída à sua ausência, pois compareceu ao evento. Segundo Magalhães Jr. (2008), o poeta tinha o hábito e o gosto de falar em público com naturalidade e desembaraço; por isso acredita que estivesse com a voz afetada por algum tipo de moléstia. (SE)

3 ∾ Museu de pedagogia e escola complementar para professores, situado na rua do Passeio, 64. De 20/07/1897 a 28/9/1897, ali reuniu-se a Academia Brasileira de Letras. (SE)

[404]

Para: MAGALHÃES DE AZEREDO
Fonte: Manuscrito Original, Arquivo ABL.

Rio de Janeiro, 21 de julho de 1897.

Meu querido amigo e poeta.

Afinal a sua carta de 25 de Junho chegou, respondendo à minha última, sem que eu houvesse respondido à anterior, que é de 6. Parte da culpa defende-se bem, por motivos miúdos, algum dos quais não valerá a pena dizer: *renovare dolorem*; não me peça explicação desta citação velha. A outra parte liga-se à inauguração da nossa Academia, que se fez ontem, e eu queria dizer-lhe logo tudo. Mas aqui mesmo houve engano que retarda a partida da carta. Li que as malas (inglesa e francesa) saíam a 23, e pensei ter tempo de sobra. Acabo de verificar que partiram hoje; a 23 chegam as da Europa. Tinha errado de coluna. Assim esta só irá a 28. Releve-me este acréscimo de demora.

Vindo à Academia, fez-se ontem a inauguração, no *Pedagogium*[1], e correu bem. Nem todos os membros aqui residentes compareceram à sessão, e grande parte, como sabe, reside no exterior. A sessão inaugural constou de quatro palavras minhas abrindo a sessão, do relatório dos trabalhos preliminares, redigido pelo Rodrigo Octavio, e de um discurso do Joaquim Nabuco[2]. Ambos estes houveram-se como era de esperar dos seus talentos. No discurso do Nabuco há muitas ideias; posso divergir de um ou outro conceito, mas a peça literária é primorosa. A sessão pouco mais durou de uma hora. Agora vamos ter as sessões ordinárias.

Está pois acadêmico de verdade. Chegou a tempo a escolha de Magalhães[3] para patrono da sua cadeira, escolha necessária pelo valor do homem e pela ação que teve nos dias da sua mocidade.

Deixe-me agora agradecer-lhe antes de tudo o mimo das plantas tiradas a algumas sepulturas do *Père-Lachaise*, e que me mandou com a última carta. Vejo que me conhece bem; sabe que incorporo o amor literário a essas relíquias da piedade. De Musset um amigo meu me trouxe há anos

(1883) algumas folhas que mandei grudar e encaixalhar[4]. O seu relicário já vem pronto; é só mandar-lhe pôr moldura e pendurá-lo perto de mim, para que me lembre o vivo e os mortos. Meu querido, amigo, veja o que é a piedade de um povo, o respeito e a admiração efetivas. Creio haver lido que o salgueiro de Musset foi mandado plantar por um inglês; tanto melhor para o inglês. Se o não mandasse ele, estou que os franceses o fariam; é bem difícil ficar surdo aos versos em que o autor de *Espoir en Dieu* e das *Nuits* pediu esse último favor. Oh! tristes versos eternos! Quanto ao Filinto[5], compreendo a sua comoção; eu a teria também, e pelas mesmas razões. O que padeceu e o que trabalhou valeu muito, e principalmente falava a nossa língua. Lembram-me os versos que ele fez no exílio, indo creio que de Paris para Haia[6], e mandando os livros adiante:

> Adeus, livrinhos meus; daqui a pouco
> Ansioso em vosso alcance irá Filinto,
> Que não se compadece ausência larga
> Entre os que atou idosa companhia
> Com vínculos do alívio apiedado
> Na minha solidão amarga e escura.
> Sois poucos, velhos sois.
> ....
> Sim, convosco nas mãos, convosco à vista,
> Dobrarei da velhice o promontório,
> E convosco entraria voluntário
> Pela foz do mortal esquecimento.

Cito-os assim soltos. Já os soube todos de cor[7]. Há neles uma nota de melancolia que nenhuma outra composição do poeta me dá tamanha. Já alguém pôs esta crítica a Filinto que, estando em Paris, em plena Revolução, não recebeu influência alguma do ambiente político. A razão era que este homem vivia fechado nos seus livros e era mais contemporâneo de Horácio que de Chénier.

Li e guardo comigo a notícia que me mandou da sua promoção. Já aqui ouvi isto, há muito, e creio que lho disse; foi o seu tio[8], que me procurou na Secretaria para me confiar o segredo. Não me disse então promoção, mas reintegração em Roma, confessando que lhe custava crê-lo. Imagine o alvoroço em que vinha. Pela m*inh*a parte, não é preciso afirmar o gosto que me dará a realidade. Será, além do grande valor moral do ato, a continuação de uma carreira em que pode prestar excelentes serviços ao nosso Brasil. E será a felicidade de sua mãe e de sua esposa.

A carta de 6 trouxe-me as suas impressões de Paris, e um juízo claro e justo das coisas francesas. Nem *emballement*[9] nem injustiça. As coisas valem pelos olhos que as veem; não falta quem repita a notícia dos itinerários. Não chegou ainda aqui o livro de Edmond Demolins, que me recomenda na carta de 25. Virá daqui a dias. Sobre o jubileu da rainha Vitória, li o que pude, e foi bastante. Dois artigos do *Times*, e principalmente o segundo acerca da revista naval, dão a nota do legítimo orgulho britânico. Realmente, a rainha dos mares ainda não perdeu o cetro[10].

Que bom que é ler o apanhado de tantas vistas belas, como as de arte, de monumentos, de ruínas, e de toda aquela Itália que acaba de deixar! É melhor que ler outras de estranhos. Quando a pessoa que as descreve é um patrício, fala a nossa língua, sente conosco recordações comuns, parece que também nós vemos pelos olhos dele. A realidade é assim mais crível, e quase fica ao alcance da mão; o que não quer dizer que não tenhamos saudades dela, como tinha "saudades do céu" um nosso clássico. Refiro-me às notícias familiares das suas cartas; mas aguardo também com muito interesse, na *Revista Brasileira*, os novos capítulos que me anuncia dos *Aspectos da Itália*. Pelos títulos devem ser todos cheios de vida, altos e meditados. Venha disso, meu jovem amigo, vá completando e multiplicando os seus trabalhos, sem precipitação, com a paciência velha de Chateaubriand, de Pascal, de Flaubert. Nem por isso produzirá menos; a questão é que produza bem. Entre Agosto e Setembro aguardo as *Procelárias*. Além desses, e das *Rústicas* e *Marinhas*, anuncia-me outro livro, que por ora não tem título. Estamos longe daquela pressa de outros, que apenas acabam de esboçar, logo passam ao prelo. Só resiste ao tempo o que se faz com ele.

O desalinho desta carta[11] corre parelha com o ruim aspecto da letra, que é pior que a do costume; mas, tendo suspendido a pena um pouco acima, para acabar a carta mais tarde, estou na véspera da mala, e preciso levar isto ao Correio hoje mesmo. Antes de outra coisa, celebramos ontem (26) a primeira reunião ordinária da Academia; pouco se fez, o que era natural, pois que ainda agora tateamos. A segunda há de ser daqui a quinze dias. Uma nota pessoal: ao ler-se o expediente, e portanto a sua carta ao Rodrigo Octavio vozes disseram (éramos apenas 10), que ia ser reintegrado; uma delas foi a de Taunay, creio que outras foram do Rodrigo[12] e do Veríssimo. Assim o seu segredo transpira, e transpira sem espanto de ninguém, como um ato justo. A Academia, por ora, está em uma sala do Pedagogium, não tem casa própria, mas espera obtê-la assim como algum subsídio no orçamento. Nada se proporá este ano, porque há um vento de economias, e economias necessárias, em vista da situação financeira, que é dificílima. Ver-se-á para o ano. Há um deputado, poeta também, Eduardo Ramos, que se propõe encabeçar a medida na câmara[13].

Aqui tenho a *Revista Ítalo-Brasiliana*, com o meu retrato e um artigo excessivamente benévolo. Isto, e a notícia que me dá do texto primitivo e dos cortes que lhe fizeram, faz-me crer que o artigo é seu. Assim pensando, achei até prova disto nas duas letras minúsculas da assinatura, *a* e *r*, a quarta letra dos nomes de Magalhães de Azeredo. Ria-se à vontade; se as pôs fortuitamente, veja que dou para achar documentos nos mais inesperados vestígios. Seja o que for, agradeço cordialmente daqui ao autor daquelas palavras, e se pudesse enviar-me o que foi cortado do texto primitivo, dar-me-ia muito prazer.

Também recebi, mandados pelo editor, dois números da *Revista Moderna*[14], que me pareceram, literariamente e materialmente, muito bem feitos. Os dois contos do Eça de Queirós, *A Perfeição* e *José Matias* são lindos. Pede-me um, em nome da redação, mandar-lho-ei logo que possa. Ando em dívida com a *Revista Brasileira,* e dívida por falta de tempo e sobra de cansaço. Há de ter visto que suspendi, há tempos, as *semanas* da *Gazeta;* penso voltar a elas, mas ainda não escolhi dia. Além do mais, andei adoentado, e não me posso dizer inteiramente restabelecido. Mas vou pensar em satisfazer o mais urgente, e acudir ao seu pedido.

Dou-lhe os meus parabéns, por haverem escapado da catástrofe do Bazar da Caridade sua Senhora e uma de suas cunhadas. Basta haver escapado para ficar com um re[15]

---

1 ∾ O *Pedagogium* foi idealizado para ser um museu sobre a educação e um centro de formação de professores, com a finalidade de impulsionar o debate sobre métodos educacionais, que resultasse em melhoria do ensino brasileiro. De inspiração positivista, dirigido pelo médico e educador Manuel Bonfim (1868-1932), o centro propunha enfaticamente a criação das escolas normais. O *Pedagogium,* como tal, existiu de 1890 a 1919, quando foi extinto por Paulo de Frontin (1860-1933), durante os seis meses em que foi prefeito do distrito federal. (SE)

2 ∾ Esses documentos estão publicados na *Revista Brasileira.* (SE)

3 ∾ O poeta romântico e diplomata Gonçalves de Magalhães. (SE)

4 ∾ Artur Azevedo* viajou à Europa em fins de 1882, quando voltou ofereceu o ramo de salgueiro. Machado faz alusão à relíquia nesta carta e na crônica de 01/12/1895, na *Semana*: "Possuo umas lascas e folhas do salgueiro que está plantado na sepultura do autor das *Noites,* que Artur Azevedo me trouxe em 1883." (SE)

5 ∾ Pseudônimo de Francisco Manuel do Nascimento (1734-1819). Ordenado padre em 1754, é considerado o último representante do neoclassicismo arcádico em Portugal. Profundamente influenciado pelo iluminismo, foi denunciado ao Santo Ofício pelo padre José Manuel de Leiva, em 22/06/1778, como leitor de livros racionalistas franceses, considerados heréticos pela Inquisição. Fugiu para França, onde chegou em 15/08/1778. Em Paris fez amigos ilustres, especialmente Lamartine que lhe dedicou o poema "Divino Manuel". Morreu idoso depois de publicar as *Obras Completas* (1817-1819). Traduziu Chateaubriand, La Fontaine, para o português, e as *Cartas Portuguesas* de Mariana Alcoforado, para o francês. Almeida Garrett declarou-se seu devotado discípulo. (SE)

6 ∾ Após a fuga de Portugal para França, Elísio seguiu para Haia, sendo acolhido pelo Conde da Barca, de quem se tornou secretário particular, até retornar em 1797 a Paris, onde se fixou. (SE)

7 ∽ Esse parágrafo oferece a dimensão sentimental de Elísio para o escritor, que desde muito jovem foi admirador sincero de Almeida Garrett e, certamente, Machado reconheceu o poeta arcádico em sua genealogia poética. Há em seus apontamentos de leitura, recolhidos à ABL, por Mário de Alencar*, vestígios de sua passagem pelas obras de Elísio. Aliás, *casmurro*, na acepção que lhe deu Machado em seu romance, está na ode com que Elísio se despede da Holanda, lugar de que, parece, não gostou muito: "Ficai em má hora, lagoas, charcos / Aposentos de sapos, de canalha, / De avaros batatífagos, casmurros, / De estátuas que cachimbam." (SE)

8 ∽ Tio-avô Custódio Magalhães. (SE)

9 ∽ Entusiasmo extremo. (SPR)

10 ∽ Ver nota 6, carta [400]. (SE)

11 ∽ Reiniciada em 27 de julho. (SE)

12 ∽ Assinala-se que Rodrigo Octavio* até o ano anterior fora secretário da Presidência da República e tinha as melhores relações com Prudente de Morais. (SE)

13 ∽ Sancionada em 08/12/1900. Ver carta [534], de 11/07/1900. (SE)

14 ∽ *A Perfeição*, publicado na edição de 15 de maio e *José Matias*, na de 25 de junho. Na *Revista Moderna* Eça de Queirós* publicou diversos contos, fez a crônica da vida mundana europeia, bem como iniciou a terceira versão incompleta de *A Ilustre Casa de Ramires*. Sobre a revista, ver notas 1 e 2, carta [406] de 23/09/1897. (SE)

15 ∽ Com letra manuscrita a lápis, de mão desconhecida, há no original a observação *falta o resto da carta*. (SE)

[405]

De: MAGALHÃES DE AZEREDO
Fonte: Manuscrito Original, Arquivo ABL.

Royat, 1.º de setembro *de* 1897.

Meu querido Mestre e Amigo,

Como vê por esse complicado desenho[1], não lhe escrevo de Paris, mas de Royat; deve alguma vez ter ouvido, ou lido no *Figaro*, o nome desta estação balneária, assaz famosa, já conhecida no tempo de Augusto, como provam as termas romanas, cujos restos destroçados ainda se veem tão poetizados por uma multidão de flores deliciosas, nascidas e criadas entre as ruínas. É um cantinho discreto e solitário, que, embora próximo do parque oficial, não atrai muito os levianos banhistas... E esse cantinho não é o único, onde se possa passear e sonhar à vontade; há outros, naturalmente fora do que se chama *Royat-les-Bains*, isto é, fora do bairro onde estão os hotéis, o cassino, o teatro, o jogo, e onde domina o convencionalismo que pode imaginar. Bem vê que essa vida fútil não nos pode contentar; minha família tem os meus gostos mesmos, e as diversões mundanas lhe servem, como a mim, para encher algumas horas vagas, mas não para constituir programa diário. Estamos entre as montanhas da Auvergne; a paisagem é grave, austera em muitos trechos, mas encantadora por vezes; o ar puríssimo; as tempestades frequentes cuja fúria se desencadeia sobre os altos montes vizinhos saneia a atmosfera, e concorre para a saúde tanto como as águas, que, sem terem virtudes de panaceia, são eficazes para várias moléstias. Na Europa, as cidades de vilegiatura, por pequenas que sejam, sempre oferecem conforto quase igual ao das grandes capitais; e em França principalmente o prazer se mescla a tudo; sem ele não se compreende que um copo da fonte Saint-Mart faça bem aos reumáticos; no teatrinho que é bonito já houve representações dadas por Le Bargy[2], da Comédia Francesa, que no verão faz excursões artísticas; cantores da Ópera Cômica têm vindo também; a orquestra é dirigida por Bourgeois que à Ópera Cômica pertence. Mas eu entendo que a gente vem ao campo para descansar e fazer vida simples; senão é mais prático ficar em Paris, onde o calor raramente chega a ser insuportável. Assim, fora o tempo que dou aos exercícios físicos (sobretudo à esgrima) e o que dedico aos meus trabalhos, busco sobretudo passeios bucólicos. Não falo de longas excursões que são de ordinário verdadeiros logros; apanha-se muita soalheira, ou muita chuva, maus carros sacodem o corpo em solavancos por maus caminhos, maus almoços em albergues péssimos estragam o estômago, e volta a gente rendida por quinze dias. Mas aqui perto mesmo há coisas interessantes a ver; que linda é a velha aldeia de Royat, com a sua igreja *romana* do 10.º século, rodeada de fortificações, e na praça em frente, um crucifixo ingênuo e venerando de Iseyrt, escultor do século XV! A catedral de Clermont-Ferrand pátria do grande Pascal, aonde se vai em 10 minutos de *bond*, é um modelo de puro estilo gótico, menos suntuoso de certo, mas também mais genuíno, que a esplêndida catedral de Milão. Depois há ali mesmo as 2 fontes petrificantes; extraordinária coisa; a água delas tem a propriedade de petrificar os corpos vegetais e animais que aí mergulham; vi uvas, ovos, ramos, galinhas, macacos, ursos, javalis, uma avestruz, um leão reduzidos a rocha dura; agora estão petrificando um tigre real; metade dele é já rocha, a outra metade é ainda carne embalsamada! Há dias conversamos com uma mulher quase célebre; a Belle Meunière[3]; conhece-a sem dúvida de nome; ela esteve muito ligada à aventura famosa de Boulanger[4] com Madame de Bonnemain em cujo túmulo o general se suicidou; é uma camponesa, casada com um moleiro, que se separou dela por tê-la encontrado com não sei quem; agora o pobre marido, meio imbecilizado, mendiga pelos caminhos — ainda há pouco lhe dei esmola e a Belle Meunière está rica, tem um restaurante em Paris e um hotel aqui — hotel onde Boulanger e Madame de Bonnemain se encontravam; sobre esses amores a mulher escreveu — ou melhor fez escrever — um livro que constitui uma ação má; aqui, porém, como sabe, *on n'y regarde pas de si près*[5]. Veste admiravelmente, e tem ricas joias: mas por originalidade, conserva sempre na cabeça a coifa branca de *auvergnate*, coifa aliás de finas rendas chantilly. Deu-nos mil informações, e por fim saiu-nos um pouco pedantesca; dizendo-nos que tinha lido tudo quanto os maiores poetas haviam escrito sobre o amor, desde Homero até hoje, mas que nada disso *arrivait seulement à la cheville du général. Non, Monsieur,* — concluiu — *depuis que le monde est monde, personne n'a su aimer comme lui!*[6]

O que é sobretudo encantador em Royat é o parque Gargoin, ao pé de um bosque profundo, cujas sombras pacificam os nervos e narcotizam a alma nessa languidez contemplativa e quase sonolenta, que é seguramente um dos estados mais agradáveis do organismo. Mas não creia que tais seduções me aprisionem demasiado; já lhe disse que trabalho aqui; o trabalho é para mim condição essencial da vida. Em primeiro lugar, estou compondo a última poesia das *Procelárias*, que vai sair assaz extensa; quanto a esse caro livro já pouco lhe falta para estar pronto; na minha próxima carta espero dar-lhe mais circunstanciadas notícias. As *Baladas* e *Fantasias* estão concluídas; a *Revista Moderna* publicou no último número o conto que me faltava para terminar o volume[7]. Ao mesmo periódico destino a primeira publicação do livro a que se refere na sua carta que com tanto e tanto gosto recebi há dias; quando em 25 de Junho lhe escrevi ainda não sabia que título dar-lhe; posso comunicar-lho agora; chamar-se-á a *Um idílio romano*; disse que seria uma novela, creio que me vai sair antes um romance, romance pequeno aliás; não será decerto uma obra de reconstrução arqueológica, pois para isso seriam necessários muitos anos de trabalho, e os leitores talvez escasseariam; em todo o caso, é claro que terei de dar muito espaço a cenários, costumes, ideias, sentimentos da época da Roma imperial, e para isso a não pouco estudo serei obrigado. Mas ao menos espero que ficará um livro próprio para dar-me créditos como romancista estreante. Justamente os conhecimentos que tenho adquirido consultando obras e obras especiais para os meus *Aspectos da Itália* me inspiraram a ideia de escrever tal romance. Confessar-lhe-ei que sou o autor do pequeno artigo publicado na *Revista Ítalo-Brasiliana*; posto que o adivinhou, digo-lhe a verdade; o estudo era, como lhe escrevi, algo mais largo; não sei se guardei em Paris cópia dele, creio que não; talvez obtenha ainda o manuscrito, dirigindo-me ao editor do periódico. Entretanto as curiosas letras *a* e *r* que tão bem o guiaram na decifração do enigma não foram indicadas por mim; a redação é que se incumbiu de as pôr sob o artigo.

 Vou falar-lhe agora de uma festa de caridade que organizamos aqui há dias, atraindo grande concurso de gente e produzindo muito dinheiro em benefício das irmãs de caridade que dirigem em Royat um asilo de incuráveis. A pedido de minha mulher escrevi uns versos em francês sob a condição de que ela os recitasse; ela recita muito bem, assim como canta e toca piano e violino (não estranhe esses elogios meus a quem faz parte do meu próprio ser; a confiança com que o trato mos permite); a educação intelectual de Maria Luísa foi tão cuidada como a sua educação moral por essa mulher superior que é Madame Caymari. Meu querido Mestre, bem sabe que, tendo sido bastante feliz nas letras desde os primeiros ensaios, conheci mais de uma vez a embriaguez do aplauso público que em suma tanto comove os artistas; pois bem; nunca, nunca tive nesse sentido prazer comparável ao de ouvir meus versos ditos por Maria Luísa, ao de sentir o meu pensamento interpretado assim por ela. Envio-lhe a poesia para que a leia; é a mais extensa que tenho escrito em francês; dediquei-a a uma senhora da mais alta distinção, muito nossa amiga, que foi madrinha de minha mulher no nosso casamento; lembra-me que lhe falei longamente dela numa carta escrita de Montevidéu. Peço-lhe que mostre esses versos ao nosso grande Joaquim Nabuco, e faça o favor de entregar-lhe uma carta que incluirei nesta.

Paris, 7 de Setembro[8]
Vejo o que me diz do discurso proferido por ele[9] na inauguração da Academia; ia pedir-lhe que mo mandasse quando recebi a *Revista Brasileira* de 1.º de Agosto em que o discurso vem publicado. Encontrei-o aqui em Paris ao chegar de Royat; porque devo dizer-lhe que esta carta, começada em Royat, levada comigo para Vichy onde passamos dois dias, está se concluindo em Paris; tais são as mil pequenas coisas absorventes que empecem a quem viaja toda a regularidade e toda a prontidão. E aproveito precisamente o ensejo para rogar-lhe não repare no estado destas linhas mal rabiscadas, e às pressas, em *meias folhas* de papel de *várias qualidades!* Não ousaria mandar-lhas se a intimidade de uma longa afeição me não desse o direito de ser menos cerimonioso.

O discurso é admirável, e, como diz, realmente primoroso; discurso condensado, cheio de ideias, digno de um pensador como é com tanta elevação de vistas o nosso Amigo. Uma passagem que me chamou grandemente a atenção e me levantou o ânimo foi aquela em que, aludindo ao estudo do general Mitre sobre as literaturas hispano-americanas, ele marcou a superioridade da literatura brasileira sobre elas. "A alma brasileira está definida, limitada e expressa nas obras dos seus escritores" etc. É o que eu penso também, e por isso não concordo com alguns críticos de talento que consideram a nossa produção com rigor demasiado pessimista. Não lhe parece o mesmo?

A sua curta alocução tem uma frase onde se resume e claramente se define um grande programa: "O vosso desejo é conservar, no meio da federação política, a unidade literária." E impedir também, não acha? por meio da unidade moral derivada da unidade literária que a federação política degenere algum dia em desmembramento do país. Oh! quanto bem pode fazer a Academia, se vencer as dificuldades do começo e conservar sempre intacto o seu alto caráter de intelectualidade! que instrumento de pacificação, de mútua tolerância, de disciplina mental e de gosto artístico! Já muitos assuntos se oferecem ao seu estudo; por exemplo, um serviço que ela poderia prestar seria o de tratar de resolver seriamente a questão da unidade ortográfica que nos falta ainda e aos portugueses também. Ficamos envergonhados quando comparamos a nossa ortografia tão duvidosa, tão hesitante, tão inutilmente complicada, com a ortografia espanhola, clara, simples, prática, cômoda para os espanhóis e os estrangeiros; e entretanto o nosso idioma português é mais rico, mais perfeito, mais maleável, mais espiritual, mais adiantado, mais moderno, em suma, que a pesada e rude língua castelhana.

Adeus, querido Mestre e Amigo, até breve; por agora volto aos meus trabalhos que são muitos, e aos vários passos urgentes que me impõe o meu regresso a Paris. Qualquer dia destes tornarei a escrever-lhe. Minha Família o cumprimenta com a estima que todos lhe votamos aqui. Nossas recomendações à sua *Excelentíssi*ma Senhora. E receba vivas saudades e um afetuosíssimo abraço do sempre seu

Magalhães de Azeredo

1 ∞ No papel de carta, estão impressas em litografia paisagens de Royat (Puy-de-Dôme, região de Auvergne). Além dos desenhos, há os dizeres: *Splendid'Hôtel sur Le parc Royat. / De Villaine – proprietaire / Ascenseur Hydraulique.* (SE)

2 ∞ Charles Gustave Auguste Le Bargy (1858-1936), ator da Ópera Cômica que, anos mais tarde, irá dedicar-se também ao cinema, como diretor de filmes. (SE)

3 ∞ Em 1879, Marie Quinton (1854-1933) transformou o moinho de sua família em pensão familiar, surgindo então o depois famoso *Hôtel des Marronniers*. Em 1887, durante o exílio do general Georges Ernest Boulanger (1837-1891), Marie acobertou os amores clandestinos do general com Madame Marguerite de Bonnemain (1855--1891). Mais tarde, Marie escreveu *O Diário da Bela Moleira*, no qual narra esses amores, capitalizando comercialmente o grande interesse geral pela história romântica. Registre-se que o hotel existe até hoje, com o nome de *Hôtel-Restaurant La Belle Meunière*. (SE)

4 ∞ Amigo de Gambetta, Clemanceau e Barrès, e ministro da guerra (1886-1887), o general Boulanger (1837-1891) foi figura controvertida da cena política entre 1882--1891, capitalizando as frustrações de parte do povo francês ao fazer a defesa da revanche contra a Alemanha, motivada pela derrota na Guerra Franco-Prussiana (1871). Personalista e popular em razão das suas ideias, fortemente apoiado por setores extremistas e por nacionalistas exaltados, representando um perigo real para o governo da III República, o general foi enviado a Clermont-Ferrand para comandar o 13.º corpo da armada. Ali, no hotel pertencente à Bela Moleira, conheceu Marguerite, viscondessa de Bonnemain. Então, ao mesmo tempo em que estava no epicentro da cena política, com as ideias do *boulangismo*, estava também vivendo um romance clandestino cheio de lances românticos, a um só tempo uma aventura galante e picante, romance comentado nas gazetas e, por fim, narrado em livro pela Bela Moleira. Em 1889, após tentar candidatar-se à presidência, Boulanger refugiou-se em Bruxelas, terminando por matar-se em 30/09/1891, no cemitério de Ixelles, junto ao túmulo de Madame de Bonnemain, morta de tuberculose, dois meses antes. As circunstâncias do suicídio e a vida acidentada do protagonista repercutiram enormemente na França, em que os jornais exploraram, sobretudo, o caráter romântico de sua morte. (SE)

5 ∞ Não se olham essas coisas muito de perto. (SPR)

6 ∞ Nada disso chegava aos pés do general. Não, meu senhor, desde que o mundo é mundo, ninguém soube amar como ele! (SPR)

7 ∞ Trata-se do conto *A Iara*, saído na edição de 20 de agosto. Nas *Baladas e Fantasias*, depois deste conto seguem ainda mais cinco contos; mas isso não impede que *A Iara* possa ter sido composto por último. (SE)

8 ∞ Essa carta também passou por vicissitudes temporais, que atrasaram a remessa ao Brasil, como se concluiu desse *post-scriptum*. (SE)

9 ∞ Joaquim Nabuco*. (SE)

[406]

De: MAGALHÃES DE AZEREDO
Fonte: Manuscrito Original, Arquivo ABL

Paris, 23 de setembro de 1897.
114, Avenue des Champs-Elysées.

Meu querido Mestre e Amigo,

Já em cartas permutamos as nossas impressões sobre a *Revista Moderna*[1]; justamente o administrador dela, que vai ao Brasil tratar de interesses da publicação, o *Senho*r Godefroy, lhe entregará estas letras. Eu lho recomendo, e peço que o ajude quanto puder na propaganda do magnífico periódico, que realmente merece o auxílio de todas as pessoas de bom gosto — e muitas há felizmente entre nós.

Agora estou colaborando efetivamente na *Revista*[2], e com frequência, como já terá visto. Há dias lhe escrevi uma longa carta; breve lhe escreverei também largamente. Aqui fico à espera de notícias suas assíduas.

Abraça-o muito, muito afetuosamente o sempre seu

Magalhães de Azeredo

---

1 ∾ Característica do periodismo *belle époque*, a revista ou magazine reunia textos literários, curiosidades, histórias infantis, artes, costumes — *faits divers*; tudo luxuosamente ilustrado por fotografias e gravuras. Impressa em papel *couché* 30 x 23 cm, pela Tipografia Paul Dupont, na rue Laborde, Paris, destinava-se ao público brasileiro e português. Inicialmente mensal, passou a quinzenal após o quarto número; e teve 30 números, (maio-1897 / abril-1899). A revista pertencia ao brasileiro Martinho Carlos de Arruda Botelho, filho do magnata paulista conde de Pinhal. Martinho associou-se a Eça de Queirós*, oferecendo-lhe os meios financeiros necessários e os mais modernos recursos gráficos, ao mesmo tempo em que o isentou das preocupações administrativas, exercidas estas pelo Sr. Godefroy. Eça então pôde fazer um magazine ilustrado de alta qualidade, com textos variados e esteticamente bonito, envolvendo-se apenas com os aspectos da criação. (SE)

2 ∾ Embora com muitos colaboradores, o corpo editorial do magazine, mais ou menos regular, era composto por Eça de Queirós, Martinho Botelho, Eduardo Prado, Domício da Gama* e Magalhães de Azeredo. (SE)

[407]

De: MAGALHÃES DE AZEREDO
Fonte: Manuscrito Original, Arquivo ABL.

Paris, 11 de novembro de *1897*.
114, Avenue des Champs-Elysées

Meu querido Mestre e Amigo.

Ultimamente, por causa de muitos trabalhos, passei mais tempo do que costumo sem escrever-lhe; contudo, ainda não tive resposta à minha última carta, com a qual foi outra para o nosso amigo Joaquim Nabuco. Já terá visto que a *Revista Brasileira* começou a publicar os capítulos prometidos dos *Aspectos da Itália*; infelizmente, logo o primeiro foi cortado ao meio, deixando de aparecer no fascículo seguinte; esse costume de interromper um estudo onde com absoluta unidade se está desenvolvendo um pensamento, costume que não me espantaria num jornal ou num periódico mal organizado, me causa estranheza nessa *Revista* tão bem dirigida; preferiria eu que entre um capítulo e outro capítulo houvesse um mês ou dois de permeio; mas que cada um deles saísse inteiro ou em fascículos consecutivos. Mas enfim, até Homero às vezes cochilava...

A *Revista Moderna* tem trazido frequentes escritos meus; o último número, de que conto enviar-lhe um exemplar por este correio, para que mais depressa o receba, é-lhe especialmente dedicado, trazendo o seu retrato na capa e em folha separada, e um estudo que tive o imenso gosto de escrever a seu respeito. Estou deveras contente com esta bela ocasião que se me deparou de poder tratar mais largamente da sua pessoa e da sua obra; na *Revista Ítalo-Brasiliana*[1] apenas pude fazer um artiguinho já de si breve e que ainda por cima teve de ser cortado.

Neste ensaio da *Revista Moderna*, como verá, ainda me foi forçoso condensar e sintetizar muito as minhas observações; mas em suma, se não pude dizer tudo quanto os seus livros me inspiravam, disse quase tudo, e insistindo sobre alguns pontos, e ajuntando outros, como tenciono fazer mais tarde, conto tirar dali um estudo assaz completo.

No próximo fascículo começará a publicação da *Ilustre casa de Ramires*, que vai sem dúvida trazer grande brilho e não menor proveito ao periódico. Realmente a boa vontade e o zelo do Diretor, auxiliado pelos colaboradores, não se podem negar; e para mim a *Revista* a cada número se torna mais interessante[2].

Quanto às *Procelárias*, o imenso trabalho que me impus para dá-las este ano, ficou inutilizado pela preguiça incurável do impressor! Acredita que ele me prometia o livro pronto para Junho ou Julho, e até agora ainda não vieram as últimas folhas? Nunca vi homem mais ronceiro, por vida minha! Já agora não terei o volume até Janeiro; e como em Dezembro começa no Brasil a estação mais ingrata para tudo, o verão terrível, já me resignei a demorá-lo até Abril. Antes isso que perder-se a obra estupidamente quando todos se estão dissolvendo sob uma temperatura de 40 graus à sombra! O essencial é que o livro fique bem impresso, e ficará; e também que seja bem anunciado, aí e em Portugal; para isso aproveitarei os meses que faltam. É claro que abro a seu favor uma exceção que só alcança três ou quatro amigos; não lhe farei esperar tanto como o público; logo que tenha aqui a última folha, mandar-lhas-ei todas; mas não as mostre a ninguém, não? nem é preciso pedir-lho, pois é claro que de outro modo perderiam a novidade antes de aparecer o livro completo. O nosso ilustre pintor Pedro Weingartner[3] fez-me dois lindos quadrinhos para as *Procelárias*; sairão no volume reproduzidos pela heliogravura, que em Paris, como em Londres e em Berlim, é executada por primorosos artistas.

O Domício da Gama, que vejo aqui com frequência, e que é um fino espírito e muito seu admirador, me pede que lhe transmita muitas lembranças, e Eça de Queirós me encarrega de mandar-lhe um *grande abraço espiritual*; não imagina que simpatia e que entusiástico apreço ele manifesta a seu respeito[4].

Mas ainda não lhe falei da funesta notícia trazida pelo telégrafo, e que tanto preocupa a todos os brasileiros aqui: a do atentado contra o honrado Presidente da República[5]. Posso dizer-lhe que a indignação contra esse covarde crime é unânime, e partilhada mesmo pela imprensa francesa; não haverá para regozijar-se com uma coisa tal senão algum radical patologicamente exaltado, ou algum desses raros monarquistas furiosamente escabujantes que desejam guerra, peste, fome para o Brasil, contanto que a República pereça (creia que conheço uns poucos desse feitio!) — O caso é de impressionar, não só pela cega injustiça que representa contra um homem honesto e patriota — para quem o poder tem sido um longo sacrifício — mas por ser inédito na nossa história (houve, é certo, o atentado contra o Imperador, mas parece que não passou de alucinação de um bêbedo[6]). Entretanto, com os nossos atuais costumes políticos, outra coisa não era de esperar... O pobre Ministro da Guerra foi a vítima, e não o merecia também; mas na minha opinião, e não sou único a pensar assim, descontando esse lutuoso resultado, o fato deve antes fortalecer que debilitar o Governo; pois, com esta lição, muita gente honesta que o combatia, perderá as suas ilusões, e se porá ao lado do Presidente[7]. Vi num telegrama que já alguns deputados da oposição se passaram para a maioria; e outros se passarão ainda. Jornais recebidos me fazem crer que também o nosso ilustre Amigo Quintino Bocaiúva se separou do grupo violento que o *Senho*r Glicério capitaneia[8], talvez de mau grado; essa resolução não me admira, porque o lúcido espírito e o caráter nobre do *Senho*r Bocaiúva não podem pactuar com o ódio sanguinário de homens políticos, que não hesitam talvez em aconselhar o assassínio. Eu, se estivesse no Governo, aproveitaria o momento de estupor imediato ao atentado, para deportar meia dúzia de gritadores nocivos.

Por isso fiquei muito satisfeito com a decretação do estado de sítio, e com a promessa de que o Governo seria severo contra os perturbadores da ordem. Que quer? A anarquia moral chegou a tal extremo no Brasil, que a nossa mais firme esperança é a de um probo e inteligente ditador, que firme o prestígio do Poder Executivo contra a influência dissolvente dos grupos exaltados, e restabeleça a unidade da pátria, opondo um dique inabalável às correntes dispersivas determinadas por uma federação imprudente e excessiva que nos pode levar muito breve ao desmembramento da República. Desejar um ditador é bem duro para nós que temos desde o berço o culto quase supersticioso da liberdade; isso basta para mostrar como são terríveis as circunstâncias presentes[9]...

Adeus, meu querido Mestre e Amigo; escreva-me! Cumprimentos de Mamãe, de minha Mulher e de toda a Família; recomende-nos à sua Excelentíssima Senhora.

E receba um saudoso e afetuoso abraço do seu

Magalhães de Azeredo

---

1 ∾ O artigo foi conservado por Machado de Assis e acha-se no Arquivo ABL. (SE)

2 ∾ Azeredo refere-se à edição de 20 de novembro, que é toda dedicada ao escritor português e na qual escreveu o artigo "Eça de Queirós". Sobre a *Revista Moderna*, ver nota 1, carta [406]. (SE)

3 ∾ O gaúcho Pedro Weingartner (1853-1929), pintor de renome internacional, ilustrador e gravador, viveu muito tempo em Roma onde estudou. (SE)

4 ∾ Colaborador assíduo da *Revista Moderna*, a menina dos olhos de Eça de Queirós*, Azeredo lhe foi apresentado por Domício da Gama*, e passou a frequentar a seleta roda de amigos do escritor. Joaquim Nabuco*, aliás, escrevendo a Azeredo oferece testemunho destas relações, em carta de 04/04/1900:

"Muito lhe agradeço a encantadora oferta que me mandou e recebi em Biarritz quando ainda estava aqui o seu amigo Eça de Queirós. Conversamos a seu respeito com a sinceridade do apreço que ambos temos pelas suas raras qualidades de prosador e poeta. Foi um prazer ver que as minhas impressões a seu respeito, assim também as do Eça, que não é da mesma província literária que nós dois." (SE)

5 ∾ Em 05/11/1897, durante a cerimônia pela vitória de Canudos, no Arsenal de Marinha, ocorreu o atentado contra Prudente de Morais. No episódio morreu o ministro da Guerra, marechal Carlos Machado Bittencourt (1840-1897), que ao se interpor entre o presidente e o anspeçada Marcelino Bispo de Melo (1875-1898), recebeu um golpe certeiro de faca. O assassino foi preso e entregue à justiça, mas enforcou-se na prisão. Por causa do episódio, Prudente de Morais decretou estado de sítio na cidade do Rio de Janeiro e em Niterói, que durou de 12/11/1897 a fins de fevereiro de 1898. (SE)

6 ∾ Em julho de 1889, na saída do Teatro de Santana, após a encenação de *Escola de Maridos*, traduzida por Artur Azevedo*, houve um tumulto generalizado quando um

grupo de simpatizantes da causa republicana deu vivas à República. A família imperial foi rapidamente retirada do local, mas quando o coche passava pela rua da Constituição, em frente à *Maison Moderne*, ouviram-se três estampidos de arma de fogo, atribuídos inicialmente aos republicanos exaltados, e que mais tarde soube-se disparados por Antônio José Nogueira, funcionário da loja, que estava alcoolizado. Não houve feridos. (SE)

7 ∾ Prudente de Morais consolidou o apoio popular e político ao poder executivo da República depois de dois grandes episódios: a vitória sobre Canudos e a morte do marechal Bittencourt. (SE)

8 ∾ Antigos aliados dos tempos do Clube Radical em São Paulo (1867), e depois no Partido Republicano Paulista (1873), Francisco Glicério e Prudente de Morais tornaram-se ao longo dos dez primeiros anos da República adversários políticos. Como deputado federal, Glicério foi o principal idealizador e articulador do Partido Republicano Federal (1893), de orientação eminentemente concentradora, pelo qual Prudente de Morais e Manuel Vitorino Pereira (este ligado a Glicério) venceram as eleições de 1894, marcando a chegada da oligarquia cafeeira ao poder, em substituição ao poder militar que instaurou a República. Durante os primeiros anos de mandato, Prudente de Morais enfrentou toda sorte de conflitos, revoltas e crises; e perdeu o apoio do PRF ao desmontar a política florianista, ganhando a animosidade dos republicanos radicais, que o criticavam, sobretudo, por não conseguir pôr cobro imediato à Guerra de Canudos. Acabou rompendo publicamente com Francisco Glicério, destituindo-o bruscamente da condição de seu líder e porta-voz no Congresso por meio de uma nota no *Jornal do Comércio* de 29/06/1897. Registre-se que Francisco Badaró, responsável pela demissão de Azeredo, era muito ligado a Glicério; será demitido pouco depois de Glicério ser destituído publicamente de sua força política junto ao governo federal. (SE)

9 ∾ É interessante observar o contraste entre a posição política de Azeredo na fase do exílio em São João Del Rei, quando condenava a ditadura de Floriano Peixoto, e a sustentada nesta carta, em que defende a necessidade de um "probo e inteligente ditador". (SE)

[408]

De: JOSÉ VERÍSSIMO
Fonte: Manuscrito Original, Arquivo ABL.

Nova Friburgo, 27 de novembro de 1897.
Mestre e amigo Machado de Assis.

Eis-me em Friburgo que você conhece e sabe ser uma pequena cidade simpática. Ao menos era-o no tempo em que você cá esteve, quando não era tão procurada pelos veranistas. Eu de mim lhe confesso com escândalo dos seus instintos e gostos cidadãos, que a estas cidades do interior, sempre um pouco pretensiosas e desconfiadas, prefiro o campo, o campo em toda a sua bruteza e simplicidade, em que a gente, que vive longos meses, e às vezes anos, a vida exaustiva das cidades que verdadeiramente o são – ou o pretendem ser, como o seu Rio de Janeiro – se animalize e volte um pouco à madre natura, sem gravata, em chinelos, ou pés nus, mangas de camisa, trepando morros, banhando-se em rios, caçando ou simplesmente flanando na mata e comendo da genuína cozinha roceira. Não se escandalize, meu caro mestre e amigo, destes gostos do seu admirador obidense; são talvez de um incompleto civilizado, mas são sinceros, coisa hoje não muito frequente. Fica, portanto, claro que não gosto extraordinariamente de Friburgo, como não gostaria de Petrópolis ou outro lugar semelhante, e a estas cidades de descanso em que somos obrigados às mesmas incomodidades daí, prefiriria a roça em toda a sua bruteza. Entretanto, não tenho de que queixar-me, pois os meus e eu temos já nestes quinze dias lucrado bastante, e estou com boas esperanças de que a minha filhinha muito fraquinha e doente se revigore e desenvolva aqui, o que para mim será paga suficiente do sacrifício que estou fazendo.

Pelo Paulo Tavares[1] tenho sempre notícias suas e sempre lhe peço a ele que me lembre a você e aos bons amigos da *Revista*, e fique certo que se não passa um dia que não me recorde, e saudoso, de você. Há aqui neste pequenino mundo muita coisa que provocaria as observações pessimistas, e, quase estou a dizer, portanto verdadeiras, de *Brás Cubas*.

Na nota que me deu para preceder a poesia do Magalhães de Azeredo fala *você* em primeira pessoa. Quer que a dê em *Notas e observações*, etc., como da redação? Farei o que mandar[2].

Abraço-o desejando-lhe saúde e felicidades,

J. Veríssimo.

---

1 ∾ Secretário da *Revista Brasileira*. (IM)

2 ∾ Ver em [409], de 01/12/1897. (IM)

[409]

Para: JOSÉ VERÍSSIMO
Fonte: *Revista da Academia Brasileira de Letras*, XXXIII, n.º 103, jul. 1930.

Rio [de Janeiro], 1.º de dez*embro* de 1897.

Meu caro José Veríssimo.

Recebi anteontem, 29, a sua carta de 27, e só hoje lhe respondo, porque o dia de ontem foi para mim de complicação e atribulações. Estimei ler o que me diz dos bons efeitos de Nova Friburgo. A mim, esse lugar para onde fui cadavérico há uns dezessete anos, e donde saí gordo, *ce qu'on appelle* gordo, há de sempre lembrar com saudades. Estou certo que lucrará muito, e todos os seus também, e invejo-lhes a temperatura. Aqui reina o calor; apesar do temporal de ontem, escrevo-lhe com calor, às sete horas da manhã. Não pense que não compreendo o que me diz do caráter da vida daí. Eu sou um peco fruto da capital, onde nasci, vivo e creio que hei de morrer, não indo ao interior senão por acaso e de relâmpago mas, compreendo perfeitamente que prefira um campo a esse misto de roça e de cidade.

Tenho ido sempre à *Revista*, onde o nosso Paulo[1] continua a receber com aquela equanimidade e bom humor que fazem dele um excelente companheiro. Somos todos firmes. Do Graça não há ainda cartas, mas sei pelo sogro que chegou bem.[2] Estive na *Revista* com o Artur Alvim, que veio da Europa, há dias, e aqui lhe trouxe os agradecimentos da viscondessa de Cavalcanti[3] pela sua notícia; pediu-me que lhos transmitisse e aqui o faço. Parece que a notícia fez até com que ela recebesse mais prontamente algumas informações para o livro.

Ontem reunimo-nos onze acadêmicos para a eleição da diretoria e das comissões; sendo precisos quatorze nessa primeira reunião, nada se fez; convocou-se outra para terça-feira próxima.

O Paulo já lhe escreveu que as duas linhas que antecedem os versos do Magalhães de Azeredo[4] tragam a minha assinatura. Este escreveu-me anunciando um ensaio a meu respeito no último número da *Revista Moderna*[5]. Sobre a mesma matéria publicou anteontem um livro de Sílvio Romero[6]; vou lê-lo. Vou ler também o número de ontem da *Revista Brasileira*; é a mais pontual que temos tido.

Adeus meu caro José Veríssimo, meus respeitos à sua E*xcelentíssi*ma *Senho*ra e saudades do velho

M. de Assis.

3 de dezembro. Não mandei esta carta no dia em que escrevi, por saber do Paulo que viria, hoje; agora sei que só depois de 6, e vou pô-la no correio. Até cá.
M. de A.

---

1 ෴ O secretário Paulo Tavares. (IM)

2 ෴ Graça Aranha* fora a Buenos Aires, onde pronunciou a conferência "A literatura atual no Brasil". (IM)

3 ෴ Ver em [483], de 13/09/1899, e [527], de 17/06/1900. (IM)

4 ෴ O poema "Saint François d'Assise". (IM)

5 ෴ Ver em [407]. (IM)

6 ෴ Primeira menção ao livro demolidor de Sílvio Romero*, *Machado de Assis — Estudo Comparativo de Literatura*, que com mais detalhes é comentado a partir da carta a Magalhães de Azeredo*, [410], de 07/12/1897, e na correspondência subsequente; merece especial atenção o agradecimento a Lafaiete Rodrigues Pereira* em [418], de 19/02/1898. (IM)

[410]

> Para: MAGALHÃES DE AZEREDO
> *Fonte:* Manuscrito Original, Arquivo ABL.

Rio de Janeiro, 7 de dezembro de 1897.

Meu querido amigo,

— e não amigo e poeta, como usava até aqui, porque é tempo e mais que tempo de afirmar, pela exclusão de um só termo, o seu talento de prosador também, que se aperfeiçoa de dia para dia. Amigo só, sem mais nada, abrange tudo, não só o poeta das *Procelárias*, como o narrador de contos e de viagens. Não falo também do crítico, porque seria suspeito, depois do artigo, que publicou a meu respeito no último número da *Revista Moderna*.

Recebi, li e guardo, como lembrança de afeição sincera, este seu artigo. Muito lhe agradeço cá de longe a simpatia do juízo. Apesar do afeto, que leva à benevolência, é sempre curioso ler, no espírito de um moço, a impressão que deixam escritos de quem transpõe os limites da maturidade para descambar na velhice. Por outro lado, ler no fim da vida que esta não foi absolutamente chocha e vã, fortifica a alma cansada, se o está, consola do mal recebido, se o houve, e anima para esforços novos, se são possíveis.

Pelo que me diz em sua carta de 11 do mês passado, este artigo não é ainda tudo o que planeia a respeito do seu velho amigo; aguardo o resto com o interesse que há de imaginar. Ao mesmo tempo que a *Revista Moderna*, aparece aqui um livro do Sílvio Romero, com o meu nome por título[1]. É um estudo ou ataque, como dizem pessoas que ouço. De notícias publicadas vejo que o autor foi injusto comigo. A afirmação do livro é que nada valho. Dizendo que foi injusto comigo não exprimo conclusão m*inh*a, mas a própria afirmação dos outros; eu sou suspeito. O que parece é que me espanca. Enfim, é preciso que quando os amigos fazem um *triunfo* à gente (leia esta palavra em sentido modesto) haja alguém que nos ensine a virtude da humildade.

Não sei se já recebeu a carta com que respondi a duas que já aqui tinha. Na de 11 do mês passado diz-me não haver recebido resposta à última, com a qual me remeter (*sic*) outra para o nosso Joaquim Nabuco. Pois dessa creio que já deve ter resposta. Quando achar que o meu silêncio é longo, não hesite em dizê-lo; pode ser minha a culpa, mas também pode ser do correio. A última carta faz-me esperar as *Procelárias* para breve. Desde já lhe afirmo a minha discrição, até que seja tempo de falar. Venham elas, através dos mares, como é seu costume. Quanto ao que me escreve sobre a divisão que lhe fizeram de um capítulo dos *Aspectos da Itália* na *Revista Brasileira*, não disse nada ao nosso José Veríssimo, mas posso fazê-lo, se lhe parecer bem.

Tenho lido com muito prazer e interesse estes seus capítulos. O último, que trata da campanha de Roma, é excelente. A descrição da gente popular, seus costumes, sua pobreza, a da Roca di papa, (*sic*) fazem realmente ver o que são. A Itália ainda tem onde se lhe respigue, apesar de Madame de Staël, Byron e Stendhal. Este último tinha-lhe um amor particular, diferente do daqueles dois. Não me posso lembrar dele sem recordar também a estrofe de Musset, que me faz invejar o romancista e o cônsul:

> *As-tu vu cet antique port,*
> *Où, dans son grand langage mort,*
> *Le flot murmure;*
> *Où Stendhal, cet esprit charmant,*
> *Remplissait si dévotement*
> *Sa sinécure?*[2]

Sim, eu creio que em Civitavecchia, naquele tempo, o fino Beyle não tinha mais que desempenhar devotamente a sinecura; mas que sinecura! Há ainda muita coisa italiana, muita ideia e muito aspecto novo; cada espírito vê a seu modo, e diz a seu modo, e os seus capítulos o estão provando. Continue com eles, e dê-nos um livro de viagens, ou mais, em que a imaginação de poeta, a observação de moço e moderno, com educação literária, nos mostre uma vista brasileira das coisas do velho mundo. O que estimo ver é que não tem no espírito nem sofreguidão nem leveza; há nele a placidez e a meditação da sua palavra falada.

A propósito de versos franceses, deixe-me dar-lhe os emboras pelos seus, que achei muito bonitos. Pedi ao nosso José Veríssimo para os inserir na *Revista Brasileira*; não puderam sair no último número, virão no próximo.

Agradeço e retribuo as recomendações do Domício da Gama; assim também o abraço espiritual do Eça de Queirós, cujo grande talento tem aqui a admiração de todos, novos e velhos. Adeus, meu querido amigo. Sou obrigado a acabar esta carta às pressas, para não perder o paquete; se perco este, não terei outro antes de sete dias, e já por um descuido deixei de escrever pelo outro vapor. Adeus; ainda uma vez agradeço as suas expressões de amigo, e asseguro-lhe os meus sentimentos de afeição. Minha mulher recomenda-se-lhe, e a toda a *Excelentíssima* família, à qual peço que apresente os meus respeitos. Escreva-me e creia no

Velho e saudoso am*i*go

Machado de Assis

Post Scriptum. Disseram-me hoje que há m*ui*to boas disposições no ministério a seu respeito[3].

M. de A.

---

1 ∾ O livro de Romero*, *Machado de Assis, Estudo Comparativo de Literatura Brasileira* foi publicado em novembro de 1897, pela casa Laemmert. Azeredo conhecia em parte o pensamento do crítico sobre Machado, pois lera alguns dos artigos que deram origem ao livro e que haviam sido apresentados no jornal *O Município*. Ao lançar na *Revista Moderna*, edição de 05/11/1897, o estudo intitulado *Machado de Assis*, Azeredo deu a seu *querido Mestre e Amigo*, um poderoso alento, sobretudo por ser uma boa surpresa, por ser um lance oportuno e por se tratar de uma apreciação de um representante da nova geração de escritores. Este artigo não pode ser confundido com a refutação feita posteriormente por Azeredo e que saiu no *Jornal do Comércio*. Os artigos "Machado de

Assis" e "Machado de Assis e Sílvio Romero" foram publicados em *Homens e Livros* (1902). Sobre o assunto, ver nota 6 em [409]. (SE)

2 ∾ Viste este porto antigo, / Onde em sua grande linguagem morta / As ondas murmuram; / Em que Stendhal, esse espírito encantador / Se desincumbiu tão devotamente / De sua sinecura? (SPR)

3 ∾ Referência à iminente reintegração de Azeredo ao serviço diplomático Sobre o assunto, ver notas 1 e 2, carta [415], de 10/01/1898. (SE)

[411]

De: MAGALHÃES DE AZEREDO
Fonte: Manuscrito Original, Arquivo ABL.

Paris, 27 de dezembro de *1897*.
114, Avenue des Champs-Élysées

Meu querido Mestre e Amigo,

Realmente já me estava queixando do seu silêncio; vejo agora que a culpa não era sua, mas do correio; na verdade a carta que recebi ontem é a primeira que me chega depois da que tive em Royat no mês de Agosto. Assim concluo que se extraviou outra que vinha em resposta à que eu lhe mandara com os versos franceses e a carta para o Amigo Joaquim Nabuco[1].

Esta sua, que li e reli com grande prazer, veio encontrar-me de cama; mas tranquilize-se — nada grave; apenas um forte resfriado, ou como dizem aqui *une rude grippe*, doença que neste momento anda correndo toda Paris e entrando à sorrelfa por todas as portas.

Entretanto, o inverno tem sido de uma suavidade excepcional. Que deliciosa estação! Dir-se-ia um prolongamento do outono; é certo que as árvores se despojaram da folhagem, nessa melancolia saudosa e penetrante que não conhecemos nos nossos países de primavera perpétua; mas o clima se conservou temperado, o ar sereno, o céu sempre azul, salvo um que outro dia em que, só para variar, a umidade apareceu trazendo consigo a famosa e detestável *boue parisienne*, lama especialmente escorregadia e sórdida que todavia não se compara àquele nosso terrível lodo das ruas do Hospício² e dos Ourives³, que sacudido pelos carroções salta à cara, ao colarinho, à gravata de toda a gente.

O Natal, porém, não quis faltar à suas tradições seculares; veio precedido e acompanhado de frio rijo; eu naturalmente me descuidei, e estou pagando uma dessas imprudências que em Paris nunca ficam impunes. Pela primeira vez na vida passei de cama esse grande dia; também meu Sogro, que estivera em Londres cerca de uma semana, e voltara na véspera do Natal, não se pôde levantar, preso por tremenda bronquite (a propósito de meu Sogro, que como sabe é de um espírito encantador e de um nobre caráter, dir-lhe-ei que ele com frequência fala a seu respeito, e com verdadeira estima⁴).

Que lhe contarei do que é Paris nas vésperas de Natal? Este entre nós é festa de verão; tem outro caráter inteiramente.

Aqui é de inverno, e no inverno é que Paris está transbordando de gente, e em todo o brilho das suas novidades. Como formiga a gente nos *boulevards*! que riqueza de objetos finos e lindos há nas lojas por todos os lados! As árvores de Natal, a multidão dos brinquedos, os bronzes, as faianças, os estanhos (recente invenção que não sei se já aí chegou), as joias, as coisas artísticas de todo o gênero, as flores maravilhosamente cultivadas em estufas, os cartuchos de *bonbons* nas confeitarias, os bonecos de papelão nas barracas dispostas ao longo das calçadas, a animação da pequenada e da gente grande também — tudo isso forma um *bulício alegre e delicioso*, que repousaria bem o seu espírito da *agitação feroz e aflitiva* em que anda agora o nosso Rio de Janeiro!

Foi no meio desses preparativos de prazer público e familiar, que se anunciou lugubremente a morte de Alphonse Daudet⁵. Aí deve essa notícia ter causado também grande impressão, porque o grande romancista é muito lido e admirado no Brasil. Eu tenho ideia de escrever um estudo sobre ele para o *Jornal do Comércio*; mas não sei se este resfriado me permitirá fazê-lo a tempo. Estou agora entre os colaboradores do *Jornal*;

o Doutor José *Carlos* Rodrigues, que esteve aqui há pouco tempo e me mostrou grande simpatia, me convidou para essa tarefa. Acho que com o *Jornal*, a *Revista Brasileira* e a *Revista Moderna* estou firmemente assentado nos arraiais das letras; além da benevolência que encontro em muitos jornais portugueses e também em algumas revistas parisienses. Mas um dos meus projetos é uma propaganda da nossa literatura nas repúblicas da América espanhola. Para isso tenciono escrever um livro de crítica que, traduzido em castelhano seja largamente espalhado pela República Argentina, pelo Uruguai, pelo Chile etc. Já conto com o auxílio de valiosos escritores desses países para tal projeto, que me parece ser bem inspirado. Mas é claro que só mais tarde o poderei realizar. Por agora tenho em mãos outros trabalhos que preciso de concluir. Como já lhe disse, estou premeditando há muito a minha entrada no romance; a esse respeito creio ter-me fixado decididamente. Não começarei, como pretendia, por um *Idílio romano*, novela antiga, que ficará para mais tarde. Penso num largo estudo social, tudo o que há mais brasileiro, mais contemporâneo e mais atual. O plano é audaz, e o assunto até hoje inexplorado; trata-se de apresentar, nas várias manifestações da sua vida coletiva, o conjunto da geração que hoje nos governa — isto é a gente que, andando agora pelos 40 a 45 anos, e tendo entrado na maturidade ao proclamar-se a República, tomou conta do Brasil, não graças à superioridade (salvas nobres exceções) mas unicamente graças à idade. Isto assim resumido tem ares de dissertação; mas na realidade será um verdadeiro romance, e as minhas preocupações de moralista só se revelarão pelos caracteres e pelos episódios. Não lhe parece um excelente projeto, que me permitirá, segundo a fórmula de Alexandre Dumas, filho, "atingir os costumes através da arte"?

Na verdade, dirá que o meu cérebro alimenta ao mesmo tempo uma multidão de planos; como, porém, no meu temperamento não há volubilidade nem precipitação, os projetos novos não prejudicam os antigos; cada um vai tomando o seu lugar próprio e aparecendo por sua vez; de modo que, com tempo, se Deus me der saúde como espero, nenhum deles ficará desaproveitado.

Este ano que vai acabar foi para mim um ano laborioso; o *ostracismo oficial* a que um simples equívoco me condenou deixou-me todo o tempo livre para a atividade literária; agora, creio, (e o *post-scriptum* da sua carta me confirma nesta suposição) que no movimento diplomático próximo me darão um bom lugar; mas isso em nada poderá alterar os meus hábitos de escritor, tanto mais que de ordinário há pouco que fazer nas legações. Quanto ao artigo que lhe dediquei na *Revista Moderna*, eu exprimi nele, com toda a sinceridade da minha consciência, o juízo que formo a respeito da sua obra e do seu gênio literário. Não há ali uma linha que seja devida a parcialidades benévolas de coração; há pura justiça, pura verdade. Mas, fora dos elogios propriamente ditos (ponto em que o meu querido Mestre recusaria responder à consulta), há uma coisa que a sua carta não diz, e que eu me empenho em saber.

Acha que *interpretei* bem o seu temperamento, os seus processos estéticos, as suas opiniões filosóficas? Procurei, com zelo e cuidado, penetrar no seu espírito. Dei bem a impressão do que ele é? Como lhe disse, o estudo mais desenvolvido que desejo escrever a seu respeito, terá as *mesmas bases* que o artigo da *Revista Moderna*. Isso prova a importância da minha pergunta.

Espanta-me o que me conta sobre o livro de Sílvio Romero. Estando em Montevidéu, li num jornal de *São Paulo*[6] uma série de artigos que ele estava publicando com o título *Machado de Assis*; não os pude ler todos, porque recebia irregularmente o jornal; mas a impressão geral que tive foi que, no meio de muitas restrições injustas e de muitas observações paradoxalmente expostas, ele reconhecia o grande valor da sua obra. Naturalmente, irrequieto e incoerente como é, já no espaço de dois anos modificou as suas ideias! Sem negar os serviços de investigação, e reconstrução tradicional que Sílvio Romero tem prestado, eu estou convencido de que as *conclusões* desse crítico serão recusadas pelos vindouros. Sempre lhe faltou a principal virtude do crítico — a serenidade, sem a qual não há verdadeira lucidez de espírito. O seu temperamento agressivo lhe desvaloriza as apreciações. Isto é o que se pode dizer de um modo geral; e quanto ao seu caso particular, que vale a opinião de um homem apaixonado e parcial contra o trabalho fecundo e honesto de 30 anos, as criações de uma originalidade reconhecida, o vigor de um espírito que não envelhece, e que conquistou o apoio das novas gerações como tivera o das antigas?

Ainda não recebi provas da última folha das *Procelárias;* por aí pode avaliar a lentidão do trabalho tipográfico; em todo o caso, creio que ainda lhe mandarei o livro com grande antecedência, pois só o publicarei em Abril. Essa última folha — que eu considero a composição mais forte de todo o livro — é um poemeto[7], uma *síntese* moral e poética que compus aqui, terminando-a nos primeiros dias de Dezembro.

Vejo com prazer que estão sendo bem acolhidos os meus artigos sobre a Itália; espero fazer com esses capítulos um livro meditado e meu, que traga, como me diz na sua carta, um modo especial e pessoal de ver essa Itália que muita gente grande viu antes de mim, mas que é bastante rica para oferecer ainda, após tantos séculos, *aspectos novos*.

O nosso José Veríssimo diz-me, em carta que recebi com a sua, que o *Saint François d'Assise* sairá na *Revista Brasileira* precedido de umas palavras suas. Espero-as com verdadeiro interesse.

De Joaquim Nabuco ainda não tive resposta — o que não me admira porque mesmo a família dele se queixa de não ter cartas.

Adeus, meu querido Mestre e Amigo. Não dirá que a *influenza* me atou a língua — quero dizer, a pena; nem a língua tampouco; pois, apesar da tosse, falo sempre muito.

Há dias lhe mandamos nossos cumprimentos de ano-novo. Aqui os renovamos, pedindo que nos recomende à Ex*celentíssi*ma Senhora.

Abraço-o de coração o sempre seu

Magalhães de Azeredo

---

1 ∾ A carta para Machado é de 25 de junho. (SE)

2 ∾ Atual rua Buenos Aires, no centro histórico do Rio, mudança ocorrida em 1915. O nome mais antigo – Detrás do Hospício – vem do século XVII. A rua passava por

trás da antiga ermida e do albergue de pau a pique que abrigou irmãos desavindos da Ordem de São Francisco da Penitência. Por estar a hospedaria associada à ermida, mesmo depois da construção em alvenaria, a igreja de Nossa Senhora da Conceição e Boa Morte continuou conhecida como Igreja do Hospício, bem como a rua que lhe passava por trás. (SE)

3 ∽ A rua ia desde a hoje quase desaparecida rua da Ajuda até a subida do Morro da Conceição. Teve uma parte incorporada às mudanças havidas no bota-abaixo do prefeito Pereira Passos, restando dois trechos: entre a rua São José e a Assembleia, chama-se rua Rodrigo Silva; entre a do Ouvidor e a do Acre, ao pé do Morro da Conceição, rua Miguel Couto. (SE)

4 ∽ Sobre Bernardo Caymari ver notas 12 e 13, carta [54], tomo I. (SE)

5 ∽ O artigo sobre Daudet, que havia falecido havia onze dias, foi publicado na *Revista Moderna* de 01/01/1897 e depois em *Homens e Livros* (1902). Daudet era uma das predileções declaradas de Azeredo. (SE)

6 ∽ *O Município*, jornal dirigido por Jaguaribe Filho, que começou a circular em 1896, tendo como redator-secretário Leopoldo de Freitas (amigo cuja prisão em 1893 fez Azeredo retirar-se do Rio para Minas), e como colaboradores Sílvio Romero* e Venceslau de Queirós. Sobre o livro de Romero, ver nota 1, carta [410]. (SE)

7 ∽ Nesta *última folha* intitulada "A Musa do Poeta", poema composto de nove cantos, Azeredo faz a sua profissão de fé. (SE)

[412]

De: LOUIS-PILATE DE BRINN'GAUBAST
Fonte: Manuscrito Original, Arquivo ABL.

Avzianopetrovski (Oural), le 28 décembre 1897.

Monsieur et illustre Maître,

J'ai l'honneur de vous informer qu'aujourd'hui, par ce même courrier, j'adresse à M*onsieur* Sílvio Romero, comme à l'historien de la Littérature brésilienne, une lettre que je le prie de bien vouloir communiquer à l'Académie. Je prends la liberté de vous écrire en même temps, à vous qui [pré]sidez cette jeune Académie: ayez la bonté de lui dire que je compte sur *chacun de ses membres* pour m'envoyer sans fausse honte *livres, photographies* et *documents recommandés*. Je voudrais que ma lettre à Monsieur Sílvio Romero fût *rendue publique par la voie de la Presse* et *transmise à ceux de vos collègues qui n'habitent point Rio de Janeiro*. J'entreprends de prouver à l'Europe que le Brésil intellectuel est digne de son attention, souvent de son admiration.

Veuillez agréer l'expression de mes sentiments de (...) profond respect,

Louis-pilate de Brinn'Gaub[ast][1].

Post Scriptum – Comme spécimen de ma critique, je vous envoie une vieille épreuve de ma biographie de *João de Deus*. – Une brochure de G. Oucinot, malgré des éloges excessifs, vous renseignera sur ma personne. – Vous pouvez, si vous jugez utile, communiquer ces documents à vos collègues[2].

LOUIS-PILATE DE BRINN'GAUBAST
Société Métallurgique de l'Oural-Volga
à AVZIANOPETROWSKI (par Sterlitamak)
Gouvernement d'Orenbourg, RUSSIE[3]

---

1 ∾ Carta **inédita**, em papel timbrado da *Revue Encyclopédique* / Maison Larousse, 17, Rue Montparnasse, bastante danificado. Observe-se que o remetente utilizou um carimbo com as referências de endereçamento no final da carta. (IM)

2 ∾ Curiosamente, a ata da sessão de 07/12/1897, registra proposta de Filinto de Almeida* e Guimarães Passos indicando para membro correspondente da Academia o "escritor francês Louis-Pilate de Brinn'Gaubast"; tal proposta não vingou. E, na mesma data, Machado escrevia a Magalhães de Azeredo* (ver em [410]) a respeito do violento ataque feito por Sílvio Romero* no livro *Machado de Assis – Estudo Comparativo da Literatura Brasileira*, recém-publicado e ainda não lido pelo escritor. Nosso missivista de Avzianopetrovski, juntando Machado e Romero na mesma empreitada, caiu em péssima hora. (IM)

3 ∾ TRADUÇÃO DA CARTA:

Senhor e ilustre Mestre, / Tenho a honra de informá-lo de que hoje, por esse mesmo correio, dirigi ao senhor Sílvio Romero, na qualidade de historiador da literatura brasileira, uma carta que lhe solicitei comunicasse à Academia. Tomo a liberdade de escrever-vos ao mesmo tempo, como Presidente desta jovem Academia, pedindo que a informe de que estou contando com cada um dos seus membros para que me envie, sem falsa vergonha, livros, fotografias e documentos recomendados. Gostaria que minha carta ao senhor Sílvio Romero fosse tornada pública pela imprensa e transmitida aos vossos colegas que não moram no Rio de Janeiro. Pretendo com isso provar à Europa que o Brasil intelectual é digno de sua atenção, e muitas vezes de sua admiração. / Com os sentimentos do meu profundo respeito, Louis-pilate de Brinn´Gaub[ast]. / Post Scriptum – Como exemplo de minha crítica, envio-lhe uma velha prova de minha biografia de João de Deus. Uma brochura de G. Oucinot, apesar dos elogios excessivos, dará esclarecimentos sobre minha pessoa. Se o julgardes útil, podereis comunicar esses documentos a vossos colegas. / Louis-Pilate de Brinn'Gaubast. / Sociedade Metalúrgica de Ural-Volga. / Em AVZIANOPETROWSKI (Por Sterlitamak). / Governo de Orenbourg, RÚSSIA. (SPR)

[413]

De: MÁRIO DE ALENCAR
Fonte: Manuscrito Original, Arquivo ABL.

Rio [de Janeiro], 1.º de janeiro de 1898.

Meu ilustre Amigo,

Agora de manhã vejo confirmada no *Jornal do Comércio* a notícia – até ontem incrível para mim – de que o Senhor fica adido à Secretaria da Indústria[1]. Dizer-lhe o meu espanto indignado, assegurar-lhe que sinto profundamente isso, fora supérfluo, porque deve saber de antemão quanto é desagradável e revoltante para todos que o conhecem e estimam esse ato iníquo do Governo. O que eu venho trazer-lhe é o meu abraço de amigo no momento em que um Poder Público do nosso País se mostra tão ingrato aos seus grandes serviços e esquece o seu extraordinário valor para atender a interesses pequeninos de outros. Deve lhe ser consolo lembrar-se que a sina dos grandes homens é sofrer a injustiça dos contemporâneos. Faltava-lhe isso para que o Senhor não fizesse exceção à lei das compensações humanas. A sua glória literária avultava muito, o seu prestígio firmava-se mais e mais; mas não se pode ser grande impunemente, não se pode gozar o resultado de longo esforço próprio, sem que a inveja não se insurja para perturbá-lo, e o capricho dos impotentes não ambicione a partilha do que não puderam conseguir. Seu nome literário é bastante sólido e seguro para que possam destruí-lo, ou pelo menos atenuá-lo: e ainda assim não escasseiam as tentativas vãs! Mas o que dependia dos homens, e dos homens públicos, piores de todos, estava à mercê da inveja. A lei era um embaraço; mas as leis fazem-nas os homens, para as ocasiões, quase sempre com o pretexto de servirem aos outros, e com o fim secreto de proveito próprio. E assim foi que com a lei tiraram-lhe o que a lei garantia! Paciência, meu ilustre amigo. Lembre-se de que meu Pai, quando o magoavam e abatiam os dissabores políticos, se refugiava no seio das Letras, onde as alegrias são puras e o consolo infinito[2]. Faça como ele; e de modo algum, para bem seu, de todos que o admiramos, deixe o desgosto assenhorear-se do seu nobre espírito e embaraçar a continuação da sua obra brilhante.

Abraça-o com a maior amizade e respeito

Seu

Mário de Alencar

---

1 ∾ Machado fora afastado do cargo de diretor da Diretoria-Geral da Viação pelo novo ministro Sebastião de Lacerda, em ato publicado no *Diário Oficial* de 03/01/1898. Antes mesmo da oficialização, os rumores já circulavam na imprensa dando conta da iminente decisão, fato que projetou o escritor num dos momentos mais difíceis de sua vida profissional. Durante quatro anos ficou afastado do cargo, retornando, contudo, ao serviço público como secretário de gabinete do ministro Severino Vieira, em 17/12/1898. Só foi reconduzido ao cargo de diretor-geral, quando Lauro Müller* assumiu o ministério em 15/11/1902. Sobre o afastamento, ver notas 3 e 4, carta [415], 10/01/1898. (SE)

2 ∾ Ver em *Páginas Recolhidas* (1899) o artigo "A estátua de José de Alencar". (SE)

[414]

Para: MÁRIO DE ALENCAR
Fonte: Transcrições, Arquivo ABL.

Rio de Janeiro, 1.º de janeiro de 1898.

Meu querido Mário.

Obrigado pela sua carta amiga e boa. Já há dias tinha notícia do que ora me sucede; a última vez que nos vimos, de passagem, já eu sabia que ia ser adido[1]. Assim, vinha-me acostumando à ideia e ao fato, e agora que este foi consumado não me resta mais que conformar-me com a fortuna, e encarar os acontecimentos com o preciso rosto. A sua carta é ainda uma voz de seu pai e foi bom citar-me o exemplo dele; é modelo que serve e fortifica[2]. Obrigado pelo seu abraço, meu querido Mário. É a primeira carta que dato deste ano; folgo que lhe seja escrita, e em troca de expressões tão amigas.

    Creia-me
    velho amigo e obrigado
    Machado de Assis.

---

1 ∾ Sobre a condição de adido, ver nota 3, carta [415], de 10/01/1898. (SE)

2 ∾ No discurso proferido na inauguração da estátua de José de Alencar*, na antiga praça Ferreira Viana, que foi inserido em *Páginas Recolhidas* (1899), Machado diz acerca das graves dificuldades e perseguições sofridas por Alencar, sobretudo depois de 1868, quando renunciou ao ministério:

  "Desenganado dos homens e das coisas, Alencar volveu às suas letras queridas. As letras são boas amigas; não lhe fizeram esquecer inteiramente as amarguras é certo; senti-lhe mais de uma vez a alma enojada e abatida. Mas a arte, que é liberdade, era a força medicatriz do seu espírito." (SE).

[415]

> Para: MAGALHÃES DE AZEREDO
> *Fonte:* Manuscrito Original, Arquivo ABL.

Rio de Janeiro, 10 de janeiro de 1898.

Meu querido amigo,

    Não escolho papel para lhe mandar o meu abraço de parabéns. Creio que já lhe havia dito alguma coisa a respeito da sua reintegração[1]. Tinha ouvido que ia ser feita; mas, como entre a notícia e a realidade havia espaço grande, não dei a coisa por definitivamente feita[2]. Felizmente o está, com aplauso e gosto de todos os seus amigos, que são quantos o conhecem. Volta ao cargo, volta à cidade eterna, e, para maior satisfação, volta sem o seu Badaró, que foi dispensado. Não me pergunte se merece tantas fortunas; é certo que sim, e não continuo este capítulo para não vexá-lo.

    A justiça vem aos moços. Os velhos, como eu, atraem menos essa esquiva. Ao contrário (se me releva dizer aqui em reserva uma coisa pública e oficialmente impressa) na última reforma da Secretaria de Viação fui declarado adido[3]. A razão é que o regulamento novo exige para o meu lugar um profissional, mas justamente o benefício seria não exigir um profissional, e continuar como durante o tempo em que exerci o cargo efetivamente (cinco anos) e antes de mim outros que não eram profissionais. Mas, enfim, o feito está feito, e o ministro ornou-me de rosas a saída, por meio de um decreto especial e fundamentado[4]. A minha posição agora é a que pode crer; segundo o ministro, farei os trabalhos que ele me der, mas é preciso que os haja; sem isso, terei os proventos do cargo sem os ônus. Os meus amigos têm sentido o caso, e muitos dos antigos colegas também. Sei que sentirá, mas fica tudo entre nós... Sobre este ponto, adeus.

    É este o meu cartão de boas-festas; e aproveito a ocasião para dizer que lhe escrevi uma carta em resposta a duas suas, o que me constitui em dívida; mas, além de que a idade cansada precisa de cordiais frequentes, a mocidade tem mais força para transmitir ao papel o que sente, e, se é possível, obrigação maior quando se trata de um amigo velho. Ainda uma vez lhe agradeço o artigo que escreveu na *Revista Moderna* acompanhando o meu retrato; reitero aqui o que lhe mandei então. E o seu livro? Aqui o esperamos, certos do que há de ser. Na *Revista Brasileira* fiz publicar o seu lindo monólogo *São Francisco de Assis*; creio que não saiu erro nenhum. A *Revista* raro publica versos; os seus não podiam deixar de sair, e o José Veríssimo com muito prazer os aceitou.

Creio que já lhe falei no livro que o Sílvio Romero publicou a meu respeito[5]. Não ouso dizer que é um *éreintement*[6], para não parecer imodesto; a modéstia, segundo ele, é um dos meus defeitos, e eu amo os meus defeitos, são talvez as minhas virtudes. Apareceram algumas refutações breves, mas o livro aí está, e o editor, para agravá-lo, pôs-lhe um retrato que me vexa, a mim que não sou bonito. Mas é preciso tudo, meu querido amigo, o mal e o bem, e pode ser que só o mal seja verdade.

Literariamente, há duas notícias. Imprime-se em Paris um livro do Joaquim Nabuco, em três ou quatro volumes, *Um estadista do Império*; é a vida do pai. O Graça Aranha, estando agora em Buenos Aires, fez uma conferência sobre a literatura brasileira, que será aqui publicada, ao que parece. Vi apenas notícia dela, em jornais portenhos. Agradou muito, e deu uma ideia geral do nosso estado literário. Há ainda uma notícia. A nossa Academia suspendeu os trabalhos, na forma do regimento, até março; dei então o programa do ano.

Começamos aqui a ler a *Ilustre Casa de Ramires*, que promete ser um (academicamente falando) novo florão para o nosso Eça de Queirós. A arte com que está posta, desenhada e pintada a principal figura é realmente admirável, e não é preciso falar particularmente da língua e do estilo, que fazem parte dela[7]. A *Revista Moderna* tem-se pouco a pouco imposto, e merece recompensa do esforço, que é grande.

Venho até aqui, meu querido, [com] um pouco de atropelo. Estive enfermo de 6 para 7, e todo o dia de 7; só a 8 e 9 (ontem) melhorei, mas ainda me sinto abatido. Não atribua a isso a alegação de velhice que lhe tenho feito. Não é só a enfermidade, são também os anos; creia que o seu *jovem* amigo, que por tanto tempo conservou um pouco do vigor de antanho, descamba na invalidez. Tenho um trabalho literário entre mãos; não sei se o darei pronto; isto lhe dirá o meu desânimo físico. Emagreci muito nos últimos meses. Mas, enfim, são coisas confiadas a um amigo sério e calado.

Adeus, meu querido, ainda uma vez o abraço pela volta ao posto; foi um bom ato do governo. Minha m*ulh*er também lhe manda os seus cumprimentos, bem como à sua família, à qual peço que me recomende igualmente, como o seu

Velho am*igo* ad*mirad*or e obr*igad*o

Machado de Assis.

---

1 ◦◦ Magalhães de Azeredo foi reintegrado ao serviço diplomático por portaria ministerial de 03/01/1898. Francisco Badaró foi demitido nesse mesmo dia, assumindo o posto de ministro plenipotenciário junto à Santa Sé, o bacharel José Augusto Ferreira da Costa. Sobre o episódio Badaró, ver carta [386]; sobre a sua vida funcional até a reintegração, ver carta [400]. (SE)

2 ◦◦ A queda em 29/06/1897 do republicano histórico Francisco Glicério, antigo líder e porta-voz do governo Prudente de Morais no Congresso, precipitou a destituição de Badaró, abrindo caminho para a volta de Azeredo aos quadros da diplomacia brasileira. Sobre o rompimento entre o presidente da República e seu líder, ver nota 8 carta [407]. (SE)

3 ◦◦ O governo Prudente de Morais, por meio da lei 489, (15/12/1897), orçou a receita para 1898 e por meio da lei 490, (16/12/1897), fixou a despesa geral da República para o período. Todos os ministérios precisaram se adequar. A repartição em que Machado trabalhava passou a ser regida pelo decreto 2767 (28/12/1897), que lhe alterou a organização, redistribuída por três diretorias-gerais independentes, e o quadro de funcionários efetivos foi reduzido e remanejado. Os funcionários excedentes com mais de dez anos de serviço foram considerados *adidos* e os com menor tempo, dispensados. Adidos ficaram 1 diretor-geral (Machado de Assis), 2 chefes de seção, 2 primeiros oficiais, 4 segundos oficiais, 4 amanuenses e 1 contínuo. Na burocracia *adido* ou *aditado* seria aquele que não pertence ao quadro oficial de funcionários para o qual foi designado. (SE)

4 ∾ Nomeado em 13/11/1897, o novo ministro da Indústria Viação e Obras Públicas, Sebastião Eurico Gonçalves de Lacerda (1864-1925) conduziu a reforma administrativa (decreto 2767), que criou exigências técnicas para as chefias de seção e diretorias, afastando antigos funcionários e nomeando outros para os cargos vagos. Machado, que anteriormente já fora diretor de Comércio e de Viação, foi substituído na Diretoria-Geral da Secretaria por José de Nápoles Teles de Meneses*. Quando o ministro Lacerda afastou-se por motivos de doença, foi substituído interinamente por Jerônimo Rodrigues Morais Jardim, até a entrada de Severino dos Santos Vieira (1849-1917), que chamou Machado para ser secretário de gabinete. Nomeado pela portaria de 16/11/1898, retornou ao serviço público em 17/12/1898; mas só foi reconduzido ao cargo de diretor, quando Lauro Müller* assumiu o ministério em 15/11/1902. (SE).

5 ∾ Segundo Magalhães Jr. (2008), o ataque de Romero* foi uma desforra, cuja origem seria a apreciação negativa feita por Machado à sua obra poética *Cantos do Fim do Século* (1878), no ensaio crítico "Nova Geração", em dezembro de 1879 na *Revista Brasileira*. (SE)

6 ∾ Sova em regra, crítica demolidora. (SPR)

7 ∾ Esse comentário significa uma alteração qualitativa na apreciação machadiana da obra de Eça*, se comparado à crítica profundamente negativa que fez em 1878 do *Primo Basílio*. (SE)

[416]

Para: MAGALHÃES DE AZEREDO
Fonte: Manuscrito Original, Arquivo ABL.

Rio de Janeiro, 2 de fevereiro de 1898.

Meu querido amigo,

Tenho aqui a sua de 27 do mês de Dezembro, e vou responder-lhe, ainda que incerto se esta lhe chegará às mãos. O Mário Alencar, a quem procurei por isto, disse-me que já lhe escreveu para Roma, e eu vou fazer o mesmo; peço-lhe só que, como aviso de que a carta se não extraviou, me mande duas linhas de recepção[1]. De resto, já lhe escrevi para Paris um bilhete de parabéns, logo que se publicou a sua reintegração, e aqui os renovo. Afinal fez-se-lhe justiça. Não é de crer que se repita o equívoco de que me falou, mas se tal se desse, bastava fazer o que fez agora, vingar-se em trabalhar muito e bem.

Pela sua carta, vejo que está com vários projetos, e não era preciso dizer que eles se não prejudicam uns aos outros. Conheço o seu temperamento; sei que fará cada coisa à hora própria, sem atropelo. Uma das qualidades que lhe descobri logo (e não era difícil, porque é das mais salientes) é essa ponderação natural, aperfeiçoada pela disciplina. A propaganda das nossas letras nas repúblicas da América Espanhola é projeto útil. O Graça Aranha, nosso colega da Academia, como sabe, foi há pouco ao Rio da Prata, e fez em Buenos Aires uma conferência sobre a literatura brasileira, em que foi muito aplaudido. A colaboração do *Jornal do Comércio* há de auxiliá-lo muito em relação ao grande público. Vi ali o seu estudo sobre o Daudet, que achei bem feito e agradou bastante; é dos melhores que li a tal respeito. Deixe-me também apertar-lhe a mão pela *Serva do Rei* e pela *Noite de inverno*, que li ultimamente na *Revista Moderna*. Não esmoreça que está nos anos de produção. Quanto ao romance que me anuncia, digo-lhe que o assunto é realmente inexplorado e tentador; pode muito bem deixar um quadro da nossa sociedade ao terminar deste século. Conhece *Pais e Filhos* do Turguenev[2]? é o encontro de duas gerações entre 1850 e 1860. O seu estudo é mais compreensivo e social que o daquele livro, limitado à educação espiritual da mocidade e ao contraste dos preconceitos de dois tempos que se avistam para se separarem. Sem paixão de nenhuma espécie, além do amor da arte e da verdade, pode compor um livro de valor, com a pausa necessária à matéria e ao gênero. Há muito que ver e fixar no papel.

Quer saber se no artigo da *Revista Moderna* interpretou bem o meu temperamento, as minhas opiniões e os meus processos? É difícil responder, desde que a simpatia de expressão se junta ao próprio juízo; mas se é possível dizer alguma coisa sem acarretar aprovação aos termos deste, respondo que a minha organização moral e mental é essa mesma que ali define; pelo menos, a leitura do seu escrito produziu em mim a sensação de um reflexo. O meu pessimismo é esse mesmo que ali analisa. Sobre os meus processos literários creio também não ter que divergir, salvo sempre o que implicar louvor em boca própria. Por exemplo, é certo que sou parco em descrições; e, quanto aos quadros naturais, raro achará nos meus livros. Não é, relativamente a estes, que eu não receba a impressão estética que eles dão, é a minha preocupação exclusiva do homem que toma o papel todo nos meus escritos; mas talvez esteja disfarçando com isto uma virtual incompetência técnica. Não digo mais para não dissertar, em vez de limitar-me à parte afirmativa da resposta que me pediu, e aí vai.

O que me escreve do Sílvio Romero creio ser verdade pura[3]. Não tem serenidade de espírito, é por natureza agressivo. Não se pode fazer crítica assim; mas, em suma, eu sou suspeito. No *Jornal do Comércio* apareceu um artigo em resposta ao livro do Sílvio[4]; tem o meu nome por título; procure depois das *Notícias várias*. Não sei quem seja o autor, é o primeiro de uma série, e vê-se que é de amigo.

A *Revista Brasileira* continua, mas vai alterar o modo de publicação, dando um número por mês com o dobro das páginas; o primeiro número deste ano está no prelo. Na sala da *Revista*, rua Nova do Ouvidor 31, costumamos reunir-nos alguns, entre 4 e 5 horas da tarde, para uma xícara de chá e conversação; os mais assíduos são o Graça Aranha, o Nabuco, o Araripe Júnior, o Taunay, o João Ribeiro, o Antonio Sales, e ultimamente o Tasso Fragoso[5]. O José Veríssimo é da casa, mas está passando as férias em Nova Friburgo, donde desceu uma vez, e vai descer agora breve. Literariamente, mais nada, a não ser que a Academia Brasileira continua em férias, e que este ano pode ser que o Congresso autorize o Governo a conceder-lhe uma sala para as suas sessões.

Adeus, meu querido amigo. Espero haver satisfeito à pergunta que me fez sobre a interpretação que deu de mim no artigo da *Revista Moderna*; mas, se o não fiz, estou pronto a dizer-lhe o mais que entender necessário. Peço-lhe que apresente a sua *Excelentíssi*ma Esposa e Mãe os meus respeitosos cumprimentos e recomendações de minha mulher. Abraça-o cordialmente o

Velho am*i*go e Confrade

Machado de Assis.

14-2.

Não tendo a carta partido quando devia (irá amanhã pelo *Lempione*, que sai para Gênova) acrescentarei aqui que o *Jornal do Comércio* publicou mais três artigos em resposta ao Romero; parece que está acabada a refutação. Sobre o autor falaram-me de um homem político, o D*ou*tor Alexandre Stokler (*sic*), genro do Lafaiete[6]; vou verificar o que há de verdade. Os artigos revelam muita cultura literária. Diga-me o que pensa deles.

Machado de Assis.

---

1 ∾ Como Azeredo reintegrara-se à diplomacia, Machado estava incerto quanto à sua localização: ainda em Paris ou já em Roma no posto? Há ainda duas cartas escritas de Paris, a de 10 de fevereiro e a de 11 de março; nesta última, Azeredo avisa que viajará em 21 de março. A presente carta, aliás, não foi postada imediatamente; datada de 2 de fevereiro, será postada somente em 15 do mesmo mês. (SE)

2 ∾ A novela *Pais e Filhos* é a obra mais conhecida do escritor russo Ivan Sergeyevich Turgenev (1818-1883), publicada em 1862 e traduzida para diversas línguas. (SE)

3 ∾ Ver carta [411]. (SE)

4 ∾ Sobre o assunto, ver carta [418], de 18/02/1898. (SE)

5 ∾ Augusto Tasso Fragoso (1869-1945), o mesmo que em 24/10/1930 liderou golpe de estado que depôs Washington Luís (1869-1957), impedindo a posse do presidente eleito pelo voto popular Júlio Prestes (1882-1946), e entregando o governo a Getúlio Vargas em 03/11/1930. (SE)

6 ∾ Por este *post-scriptum* de 14 de fevereiro, doze dias depois da data que encabeça a carta, Machado permanecia curioso quanto à identidade de Labieno. Aliás, estava por meios indiretos chegando ao nome de Lafaiete Rodrigues Pereira*, pois alude ao genro deste, o republicano histórico Alexandre Stockler Pinto de Meneses, casado com a escritora e jornalista Albertina Berta Lafaiete Stockler (1880-1953). (SE)

[417]

> De: MAGALHÃES DE AZEREDO
> *Fonte:* Manuscrito Original, ABL.

Paris, 10 de fevereiro de 1898.
114, Avenue des Champs-Élysées.

Meu querido Mestre e Amigo,

Ainda estamos em Paris, à espera de ordem do Governo para partir; como sempre, a Secretaria tem sido agora pausada e lenta. Não creia que temos pressa enorme de pôr-nos a caminho. Roma, que é eterna, esperará por nós, e Paris com os seus encantos torna agradável a demora. A nossa casa aqui, com toda a família reunida, é muito alegre; e na cidade distrações não faltam, mesmo das que elevam e cultivam o espírito. Verdadeiramente lhe posso dizer que não conheço, ou conheço apenas, o Paris dos cafés-concertos e das cançonetas salgadas; só em duas das últimas noites, por dever de observador, fui até esses bairros com um amigo; asseguro-lhe que o espetáculo, curioso sem dúvida, é também repugnante. Entretanto, *hélas!* há patrícios nossos que só disso alimentam alma e sentidos quando vêm passar tempo em Paris. Não quero atribuir à virtude a minha antipatia por essas estéreis diversões; é questão de gosto, de temperamento, de hábito; seja o que for, é uma felicidade.

O Paris intelectual, esse é que me delicia[1]. Em Roma o espírito vive antes de contemplação e meditação que de controvérsias; os monumentos ali inspiram mais que os homens, e os mortos valem de ordinário mais que os vivos. Há grandes figuras decerto; qual maior que a de Leão XIII[2]? mas na sua reclusão do Vaticano, o nobre Velho, com a responsabilidade de um mundo a dirigir, só raríssimas vezes poderá conversar com um diplomata sobre ideias e letras. Os escritores italianos vivem geralmente nas províncias; De Amicis em Turim, Carducci em Bolonha, creio que Stecchetti também; e os outros por aí além. Assim em Roma não há muitos centros de conversação intelectual. Aqui há muitos, e tenho feito excelentes relações com alguns dos mais célebres literatos franceses. É possível que com o tempo — sobretudo se de Roma, um dia, me removerem para aqui — eles me ajudem a tornar conhecida no mundo intelectual a nossa literatura.

Mas volto satisfeitíssimo para Roma, e ansiosamente desejo ver outra vez coisas tão belas. Na verdade o Ministro do Exterior procedeu a meu respeito com raro e perfeito sentimento da justiça. Eu sempre o esperei aliás; pois, desde que me pude defender, ele mostrou invariavelmente o mais vivo desejo de reparar o seu erro involuntário. A restituição do mesmo cargo que eu exercia e a exoneração do *Senhor* Badaró tornaram completo e inequívoco o ato do Governo[3].

A alegria que eu tive por isso foi, todavia, contrastada pouco depois pela notícia do resultado que teve para o meu querido Mestre a reorganização da Secretaria da Indústria[4]. Eis o que dão quase sempre de si as reformas oficiais! No corpo diplomático também, como sabe, houve supressão de muitos lugares, mas aí pelo menos o Governo tomou uma base razoável — a antiguidade — e sacrificou os mais modernos funcionários. Mas realmente tirarem-lhe o seu lugar após cinco anos de serviço nele, e tantos mais na repartição, é uma iniquidade!

Outra coisa que me aborreceu foi o aparecimento do livro de Sílvio Romero[5], que ainda não li, pois ninguém mo mandou. Já o pedi para o Rio; desejo refutá-lo a fundo. Não é que a sua obra, meu querido Amigo, precise de defesas; ela se defende bem por si própria, e não será por certo a catapulta crítica do exasperado sergipano que a impedirá de perpetuar-se. Mas aqui o fato de ser feita a refutação por um escritor de 25 anos, isto é, por um representante da nova geração, tem certa importância no sentido de mostrar que os moços, os espíritos do futuro, continuam a prestar ao nome de Machado de Assis o apoio que lhe deram os que hoje são velhos ou homens maduros.

A *influenza* cá em casa assaltou quase toda a gente; só minha Mamãe e uma cunhada ficaram imunes; minha Mulher, minha Sogra, meu Sogro, outra cunhada pagaram o mesmo tributo que eu à epidemia; mas todos foram só levemente atacados, e, graças a Deus, estão completamente restabelecidos.

O nosso Eça de Queirós também andou doente de *influenza*, e sofreu bastante embora sem estar grave; mas no seu organismo já enfermiço essas indisposições produzem grande abalo. Tenho-o visto com muita frequência; creio que vai passar uns dias no Sul, em mais doce clima.

Agradeço-lhe, e muito, as gentis palavras com que precedeu os meus versos franceses publicados na *Revista Brasileira*. Dir-lhe-ei em segredo que mostrei esses e outros a Heredia e a Sully-Prudhomme, com os quais tenho ótimas relações; eles se mostraram assombrados de que um estrangeiro pudesse escrever tais versos, e me asseguraram que se eu quiser continuar, poderei ter nome mesmo em Paris. Sei que não me fará a injustiça de atribuir esta confidência a uma tola vaidade, tão distante de mim; conto-lhe isso por estar convencido de que lhe será intimamente agradável sabê-lo. E contar-lhe-hei também que a primavera, aparecida prematuramente em Paris, me tem estimulado com vigor a imaginação. Quantas poesias tenho escrito agora, sem esforço, quase sem deliberação! Dir-se-ia que o verso é a minha linguagem natural em certas ocasiões, que eu falo, que eu penso em verso; é o que muitas vezes me sucede; de maneira que à noite, não podendo dormir, as rimas começam a dançar-me no cérebro a sua quadrilha simétrica, e quando menos espero, está feito um soneto... Não lhe envio agora essas poesias porque não tenho tempo para copiá-las, devendo despachar vasta correspondência, fazer visitas, compras, mil coisas. De Roma lhas mandarei.

Nossos cumprimentos à *Excelentíssi*ma Senhora. Mamãe, Maria Luísa, minha Sogra se lhe recomendam, e eu o abraço afetuosamente. Seu de coração

Magalhães de Azeredo

Meu Sogro está em Londres por alguns dias.

1 ∽ Azeredo em Paris conviveu não só com a elite endinheirada e aristocrática do fim do século XIX, mas também com escritores, cantores, maestros e compositores. Oferece testemunho dessa convivência em suas cartas e livros, e dela se destacam Eça de Queirós*, Sully-Prudhomme, François Coppée, Heredia, Paul Bourget, Gérard d'Houville, Ambroise Thomas, Jules Lemaître, Henri de Régnier, Ernest Legouvé, Eugène-Melchior de Vogüé, Massenet, Alfred Bruneau. O mundo intelectual que o deliciava, buscou comunicá-lo a Machado por meio de suas cartas e das conversas pessoais que tiveram, nas poucas vezes em que se encontraram no Brasil, depois que se transferiu à Europa. (SE)

2 ∽ Há na *Revista Moderna*, edição de 02/02/1898, um artigo de Azeredo sobre o Papa Leão XIII. Aliás, Machado numa crônica de 23/02/1897, faz alusão à sua correspondência pessoal com Azeredo, tendo como tema o papa. (SE)

3 ∽ Sobre o episódio da demissão de Azeredo, ver carta [386]. (SE)

4 ∽ Sobre o afastamento de Machado do ministério, ver notas 3 e 4, carta [415]. (SE)

5 ∽ No artigo "Nova Geração" (1879), quase vinte anos antes, Machado fizera uma crítica dura ao prefácio de *Cantos do Fim do Século*, em que Romero-crítico pensava os rumos da nova poesia. Mais do que ficar aborrecido com a crítica à qualidade de sua poesia, Romero* possivelmente não digeriu o tratamento dado a si como crítico, a sua verdadeira vocação. Diz Machado:

> "Entretanto, o lirismo não pode satisfazer as necessidades modernas da poesia, ou como diz o autor [Romero], – *não pode por si só encher todo o ambiente literário; há mister uma nova intuição mais vasta e mais segura*. Qual? Não é outro o ponto controverso, e depois de ter refutado todas as teorias, o Sr. Sílvio Romero conclui que a nova intuição literária nada conterá de dogmático, – será um resultado do espírito geral de crítica contemporânea. Esta definição, que tem a desvantagem de não ser uma definição estética, traz em si uma ideia compreensível, assaz vasta, flexível, e adaptável a um tempo em que o espírito recua os seus horizontes. Mas não basta à poesia ser o resultado geral da crítica do tempo; e sem cair no dogmatismo, era justo afirmar alguma coisa mais. Dizer que a poesia há de corresponder ao tempo em que se desenvolve é somente afirmar uma verdade comum a todos os fenômenos artísticos." (SE)

[418]

Para: LAFAIETE RODRIGUES PEREIRA
Fonte: Transcrições, Arquivo ABL.

Rio de Janeiro, 19 de fevereiro de 1898.

Excelentíssimo Senhor Conselheiro Lafaiete Rodrigues Pereira[1].

Soube ontem (não direi por quem)[2] que era Vossa Excelência o autor dos artigos assinados *Labieno*[3] e publicados no *Jornal do Comércio* de 25 e 30 de janeiro e 7 e 11 do corrente, em refutação[4] ao livro a que o Senhor Doutor Sílvio Romero pôs por título o meu nome.

A espontaneidade da defesa o calor e a simpatia[5], dão maior realce à benevolência do juízo que Vossa Excelência aí faz a meu respeito. Quanto à honra deste, é muito, no fim da vida achar em tão elevada palavra como a de Vossa Excelência um amparo valioso e sólido pela cultura literária e pela autoridade intelectual e pessoal. Quando comecei a vida, Vossa Excelência vinha da carreira acadêmica; os meus olhos afeiçoaram-se a acompanhá--lo nesse outro caminho, onde, nem o direito, nem a política, nem a administração, por mais alto que o tenham subido, puderam arrancá-lo ao labor particular das letras em que ainda agora prima pelo conhecimento exato e profundo. A pessoa que me desvendou o nome de Vossa Excelência pediu-me reserva sobre ele, e assim cumprirei. Sou obrigado, portanto, a calar um segredo que eu quisera público para meu desvanecimento. Queira Vossa Excelência aceitar os meus mais cordiais agradecimentos, e dispor de quem é

De Vossa Excelência

Muito admirador e obrigado patrício

Machado de Assis.

---

1 ⁕ Esta carta de Machado foi escrita uma semana depois do último artigo de Lafaiete Rodrigues Pereira. Já os artigos foram reunidos posteriormente pelo autor em um opúsculo — *Vindiciae*. Registre-se também que o conselheiro Lafaiete foi o segundo

ocupante da Cadeira 23, eleito em 01/05/1909, na sucessão de Machado de Assis, tomando posse por carta, lida e registrada na ata da sessão de 03/09/1910. (SE)

2 ∾ Machado de Assis deve ter ficado realmente surpreso ao saber de quem se tratava, pois como jornalista algumas vezes atacou o conselheiro Lafaiete. O duro editorial de 01/01/1867, do *Diário do Rio de Janeiro*, por insistência do secretário de governo Henrique César Muzzio*, em favor do presidente de Minas Saldanha Marinho, adversário político do conselheiro, não foi o único ataque desferido por Machado contra ele. No ano anterior, vez por outra, soltava uma nota ferina a pedido de Muzzio. Registre-se que o editorial de Machado para o *Diário do Rio de Janeiro* está reproduzido na nota 8, carta [61], do tomo I. Ver também no mesmo tomo as cartas [60], [62], [70] e [71]. (SE)

3 ∾ Tito Labieno (± 100 a. C. − 45 a. C.), militar romano, tribuno da plebe, foi um dos tenentes de maior atuação ao lado de Júlio César na conquista da Gália. O tribunato da plebe surgiu depois da revolta do Monte Sagrado (494 a.C.), para dar voz às camadas populares contra o arbítrio dos magistrados patrícios. Com a sua atuação fortemente restringida pelos patrícios, o tribuno da plebe não tinha direito a ascender à magistratura. Ver também a nota de Machado de 14 de fevereiro à carta de 02/02/1898. (SE)

4 ∾ Montello (1961) afiança que haveria uma motivação subjacente à atitude altruística de Lafaiete. Tratar-se-ia de uma boa e velha desforra contra Sílvio Romero*. Dezoito anos antes, o conselheiro fora alvo de um ataque demolidor por parte de Romero numa série de crônicas em *O Repórter*, transformadas depois em volume – *Ensaios de Crítica Parlamentar* (1883). Por esse tempo, Lafaiete, ministro da Justiça do gabinete Sinimbu, já havia firmado a sua reputação como jornalista, tribuno, escritor e jurista. No entanto, na crônica em que se ocupou de traçar o seu perfil, o crítico sergipano negou-lhe tudo: talento, cultura, ideias, lealdade e dotes de orador. Entre outras coisas, diz:

"Ele é mais um compilador, um alfarrabista jurídico, do que um jurisconsulto; não tem filosofia para animar seus trabalhos, não tem sistema, nem alto senso crítico. Se pela dose de leituras fatigantes é que se deve julgar do mérito de um escritor, ele tem algum merecimento; se, porém, o critério em semelhante assunto deve ser a força impulsiva, idealizadora e crítica da inteligência, **o Sr. Lafaiete é um autor de ordem quaternária, não passa de uma mediocridade feliz**, como tantos outros." (SE)

5 ∾ Sobre o assunto, ver cartas [410], [411] e [415]. (SE)

[419]

De: MAGALHÃES DE AZEREDO
Fonte: Manuscrito Original, ABL.

Paris, 11 de março de *1898*.
114, Avenue des Champs-Elysées

Meu querido Mestre e Amigo,

A carta que me dirigiu para Roma[1] cá me foi mandada por pessoa que está incumbida da minha correspondência ali; é o porteiro do hotel onde costumamos hospedar-nos em Roma. De fato ainda não partimos, embora estejamos já agora em vésperas de viagem. Eu estava à espera do meu novo Ministro[2], que me trazia a portaria da nomeação e as ordens do Governo; só há poucos dias chegou; é simpático, dizem-me muito bem dele, e certamente viveremos satisfeitos um com o outro, porque eu também não me julgo demasiado difícil de tratar. Queríamos ir para Roma na próxima 2.ª feira, 14, mas minha Mãe caiu indisposta com um acesso de *influenza*, sem a mínima gravidade, graças a Deus, mas nestes casos o resguardo é condição essencial, e para nos pormos a caminho cumpre que ela esteja boa de todo; como vamos, de resto, para país mais temperado, cada légua que andarmos será uma vantagem para ela. Creio, pois, que deixaremos Paris no dia 21[3]. Quase tudo o que é nosso já deve estar perto de Roma.

Na minha última carta lhe falei, se bem me lembro, de primavera prematura; ora, depois dela, tivemos a ressurreição do inverno. Os meses clássicos deste, Dezembro, Janeiro, Fevereiro, se passaram sem neve; eis que Março nos quis dar a surpresa desse belo espetáculo. Sobretudo para quem nunca o viu, é encantador. Uma das últimas manhãs, ao abrirmos as janelas, vimos as ruas todas brancas, como cobertas de uma camada de açúcar, os ramos desfolhados das árvores vestidos de uma capa alvíssima, os telhados guarnecidos de lâminas de prata reluzente, e no ar todo, à mercê do vento, milhares de flocozinhos leves, imponderáveis, voando, subindo, descendo, inteiramente semelhantes, mais à penugem, que às plumas, das pombas brancas. Tive um prazer de criança com tudo isso. Dias depois, a coisa reproduziu-se, mais bela ainda, porque havia maior quantidade de neve. Em alguns jardins, onde arbustos de uma resistência excepcional haviam conservado as suas folhas, ou já as tinham readquirido, vê-las polvilhadas de branco dava uma impressão contraditória, de primavera e inverno ao mesmo tempo.

13 de Março.

Sou obrigado a escrever esta carta aos pedaços, porque os meus dias andam agora divididos por mil ocupações diversas. Já começo a ter a impressão de viagem com as suas paradas em cada estação. Realmente, caminhar desde a manhã até a tarde, de um livreiro para um alfaiate, de uma redação de Revista para uma charutaria, de uma visita mundana para uma visita literária, tudo isso quase só parando para almoçar e jantar e dormir, que é senão viajar sem sair da cidade? Pois a tal atividade exterior me obriga a proximidade da partida; e com a atenção assim dispersa por tantos objetos é impossível trabalhar literariamente. Já agora estou suspirando por um tranquilo gabinete de estudo em Roma, com os meus livros e papéis em ordem, para poder concluir várias coisas que tenho começadas, e começar outras.

Pelo correio passado mandei para o *Jornal do Comércio* o meu estudo sobre o livro de Sílvio Romero a seu respeito[4]. Acho que refutei completamente os pontos principais da crítica, e, se não combati algumas asserções secundárias, foi só para não alargar demasiado o meu trabalho. Este está feito com grande serenidade, com extrema delicadeza, e não há ali uma só palavra que possa ofender a Sílvio Romero; trato-o com a consideração que se deve ter para com um escritor de mais idade, que, além disso, no próprio livro se refere a mim amavelmente[5]. Mas esse tom respeitoso só poderá dar mais força aos meus argumentos; o essencial é provar que o autor não tem razão; e eu creio que o consegui cabalmente.

Li também os artigos de *Labieno*[6]; realmente revelam, como me diz, cultura literária, e estão bem escritos; e cheios de excelentes observações. O meu estudo, porém, muito mais extenso de resto, entra em outras particularidades, e analisa quase capítulo por capítulo todo o livro de Sílvio Romero.

Diga-me a sua opinião sobre ele. Muito contente estou pelo que me declara do meu artigo da *Revista Moderna*[7]. Vejo que, no seu próprio juízo, eu o compreendi bem; outras pessoas competentes, entre as quais o nosso José Veríssimo, mandaram-me os seus louvores por aquele trabalho. Há muitos anos que leio e estudo a sua obra com interesse, com gosto, com penetração de admirador sincero, *que sabe por que admira*; era, pois, natural que eu chegasse a conhecer com justeza o seu temperamento, as suas tendências e os seus processos artísticos.

Já aqui tenho o primeiro fascículo da *Revista Brasileira* neste ano; está forte e rico, cheio de boa matéria e de boas promessas. Acho que foi acertada a resolução de publicar a *Revista* uma vez por mês com dobro de páginas. Breve, se Deus quiser, recomeçarei ali, ou continuarei os meus *Aspectos da Itália*. Empenho-me deveras em auxiliar o José Veríssimo na medida das minhas forças, porque a *Revista* satisfaz uma necessidade nacional.

Está admiravelmente conciso, espirituoso e conceituoso o seu discurso último na Academia. A modéstia e a lucidez de vistas, que se revelam tanto neste como no discurso do nosso amigo Nabuco, oferecem já de *per si* grande garantia de vida longa e útil para a instituição; provam que ela apareceu a tempo, sem precipitação, sem artificialidade, correspondendo à madureza independente da nossa literatura. Tal foi a opinião da gente intelectual na França, e creio que no resto da Europa; agora o que é preciso, e o que se fará decerto, é confirmar as esperanças e realizar as promessas[8].

Roma, 12 de abril de 1898.

 Esta carta tem passado pelas mais variadas peripécias. Em Paris, por engano, poucos dias antes de partirmos, foi encerrada numa das minhas malas em vez de ficar entre os meus papéis de despacho urgente. Lá a procurei muito, e depois aqui também, chegando a considerá-la perdida; até que hoje de manhã a encontrei casualmente quando já pensava em escrever outra. Considerando as muitas ocupações que me têm tomado o tempo ultimamente, será indulgente por certo com este longo silêncio; bem sabe que não tenho tal costume em épocas normais. Mas só em visitas e participações a um corpo diplomático tão numeroso como este junto à Santa Sé, nos primeiros trabalhos da Legação que é geralmente ociosa, mas agora com ministro novo e secretário renovado há naturalmente que fazer, na azáfama da nossa instalação em casa que se está mobiliando, ornando e pondo em ordem, só em tudo isso veja que dias e dias se consomem! A minha correspondência está atrasada, os meus escritos todos parados, os meus livros ainda em montões informes; não entrei por enquanto — e Deus sabe quando entrarei — nos eixos da vida normal.

 E justamente agora de vários lados me pedem — tão tarde! — trabalhos para o centenário glorioso de Vasco da Gama!

 O tempo se me divide em mil pequeninos fragmentos, a atenção anda forçosamente dispersa, e o espírito não se pode concentrar — não me vem nada, mesmo nada, sobre assunto tão admirável e fecundo! Muitas vezes se dão tais fenômenos de momentânea esterilidade espiritual. O que vale é que geralmente, passada essa crise de aridez, após alguns dias de hesitação e pena, volta de repente a inspiração em jorros luminosos.

 E no Brasil, que se faz, que se projeta em honra de Vasco da Gama? Quanto sinto não poder estar no Brasil, ou em Portugal, para essas festas! Ser-me-ia doce achar-me entre os de raça lusa e lusa língua. Mas mesmo aqui longe, na Itália, a grande data não passará sem comemoração; e eu espero concorrer, bem ou mal, para ela. Já uma comissão romana me convidou para escrever num álbum que vai ser oferecido ao Rei D*om* Carlos, e que, dizem-me, será aberto com uns versos latinos pelo Papa, colaborando homens de letras de grande valor.

E por falar no Papa, devo-lhe dizer que já fui recebido por ele com o meu novo Chefe, que é muito simpático, amável e, dizem-me todos, de uma lealdade absoluta; creio que viverei sempre com ele na mais perfeita e cordial harmonia, tanto mais que ele não perde ocasião de manifestar a sua estima para comigo. Leão XIII esteve cerca de uma hora em conversa com o D*outo*r Costa, enquanto eu falava com vários prelados e dignitários que ali se achavam; depois, dirigindo-se a mim, manifestou-me a sua grande satisfação por me ver de novo em Roma, e tratou-me, como eu esperava, com a mais fina benevolência. O Cardeal Rampolla[9] também se mostrou contente por se ter mudado o Ministro e reposto o secretário; *À présent* — disse — *la Légation est bien composée*[10]. No Vaticano, é claro, não ocultam o prazer de todos por se livrarem do Badaró[11]; não o podiam mais suportar.

Precisamente falei com o Santo Padre desta vez, num momento em que o seu prestígio moral cresce ainda a meus olhos pela sua atitude no conflito entre a Espanha e os Estados Unidos[12]. Eis verdadeiramente a missão cristã e evangélica do Pontífice: clamar pela paz entre as nações, evitar a efusão de sangue humano. Contudo, pelas notícias vindas até agora, parece fatalmente necessária a guerra.

A estes extremos chegou a cegueira cruel dos espanhóis em Cuba; e os Estados Unidos, que sabem combinar a ambição com a caridade, aproveitam a ocasião para intervir. Eu não tenho muita fé na moral dos E*stados* U*nidos*, mas é certo que nesta questão, com intuitos claros ou obscuros, estão com a boa causa; a independência de Cuba é indispensável.

Teria muito ainda que dizer-lhe; sobre os processos Dreyfus[13], por exemplo. Mas esta carta já vai longa, e tenho pressa de fechá-la antes que se perca outra vez. Peço-lhe entregue a inclusa ao nosso Amigo Joaquim Nabuco.

Escreva-me. Nossos cumprimentos a sua Ex*celentíssi*ma Esposa. Mamãe e Maria Luísa o saúdam. Eu de coração o abraço. Seu

Magalhães de Azeredo.

Mais algumas linhas[14], só para lembrar-lhe a *Iaiá Garcia* que lhe pedi em carta anterior; desejo muito possuí-la com dedicatória sua.

E a *Revista Brasileira*? Já estamos na metade de Abril, e ainda não recebi o primeiro fascículo deste ano. O José Veríssimo escreveu-me que ela estava um pouco atrasada, mas parece-me antes atrasadíssima. Ainda uma vez, muitas e muitas saudades. Quanto eu gostaria que se resolvesse a passear pela Europa, e a conhecer esta Roma! Passaríamos aqui dias deliciosos. Por que não vem? O meu chefe e amigo D*outo*r Costa manda-lhe recomendações.

---

1 ∾ Carta [416], de 02/02/1898. (SE)

2 ∾ José Augusto Ferreira da Costa, ministro plenipotenciário junto à Santa Sé. (SE)

3 ∾ Azeredo entrou no exercício do cargo em 26/03/1898. (SE)

4 ∾ O artigo "Machado de Assis e Sílvio Romero" foi publicado mais tarde em *Homens e Livros* (Garnier, 1902). (SE)

5 ∾ É bom lembrar que o conto "Alma Primitiva" de abertura do livro homônimo foi dedicado a Sílvio Romero*. (SE)

6 ∾ Ver cartas [415] e [418]. (SE)

7 ∾ Carta [416]. Azeredo refere-se ao estudo "Machado de Assis" que fez da obra machadiana para a *Revista Moderna*. Este estudo também foi publicado posteriormente em *Homens e Livros*. (SE)

8 ✒ Quase todos os homens de letras com quem Azeredo se relacionou nessa época em Paris faziam ou iriam fazer parte da *Académie Française*. Ver nota 1, carta [417]. (SE)

9 ✒ Secretário de Estado da Santa Sé. (SE)

10 ✒ Agora a Legação está bem constituída. (SPR)

11 ✒ Sobre o assunto, ver carta [386]. (SE)

12 ✒ Guerra Hispano-Americana, conflito começado a 20/04/1898, com o *ultimatum* norte-americano que exigia em curtíssimo prazo que a Espanha renunciasse à soberania sobre Cuba. (SE)

13 ✒ Sobre o Caso Dreyfus, ver notas 3, 4 e 5 da carta [481], de 15/08/1899. Ver também nota 5, carta [482], de 05/09/1899. (SE)

14 ✒ A presente carta só foi postada um mês depois da datação que a encabeça. (SE)

[420]

De: MIGUEL DE NOVAIS
Fonte: Manuscrito Original, Arquivo ABL.

[Lisboa,] 16 de março de 1898.[1]

Amigo Machado de Assis

 Encontrei hoje na minha pasta uma carta sua, de 10 de Janeiro, sem a nota de – *respondida* – Será certo que não respondi ou foi esquecimento de pôr lhe a nota?

 [N]ão sei, o amigo o dirá. Em todo o caso, vou dar-lhe um pouco de cavaco. Não sei ainda se o Taíde[2] vem ou não vem este ano a Lisboa. Ele nada me diz de positivo. Pela última carta que dele tenho, soube que ia partir para *São Paulo* e que a esposa se achava em Petrópolis.

 Parece que um e outro têm vontade de vir até cá, porém o estado do câmbio é de tal modo desanimador que eu compreendo que se vacila sobre qualquer projeto de viagem à Europa. Além disso penso que o Taíde não está de todo desligado de negócios e sendo assim mais compreensível se torna a sua hesitação. Eu estimava bem que eles viessem e que cumprissem a promessa de virem hospedar-se em minha casa — o amigo e a Carolina é que não vêm porque não querem. Ela acredito eu que viria de boa vontade mas o marido parece impossível! tem medo de atravessar o mar. Constou-me que em resultado duma reforma econômica, a sua vida é hoje de vadio, ganha dinheiro sem obrigação de trabalhar [;] é a melhor das posições sociais[3]. É claro que, nessas circunstâncias podia vir fazer-me uma visita. Tem cama, mesa e roupa lavada. — que mais quer? Já se vê que saindo daqui a viajar pelo país ou pelo estrangeiro, todas as despesas serão à sua custa — mas o que pode fazer para evitar isso é deixar-se ficar em Lisboa. Penso sempre sobre o caso. A casa é grande, cabem todos. Bem sei que o dizer-lhe isto ou estar calado que é absolutamente a mesma coisa, mas enfim, eu cumpro um dever de amizade e o amigo faz o que quiser.

Eu vou por aqui vegetando[4].

Não posso dizer que estou bom e seria mentir a dizer que me acho doente. — As minhas moléstias são inerentes à idade. É claro que todos os órgãos vão ficando velhos, criam ferrugem alguns deles e outros que não ganham ferrugem vão enfraquecendo e tornam-se incapazes de exercer o seu ofício com a mesma energia e prontidão com que o faziam tantos anos antes. [M]as enfim ainda como, sem que o estômago se escandalize e ainda ando pelo meu pé sem precisar de muletas e portanto vou andando.

Agora só se trata de festejos do Centenário da Índia[5]. Parece que não vai aí tendo com os diabos; mas eu temo grande fiasco. — Nós não temos gosto para estas coisas, e é necessário também muito dinheiro para fazer coisa decente e é justamente o que não há.

O Governo bastantes diligências faz para conseguir um empréstimo [,] porém os prestamistas têm pouca confiança e torcem o nariz.

Aqui não tem havido comoções políticas, não tem havido guerras nem tentativas de assassinato contra o chefe de estado [,] mas a falta de juízo tem posto o país em pior estado do que se tivesse tudo isso. Adeus, basta de maçada — Dê saudades a Carolina e aceite um abraço do seu amigo.

Miguel de Novais

---

1 ∾ Documento inédito. A carta é tarjada de luto. (SE)

2 ∾ Fernando Antônio Pinto de Miranda*, visconde de Taíde. (SE)

3 ∾ Machado fora afastado na reforma ministerial de Sebastião Eurico Gonçalves de Lacerda. Sobre o assunto ver carta [415]. (SE)

4 ∾ Miguel já se encontra, um ano depois da morte de Joana, com o seu humor quase inteiramente restaurado, como se pode perceber pelo teor geral desta carta. (SE)

5 ∾ Celebração dos quatrocentos anos da viagem do navegador português Vasco da Gama (1460 ou 1469-1524) à Índia. Viagem que, ao ligar o porto de Lisboa aos de Cochim e Goa, consolidou a presença e o domínio portugueses nas rotas comerciais no século XVI. (SE)

[421]

Para: MAGALHÃES DE AZEREDO
Fonte: Manuscrito Original, Arquivo ABL.

Rio de Janeiro, 10 de maio de 1898.

Meu querido amigo.

Não sabendo se a minha carta o encontraria já em Roma, esperava a resposta à que ultimamente lhe dirigi para a legação junto à Santa Sé; mas tive ontem a surpresa de ler no *Jornal do Comércio* o belo estudo que escreveu a meu respeito, em refutação ao livro do Sílvio Romero[1]. Assim, dou-me pressa em agradecer-lhe a fineza do trabalho e a simpatia e afeição com que me tratou naquelas colunas. Já lhe havia agradecido o que me fez na *Revista Moderna*; este novo obséquio não vem mais que confirmar a inclinação sincera do seu espírito a meu respeito, e o apreço em que me tem. Aqui o lemos com igual apreço, eu com particular afeto também, de que lhe envio ainda uma vez as afirmações de sempre.

Qualquer que seja o juízo que se possa fazer dos meus esforços, é claro que não há no livro de Sílvio Romero a mesma simpatia do seu estudo. Outros dirão que a simpatia no seu caso dá ao estudo um tom demasiado benévolo, e não serei eu que o conteste. Já lhe disse, em relação ao artigo da *Revista Moderna*, que achei haver interpretado bem o meu temperamento literário; o mesmo direi deste estudo do *Jornal do Comércio*. A parte relativa ao que se achou de humorismo e pessimismo nos últimos livros é tratada com fina crítica, e acerta comigo, cuja natureza teve sempre um fundo antes melancólico que alegre. A própria timidez, ou o que quer que seja, me terá feito limitar ou dissimular a expressão verdadeira do meu sentir, sem contar que a experiência é vento mais propício a estas flores amarelas... Além da simpatia do seu trabalho, há outra coisa que igualmente lhe agradeço, é a espontaneidade dele. Só uma verdadeira afeição tomaria a si o cargo desta defesa. E se eu considerar que é um moço, ainda mais me comove o ato, por ver que não destoei dos moços; tanto melhor se os fios brancos que me enchem a barba, e entraram a invadir-me a cabeça não me despontaram ainda no estilo. Durará muito? Não sei, meu querido am*igo*, os anos passam, e, na minha idade, os meses valem anos; além do enfraquecimento natural das forças, sou enfermo, e o moral um dia abate-se de todo. Mas, deixemos ideias lúgubres, e concluamos com um abraço por cima dos mares.

Não sei se esta já o alcançará em Roma; o seu estudo tem a data de Paris, mas aí leio que o fez em vésperas de viagem. Além disso, o Mário de Alencar, com quem falei há dias, me confirmou o que me havia dito em Março e me levara a dirigir a outra carta para Roma. Esta terá o mesmo destino. Peço-lhe que me avise de as haver recebido uma e outra.

Pela sua carta de 10 de Fevereiro, vi que estava constipado e de cama, mas o trabalho de ontem prova que se restabeleceu; espero que o mesmo haja acontecido às pessoas de sua família que também caíram com *influenza*. Já lhe disse o que pensava e sentia relativamente à sua reintegração e condições em que foi decretada. Aí volta a Roma, e, para um espírito essencialmente artista, para um organismo finamente intelectual, o silêncio, se o há aí, é ainda uma musa. Assim, conto com os seus livros, prosa e verso. Quem pratica estas duas línguas, deve empregá-las sempre que possa, e poderá sempre. A ideia do romance[2] de que me falou é boa, é fecunda, e, como se diz no foro, sai do ventre dos autos; fará obra social, sem prejuízo da arte nem da literatura, e obra do momento, que caberá aos outros dias.

Eu, pela minha parte, além de alguma coisa que tenho em mãos e não sei se acabarei, nem quando, quero ver se coligo certo número de escritos que andam esparsos. Não sei se valerá a pena fazer o mesmo aos versos; dado que sim, poderá sair um tomo pequeno. E será tudo, naturalmente; neste ponto da minha jornada, não se podem fazer muitos nem longos projetos. Vai-se parando onde o cansaço pedir que se pare, e andando até onde consentir que se caminhe. Vê que as próprias cartas já me saem riscadas e emendadas, além da ruim letra, que já foi menos ruim.

A nossa vida literária vai como ia. *A Revista Brasileira*, graças aos esforços do José Veríssimo, auxiliado pelo Paulo Tavares[3], continua a ser publicada, tendo mudado o período, que é agora mensal, em vez de quinzenal. Trabalham com esforço, e no nosso meio é muito manter uma revista tanto tempo, com distinção e pontualidade. J*oaqui*m Nabuco publicou agora o primeiro volume da biografia do pai, que se comporá de três. A nossa Academia vai continuar este ano os seus trabalhos, que, de acordo com os estatutos, foram suspensos em novembro; as dificuldades serão sempre grandes, mas há boa vontade em alguns, é de esperar que arraste a de todos.

Pelo que me toca pessoal e administrativamente, agradeço-lhe as palavras de simpatia que me mandou acerca do resultado da última reforma da Secretaria e da posição em que fiquei. Ouso crer que não houve justiça, mas as injustiças, meu querido amigo, se não fossem deste mundo, donde seriam? Só se esta mesma ideia não existisse e ela existe, logo a coisa também, e pois que a coisa existe, há de estar em alguma parte. Consolo-me refletindo que podia ser pior, e escapar ao pior dos males é já meia felicidade[4]. Contar-lhe a minha vida administrativa seria, além de lhe tomar tempo, tomá-lo às letras, que por si mesmas não dão desgostos, e muita vez os fazem esquecer ou minorar. Adeus, meu amigo; nossos cumprimentos à Ex*celentíssi*ma Família, minha mulher recomenda-se-lhe muito, e eu repito o abraço afetuoso de há pouco.

Machado de Assis.

---

1 ◦ Artigo do *Jornal do Comércio* saiu em 09/05/1898. Na *Revista Moderna*, a matéria saiu na edição de 05/11/1897. (SE)

2 ◦ A ideia do romance consta da carta [411], de 27/12/1897 e não da [417], de 10/02/1898. Naquela carta, Azeredo revela o desejo de retratar a geração que assumiu o poder à época da proclamação da República, e concluindo seu pensamento diz: "Penso num largo estudo social, tudo o que há mais brasileiro, mais contemporâneo e mais atual." (SE)

3 ◦ Paulo Tavares, secretário da *Revista Brasileira*. (SE)

4 ◦ A esta altura da vida, prestes a completar 59 anos, o pior talvez fosse ficar sem meios de prover a si e a Carolina, esta parece ser a sua reflexão, consoladora, mas com uma nota de amargura. (SE)

[422]

De: MAGALHÃES DE AZEREDO
Fonte: Manuscrito Original, Arquivo ABL.

Roma, 21 de junho de *1898*.
Legação do Brasil junto à Santa Sé.

Querido Mestre e Amigo,

Tenho escrito tanto ultimamente, em trabalhos de várias classes, que ando com certas dores no braço direito, e preciso de poupar-me por alguns dias.

Breve lhe escreverei largamente. Por hoje só algumas linhas à pressa, para não perder o correio de Lisboa que se vai fechar.

Sabe que faleceu há poucos dias em Paris o velho conselheiro Pereira da Silva[1]. É esta a segunda vaga que se abre na nossa tão recente Academia, pois no mês passado morreu em Lisboa Luís Guimarães Júnior, o grande poeta dos *Sonetos* e *Rimas*. Deve dar-se, pois, brevemente uma dupla eleição aí, e suponho que quererão seguir o hábito quase constante da Academia Francesa, que de ordinário escolhe para suceder a um sócio um escritor que pelo seu gênero de obras ofereça com ele certa afinidade[2].

Isso não se dá sempre, de resto, mas com frequência. Assim, calculo que o sucessor de Luís Guimarães J*únior* será provavelmente um poeta; e o de Pereira da Silva um autor que se ocupe de história.

Os Estatutos, como é de razão, exigem para as eleições a maioria de votos dos acadêmicos residentes no Rio de Janeiro. Morando eu no estrangeiro, não posso decerto votar; mas nada me impede, não é verdade? de recomendar uma candidatura, e é por isso que lhe escrevo hoje, pedindo-lhe que — se não tem compromissos precedentes, é claro — faça quanto lhe for possível para ser eleito o nosso ilustre compatriota Barão do Rio Branco[3], um dos mais insignes cultivadores que temos hoje da história nacional, e que tantos serviços de cidadão e de escritor tem prestado ao Brasil.

Queria escrever hoje nesse sentido a outros colegas nossos, mas não há tempo, e sinto-me fatigado; mas peço-lhe que comunique esta ideia a Joaquim Nabuco, José Veríssimo, Rodrigo Octavio, Visconde de Taunay, e outros que possam apoiar esta candidatura tão digna de triunfar.

Adeus, querido Mestre e Amigo, até o próximo correio, se Deus quiser.

Um abraço muito afetuoso do sempre seu de coração

Magalhães de Azeredo

---

1 ~ João Manuel Pereira da Silva (1817-1898) vivia em Paris havia anos. Fundador da Cadeira 34, cujo patrono é Sousa Caldas, foi eleito aos oitenta anos. Sucedido pelo

barão do Rio Branco*, que tomou posse por carta e não fez o elogio de seu antecessor. A vasta obra de Pereira da Silva está necessitando ser revista e reavaliada, pois se trata de alguém que viveu a Regência e o Império sob D. Pedro II; é possível que tenha reunido informações que hoje possam interessar. (SE)

2 ∾ Sobre a sucessão de Guimarães Júnior*, ver carta [425], de 20/07/1898. (SE)

3 ∾ Em 28/01/1897, na eleição para fechar o quadro dos 40 fundadores, o barão do Rio Branco teve dez votos e não alcançou quórum. Desta vez, porém, com Azeredo e Nabuco*, eficientes nos bastidores, o barão acabou eleito em 01/10/1898 para a Cadeira 34, sendo empossado por carta, como previa o regimento. (SE)

[423]

De: LÚCIO DE MENDONÇA
Fonte: Cartão de Visita Original, Arquivo ABL.

[Rio de Janeiro,] 2 de julho de 1898.

Mestre e amigo Senhor Machado de Assis,

Penso que é necessário mandar para a imprensa ("Gazeta de Notícias", ou o próprio "Jornal do Comércio", como melhor entenderem) uma resposta às observações do "Jornal" de hoje[1], nos termos que aí vai, ou semelhantes, e que eu sujeito à sua melhor redação.

Recado do amigo velho

LÚCIO DE MENDONÇA

Travessa do Marquês de Paraná, 6.

---

1 ∾ O *Jornal do Comércio* publicou longa notícia sobre uma sessão solene da Academia Nacional de Medicina; prestigiaram o ato o presidente Prudente de Morais, autoridades governamentais e representantes do Instituto dos Advogados, do Instituto Politécnico e vários outros. Há trechos de discursos elogiosos à instituição científica criada em 1829. Não se menciona, entretanto, qualquer representante da recém-fundada Academia Brasileira de Letras. E, exatamente na véspera da citada cerimônia, apresentou-se ao Legislativo o primeiro projeto de apoio oficial à nova Academia Brasileira de Letras, com, com 28 assinaturas, encabeçadas por Augusto Severo. A tramitação desse projeto está minuciosamente descrita na "Apresentação" do presente tomo. (IM)

[424]

De: MAGALHÃES DE AZEREDO
Fonte: Manuscrito Original, ABL.

Albano Laziale[1], 10 de julho de 1898.

Meu querido Mestre e Amigo,

Desta vez não fomos para Rocca di Papa[2], que fica um pouco longe demais, para mim que tenho de ir com frequência a Roma. Para passar o verão escolhemos Albano, antiquíssima povoação que dista pouco da Capital — só uma hora em trem de ferro. Todos estes chamados *Castelos Romanos* ficam próximos uns dos outros, e são ligados por excelentes estradas de rodagem; a cavalo e de carro fazem-se passeios fáceis e agradáveis a Marino, a Ganzano, a Nemi, a Frascati, a todos os sítios pitorescos que citei em algumas páginas dos *Aspectos da Itália*, que a *Revista Brasileira* publicou.

Não há aqui os *casinos* e os teatros das cidades de águas na França; isso é uma vantagem porque assim não se continua no verão a mesma vida agitada do inverno. Aqui é campo *sincero*. Em compensação não há o conforto perfeito da vilegiatura francesa. Royat[3], nesse ponto, fica num justo e razoável meio-termo; lá há divertimentos, mas não excessivos, nem *inevitáveis*; isto é, a gente quando quer vai a eles, quando não quer não vai, o que não sucede em outras partes. Mas quantos recursos que faltam aqui! Grande estabelecimento hidroterápico, sala de esgrima, livraria com todos os jornais e as últimas novidades literárias de Paris, e tantas outras coisas.

Entretanto, aqui se está muito bem. O hotel em que nos achamos é excelente. A natureza é bela, suave e acolhedora, realmente virgiliana. Nem nos falta ótima companhia, pois temos aqui o nosso amigo Bruno Chaves, 1.º secretário[4], agora encarregado de negócios junto ao Quirinal[5], com a Senhora que é estimabilíssima, e um filhinho que nos encanta com a sua graça vivaz e a sua meiguice. Uma destas lindas manhãs, saímos bem cedo, e fomos até o lago próximo, que é amplo e sereno, todo rodeado de montes e bosques. Lá entramos numa grande barca branca, de branco toldo, e fomos assistir ao colher das redes, puxadas pelos remadores fortes e adustos — havia um, barbudo, que parecia Vasco da Gama. No lago há trutas assalmoadas de primeira qualidade muito apreciadas no próprio mercado de Paris para onde daqui as mandam. Apanharam-se algumas, e depois almoçamos, em redor de uma mesa rústica, à sombra das árvores e à vista das águas. Essas, e outras semelhantes, são as nossas distrações em Albano.

Mas o que lhe quero descrever pela originalidade que tem é a festa de São João em Roma. Vimo-la este ano bem de perto. Belo modo de celebrar um Santo! e que Santo! O rude asceta do deserto, que viveu tanto tempo de gafanhotos e mel silvestre, que se cobria com uma pele de camelo, o severo Precursor que tão duras verdades disse ao incestuoso Herodes e que acabou degolado para prazer da cúmplice dele! Aquilo era uma verdadeira orgia pagã, uma Saturnal dos antigos tempos! E, de resto, esses e outros fatos me convencem de que, à sombra do Pontificado e apesar das suas crenças em que religião e superstição andam misturadas, o povo de Roma não deixou de ser pagão até certo ponto. Já não falo dos costumes, na burguesia com muitas exceções, e quase sem exceção na aristocracia, os mais depravados que se podem imaginar, dignos do Cesarismo e do Renascimento. Entre os nobres, há algumas pouquíssimas famílias que vivem retiradas do mundanismo, e se conservam irrepreensíveis; mas nas outras, na grande, na grandíssima maioria, que misérias, que aventuras, que crônica!...

Tratemos, porém, da festa. Sabe que uma das mais importantes basílicas de Roma, e até a mais antiga, a *Mãe das igrejas*, é São João de Latrão[6]. Está situada numa vastíssima praça, ao pé da Porta que tem o mesmo nome do templo. Largos muros ao redor, e para além deles, trechos de campo entre casas mais ou menos aglomeradas. Para aquela praça corre Roma inteira na noite de 23 de Junho; noite de nivelamento completo, de plena licença democrática. Interrompem-se todas as distinções de classe. O duque, o barbeiro, o taverneiro, o cocheiro, divertem-se, confundidos em plena igualdade, pelas ondas compactas de povo, que se cruzam e se atropelam numa quase escuridão.

Por todo o contorno da praça e pelas calçadas das ruas vizinhas armam-se espaçosos barracões iluminados com lanternas multicores, ornados de bandeiras e festões; ali, à roda de longuíssimas mesas de pau tosco, em bancos da mesma espécie, uma turba imensa de homens e mulheres se entrega a pantagruélicas comezainas; há enormes pratos de macarrões e *risoto*, de frituras gordurentas, de *minestrone* à genovesa ou à milanesa; mas o manjar característico é a *porchessa*, a leitoa assada inteira e recheada de ervas aromáticas, que se serve em nacas colossais. Toda essa gente agita brutalmente as mandíbulas, enche o estômago até não poder mais; e quanto a beber, nem é bom falar; as botijas de Chianti, de Velletri, de Marino, sucedem-se às dúzias, o vinho corre pelas goelas abertas e pelo chão empapado. Nos balcões dispostos em várias fileiras vendem-se ramos de flores naturais e artificiais, ramos de alfazema perfumada, bonequinhos grotescos de madeira e de papelão, e umas varas de alho, e umas campainhas de barro, que são o principal divertimento da festa. Pegam os rapazes nessas varas de alho, que têm na extremidade um cacho semelhante à couve-flor, e vão por aí fora fazendo cócegas na boca e nos olhos das raparigas, que riem, gritam e fogem ou se defendem com outras varas iguais; as campainhas de barro são de diversos tamanhos; sacode-as a gente aos ouvidos de todos os que passam, e como são muitas mulheres o barulho é realmente espantoso, ensurdecedor. Isso contado assim numa carta não dá ideia da realidade; é preciso ver de perto toda aquela inumerável multidão que vai e vem, que se acotovela, que redemoinha, ouvir-lhe os cantos, os gritos, as gargalhadas estrondosas, para compreender o *pandemonium* que aquilo é. Os estrangeiros que estão em Roma nessa ocasião acodem todos a esse espetáculo que é dos mais característicos. Até as 4 horas da madrugada está a praça apinhada de povo; conhecendo a índole violenta e sensual dos romanos, bem pode imaginar quantas rixas surgem onde a faca brilha no ar e depois se some no ventre dos contendores, e quantas proezas de amor livre se praticam fora da luz das lanternas, na escuridão dos campos fora dos muros antigos.

A viagem do Presidente eleito pela Europa[7] tem sido de grandes vantagens para nós, não só pelo lado financeiro, mas até como fato de propaganda social. Em todos os países aonde ele vai, o recebem triunfalmente, e isso vem desmentir a ideia em que se está aí de que o Brasil não é considerado pelas sociedades europeias, imaginando-se que não passe de uma terra de bugres e outras tolices de tal jaez. Lá porque de vez em quando algum jornalista idiota ou tratante se sai com calúnias ridículas a nosso respeito, não se segue que toda a gente pense aqui no mesmo modo. É certo que muitas pessoas, e até notáveis, não nos conhecem bem, não estão por exemplo ao par de nosso movimento intelectual, mas, *de um modo geral e vago*, quase todos têm opinião favorável sobre o Brasil. Isso de não sermos minuciosamente conhecidos é culpa nossa; para falar só da parte literária, quem toma a si o encargo de tornar conhecidos os nomes dos nossos escritores em Paris ou aqui? Sujeitos medíocres, sem competência crítica, superficiais e mal informados, incapazes em suma de fazer coisa proveitosa, como, entre nós, um Xavier de Carvalho[8], que nem brasileiro é.

Deem-me 5 ou 6 anos de residência oficial em Paris, e eu quase me comprometo a interessar pelas nossas letras os escritores franceses; estes depois, com o tempo, arrastariam o público — uma parte dele ao menos.

Mas, tornando à viagem do *Doutor* Campos Sales, parece que ele não virá a Roma. É um grave erro que ele comete. O Governo italiano deseja essa visita e começa a mostrar-se justamente sentido com a ideia de não vir o novo Presidente; este diz que não tem tempo devendo embarcar em Lisboa no dia 25; mas por que não transfere a partida para o Brasil? tudo é preferível a provocar, ainda antes de tomar posse, a má vontade de um governo com que temos relações tão constantes. Por outro lado a presença do Campos Sales no Vaticano seria um ato de ótima política; todas as prevenções de certa parte do nosso clero contra a República cessariam.

Mas enfim, ele não quer vir — Paciência! — Isto fica entre nós. Adeus, querido Mestre e Amigo; nossos cumprimentos à Ex*celentíssi*ma Senhora. Minha Família se lhe recomenda. Eu o abraço.

      Seu Magalhães de Azeredo

19 de Julho.

 Acabo de saber que o *Doutor* Campos Sales resolveu vir á Itália. Muito bem.

---

1 ∾ Albano Laziale, antiga povoação da província de Roma, no Lácio, região central da Itália, fazia limite com Rocca di Papa, Castel Gandolfi, Ardea e Roma, da qual dista apenas 25km. Hoje em dia é parte da grande região metropolitana ao redor da capital italiana. (SE)

2 ∾ Sobre Rocca di Papa, ver carta [359]. (SE)

3 ∾ Sobre Royat, ver carta [405]. (SE)

4 ∾ Bruno Gonçalves Chaves. (SE)

5 ∾ Palácio Quirinal, sede do governo italiano onde Bruno Chaves apresentou as credenciais diplomáticas. (SE)

6 ∾ Basílica de São João Latrão é a catedral de Roma; lá está o trono papal, aliás, todos os papas foram entronizados lá até o século XIX. (SE)

7 ∾ Manuel Ferraz de Campos Sales (1841-1913), eleito para o mandato que começou a partir de 15/11/1898. (SE)

8 ∾ Jornalista e poeta português José Xavier de Carvalho (1861-1919), republicano radical, que viveu grande parte de sua vida na França (1886-1919). (SE)

[425]

De: JOÃO RIBEIRO
Fonte: Manuscrito Original, Arquivo ABL.

Rio [de Janeiro], 20 de julho de 1898.

Excelentíssimo Senhor Presidente da Academia Brasileira

Tenho a honra de apresentar-me a Vossa Excelência como candidato ao lugar de membro da Academia Brasileira na vaga deixada pelo Doutor Luís Guimarães Júnior.

Com todo o respeito e consideração

de Vossa Excelência

admirador atento obrigado

João Ribeiro[1]

---

1 ∾ As ligações de João Ribeiro com o grupo iniciador da Academia eram expressivas, e ele certamente estaria entre os fundadores. Porém, nessa ocasião, o escritor passava longa temporada na Europa. O anúncio da eleição para a vaga de Guimarães Júnior* consta da Ata da sessão de 13/07/1898; em 08/08/1898, João Ribeiro foi eleito com 17 votos, de um total de 20, sendo 3 em branco. (IM)

[426]

De: VALENTIM MAGALHÃES
Fonte: Manuscrito Original, Arquivo ABL.

Rio [de Janeiro], 21 de agosto de 1898.[1]

Ilustre amigo e Mestre

Excelentíssimo Senhor Machado de Assis

A Vossa Excelência como Presidente da Academia Brasileira de Letras, a que tenho a honra de pertencer, me dirijo para impetrar da mesma a necessária vênia para juntar ao meu humilde nome no livro, ora em trabalho de impressão, e intitulado *Alma*, a minha qualidade de membro dessa douta corporação na conformidade de sua lei fundamental[2]. Aguardando as prezadas ordens de Vossa Excelência, sou com a mais subida consideração,

Admirador colega e amigo

Valentim Magalhães

---

1 ∾ Papel com monograma e a divisa "Fac et spera" (Faz e espera). (IM)

2 ∾ Comunicada na sessão de 26/09/1898, a solicitação foi acolhida, conforme registro em ata. (IM)

[427]

De: MAGALHÃES DE AZEREDO
Fonte: Manuscrito Original, ABL.

Albano Laziale, 31 de agosto de *1898*.

Meu querido Mestre e Amigo,

Fortemente resfriado, só lhe posso escrever hoje poucas linhas para pedir-lhe o obséquio de ir à livraria Laemmert buscar o seu exemplar das *Procelárias* que partiu com toda a edição para o Rio[1].

Como o caixote foi expedido de Lisboa, tive de escrever as dedicatórias em folhas separadas que devolvi à casa impressora para lá se fazer a brochura, não podendo assim mandar cada exemplar diretamente ao seu destinatário. Queira também tomar no Laemmert o do nosso Amigo Joaquim Nabuco e dar-lho em meu nome.

Não preciso de recomendar o livro à sua atenção e à sua amizade. Sabe com que amor de artista eu criei e desenvolvi essas *Procelárias*. No limiar já viu, rodeado de veneração e afeto, o seu grande nome.

Deixe-me dizer que estou muito queixoso do seu silêncio. Sabe quando recebi a sua última carta? A 31 de Maio, isto é, há três meses justos.

Depois disso quantas vezes lhe tenho escrito! tive o cuidado de mandar um dos primeiros exemplares, ainda por brochar, das *Procelárias*, e nem assim me respondeu.

Dê-me notícias suas mais frequentes; fale-me da nossa terra, das nossas letras, da Academia, da *Revista Brasileira*, dos nossos amigos comuns, de tudo o que a ambos nos interessa!

Adeus, nada mais por hoje. Tenho os olhos muito carregados do defluxo e não posso escrever mais agora. Mamãe e minha Mulher muito se lhe recomendam e à *Excelentíssi*ma Esposa.

Abraça-o saudosamente o seu de coração

Magalhães de Azeredo.

Diga-me qual é o seu endereço preferível — a Secretaria ou a casa de residência? De um modo ou de outro chegam-lhe as cartas com igual prontidão?

---

1 ∞ As *Procelárias* foram editadas em Portugal, na Editora do Porto, ficando a Laemmert encarregada da distribuição no Brasil. O livro contém 76 poemas, a maior parte datada entre 1890 a 1897, excetuando-se o ano de 1896; e quase todos com dedicatória. O poema "Limiar", dedicado a Machado, é uma interlocução com seu *querido mestre e amigo* e uma resposta ao constante incentivo de se consagrar à literatura. (SE)

[428]

Para: MAGALHÃES DE AZEREDO
Fonte: Manuscrito Original, Arquivo ABL.

Rio de Janeiro, 9 de setembro de 1898.

Meu querido amigo e confrade,

Desde alguns dias estou de posse da sua última carta, sem haver, aliás, respondido à anterior, que era, por assim dizer, de passagem. A matéria desta foi objeto de conversação entre mim e os amigos da Academia e da *Revista*. A candidatura do Rio Branco é de primeira ordem, todos a acharam tal. Há só uma questão, é que a Academia resolveu que as candidaturas fossem apresentadas diretamente para o fim de ser manifestado previamente o desejo de lhe pertencer. Trata-se, porém, de uma contagem de votos, e escrever-se-á então ao Rio Branco, para o preenchimento daquela formalidade. Na primeira vaga foi eleito o João Ribeiro, cuja solene entrada está marcada para o dia 30 de Novembro; responde-lhe o José Veríssimo[1]. A nossa principal questão é casa. O projeto do deputado Eduardo Ramos, concedendo à Academia certos favores, pende ainda da câmara; consta-me que a comissão já deu parecer, mas no meio de tantos e tão graves negócios da União e dos Estados, não sei se o nosso poderá ter solução este ano.

Não sei se lhe haverá chegado às mãos uma carta minha, datada de Junho, e da qual me não falou. Aí lhe dei largamente notícias minhas e nossas. Ter-se-á cruzado com a sua. Demais, creio ter havido alguma falha na nossa correspondência, mas da sua parte as causas são públicas, — o seu estabelecimento em Roma e os trabalhos que nos tem apresentado e ainda agora o seu vigoroso artigo no *Jornal do Comércio*. Deixe-me apertar-lhe as mãos pelas *Procelárias*, excelente volume, que será recebido como merece. Já devia ter-lhe escrito sobre isto, mas houve duas doenças que mo impediram. Conhecia muitas daquelas páginas, a maioria delas. Deixe-me dizer-lhe o gosto que me deu esta demora de alguns anos, que lhe permitiu dar um livro compacto e variado, com a perfeição da forma necessária. O Mário[2] disse-me que a distribuição está prestes a ser feita. Vai ser um dos nossos brilhantes iniciadores do século próximo. Entrará por ele, tendo alguma coisa que dizer, e sabendo dizê-la bem. Contará do que ora finda, e algum dia se lembrará de mim, como de um velho amigo, que amou os moços, e crê não haver feito nada para ser desamado. Também recebi a edição especial da bela *Ode a Portugal* com a Carta a Eça de Queirós, que lhe serve de prefácio[3]. Já lhe falei da Ode; a carta não está só bem escrita, mas encerra vistas largas e verdadeiras. O seu caso é um dos melhores da nossa mocidade; domina o verso e a prosa, o seu estilo vai-se robustecendo (como na Carta ao Eça, por exemplo) e tem já, sem desmerecer as verduras próprias da estação a nota de um escritor maduro.

Para dizer-lhe alguma coisa de mim, vou fazendo o que posso, e é pouco, e não sei se por muito tempo. Estou com uma 2.ª edição de *Iaiá Garcia* a ser posta à venda⁴. Traz algumas incorreções, mas em pequeno número e de menor monta que as das novas edições das *Memórias Póstumas de Brás Cubas*, e de *Quincas Borba*, a primeira principalmente. O editor anuncia na primeira página de *Iaiá Garcia* que tem outro livro meu no prelo; é uma coleção de escritos soltos já dados em várias partes. Como realmente, ainda não está no prelo, isto vai obrigar-me a coligi-los mais depressa do que contava. Além disso, estou acabando um livro, em que trabalho há tempos bastantes, e de que já lhe falei, creio⁵. Não escrevo seguidamente, como quisera; a fadiga dos anos, e o mal que me acompanha obrigam a interrompê-lo e temo que afinal não responda aos primeiros desejos. Veremos.

Há quem me anime a coligir os versos que tenho esparsos e a fazer deles um volume. Não sei ainda que faça. Versos, quando são pecados da mocidade, não se podem tornar virtudes da velhice. Como tudo pode entrar na história de um espírito, não digo que não acabe juntando mais alguns pecados.

Agradeço-lhe muito as longas e interessantes notícias que me dá de Roma, e peço-lhe que se não esqueça do que promete, isto é, de que me escreverá em breve. Peço-lhe também que não demore algumas linhas em resposta a esta carta, para dar-me certeza de que a recebeu. Receio que a minha última lhe não tenha chegado às mãos. E desculpe a letra, que é cada vez pior. Adeus; recomendações de m*inh*a mulher e minhas para toda a E*xcelentíssi*ma família, e muitos abraços no pai (*sic*) e esposo feliz. Seu

Machado de Assis

---

1 ∾ Sobre a mudança da data de posse de João Ribeiro, ver carta [432], de 18/11/1898. (SE)

2 ∾ Mário de Alencar*. (SE)

3 ∾ A "Ode a Portugal" foi publicada no tomo II de *Páginas Escolhidas* (Garnier, 1906), volume organizado por João Ribeiro* e Mário de Alencar. A carta a Eça* não foi reproduzida ali. (SE)

4 ∞ Duas edições em vida do autor. A primeira em abril de 1878, editora G. Viana &Cia, a mesma do jornal *O Cruzeiro* em que o romance apareceu em folhetim entre 1.º de janeiro de 2 de março daquele ano. A segunda edição teve contrato assinado em 18/15/1897. (SE)

5 ∞ *Dom Casmurro*, impresso pela casa Garnier em Paris, saiu em fins de 1899, mas chegou ao Brasil em 1900. (SE)

[429]

> De: FRANCISCO CABRITA
> *Fonte:* Manuscrito Original, Arquivo ABL.

EXTERNATO DO GINÁSIO NACIONAL

Rio de Janeiro, 19 de setembro de 1898.

Se*nho*r Presidente da Academia Brasileira de Letras

Comunico-vos que, tendo acedido ao honroso convite do *Excelentíssi-mo* Se*nho*r Presidente da República[1] para dirigir o Externato do Ginásio Nacional[2], fui nomeado por decreto de 15 do corrente.

Entrando hoje em exercício, ponho à vossa disposição os meus serviços[3] no que depender desta diretoria, onde aguardo as vossas ordens.

Saúde e Fraternidade

Francisco Carlos da Silva Cabrita

---

1 ∞ Francisco Cabrita foi nomeado ainda sob o governo de Prudente de Morais (1894-1898), que terminaria em novembro, e permaneceu no cargo durante todo o governo de Campos Sales (1898-1902). Assumiu a diretoria do Externato após a crise que culminou na saída, em setembro de 1898, de José Veríssimo*, nomeado para a função pelo governo Floriano em 21/01/1892. Veríssimo demitiu-se por não concordar com a permanência nas dependências do colégio, por tempo indefinido, da Faculdade Livre de Ciências Jurídicas, escola de direito na qual o filho do presidente Prudente de Morais estudava. (SE)

2 ∞ Seis dias depois da proclamação da República, por meio do decreto n.º 9, o governo provisório alterou o nome do Imperial Colégio de Pedro II para Instituto Nacional de

Instrução Secundária com a finalidade de desfazer a forte imagem monárquica associada à instituição. Em 1890, o nome foi alterado para Ginásio Nacional, permanecendo assim até 1911, quando passou a chamar-se Colégio Pedro II, nome que se mantém. (SE)

3 ∾ Ainda na administração de Veríssimo, quatro reuniões da Academia (entre maio e agosto) ocorreram nas instalações do Ginásio Nacional. Do teor do ofício, depreende-se que o novo diretor tinha a intenção de se aproximar da Academia a fim de lhe oferecer pouso. Na sessão acadêmica de 26/09/1898, há o seguinte registro em ata:

"É lido como expediente um ofício do Sr. Francisco C. da Silva Cabrita comunicando haver assumido o cargo de diretor do Externato do Ginásio Nacional, onde tem funcionado a Academia e pondo os seus serviços à disposição da mesma Academia. / O Sr. Presidente mandou agradecer."

Anexada ao documento, há uma minuta do 1.º Secretário da ABL, Rodrigo Octavio*, em que há apenas um polido agradecimento. Eis a minuta:

"A Academia B. de L. em sessão de ontem foi presente vosso ofício de 19 do corrente, no qual comunica que haveis tomado posse do cargo de Diretor do Ex. do Gin. Nacional, pusestes os vossos serviços à disposição da mesma Academia. / De ordem do Sr. Presidente cumpre agradecer a gentileza de vosso ofício, apresentando-vos os nossos protestos de subida estima e consideração. / S. e F. / o I.º Sec. / Rod. Octavio. (...) Rio, 27 de set. 98". (SE)

[430]

Para: RUI BARBOSA
Fonte: Arquivo Rui Barbosa. Fundação Casa de Rui Barbosa. Fac-símile do manuscrito original. Série Correspondência Usual.

Rio de Janeiro, 3 de outubro de 1898.

Excelentíssimo Senhor Doutor Rui Barbosa.

Tendo recebido a carta de Vossa Excelência de 1 do corrente, relativa ao seu não comparecimento à sessão da Academia Brasileira de Letras, para a eleição de um membro que preencha a vaga deixada pelo Conselheiro Pereira da Silva[1], dei conhecimento dela aos acadêmicos reunidos.

Segundo Vossa Excelência previa, o voto por carta não podia ser admitido, mas as palavras que Vossa Excelência nessa hipótese escreveu, afirmando a sua homenagem ao merecimento do Barão do Rio Branco, foram devidamente apreciadas pela assembleia e vão ser comunicadas àquele eminente brasileiro, que se desvanecerá de as ter merecido de tão alto espírito. Como Vossa Excelência saberá a esta hora, o Barão do Rio Branco foi eleito por unanimidade. Sou, com a maior consideração e apreço.

De Vossa Excelência
admirador colega e obrigado
Machado de Assis.

---

1 ∾ Rui Barbosa não compareceu à eleição do barão do Rio Branco* por motivos que não puderam ser esclarecidos, já que a sua carta para Machado não foi localizada. (SE)

[431]

De: MAGALHÃES DE AZEREDO
Fonte: Manuscrito Original, Arquivo ABL.

Roma, 9 de outubro de 1898.
Legação do Brasil junto á Santa Sé

Meu querido Mestre e Amigo,

Em carta minha anterior já deve ter visto confirmada a sua suposição de que não chegou a minhas mãos a sua carta datada de Junho. Queixando-me do seu silêncio, que me parecia estranho, creio ter ajuntado que receava haver aí algum extravio postal. Por sua parte também observa que ultimamente se têm dado falhas na nossa correspondência. Tratemos de evitá-las — quer? Eu, por minha vontade, lhe escreveria ainda com mais frequência; e se, uma vez ou outra, falto a esse hábito, é porque trabalhos e viagens mo impedem; mas serei ainda mais assíduo. O que lhe peço, e com vivas instâncias, é que entre as suas cartas não ponha tão grandes intervalos; dê-me mais vezes notícias suas e de tudo o que a ambos nos interessa. Quem está sempre na sua pátria, no meio intelectual próprio, entre os amigos e confrades a quem dirige a palavra do seu espírito, entre o público para quem produz e trabalha, não compreende sempre bem as condições do escritor, que, isolado em terra onde o seu idioma é desconhecido envia as suas mensagens literárias a um povo de outro continente, separado dele pela amplidão de um Oceano. Na minha vida, graças a Deus, tão feliz, é essa uma das maiores tristezas. Certo, os meus versos, os meus contos, os meus estudos críticos devem ter aí repercussão em muitas inteligências apaixonadas ou curiosas de letras; dessa repercussão, porém, que é que chega até o meu espírito? Alguma notícia, algum raro artigo de jornal, e algumas cartas de amigos caros que comigo vivem em comunhão de ideias e gostos. Se essas cartas mesmas escasseiam, como deixarei de me doer e queixar? E a verdade é que eu escrevo, em regra geral, três vezes mais aos meus amigos do que eles me escrevem a mim. Sem dúvida, eu sei que no nosso Brasil não sou esquecido, tenho recebido disso provas tocantes.

De resto, a arte é por si mesma a recompensa dos que a sabem servir; e, além disso, eu tenho em casa mesmo almas que me compreendem e me animam a trabalhar sempre, sem contar uns poucos amigos e certo número de leitores que já adquiri em Portugal, na França e na Itália. Mas dessa pátria sempre lembrada quero ter notícias constantes — notícias sobretudo como só amigos as sabem dar. Rogo-lhe, pois, e espero que por sua parte faça o possível para tornar menos sensível a distância, menos pesado o tempo.

Vejo que recebeu o exemplar, ainda por brochar, das *Procelárias*, e o da edição especial de *Ode a Portugal*; como já sabe, não pude ler a carta em que desta me falava. Na minha última já lhe pedi para ir buscar na livraria Laemmert o seu exemplar definitivo das *Procelárias*. Não sei se o Mário lhe mostrou o número do *Mémorial diplomatique*[1] em que apareceu a minha tradução em prosa da Ode. Alguns ilustres escritores franceses[2], meus amigos a quem mandei a tradução, entre outros Sully-Prudhomne e Vogüé, receberam-na com entusiasmo que muito me alegrou; animando-se assim a traduzir também as páginas principais das *Procelárias*, único meio de as tornar acessíveis a quem não conhece o português.

Sobre este meu dileto livro, desejo ter a sua apreciação detalhada.

Não é por presunção que lha peço, nem lha pediria se não soubesse que assim não interpretará o meu desejo. É que me será tão grato conhecer a impressão que no seu espírito causaram as poesias mais características do volume! Diga-me o que sentiu lendo aquelas em que mais se revelam as minhas tendências literárias, o meu feitio de imaginação, de sentimento e de estilo, aquelas sobretudo em que mais fortemente transparecem os impulsos do meu pensamento e do meu coração, como, por exemplo, as *Votivas, No limiar, O Escudo, Velhice de Don Juan, Dante, Estatuária do Amor*[3] e outras, em especial a *Última página* que é para mim a mais sintética compreensiva do livro — verdadeiro programa do que deve ser (e eu conto que o seja) a minha ação poética nas nossas letras.

Eu lhe peço também que se esforce por que o volume seja lido, muito lido no Brasil; se encontrar ocasião, anime e favoreça o aparecimento de algum estudo crítico sobre ele, pois isso é o que eu desejo — notícias de jornais não me bastam. O José Veríssimo prometeu-me que escreveria ele próprio sobre as *Procelárias*; lembre-lhe isso, e consiga que o faça breve. O Araripe também pode escrever alguma coisa. Não cuide que eu ande à cata de elogios; longe de mim tal ideia! O que eu quero — o que todo o escritor sério tem o direito e quase a obrigação de querer — é ser estudado com atenção, obter o juízo sincero dos competentes, mesmo que eles sejam um pouco severos. O que acharia triste e desolador seria ver apenas mencionado, e vagamente louvado, em notícias banais da imprensa diária, um livro feito com amor, e que diz e vale alguma coisa.

Tenho continuado a trabalhar, e muito. No campo, onde passamos três meses, só regressando definitivamente ontem, escrevi muitas poesias, com a mesma espantosa facilidade, quase inconsciente, de que me senti possuído na primavera. Sobretudo nestes últimos dias tenho produzido versos como a vinha produz uvas; dir-se-ia que para mim as mudanças de estação são os períodos mais favoráveis. Assim fiz, para as *Rústicas* e *Marinhas*, várias coisas, entre as quais uma *Ode a Virgílio*, ainda não concluída, com a qual abro a 1.ª parte do livro (*Rústicas*; verá a *Ode*, brevemente, se Deus quiser, na *Revista Brasileira*); para outro livro de versos, que tenho também em preparação, compus não poucas páginas; delas lhe mando algumas; os quatro sonetos, *Leo X P. M., Miguel Ângelo, Savonarola, Frei Angélico*, escritos, como verá, em quatro dias sucessivos, são para a coleção *Bronzes florentinos* em que pretendo celebrar os vultos mais ilustres da capital toscana. A poesia *A Janela*, que eu fiz ontem em viagem, de Albano para Roma (e que viagem! com chuva torrencial, atraso e desencontro de trens, corrida e atrapalhação) tem uma história muito curiosa que de certo o vai interessar. Há mais de dois anos, em Montevidéu, uma noite, tive em sonho a ideia desses versos; sonhei que os tinha feito, não com a sua forma atual, é claro, mas com o mesmo fundo de pensamento que tem agora. Na manhã seguinte, lembrei-me disso, e sempre pensei em reduzir um dia essa estranha fantasia a ritmo e rima; tão nítido e forte foi aquele sonho que nunca mais se me apagou da memória. Hoje — mais de dois anos depois! — me acudiu à mente a forma natural e própria da minha ideia, e sem esforço algum, como quem conversa, fiz os versos que aí vão. Há neles alguma longínqua semelhança com a *Cortina da minha vizinha*, de Goethe; dado, porém, o fato da sua origem — um sonho — fica excluída toda hipótese de imitação voluntária.

Outro escrito a que me tenho aplicado, e que já está quase pronto, é um longo estudo sobre o grande Poeta italiano Leopardi, cujo centenário se celebrou este ano[4]. Destino-o ao *Jornal do Comércio*. Como vê, este ano tem sido consagrado especialmente à produção poética e aos estudos críticos; alguns contos, e variedades de imaginação, em prosa, para as *Baladas e Fantasias*, já concluídas ou quase; mas pouco nesse gênero; não pude ainda escrever várias novelas que tenho pensadas; nem adiantar o meu primeiro romance já principiado. Isso ficará para o ano próximo, assim como a minha entrada nas coisas dramáticas, onde creio poder dar algumas produções menos más. Eu sou muito ambicioso, não acha? Mas ser ambicioso de trabalho, ainda mais que de renome, é uma bela coisa. E eu sei que, lendo tudo isto, o seu espírito me compreende e aplaude.

A propósito das *Baladas e Fantasias* vou pedir-lhe um favor, com a confiança do costume. É o de tomar a si o encargo de perguntar ao Laemmert se quer ser o editor desse livro; exponha-lhe estas condições que me parecem bem pensadas: l.ª pelo original ele dará a retribuição que tem dado a outros autores, nesta época, em circunstâncias idênticas; e nesse ponto fica o meu querido Mestre inteiramente senhor de agir como quiser. 2.ª. Quanto à impressão do livro, parece-me conveniente fazê-la aqui na Europa, não só porque assim sairá imensamente mais barata que sendo feita no Brasil, mas também porque estando eu aqui para fiscalizar tudo a garantia será completa para a boa revisão das provas e a beleza artística do volume[5]; para isso eu tenho certo gosto, e o livro das *Procelárias*, impresso e arranjado todo segundo as minhas ideias o prova bastante. Entenda-se com a casa Laemmert a esse respeito, e mande-me a resposta. Eu não estarei mesmo longe, se esse negócio das *Baladas e Fantasias* sair bem, de comprometer-me com essa livraria a tomá-la como editora de todas as minhas obras futuras em prosa, em termos razoáveis para mim e para ela. Sonde um pouco esses homens, e veja o que dizem. As obras poéticas eu prefiro reservá-las para mim, pois assim terei liberdade para fazer delas edições a meu gosto, da mais elegante forma.

Uma ideia que me parece excelente é a de ilustrar as *Baladas e Fantasias* com 8 ou 10 desenhos de pintores brasileiros; esses desenhos muito facilmente eu os arranjarei aqui, entre os nossos patrícios de talento que estudam em Roma, e que os farão por preços excepcionalmente módicos. Se o Laemmert quisesse, poderíamos fazê-los reproduzir em heliogravura, como esses dois lindos quadros das *Procelárias*, obra do insigne Weingartner, e pelas *Baladas e Fantasias* começar uma série de edições de amador que seria uma bela novidade no nosso mercado literário. É claro que nesse caso as heliogravuras seriam postas em certo número somente de exemplares: em 300, por exemplo, para 1000. O preço de cada placa de heliogravura em Paris é de 50 francos; além disso cada cópia se paga separada, a 13 ou 14 cêntimos. Assim, por exemplo, 6 ilustrações no livro custariam 300 francos; o custo da impressão de 300 exemplares seria de 39 francos que multiplicados por 6 dariam: 234 francos. Assim teríamos: 300 + 234 = 534.

Podem-se porém fazer menos heliogravuras e imprimir menos exemplares de cada uma: 4 por exemplo a 200 exemplares. Enfim, vejamos o que diz o Laemmert a tudo isso: o essencial, porém, é que ele me edite as *Baladas e Fantasias*.

Vou-lhe pedir ainda outro favor — veja que sem-cerimônia! Mande-me um exemplar da sua *Iaiá Garcia*; ofereça-mo. É dos seus livros, o único que me falta, porque estava esgotado quando eu morava no Brasil.

Ainda não lhe contei que quase voltei a morar aí. O Presidente eleito *Senhor* Campos Sales[6] honrou-me com um instante convite para o lugar de secretário da Presidência durante o seu governo. Eu lhe inspirei simpatia e confiança, sentimentos a que eu correspondi e correspondo de todo o coração. Não lhe sei dizer quanto me seduzia a ideia de auxiliar um homem tão honesto, tão bom e tão nobremente intencionado, a quem, com a minha boa-fé e a minha independência de quaisquer grupos políticos, eu poderia prestar serviços reais. Infelizmente motivos de saúde me impediram de aceitar o posto; motivos de saúde, não só nem tanto por mim, que não poderia resistir muito tempo ao labor pesadíssimo daquele lugar, com o organismo delicado que tenho, mas principalmente por minha Mulher, que, desabituada há tantos anos do clima do Rio, não poderia residir aí sem perigo. Haveria o recurso de passar o verão em Petrópolis; mas eu teria de ficar no Rio; isso significaria quatro a seis meses do ano de separação, tanto mais que a febre amarela excede muitas vezes os limites do estio, durando até Maio ou Junho. Minha Mãe também, embora acostumada com o clima do Rio, iria para Petrópolis acompanhar Maria Luísa. Ora, francamente, não seria absurdo sujeitar-me eu a viver assim apartado de minha Família, sem a qual não posso ter um dia de felicidade? Expus essas razões ao *Senhor* Campos Sales, e ele, que adora como eu a Família, as compreendeu perfeitamente.

Assim, não terei o gosto de morar no Brasil quatro anos. Mas espero que em 1899 me será dado o de passar aí alguns meses de licença que o mesmo *Senhor* Campos Sales já me prometeu antecipadamente. Que alegria sentirei ao rever pátria e amigos!

Penso aparecer então na Academia para ler o elogio histórico de Gonçalves de Magalhães que me é imposto pelo regulamento. Mas, a propósito disto: algum dos sócios fundadores já fez o elogio histórico do seu respectivo patrono? Diga-me se essa disposição está ou não de pé, para que eu não faça um trabalho inútil; de qualquer modo, se não houvesse lugar para elogio histórico, eu faria sempre um largo estudo crítico sobre o autor da *Confederação dos Tamoios*[7].

Breve receberá o último número da *Revista Moderna* com retratos meus, e um belíssimo artigo do nosso Mário; a muita amizade que ele me tem o inclinou naturalmente à indulgência, mas por outro lado a intimidade das nossas relações já de longa data o habilitou para traduzir fielmente o meu coração e o meu espírito. O Domício da Gama escreveu também um artigo admirável para a *Gazeta de Notícias* sobre as *Procelárias*; digo admirável, é claro, literariamente, pelas ideias e pelo estilo, abstraindo da benevolência com que ali sou tratado.

E basta por hoje, que já enchi um caderno de papel.

Escreva-me.

Cumprimentos de minha Família, que muito se lhe recomenda, para sua Ex*celentíssi*ma Esposa, a quem apresento meus respeitos.

Abraça-o de coração o sempre seu

Magalhães de Azeredo

Espero ansioso os seus novos livros: o de escritos avulsos e o de versos — e também o romance cujo título ainda não me disse.

---

1 ∾ Jornal internacional, político, literário e financeiro, fundado em Paris em 1859. (SE)

2 ∾ Ver carta [417]. (SE)

3 ∾ Há duas "Votivas"; uma dedicada à mãe e a outra à então noiva Maria Luísa; "No limiar", a Machado de Assis; "O Escudo", a Leopoldo de Freitas; "Velhice de Don Juan", a Raimundo Correia*; "Dante", a Alcântara Machado e "Estatuária do Amor", a Rodolfo Bernardelli*. (SE)

4 ∾ Primeiro dos nove artigos que compõem o livro *Homens e Livros*, saído pela Garnier (1902). (SE)

5 ∾ A folha de rosto do livro *Baladas e Fantasias* informa que foi editado pela Laemmert (1900), e a contracapa diz que a impressão foi feita na Tipografia Centenari, em Roma, a mesma que se encarregaria em 1904 da edição de *Odes e Elegias*. *Baladas e Fantasias* é dedicado a Mário de Alencar*. (SE)

6 ∾ Em visita à Itália na condição de presidente eleito ainda não empossado. (SE)

7 ∾ Sobre a *Confederação dos Tamoios*, ver nota 9, carta [57], tomo I. (SE)

[432]

Para: JOSÉ VERÍSSIMO
Fonte: Revista da Academia Brasileira de Letras, XXXIII, n.º 103, jul. 1930.

[Rio de Janeiro,] 18 de novembro [de 1898].

Meu caro José Veríssimo.

Esta carta, além do que lhe é pessoal, vale por uma circular aos amigos da *Revista*, a quem não vejo há mais de dois anos ou quarenta e oito horas[1]. Como é possível que me suceda hoje a mesma coisa, peço-lhe a fineza de dividir com eles as saudades que vão inclusas, mas o papel não dá para todas.

Peço-lhe mais que me diga:

1.º Se o nosso Graça Aranha já falou ao Ministro do Interior[2], e se podemos contar com o salão no dia 30;

2.º Se já está completa a lista começada por ele para a distribuição dos convites;

3.º Se o Inglês de Sousa aí esteve para tratar dos cartões, segundo havíamos combinado;

4.º Se o João Ribeiro está disposto a ser apresentado ao Presidente da República em qualquer dia que, para isso, nos seja fixado;

5.º Se tenho provas da notícia bibliográfica sobre as *Procelárias*[3];

6.º Como vão o chá e o Paulo. Quisera ir pessoalmente, mas é provável que não possa. O tempo voa e o dia 30 está a pingar[4]. Receba um abraço do

Velho admir*ad*or e am*ig*o

M. de Assis.

---

1 ∞ Eleito o presidente Campos Sales, Machado de Assis voltara ao serviço público em 17/11/1898, no cargo de secretário do ministro Severino Vieira. Findava, assim, a penosa "disponibilidade" (ver em [413]). A partir desta carta, verificam-se suas menções aos exigentes trabalhos do gabinete e uma intensa troca epistolar com Veríssimo,

já que lhe faltava tempo para ir à redação da *Revista Brasileira*, onde a Academia, de fato, "acontecia". (IM)

2 ०० Epitácio Pessoa*. (IM)

3 ०० A notícia sobre as *Procelárias* de Magalhães de Azeredo*, a ser publicada na *Revista Brasileira*. (IM)

4 ०० Eis aqui um dado inteiramente inédito: a primeira recepção acadêmica, de João Ribeiro* na sucessão de Guimarães Júnior*, não se realizaria na data anteriormente anunciada em ata de 08/08/1898, ou seja "30 de novembro do ano corrente". Até agora, os autores de todos os documentos institucionais, *Atas, Boletins, Efemérides Acadêmicas* etc., bem como biógrafos e pesquisadores, acreditaram piamente no registro "oficial" do acontecimento. Foi este redigido por Mário de Alencar*, talvez tempos depois: reconhece-se a sua letra miúda no primeiro *Livro de Atas*, onde figura a "Ata da Sessão Solene de 30 de Novembro de 1898". As próximas cartas corrigem a data do *début* da Academia. Nosso Machado, aflito com a premência do tempo – "o dia 30 está a pingar" –, irá propor um adiamento para meados de dezembro. E a leitura do jornal *A Notícia*, anunciando e depois relatando a solenidade, realizada em 17 de dezembro, liquida qualquer dúvida. Ver em [436], de 15/12/1898, e em [437], de 17/12/1898. (IM)

[433]

Para: JOSÉ VERÍSSIMO
Fonte: *Revista da Academia Brasileira de Letras*, XXXIII, n.º 103, jul. 1930.

Rio [de Janeiro], 28 de novembro de 1898.

Meu caro José Veríssimo,

Escrevi sábado ao nosso Paulo dizendo que lá iria, se pudesse, mas saí depois das 6 horas da tarde. Não sei se poderei ir hoje; creio que não, mas caso saia a tempo, correrei *à Revista*. Entretanto, direi desde já que na data em que nos achamos é impossível fazer a recepção na Academia a 30. Vou adiá-la, mas quisera que me dissesse, visto que tem de receber o João[1], que data lhe é mais cômoda, dando margem à apresentação do novo eleito ao Presidente, impressão de cartões, distribuição etc.: 15 de dezembro? Vinte?² Vá desculpando a letra e a maçada, responda-me, abrace-me de longe, por si e pelos amigos e creia no

Velho e saudoso am*i*go

M. de Assis.

Post Scriptum – O portador espera.

---

1 ∾ João Ribeiro*. (IM)
2 ∾ Ver comentários em [432]. (IM)

[434]

De: JOSÉ VERÍSSIMO
Fonte: Manuscrito Original, Arquivo ABL.

[Rio de Janeiro, sem data.]¹

Meu caro Machado

Você ainda vive para a Academia e para nós? Ora graças a Deus. Mas quando o veremos, quando deixará, ao menos por uma hora, essa nefanda Secretaria e o seu encantador Ministro? Aqui fazemos todos votos para uma crise ministerial que o ponha daí para fora.

Quanto à recepção, se você se interessa por ela, quando quiser, o dia 15² serve, é preciso imprimir cartões e dar outras providências, mas isso é com a mesa, que se tem mostrado digna de todas as censuras.

Aranha, Sales, Araripe, Raimundo, Tavares³ se recomendam, todos zangados e furiosos contra você. Mexa-se.

Um abraço saudoso do seu

J. V.

---

1 ∾ Certamente a carta é de 28/11/1898, pois a resposta se fazia urgente e Machado anotara: "O portador espera". (IM)

2 ∽ Posse de João Ribeiro*. Em [433], Machado acha inviável o dia 30. (IM)

3 ∽ Graça Aranha*, Araripe Júnior*, Antônio Sales*, Raimundo Correia* e Paulo Tavares, secretário da *Revista Brasileira*. (IM)

[435]

Para: JOSÉ VERÍSSIMO
Fonte: *Revista da Academia Brasileira de Letras*, XXXIII, n.º 103, jul. 1930.

Rio [de Janeiro], 3 de dezembro de 1898.

Vigésima quinta aos Coríntios[1].

A minha ideia era lá dar um pulo agora, mas não posso, e provavelmente não poderei fazê-lo hoje.

O objeto da ida e da carta é dizer ao nosso João Ribeiro que, segundo me comunicou ontem o D*outo*r Cochrane[2], o Presidente da República receber-nos-á no dia 6, ao meio-dia.

Peço o favor de ser isto comunicado ao dito João Ribeiro, se aí estiver, e o favor ainda maior de informar-me aonde poderei escrever-lhe. O dia 6 é terça-feira; cumpre-nos estar a postos. Como sabem, já estive com o Epitácio[3], por apresentação do Rodrigo Octavio. Adeus e até breve.

Velho am*i*go

M. de Assis.

---

1 ∽ O Novo Testamento apresenta duas epístolas canônicas de Paulo aos cristãos de Corinto, que aludem a duas outras cartas perdidas. Na primeira que se conhece, o apóstolo condena os escândalos e abusos testemunhados naquela cidade e orienta seus seguidores quanto ao comportamento moral, dando instruções adequadas à vida cristã (castidade, casamento, escrúpulos etc.). Tem esta epístola 16 capítulos, e a segunda 13, de caráter acentuadamente espiritual. Portanto, não existe qualquer "Vigésima quinta aos Coríntios". Seria a epígrafe machadiana uma alusão à impossibilidade de comparecer aos encontros na *Revista Brasileira*? Nas duas cartas paulinas há muitas

referências às vicissitudes que impediam o apóstolo de reencontrar, pessoalmente, os fiéis de Corinto. (IM)

2 ∾ Tomás Cochrane*, secretário do presidente Campos Sales, em [437], de 17/12/1898, dá a confirmação cabal da data de posse de João Ribeiro*. (IM)

3 ∾ Epitácio Pessoa*, ministro da Justiça e Negócios Interiores, que cederia o salão de honra do Ministério do Interior para a a posse de João Ribeiro*. (IM)

[436]

Para: JOSÉ VERÍSSIMO
Fonte: Revista da Academia Brasileira de Letras, XXXIII, n.º 103, jul. 1930.

Rio [de Janeiro], 15 de dezembro de 1898.

Meu caro Veríssimo,

Escrevo-lhe a tempo de suprir a visita pessoal, caso não possa ir agradecer-lhe as suas boas palavras de amigo no último número da *Revista*[1]. Não quero encontrá-lo sábado, à noite[2], sem lhe ter dado ao menos um abraço de longe. Aqui vai ele, pela crítica do meu velho livro e pelo mais que disse do velho autor dele. O que Você chama a minha segunda maneira naturalmente me é mais aceita e cabal que a anterior, mas é doce achar quem se lembre desta, quem a penetre e desculpe, e até chegue a catar nela algumas raízes dos meus arbustos de hoje. Adeus, meu caro Veríssimo. À vista o resto, e creia-me sempre o velho amigo e admirador.

M. de Assis.

---

1 ∾ Artigo sobre *Iaiá Garcia*, na *Revista Brasileira*, v. 16. (IM)
2 ∾ Recepção de João Ribeiro*, por José Veríssimo. Ver em [432]. (IM)

[437]

De: TOMÁS WALLACE DA
GAMA COCHRANE
Fonte: Manuscrito Original, Arquivo ABL.

SECRETARIA DA PRESIDÊNCIA DA REPÚBLICA

Rio de Janeiro, 17 de dezembro de 1898.

Amigo e colega S*enho*r Machado de Assis[1]

Em resposta à sua carta de anteontem comunico-lhe que o E*xcelentíssi*mo S*enho*r Presidente da República não podendo comparecer à sessão de hoje[2] da Academia de Letras encarregou-me de representá-lo.

Os rapazes aqui desejavam assistir à sessão, não será possível mandar-me alguns convites (*sic*).

Com os meus agradecimentos, sou com todo apreço e estima

Amigo afetuoso colega

Tomás Cochrane

---

1 ∾ Machado de Assis e o engenheiro Tomás Cochrane foram colegas no Ministério da Indústria, Viação e Obras Públicas. Neste momento, Cochrane atuava como secretário da Presidência da República de Campos Sales (1841-1913), presidente recém-empossado em 15/11/1898, após vencer o candidato dos positivistas e dos florianistas, o paraense Lauro Sodré (1858-1944). (SE)

2 ∾ Sobre a posse de João Ribeiro*, ver carta [432]. (SE)

[438]

De: ANGEL CUSTODIO VICUÑA
Fonte: Manuscrito Original, Arquivo ABL.

LEGACIÓN DE CHILE (N.º 47)

Petrópolis, 23 de diciembre de 1898.

Ex*celentísi*mo. Señor:

Cábeme la honra[1] de invitar á V*uestra* E*xcelencia*, y, por su alto conducto, á la sabia é ilustre Corporación de que es digno Presidente, á la ceremonia de inauguración del monumento que á la memória del Ex--Ministro de Chile, Señor Isidoro Errázuriz[2], ha erigido esta Legación en el Cementerio de San Francisco Javier, y que tendrá lugar el 6 de Enero próximo á la I P. M.

El Señor Errázuriz por su dedicación á las letras, por su profunda versación en la historia y en la filologia, había merecido el alto honor de un puesto distinguido en la Universidad de Chile, habiendo también formado parte de otras corporaciones que tienen por objeto el cultivo de las ciencias y de las bellas artes. Su nombre ha quedado ligado en mi pais al desarrollo intelectual de estos últimos tiempos, y será siempre acreedor al respetuoso homenaje de los que en Chile se consagran al elevado Majisterio de la enseñanza, en su ocupación mas elevada.

Son estos merecimientos los que mueven al infrascrito á dirijirse á V*uestra* E*xcelencia*, en la confianza de ellos inclinarán el ánimo de la ilustre Academia de Letras, á asociarse, en esta oportunidad, á los sentimientos de esta Legación, solemnizando el acto que prepara, con su presencia.

Aprovecho esta ocasión, para presentar a V*uestra* E*xcelencia* mis respetos y los sentimientos de mi mas alta y distinguida consideración

Angel C. Vicuña

E E.: Mi*nistro* Pleni*potenciario* de Chile

Ex*celentísi*mo Señor Presidente de la Academia Brasilera de Letras[3]

1 ∾ Carta manuscrita por auxiliar do ministro plenipotenciário do Chile, que a assina. Optou-se pela reprodução do texto original, sem intervenções. (IM)

2 ∾ Isidoro Errázuriz (1835-1898), jornalista e político chileno, estudou nos Estados Unidos e na Alemanha. Teve intensa atuação em seu país, foi ministro da Guerra e da Marinha; morreu de febre amarela, quando exercia o cargo de ministro plenipotenciário do Chile no Brasil. (IM)

3 ∾ TRADUÇÃO DA CARTA:

Excelentíssimo Senhor: / Cabe-me a honra de convidar V. Ex., e, por sua elevada mediação, a sábia e ilustre Corporação, de que é digno presidente, à cerimônia de inauguração do monumento à memória do ex-ministro do Chile, senhor Isidoro Errázuriz, que esta legação erigiu no cemitério São Francisco Xavier, e que acontecerá em 6 de janeiro próximo à I pós-meridiano. / O Senhor Errázuriz por sua dedicação às letras, por seu profundo conhecimento de história e filologia, mereceu a alta honra de ocupar um posto importante na Universidade do Chile, tendo também integrado outras corporações que têm como objetivo a cultura literária, científica e artística. Seu nome ficou ligado, no meu país, ao desenvolvimento intelectual destes últimos tempos, e será sempre credor da respeitosa homenagem dos que, no Chile, consagram-se ao elevado magistério do ensino, sua ocupação mais elevada. / São estes merecimentos que movem o subscrito a se dirigir a V. Ex., na confiança de que eles inclinarão o ânimo da ilustre Academia de Letras a associar-se, nesta oportunidade, aos sentimentos desta Legação, solenizando o ato que prepara, com sua presença. Aproveito esta ocasião para apresentar a V. Ex. meus respeitos e os sentimentos da minha mais alta e distinguida consideração. (IM)

[439]

Para: MAGALHÃES DE AZEREDO
Fonte: Manuscrito Original, Arquivo ABL.

Rio de Janeiro, 25 de dezembro de 1898.

Meu querido amigo:

Queixa-se bem de mim; a amizade dar-lhe-á razão, mas a equidade perdoará esta demora. Não é preciso encarecer os motivos que houver de dar do meu longo silêncio; basta dizer-lhos. Há de saber que desde 17 de novembro estou de Secretário do Ministro da Viação[1]. O que não sabe talvez é que o meu trabalho é agora imenso, e dizendo-lhe eu que saio todos os dias da Secretaria ao anoitecer, e, não obstante, trabalho em casa, logo cedo, e aos domingos também, poderá imaginar a vida que levo. Daí a longa demora desta resposta, à última carta sua. Não vá agora pagar-me na mesma moeda. Sabe o gosto que me dão as suas letras, tão amigas, tão sisudas, tão cheias de arte e mocidade.

Não diga (se já leu os meus dois artigos sobre as *Procelárias*) não diga que sempre me sobrou algum tempo para eles. O da *Revista Brasileira*, aliás simples nota bibliográfica, foi escrito antes da minha nomeação, e o segundo, dado no *Jornal do Comércio*, não saiu como eu quisera, porque já foi escrito depois de 17 de novembro; não lhe pude dar maior desenvolvimento. Não obstante, disse em ambos os lugares o que penso e sinto daquele livro de versos, e aqui lhe repito com a mesma cordialidade. Nem eu esperava menos já porque conhecia grande parte dele, já porque o seu talento é dos que sempre me deram mais esperanças — e mais sérias.

Hoje mesmo, neste dia de Natal, li no *Jornal do Comércio* o seu primeiro artigo sobre Leopardi[2], de que gostei muito, e espero o resto. Leopardi é um dos santos da minha igreja, pelos versos, pela filosofia, e pode ser que por alguma afinação moral; é provável que também eu tenha a minha corcundinha[3].

... Interrompi a carta por motivo de doença. Ainda sinto alguns vestígios do mal, mas este passou. Note que não fui para a cama, e apenas faltei um dia ao gabinete, mas não podia acabar deveras a carta. Ganhei em ler os dois restantes artigos sobre Leopardi. Creio que é o mais completo estudo do grande poeta que se faz em nossa língua, e estimo vê-lo dar-se a uma tarefa dessas com o apuro que ela exige. Naturalmente o seu temperamento é avesso ao de Leopardi, e a sua filosofia muito outra. Já disse isto por diversa maneira, e aqui o repito. Pode suceder que as razões pessoais tenham influído na aspereza dos sentimentos do poeta, mas que lha hajam dado, não me parece. O pessimismo, ou o que assim se chama, não é forçosamente uma conclusão de enfermos. Shopenhauer (*sic*) era um velho alegre e são, e Hartmann morreu moço e robusto. Cito só os últimos, mas sabe muito bem que através dos séculos encontramos sempre muitos de tais espíritos que, encarando a vida um pouco mais, acharam, como Voltaire, que este mundo *est une mauvaise plaisanterie*[4]. Nem o cristianismo tem outro fundamento. Mas deixemos de convertê-lo a melancolias.

Outra razão do meu silêncio[5]. Na sua última carta incumbiu-me de falar ao Laemmert para a impressão de livros seus. O Gustavo Massow, que é o gerente, além de ter duas casas às costas, cuidava ultimamente de um dos filhos da casa, que morreu há dias. Depois de o procurar muitas vezes, sem encontrá-lo, recorri ao papel, e escrevi-lhe o principal das suas condições, pedindo-lhe resposta afirmativa sobre as quais pudéssemos falar depois. A resposta demorou-se bastante, por causa do último daqueles motivos. Basta dizer-lhe que escrevendo eu a 8, só me respondeu a 23 "devido (disse-me ele) a grandes incômodos morais por que tenho passado."

Sobre a matéria da carta, aqui está o que textualmente me escreve o Gustavo: "A casa Laemmert terá muita honra de editar um volume do seu distinto amigo e poeta Magalhães de Azeredo. As letras porém dão pouco e só posso oferecer 500$000 por um volume de 200 ou 300 páginas, dois mil exemplares. Aceitarei com prazer a impressão em Roma, porém precisava conhecer com antecedência o orçamento da despesa para fazer os meus cálculos."

Não o procurei para lhe falar das gravuras e dos preços indicados na sua carta, porque o que ele pede em relação ao orçamento geral das despesas exige informações suas, e para elas não tenho elementos na carta a que respondo. Veja se manda isto agora, por maneira que tudo se liquide logo.

Eu agora é que não sei se darei mais letras. Não me sobram anos nem forças para projetos futuros[6]. Viva e trabalhe, meu bom amigo, e não se esqueça de mim. Respondo à pergunta que me faz sobre o endereço, dizendo-lhe que é melhor dirigir a correspondência à nossa casa, rua do Cosme Velho *número* 18, posto que eu viva agora mais tempo na Secretaria, mas é melhor a casa. Adeus, vou terminar dizendo-lhe outra vez que não se vingue de mim, e escreva-me sempre; lembre-se que é moço, e a palavra dos moços, é o melhor licor dos idosos. A carta é pequena, e vê que não me falta papel para fazê-la maior; o tempo é que é escasso. Assim, para não perder esta mala, acabo aqui mesmo, e vou já levá-la. Peço-lhe que apresente os meus respeitos à sua Excelentíssima Senhora e toda a família, recebendo as recomendações de minha mulher. Tenho estado com o Paz, que me falou de todos lá. Creio que breve tornará à Europa. Adeus, amigo, até à primeira. Não lhe mando os meus dois artigos sobre as *Procelárias*, porque suponho os haverá recebido na *Revista* e no *Jornal*. Terá lido também a notícia da primeira recepção da Academia. Esteve boa, e agradou muito.

Abraços do

Velho amigo e colega

Machado de Assis

---

1 ∾ Ministro Severino Vieira. Sobre o afastamento de Machado, ver notas 3 e 4, carta [415]. (SE)

2 ∾ O primeiro artigo de *Homens e Livros*, publicado em 1902, é um alentado estudo sobre o poeta italiano. (SE)

3 ∾ Giacomo Leopardi (1798-1837), poeta lírico italiano, cuja obra é marcada pela melancolia, pelo ceticismo e pelo pessimismo, traços com os quais Machado certamente se identificou. Leopardi tinha uma saúde fragilíssima, sofria de várias doenças, entre elas, de uma degeneração grave e estigmatizante da coluna vertebral, que lhe dava um aspecto físico deplorável. Neste ponto da carta, Machado interrompeu a escrita para retomá-la não se sabe quanto tempo depois, dizendo que a interrupção fora causada por uma crise de seu mal mais secreto. Registre-se que há mais algumas cartas em que faz alusão à doença. (SE)

4 ∾ É uma brincadeira de mau gosto. (SPR)

5 ∾ Da série de cartas de Machado a Azeredo, essa é uma das mais confessionais. (SE)

6 ∾ Além dos já anunciados *Páginas Recolhidas* (1899) e *Dom Casmurro* (1899), Machado ainda produziu muito nos últimos dez anos de vida. Coligiu e editou as *Poesias Completas* (1901); publicou *Esaú e Jacó* (1904); selecionou os textos esparsos para *Relíquias de Casa Velha* (1906) e escreveu *Memorial de Aires* (1908). *Casa Velha*, obra póstuma (1944), foi editada por Lúcia Miguel Pereira. As datas entre parênteses referem-se às folhas de rosto das 1.ªs edições, segundo Galante de Sousa (1955). (SE)

[440]

> De: JOSÉ VERÍSSIMO
> *Fonte:* Manuscrito Original, Arquivo ABL.

Rio [de Janeiro], 26 de dezembro de 1898.

Meu caro Machado.

Vários são os motivos desta, dos quais o primeiro é dizer-lhe que saudades suas são mato — já vê que ando a falar língua de matuto — e que enorme é o desejo de vê-lo e conversá-lo.

Outro é pedir-lhe interponha seus bons ofícios perante quem competir para que nós, pobres moradores da Boca do Mato, no Méier, tenhamos água em maior abundância e em horas menos impróprias. Imagine Você que eu, que moro à rua Lins de Vasconcelos, 30, apenas tenho água nas $3.^{as}$, $6.^{as}$ e domingos — mas que essa água, mais escassa que a do Orebe[1], apenas começa a correr às 10 h*oras* da noite, obrigando a ter um criado acordado às vezes até 1 h*ora*, para aproveitá-la, conduzindo-a para vários depósitos. Um horror! Como dos nossos discursos disse o ático Artur de Azevedo.

Eu quisera, pelo menos, mais um dia d'água e que ela nos fosse fornecida de dia, ou sequer a horas próprias.

Imagina você um roceiro sem água? Por quem é, proteja as batatas que estou plantando.

      Seu, como sabe,

      José Veríssimo.

---

1 ∾ O Horebe, uma das designações do monte Sinai. (IM)

[441]

> Para: JOSÉ VERÍSSIMO
> *Fonte: Revista da Academia Brasileira de Letras*, XXXIII, n.º 103, jul. 1930.

Rio [de Janeiro], 31 de dezembro de 1898.

Meu caro Veríssimo.

Aceito muito agradecido os abraços de fim de ano, e aqui os devolvo com igual cordialidade, pedindo-lhe também que apresente à sua senhora as minhas respeitosas felicitações. Quanto à *Revista*, era ontem dia marcado e hoje também, mas ontem os *destinos o não quiseram*, estive doente e recolhi-me logo. Hoje estou aqui preso pelo trabalho. Mas, assim como os pilhei de assalto um dia, assim os pilharei outro.

Sobre a água falei anteontem ao Floresta de Miranda[1], que tomou nota de tudo e ficou de providenciar logo. Vejo que não fez nada. Vou escrever-lhe agora, não sei se com melhor fortuna, mas com igual obstinação.

Como vai o Paulo? E o Graça? e os outros? Como vai o *ruisseau de la rue du Bac*, como diria Madame Staël[2]? Até breve. Amanhã começo a lê-lo na *Gazeta*[3]; vamos ter uma longa e bela página. Devia riscar a penúltima palavra, mas o expediente está chegando. Até breve, e adeus.

O velho amigo

M. de Assis.

---

1 ∾ Diretor da Repartição de Águas. (IM)

2 ∾ Alusão ao grupo da *Revista Brasileira*. Madame de Staël (1766-1847), exilada na Suíça, dizia preferir a valeta (*petit ruisseau*) da rue du Bac, onde ficava sua residência parisiense, a todas as belezas do lago Leman. (SPR)

3 ∾ Na verdade, Veríssimo iniciava a seção "Revista Literária" no *Jornal do Comércio*. (IM)

[442]

De: MAGALHÃES DE AZEREDO
Fonte: Manuscrito Original, Arquivo ABL.

Roma, 2 de janeiro de *1899*.
Legação do Brasil junto à Santa Sé.

Meu querido Mestre e Amigo,

Que belo e tocante presente de boas-festas me quis mandar! Recebi a *Revista* com o seu artigo, pelo Natal[1]; estava de cama, exatamente como há um ano na mesma data, com um resfriado bem forte, e, lendo-o, esqueci que estava doente, esqueci febre e nevralgia, todo entregue ao prazer e à comoção que essas caras páginas, ditadas por um coração amigo, me causaram. A febre que tive foi passageira — coisa de nada, simples resultado da minha indisposição — mas a nevralgia me ficou por muitos dias, sobretudo nos olhos, e só agora começo a livrar-me dela. Aproveito estas melhoras para lhe escrever. O nosso amigo José Veríssimo já me havia anunciado o seu estudo sobre as *Procelárias*, e dizia-me que era uma consagração do meu livro[2]. Vejo que tinha razão. Para obter tão alto prêmio, valeu a pena compor aquele volume de versos com cuidado e perseverança, não como ensaio, mas como obra definitiva. Não se pode dizer mais de um livro do que o seu estudo diz do meu. E ainda que a afeição pessoal e tão estreita influiu de certo no juízo, inclinando-o à benevolência, é certo que, mesmo descontada esta, as suas palavras deram ao livro um salientíssimo lugar nas nossas letras. De resto, como não reconhecerei eu que verdade e poesia definem a essência dos meus versos, e que, ainda quando a ficção entra, como é natural, em algumas páginas, sempre há nelas uma vibração estética tão sincera que equivale quase à repercussão de um choque real? Não o posso negar. Mal supunha eu, quando em minha carta anterior lhe pedia a sua opinião minuciosa sobre o livro, que ela seria dada em forma pública, com a autoridade e a responsabilidade do seu grande nome. Quando à minha vocação inata e irresistível para a arte se juntam estímulos tais, como não irei adiante com fé e coragem?

De fato, a vida em mim está tão identificada com o trabalho, que não compreendo uma sem o outro — a tal ponto que, se fico doente, sinto menos o incômodo material da enfermidade que o atraso produzido por ela na minha tarefa. Parece incrível, mas é a pura verdade.

Sabe que tenho esperança de publicar no ano próximo o meu segundo volume de poesias, para o qual ainda não achei título? Com efeito, excluí das *Procelárias* muitas composições já feitas quando o livro se estava imprimindo, e tenho escrito outras depois em número não pequeno. É possível, pois, que em 1900 o livro apareça, ou logo no princípio de 1901 nascendo com o século XX. Depois então, me dedicarei especialmente à conclusão das *Rústicas* e *Marinhas*, que me tomarão ainda, creio eu, três a quatro anos.

Eu desejava e tencionava ir breve, em Junho ou Julho ao Brasil[3], mas é bem duvidoso que o faça, porque uma viagem dessas custa muito dinheiro, e para fazê-la e estar quatro ou cinco meses no Brasil com minha Família necessito ao menos 7000 francos. Ora sabe que o regímen das licenças diplomáticas, entre nós, é uma verdadeira ruína, pois durante a nossa permanência no Brasil ganhamos só o ordenado e em papel, o que com este câmbio nada vale! É certo que eu tratarei de obter, e penso que obterei um *chamado a serviço*, mas ainda assim a melhoria de situação que isso representa não basta para as despesas. Tudo depende ou quase tudo, da minha promoção a 1.º secretário[4], que, digo-lho em reserva, com a boa vontade que há a meu favor de todos os lados só não se fará se absolutamente não for possível, isto é, se não houver nenhuma vaga. Além disso, como a Santa Sé deseja e pede que me conservem aqui, a ajuda de custo que em tal caso me dariam, não havendo gastos de nova instalação, serviria para a viagem ao Brasil. Mas eu não vejo meio de arranjar a vaga precisa, quando longe de se criarem novos lugares de 1.ºˢ secretários, se suprimiram dois, o do Japão e o da Venezuela. Por isso, é mais provável que, apesar do meu intenso desejo de ir com minha Mãe e minha Mulher à nossa cara pátria, e de abraçar Família e Amigos, esperemos ainda um ano. Se formos em 1900, eu me esforçarei por levar o livro comigo.

E sobre as *Baladas e Fantasias*, que diz o Laemmert? Espero que conseguiremos tê-lo como editor desse volume, e dos outros que eu preparo em prosa. As condições me importam pouco, o essencial é haver quem se incumba de publicar os meus escritos, porque não teria graça fazê-los e ainda por cima pagar-lhes a impressão, não é verdade? Reservo para mim a dos livros de versos, por desejá-la mais cuidada e inteiramente a meu gosto. O volume das *Procelárias* todos o julgam um primor tipográfico, e de fato o é; entretanto, com gravuras, capas de papel pergaminho e o resto, não me custou muito mais de 1000 francos; notando-se que algumas folhas, por escrúpulo de correção literária, foram impressas duas vezes. No Brasil o preço seria certamente o triplo. Já vê que o Laemmert terá tudo a ganhar se quiser encarregar-me da edição das *Baladas e Fantasias*; e de resto poderei mandar-lhe propostas de tipografias portuguesas, belgas, e até italianas, que se incumbem de trabalhos no nosso idioma.

Agora outra coisa. Aí lhe envio uns versos para a *Revista Brasileira*; tinha-lhe prometido a *Ode a Virgílio*, mas várias circunstâncias me obrigaram a interrompê-la com grande pesar meu; logo que possa a retomarei. Estas quadras que vão hoje são como o título o indica simples trovas populares. Por isso mesmo extraordinariamente me agradam, pois há muito que eu buscava fazer alguma coisa tirada sinceramente da poesia popular, tão rica fonte de inspiração. É claro que as adaptações feitas há tempos por Sílvio Romero, e que li na coleção da primeira fase da *Revista Brasileira*, me pareceram afetadas e pedantescas; além de que ele não é um poeta nem artista; as de Melo Morais Filho também não me satisfazem; este tem mais boa vontade que estro; ora só boa vontade em letras... Estas coisas, também, não se fazem por estudo — tão espontâneas, tão profundamente simples devem ser. A prova é, quanto a mim, que por muito tempo quis compor quadras assim, e não pude — até que *elas me vieram* de *motu proprio*, numa destas noites de resfriado, em que o sono tardava. Compus a maior parte no escuro, sem papel nem pena; escrevi-as na manhã seguinte, e durante o dia achei as outras. Não há aí esforços de cor local, nem palavras de calão ou indígenas, que todos não compreendam; os termos são correntes e singelos, a linguagem e a metrificação são corretos, mas da máxima espontaneidade, e parece-me encontrar-se ali, se me não engano, o genuíno *tom popular*, conceituoso, entre ingênuo e malicioso, que não se imita quando se quer. Como verá, a gama dos sentimentos que essas poucas *trovas* abrangem é vasta e variada; há o idílio, a queixa amorosa, a ironia, o gracejo, até a nota trágica, tudo fundido com esse tom de vaga filosofia que caracteriza a *maneira* dos vates ambulantes, intérpretes menos do seu próprio sentimento que do sentimento da multidão anônima. Parece-me, não acha? que é já muita nota para pouco texto; mas a circunstância que afastaria destes comentários qualquer suspeita de pretensão, é tratar-se de quadras tão simples, próprias para cantar à viola. Enfim, peço-lhe que as faça publicar na *Revista Brasileira*.

No dia 4 do próximo Fevereiro completa-se o primeiro centenário do nascimento de Garrett[5]. Não se celebrará, pelo menos com alguns artigos, no nosso Brasil, o nome do grande Escritor, que amava deveras essa terra? O poeta português Joaquim de Araújo[6] há muito que propaga a ideia da comemoração desse centenário, e eu, em resposta a um folheto que ele me ofereceu sobre o assunto, escrevi-lhe uma carta, que um jornal português publicou, aplaudindo a ideia, e propondo-me concorrer para o seu triunfo. Tenciono escrever uma ode e um estudo que simultaneamente se imprimirão em Portugal e no Brasil; o necessário é que a saúde mo permita, e esta pertinaz nevralgia nos olhos ainda me não deixa de todo.

Presumo que o meu querido Mestre e Amigo pensa em publicar alguma coisa para festejar essa data próxima, sendo entre nós um dos mais ilustres admiradores do autor de *Camões* e *Frei Luís de Sousa*, e pertencendo à geração que nasceu ainda em vida do altíssimo Poeta. O seu concurso dará à comemoração um caráter de solenidade e grandeza. O centenário da morte de Garrett será em 1954; não é provável que o vejamos; portanto, nós que nos educamos sob a influência direta ou quase direta do seu espírito devemos aproveitar o centenário do seu nascimento para *iniciarmos o aplauso da posteridade*.

Eu prometi também um artigo sobre Garrett para uma revista francesa, e, se Deus quiser, o farei com prazer especialíssimo, para apresentar àquele público tão ignorante dos gênios estrangeiros um sublime criador que pode ser equiparado aos maiores da França.

Estou curioso de ler os discursos proferidos na sessão da Academia por João Ribeiro e José Veríssimo. Parece-me que ainda este ano não teremos a subvenção nem a casa do projeto Eduardo Ramos[7]. A maré é de economias implacáveis. Devemos conformar-nos, desde que se trata seriamente de garantir o crédito do país. O governo do *Senhor* Campos Sales vai em bom caminho. O chefe do Estado é sisudo e pensador, e está firmemente disposto a observar os seus compromissos financeiros e políticos. Deus queira que finalmente o Brasil recobre a tranquilidade e a riqueza; é certo que ainda há por esse Congresso, por essa imprensa, muitos ignorantes presunçosos, muitos palhaços ferozes ou cínicos, que seria melhor desaparecessem. Mas esperemos que o bom senso dos homens dirigentes logre anular-lhes a má influência.

Adeus, meu querido Mestre e Amigo. Minha Família o cumprimenta e se recomenda à sua *Excelentíssima* Esposa, a quem eu apresento as homenagens do meu maior respeito. Desejamos-lhes um ano muito feliz.

Abraça-o de todo o coração

o sempre seu

Magalhães de Azeredo

Li há dias em jornal daí que ia ser nomeado secretário do Ministro da Viação[8]. A notícia me deu grande prazer, por indicar o intento de restituir-lhe assim a posição permanente que a lei da reorganização da Secretaria lhe tirara, exigindo diplomas profissionais como se a prática e o serviço consciencioso de muitos anos não valessem mais que eles. Espero ainda vê-lo outra vez Diretor da sua seção; o posto que lhe iria bem seria o de Diretor-Geral como é o Visconde de Cabo Frio no Ministério das Relações Exteriores. Seja como for, eu gostaria que pudesse deixar por algum tempo esse Rio e vir passear pela Europa. Em Roma ou onde quer que eu estivesse, desde já aspiraria à honra de hospedá-lo e ser-lhe cicerone.

---

1 ∾ A notícia bibliográfica de Machado sobre Magalhães de Azeredo consta da *Obra Completa* (2008). (SE)
   O artigo saiu na *Revista Brasileira* de outubro de 1898. (SE)

2 ∾ Esta carta entre Veríssimo* e Azeredo ainda não é conhecida. (SE)

3 ∾ De fato ele não veio ao Brasil neste ano; somente em 1902. (SE)

4 ∾ Azeredo foi promovido a 1.º secretário em 31/12/1900, com remoção para a Bolívia, mas segundo resolução normativa de 11/01/1901, permaneceu servindo na Santa Sé, até ser mandado servir em Paris em 07/01/1902, tendo entrado de licença a partir de 10/05/1902 até 28/01/1903, quando veio ao Brasil. (SE)

5 ∾ Em *Homens e Livros* (1902), Azeredo publicou um estudo sobre Almeida Garrett, escrito em Roma entre fevereiro e março de 1899, cumprindo realmente o voto que faz na presente carta, mas não a tempo de celebrar a data exata do centenário de nascimento do escritor, em 04/02/1899, fato a que fará referência na próxima carta. Já Machado publicou na *Gazeta de Notícias* o seu estudo sobre o escritor português no dia da celebração. (SE)

6 ∾ O poeta e filólogo Joaquim de Araújo (1868-1917) ocasionalmente escrevia na *Revista Moderna*. (SE)

7 ∾ Sobre o assunto, ver carta [534], de 11/07/1900. (SE)

8 ∾ Em 17/12/1898, no gabinete de Severino dos Santos Vieira (1849-1917), Machado retornou ao serviço público, como secretário particular, depois de ter sido afastado da chefia da Diretoria-Geral, por ato do antigo ministro. (SE).

[443]

Para: JOSÉ VERÍSSIMO
Fonte: Revista da Academia Brasileira de Letras, XXXIII, n.º 103, jul. 1930.

Rio [de Janeiro], 16 de janeiro de 1899.

Meu caro Veríssimo.

 Antes de tudo, água. Deus lhe dê água, e o Floresta, seu profeta, também[1]. Novamente escrevi e falei a este. O mais que alcancei é que as obras necessárias darão o mesmo mal a outros, e assim o remédio será que Você tenha coisa maior para depósito. Não sei se será realmente assim. Você diga-me o que pode ser.

 Sobre o chefe de seção do Correio, viu que a nomeação recaiu em outro que não o seu candidato. O nomeado tem perto de 40 anos de serviço e começou em carteiro, e com tais qualidades que levaram o Vitório a propô-lo e o ministro a adotá-lo[2].

 Escrevo ao Paulo[3] sobre a aposentação do pai. Peço a você que inste com ele para fazer o que lhe digo. Peça-lhe também que trabalhe com os nossos amigos para fazer uma reunião próxima da Academia. Quero ver se escrevo também ao Rodrigo Octavio, e há dias falei ao Nabuco.

 Não sei se ainda vivo. Você vive e bem. Não posso voltar-me para nenhum lado que o não veja impresso. Onde é que Você acha tanta força para acudir a tanta coisa? Saudades ao Graça e a todos. Não vá a ausência fazer esquecer o

    Velho am*i*go

    M. de Assis.

---

1 ~ Ver em [441]. (IM)

2 ~ Existe um cartão de Veríssimo*, sem data, pedindo "que facilite a introdução do portador junto ao Ministro". Este cartão aparecerá integralmente no último tomo da *Correspondência*, posto que não há certeza quanto ao pedido. (IM)

3 ~ Paulo Tavares, além de secretário da *Revista Brasileira*, foi "oficial secretário" da Academia. (IM)

[444]

De: MAGALHÃES DE AZEREDO
Fonte: Manuscrito Original, Arquivo ABL.

Roma, 25 de janeiro de *1899*.
Legação do Brasil junto à Santa Sé

Meu querido Mestre e Amigo,

Já lhe estava tão penhorado pelo artigo da *Revista*, que lhe agradeci na minha carta anterior, quando tive a boa surpresa de ler o que publicou no *Jornal*[1]. Como lhe direi todo o meu prazer, todo o meu reconhecimento — e também a minha confusão? Não achou que era honra demais para o meu livro de moço ter dois estudos como esses, assinados por um nome como o seu? Vejo que à sua bondade e ao seu afeto tal não pareceu, e isso ainda mais me cativa; mas a minha modéstia sincera diz-me que eu não mereci tanto. Bem haja, porém, a sua inspiração; e creia — sei que o crê — que as suas palavras de aplauso e animação não caíram em mau terreno; darão, se Deus quiser, os frutos que espera, isto é, um entusiasmo cada vez mais férvido pela arte, uma constância cada vez mais produtiva no trabalho. Ontem tive a sua cara carta; vejo por ela quanta e que pesada é a sua tarefa, agora que está Secretário do Ministro da Viação. Bastante lhe deve custar esse aumento de labor burocrático, que lhe não deixa tempo para o trabalho literário; assim mesmo, porém, lhe aprouve furtar horas ao necessário repouso para escrever o artigo do *Jornal*[2]; nunca o meu coração esquecerá tal circunstância.

Com a carta passada lhe mandei umas trovas para a *Revista Brasileira*; relendo-as agora, ocorrem-me algumas correções a fazer para as tornar ainda mais simples. Aqui vão: a terceira quadra fica melhor assim:

> Verde estava o milho agreste,
> Quando eras minha, em meu lar.
> Mas outro amante quiseste
> Antes de o ver lourejar.

A quinta:
> Mas agora uma aventura
> Em cada mês? Isso não!
> Amor! tem vergonha! Dura
> Ao menos uma estação!

Nas outras, parece-me, não há que mudar.

Agradeço-lhe muito o obséquio que me faz quanto à edição das *Baladas e Fantasias*[3]. Como lhe disse, a questão de retribuição pelo original é secundária para mim; e compreendo também que as condições do mercado não permitem dar muito por um livro. Se, porém, em vez de 500$ fossem 500 francos, seria mais natural estando eu na Europa, visto que mesmo os jornais me pagam em ouro. Isso, se o Laemmert concordar; senão, deixemos ir pelos 500$. O livro está pronto; só lhe falta um prólogo — uma espécie de invocação à Musa das *Baladas e Fantasias*; será um bom volume, de 300 páginas seguras. Vou sem demora pedir preço a editores italianos, e espero mandar-lhe pelo próximo correio a lista deles, para assim se concluir depressa o negócio e começar-se a imprimir o livro, que está impaciente para sair à luz — ou eu o estou por ele. Quanto às ilustrações, vamos ver o que se pode fazer, combinando a barateza com a decência do trabalho, aliás é melhor não as ter, não acha?

Penso que, logo depois deste livro, poderei publicar dois volumes de ensaios críticos — para tanto dão os que têm aparecido no *Jornal* e outros que preparo. Pelo que toca ao pessimismo, eu concordo em que ele pode existir num homem sem a influência da moléstia ou da infelicidade pessoal; no conjunto da vida, pode haver para quem encara o mundo por certo prisma desarmonias e monstruosidades bastantes para que uma triste filosofia se imponha mesmo a quem é são e afortunado. Eu próprio que, como sabe, sou plenamente feliz, graças a Deus, não desconheço a imensa parte, a parte quase predominante, que têm na terra a injustiça, a iniquidade, o mal em todas as suas formas, e se, apesar das melancolias que esse espetáculo me causa, sou antes otimista, é porque a fé cristã me garante uma Lei de sabedoria superior, onde os erros das inúmeras leis subalternas se reparam e anulam. O que eu quis exprimir foi que no caso especial de Leopardi[4] a imparcialidade do raciocínio era impossível, porque as suas doenças cruéis e os seus infortúnios o predestinavam fatalmente e sem remédio ao pessimismo.

O meu estudo sobre Garrett, saindo-me, como de costume, mais largo do que eu previa, não pôde ficar pronto a tempo de se publicar aí a 4 de Fevereiro. Será lido um pouco mais tarde, não importa; o essencial é que a poesia que estou fazendo à *Alma de Garrett* chegue a Portugal para a data do centenário; mandar-lhe-ei pelo outro correio uma cópia, para a fazer imprimir, se achar conveniente, na *Gazeta de Notícias*, como transcrita do jornal português.

Já li no último número da *Revista Brasileira* os discursos de João Ribeiro e José Veríssimo — dois belos e finos trabalhos, feitos com arte e bom gosto, nutridos de ideias e sem recheios de vã retórica.

A sessão devia estar digna de ver-se realmente; e eu muito gostaria de a ter visto. A propósito disso — não lhe esqueça dizer-me se quando eu for ao Rio devo pronunciar na Academia o elogio histórico de Gonçalves de Magalhães.

Não sei se pelos jornais já tem notícia das importantes escavações que se estão praticando no Fórum romano, por ordem do Doutor Baccelli, atual ministro da instrução pública[5]. O Doutor Baccelli é talvez hoje a maior notabilidade médica deste país, e seguramente um dos seus homens mais eminentes. Orador, escritor, estadista, não é dos que descansam no poder; a sua solicitude pelos monumentos históricos desta cidade tão rica deles é conhecida, e na sua primeira estada naquele ministério, como agora, fez muito pela conservação e pelo brilho deles. No Fórum ultimamente parece ter-se encontrado o chamado túmulo de Rômulo; digo parece, porque entre os arqueólogos ferve a discussão. Ainda que a existência do próprio Rômulo seja duvidosa, é exato que a tradição consagrou por sepulcro dele um certo sítio do Fórum; se é de fato o que se descobriu agora, o acontecimento é dos que marcam época nos estudos históricos. Seja como for, consola ver, nestes tempos de baixa politicagem, tal zelo pelos monumentos que a poesia dos séculos imortalizou.

Nos últimos dias de Dezembro e a 1.º de Janeiro tive ocasião de conversar com o Papa. Achei-o mais magro e cansado, mais velho, mas talvez isso se deva atribuir à fadiga das numerosas recepções habituais em fim de ano. A saúde dele é boa, e a sua constância no trabalho não diminui; ainda há pouco escreveu uma Encíclica sobre o americanismo, que pela importância do assunto se aguarda com viva curiosidade. Tão ativo e forte como ele, em tão avançada idade, só conheço Légouvé[6], o decano da Academia Francesa, que tem 93 anos, ainda faz esgrima todas as manhãs, e me deu o ano passado em Paris o seu último livro. Tenciono escrever um perfil dele, e será interessante porque pela casa onde o visitei várias vezes, e onde ele nasceu, passou quanto a França teve de homens ilustres neste século[7].

Estou lendo com muito interesse os capítulos de Joaquim Nabuco na *Revista Brasileira*.

Adeus, querido Mestre e Amigo; cumprimentos cordiais de minha Família, assim como para a sua *Excelentíssi*ma Senhora a quem muito me recomendo. Um abraço do seu

Carlos.

---

1 ∞ Ver nota 1, carta [442]. (SE)

2 ∞ Os anos 1898 e 1899, na nova função burocrática, foram muito cansativos para Machado. Em 1898, publicou apenas o conto "Relógio Parado", o texto sobre "O Velho Senado" e a crítica sobre as *Procelárias*, de Magalhães de Azeredo. Em 1899, uma crítica sobre *Cenas da Vida Amazônica*, de José Veríssimo*, e um texto sobre o centenário de Almeida Garrett. (SE)

3 ∞ Ver nota 5, carta [431]. (SE)

4 ∞ O diálogo sobre Leopardi, iniciado por Machado na carta de 25/12/1898, a propósito do artigo de Azeredo sobre o poeta italiano continuou nesta carta. Azeredo publicou posteriormente o excepcional artigo em *Homens e Livros* (1902). Registre-se que a carta de 25/12/1898 é uma das mais confessionais de Machado de Assis. (SE)

5 ∾ O médico italiano Guido Baccelli (1832-1916), na qualidade de ministro da Instrução Pública do reino da Itália, entre 1874-1903, em sucessivos governos, impulsionou entusiasticamente as pesquisas arqueológicas, entre elas, as das ruínas de Pompeia e das Termas de Caracala. (SE)

6 ∾ O longevo Ernest Legouvé, membro da *Académie Française*, nasceu em 1807 e faleceu em 1903. (SE)

7 ∾ Em algumas cartas do exílio de Paris (1897-1898), Azeredo deixou claro o prazer em conviver não só com a elite endinheirada e aristocrática, mas também com os intelectuais, compositores, musicistas, atores e cantores em evidência naquele momento na Europa. Todo esse mundo glamoroso da *belle époque* europeia, Azeredo comunicava a Machado, não só para deliciá-lo, mas quem sabe também para seduzi-lo a viajar à Europa. Ver cartas [417] e [419]. (SE)

[445]

Para: JOSÉ VERÍSSIMO
Fonte: Revista da Academia Brasileira de Letras, XXXIII, n.º 103, jul. 1930.

Rio [de Janeiro], 6 de fevereiro de 1899.

Caro Veríssimo.

Cá vi hoje a menção honrosa que me fez, e mando-lhe o troco do meu cordial aplauso ao artigo. Eu notava que o *Jornal do Comércio* nada dissesse, estando Você lá, mas tanto melhor se guardou para dizer melhor que todos. O nosso Graça já me havia descoberto sábado[1], e assim o disse com aquela expansão amorosa que lhe conhecemos (...)[2]

---

1 ∾ Por ocasião do centenário de nascimento de Almeida Garrett, Machado publicara um belo artigo sobre o escritor português na *Gazeta de Notícias* de 04/02/1899. (IM)

2 ∾ Na fonte consultada, há a seguinte anotação: "Rascunho (?) incompleto de carta de Machado a Veríssimo." (IM)

[446]

De: JOAQUIM NABUCO
Fonte: Manuscrito Original, Arquivo ABL.

[Rio de Janeiro, 10 de fevereiro de 1899.][1]
12, Rua Marquês de Olinda.
Sexta-feira

Meu caro Machado.

"Como ninguém escreve neste estilo" etc., já o vi há dias na Gazeta antes do José Veríssimo mostrá-lo[2]. Agora queira dizer-me como se vai formando em seu espírito a sucessão do Taunay na Academia... O Loreto[3] disse-me anteontem que na Revista, aonde não vou há muito, fala-se em Arinos[4] e Assis Brasil. Eu disse-lhe que a minha ideia era o Constâncio Alves[5]. O Taunay era um dos nossos, e se o substituirmos por algum ausente, como qualquer daqueles, teríamos dado um golpe no pequeno grupo *que se reúne* e faz de Academia. Depois ficaríamos sem recepção. O Arinos talvez viesse fazer o elogio. Eu, pela minha parte, que entre os dois votaria nele, porque o elogio de Taunay pelo Assis Brasil (este pode ser reservado para uma cadeira mais *congenial* com o seu temperamento) podia ser uma peça forçada[6]; confesso-lhe que não vejo como o Constâncio; mas se Você não pensa que o Constâncio tem a melodia interior, a nota rara que eu lhe descubro, submeto-me ao mestre. Com o voto do Dória, que me prometeu, e o meu o Constâncio já tem dois. Se Você viesse, era o triângulo, e podíamos até falsificar a eleição. Sério!

Escreva-me uma linha já que não nos vemos mais. Há de Você crer que não me entregava "de quando em vez" ao prazer de conversar "consigo" só por não saber que o seu número no Cosme Velho era 18? Sei que a carta dirigida *Rio de Janeiro* iria ter-lhe às mãos, mas tenho a superstição de não escrever sem endereço exato, e foi agora, vendo o amável bilhete de ano-bom, que Você gentilmente me remeteu[7], que me ocorreu a ideia do agradável passatempo, que acabo de ter sob o pretexto de cabalá-lo.

Muitas afetuosas lembranças do amigo sincero e tão sincero admirador.
Joaquim Nabuco.

---

1 ◦◦ Data anotada a lápis. (IM)

2 ◦◦ Ver em [445]. (IM)

3 ◦◦ Franklin Dória*, barão de Loreto. (IM)

4 ◦◦ Afonso Arinos* sucedeu a Eduardo Prado, em 1901. (IM)

5 ◦◦ Antônio Constâncio Alves só seria eleito em 1922. O sucessor do Visconde de Taunay* foi Francisco de Castro*. (IM)

6 ◦◦ Assis Brasil, republicano convicto, deveria elogiar o fiel monarquista Taunay. (IM)

7 ◦◦ Bilhete não localizado. (IM)

[447]

Para: JOAQUIM NABUCO
Fonte: Fundação Joaquim Nabuco. Fac-símile do Manuscrito Original.

[Rio de Janeiro,] 13 de fevereiro [de 1899].
18, Cosme Velho

Caro Nabuco,

Respondo à sua carta. Pensei na sucessão do Taunay logo depois que o tempo afrouxou a mágoa da perda do nosso querido amigo. A vida que levo, entregue pela maior parte à administração, não me permitiu conversar com os amigos da *Revista* mais que duas vezes, mas logo achei a candidatura provável do Arinos[1], e dei-lhe o meu voto; o Graça Aranha e o Veríssimo a promovem, e já há por ela alguns votos certos, ao que me disseram. Assim fiquei aliado, antes que *Você* me lembrasse o nome do Constâncio Alves. Também ouvi falar do Assis Brasil, mas sem a mesma insistência.

Agora, aproveito a carta para lhe pedir um favor[2]. O J*oaqui*m Carneiro de Mendonça pertence ao corpo consular, e está em disponibilidade.

Deseja e crê poder auxiliar o Rio Branco, dizendo-me saber que este precisa de auxiliares e vai pedi-los. Parece-lhe que, se V*ocê* escrever ao Rio Branco, lembrando o nome dele, o nosso ilustre amigo aceitará; prometi--lhe dizer ou escrever isto mesmo a V*ocê*, e como é bom amigo e precisa, insto com V*ocê* para que me faça este obséquio[3].

Adeus, caro Nabuco, até à primeira, que não sei quando será, mas não deve ser muito tarde. Em todo caso não esqueça

O velho am*igo* e adm*irad*or

Machado de Assis.

---

1 ∾ Afonso Arinos*, que não se apresentou à vaga de Taunay*, sendo eleito para a Cadeira 40 em 31/12/1901, na sucessão de Eduardo Prado. (IM).

2 ∾ O parágrafo que aqui se inicia nunca foi transcrito na correspondência machadiana. (IM)

3 ∾ Não se localizou a transmissão do pedido a Rio Branco*, que então se dedicava à questão dos limites do Brasil com a Guiana Francesa, conhecida como "Questão do Amapá". (IM)

[448]

De: OLIVEIRA LIMA
Fonte: Manuscrito Original, Arquivo ABL.

BRAZILIAN LEGATION
Washington, 18 de fevereiro de 1899.

Ex*celentíssi*mo S*enho*r D*outo*r Machado de Assis
M*ui* D*igno* Presidente da Academia Brasileira de Letras

Em obediência ao artigo 6.º dos nossos Estatutos, peço, por intermédio de V*ossa* Exc*elênci*a, vênia à Academia para declarar minha qualidade de acadêmico no livro de impressões americanas intitulado — *Nos Estados Unidos* — que tenciono brevemente publicar.

Aproveito o ensejo para oferecer a V*ossa* E*xcelência* os protestos de minha perfeita e subida consideração.

Manuel de Oliveira Lima[1]

---

1 ∾ Ver resposta em [454], de 28/03/1899. (IM)

[449]

Para: JOSÉ VERÍSSIMO
Fonte: *Revista da Academia Brasileira de Letras*, XXXIII, n.º 103, jul. 1930.

[Rio de Janeiro,] 25 de f*evereiro* de *1*899.

Meu caro J*osé* Veríssimo.

E água? Como vamos de água? Depois da nossa última conversa, esteve comigo o Floresta[1] que, em resposta à minha carta, trouxe uma nota, que aqui lhe mando inclusa. Disse-lhe que isto sabíamos nós, mais ou menos, e novamente lhe recomendei que abrisse as cataratas do céu; não sei se o fez, não tenho carta de um lado nem de outro.

Diga-me agora o que há mais sobre as candidaturas da Academia? Teve resposta de *São* Paulo?[2] O Nabuco falou-me, por carta, na candidatura do Constâncio Alves. Respondi-lhe com o que já havíamos conversado na *Revista*, e o acordo em que estávamos alguns acerca do Arinos[3]. Ouvi que também o Francisco de Castro pensa na vaga. Todas estas perguntas são de pessoa que não pode aparecer e vive aqui entre ofícios e requerimentos. Como vão os amigos? Diga ao Paulo que estou à espera do que ele ficou de me dizer relativamente ao Pai[4]. Logo que possa, apareço. Até breve. Se desse cá um pulo? Em troca, tome lá um abraço e adeus.

Velho am*i*go

M. de Assis.

1 ∽ Ver em [441] e [443]. (IM)
2 ∽ Provavelmente Afonso Arinos*. (IM)
3 ∽ Ver em [447]. (IM)
4 ∽ Aposentadoria do pai de Paulo Tavares. (IM)

[450]

Para: JOAQUIM NABUCO
Fonte: Fundação Joaquim Nabuco. Fac-símile do Manuscrito Original.

[Rio de Janeiro,] 10 de março de 1899.
18, Cosme Velho.

Caro Nabuco.

Vai em carta o que lhe não posso dizer já de viva voz, mas eu tenho pressa em comunicar-lhe, ainda que brevemente, o prazer que me deu a notícia de ontem no *Jornal do Comércio*. Não podia ser melhor. Vi que o governo, sem curar de incompatibilidades políticas, pediu a V*ocê* o seu talento, não a sua opinião, com o fim de aplicar em benefício do Brasil a capacidade de um homem que os acontecimentos de há dez anos levaram a servir a pátria no silêncio do gabinete. Tanto melhor para um e para outro[1].

Agora, um pouco da nossa casa. A Academia não perde o seu orador, cujo lugar fica naturalmente esperando por ele; alguém dirá, sempre que for indispensável, o que caberá a V*ocê* dizer, mas a cadeira é naturalmente sua. E por maior que seja a sua falta, e mais vivas as saudades da Academia, folgaremos em ver que o defensor de nossos direitos ante a Inglaterra é o conservador da nossa eloquência ante seus pares. A minha ideia secreta era que, quando o Rio Branco viesse ao Brasil, fosse recebido por V*ocê* na Academia. Façam os dois por virem juntos, e a ideia será cumprida, se eu ainda for presidente[2]. Não quero dizer se ainda viver, posto que na minha idade e com o meu organismo, cada ano vale por três.

Adeus, meu caro Nabuco, até a vista, e desde já um abraço cordial.

Velho amigo
Machado de Assis.

---

1 ∾ Convidado pelo presidente Campos Sales, Joaquim Nabuco aceitou defender os interesses brasileiros no complexo litígio, com a Grã-Bretanha, sobre os limites do Brasil com a Guiana inglesa. Ele, monarquista em pleno regime republicano, persuadiu-se de que era imperativo advogar a questão, escrevendo sobre o assunto a vários amigos. Em carta a Domingos Alves Ribeiro (08/03/1899), publicada por sua filha Carolina (1949), afirma:

"Não quero que você saiba pelos jornais que aceitei o encargo de defender nosso direito na questão da Guiana Inglesa. É um penosíssimo sacrifício que faço, o dessa viagem. Senti, porém, que não podia recusar sem quebra de dever para com o país. Não olhei para a questão política tratando-se de uma causa nacional. Seria mostrar-se estreitamente sectário invocar uma incompatibilidade que o Governo não julgou dever prevalecer para ele, vindo buscar o defensor da causa nacional ao campo adverso." (IM)

2 ∾ Rio Branco* não teve sessão de posse. (IM)

[451]

Para: MAGALHÃES DE AZEREDO
Fonte: Manuscrito Original, Arquivo ABL.

Rio de Janeiro, 12 de março de 1899.

Meu querido am*i*go

Respondo de vez às suas duas últimas cartas, posto que entre elas recebesse a que lhe mandei. Não quero insistir sobre as causas da minha tardança, mas pode imaginar o serviço que tenho a meu cargo, já em casa, já Secretaria, donde o Ministro, eu e os demais auxiliares do gabinete saímos regularmente às seis e meia e sete horas da tarde. Para um homem franzino e avançado em anos, a tarefa não é pequena, posto que vou dando conta dela como posso.

Dir-me-á que uma carta breve escreve-se depressa, mas é justamente isto o que me prende as mãos. Quisera escrever cartas longas e cheias como as suas costumam ser, não só pessoais, mas literárias também, isto é, duas vezes agradáveis entre amigos que cultivam a arte, e o meu temor é não haver, já não digo tempo, mas aquele vagar de espírito que permite tratar da poesia e do que lhe é conexo; enfim cartas quais as que lhe mandei ainda o ano passado.

Sobre o que me diz dos artigos que a seu respeito escrevi na *Revista Brasileira* e no *Jornal do Comércio*, respondo-lhe que não resumi neles senão o que penso do seu talento e do brilhante futuro que terá. Sabia já o apreço em que o tinha — tenho. Quando o José Carlos Rodrigues me falou para compor o artigo do *Jornal*, fiquei naturalmente sa[tis]feito; logo depois, entrei de secretário da Viação, o que retardou alguns dias o artigo, mas fi-lo e saiu. Contou-me o Tobias[1] que lho anunciara sem todavia falar do meu nome. Enfim, disse o que me pareceu e parece ser verdade pura e profecia certa.

Mandei à *Revista* as suas *trovas*, e a emenda de duas delas que recebi com a segunda carta. O gênero é bom, exige a simplicidade que lhe deu e os versos são graciosos. Um só reparo faço, e para lhe mostrar a minha sinceridade em tudo, dir-lhe-ei que eu incorreria na mesma crítica, se houvesse de fazer os versos, tão acostumados andam os nossos ouvidos à perfeição da métrica; mas, enfim, as rimas duplas não são usadas nas nossas estrofes populares, que se contentam de rimar o quarto e o segundo versos. Mas este reparo é meticuloso, e contanto que os versos tenham ideias e singeleza, a perfeição não lhes faz mal.

Pode ser que a esta hora esteja acabada a Ode a Virgílio. Venha ela e as mais que lhe inspirar essa terra abençoada. Fala-me em lá ir; não sei se me será ainda possível isto, mas creio que não. Agora, a minha terra abençoada é outra, e, para não aborrecê-lo deixo de a nomear, mas já adivinhou qual seja.

Não estou, porém, tão inútil que não possa cuidar das *Baladas e Fantasias*. Já lhe mandei dizer o que houve entre mim e o Laemmert, ou antes, o Guilherme, que é o representante com quem se tratam estas coisas.

Os nossos desencontros retardaram a resposta, como lhe contei. Aqui estou pronto para seu procurador e adiantar na parte que me couber o aparecimento daquele livro.

Vá-me desculpando a letra, o estilo, os saltos, todos os defeitos desta carta. Não quero faltar ao correio. Antes assim que nenhuma. Já sabe da morte do nosso Taunay[2]; ele vivia condenado, desde longos anos, mas foram ainda assim fecundos esses anos de moléstia. As últimas semanas é que o abateram mais, e a morte deu poucas pernadas para alcançá-lo e levá-lo. A última vez que o vi, depois de algum tempo de separação (já lhe disse que não posso ir agora à *Revista*, às tardes, como era costume) achei-o não somente abatido, mas triste, como quem sabia o fim próximo. Logo depois veio o antraz, e acabou.

Este paquete levará a notícia, se já não foi por outro, de ter sido o Joaquim Nabuco escolhido pelo Governo para tratar dos limites com a Guiana inglesa[3]. A notícia foi muito bem recebida. Os jornais louvaram a isenção do nosso amigo, que não curou de saber se era a República que o solicitava e aceitou a nomeação[4]. Não sei quando parte daqui, mas deve ser breve. A nossa Academia padece com isto, vendo alguns dos seus melhores fora daqui, mas esperemos que eles se não esqueçam dela, e a façam lembrada a si mesma. Adeus, meu querido amigo, sou obrigado a parar, e dar-lhe quatro páginas pelas tantas que mandou. Não se esqueça de mim; diga-me sempre o que faz, antecipe-me algumas coisas, e confie no amigo. Cá espero as *Baladas e Fantasias*, e o mais.

Meus respeitos a toda a família e um abraço do velho amigo

Machado de Assis.

---

1 ∞ Tobias Monteiro*, principal redator do jornal. (SE)

2 ∞ Alfredo Maria Adriano d'Escragnolle Taunay* faleceu em 25/01/1899. (SE)

3 ∞ Defesa do Brasil no litígio entre o Brasil e a Grã-Bretanha, disputa relativa à fronteira brasileira com a Guiana, então possessão britânica. Também conhecida como Questão de Pirara, foi submetida à arbitragem do rei da Itália, Umberto I (1844--1900). A questão, contudo, arrastou-se por muito tempo ainda. Umberto I não

chegou a dar o laudo, sequer a receber a documentação sobre o assunto, pois foi assassinado em Monza pelo anarquista Gaetano Bresci (1869-1901) em 29/07/1900, sendo substituído por seu filho, Vitório Emanuel III (1869-1947), cujo laudo em 1904 foi pouco favorável ao Brasil. (SE)

4 ∾ O convite fora feito pelo ministro das Relações Exteriores Olinto Máximo de Magalhães, em nome do presidente da República Campos Sales. Nabuco* foi nomeado em 09/03/1899. Anteriormente Nabuco recusara o posto diplomático oferecido pelo ministro Carlos de Carvalho, no governo Prudente de Morais (1894-1898). (SE)

[452]

De: JOSÉ VERÍSSIMO
Fonte: Manuscrito Original, Arquivo ABL.

[Rio de Janeiro,] 20 de março [de 1899].[1]

Meu caro Machado

Ainda hoje me não posso encontrar com *você* na Academia, pois tenho de estar de tarde em casa à espera do médico para pessoa da família.

Também ando muito desagradável, mais ainda do que costumo ser.

Esses dois folhetos o Groussac[2] os mandou à Academia, perante a qual *você* desculpará a minha falta, por legítimo motivo de força maior.

Seu

J. Veríssimo

---

1 ∾ Ano indicado na Revista da Academia Brasileira de Letras, XXXIII. (IM)

2 ∾ Paul-François Groussac (1848-1929), escritor, historiador e crítico literário franco-argentino, foi primeiro ocupante da Cadeira 18 do quadro de sócios correspondentes da ABL, eleito em 1898. (IM)

[453]

De: MAGALHÃES DE AZEREDO
Fonte: Manuscrito Original, Arquivo ABL.

Roma, 28 de março de 1899.
Legação do Brasil junto à Santa Sé

Meu querido Mestre e Amigo,

    Apesar da minha demora em escrever desta vez, motivada por trabalhos literários e obrigações diplomáticas, está-me devendo resposta a duas cartas. Eu não as conto aliás — era o que faltava, não acha? — e mesmo assim há mais tempo lhe teria escrito, como escrevo hoje, se não quisesse mandar-lhe infalivelmente as informações relativas ao meu livro que desejo fazer imprimir aqui. Ora, cumpre que o saiba, Roma é para certas coisas uma espécie do nosso Rio de Janeiro; aqui o que se não faz *amanhã*, faz-se *depois de amanhã; hoje* é palavra pouco usada. Não estranhe, pois, que só agora, depois de muitas dificuldades e esperas, eu tenha conseguido as informações pedidas; e aí não houve culpa da casa impressora, mas, antes, de um amigo que tendo já mandado fazer nela outros trabalhos, se me ofereceu para recomendar-me e obter preços módicos. Envio-lhe juntamente amostras de papel e de tipos, como o orçamento de despesas que a tipografia Centenari — uma das melhores daqui, onde foram impressas as obras de Garção[1], aos cuidados do *Senho*r Azevedo de Castro — me mandou esta manhã. Os preços me parecem muito razoáveis, e creio que no Brasil nem pelo dobro talvez se conseguiria a mesma coisa. Calculo que o volume conterá 300 páginas, ou suponhamos para dar cálculo exato de folhas, 320, isto é, 20 folhas. Para uma tiragem de 2000 exemplares (no orçamento estão 1900 + 100 em papel de Holanda, porque o empregado da casa não entendeu bem o que eu disse sobre uma pequena edição à parte, mas a diferença é pequeníssima) para 2000 exemplares, pois, no papel da amostra A, em tipo corpo 12, o preço total seria de 1600 liras italianas (20 folhas a 80 liras por folha); em tipo corpo 10, de 1680 (84 por folha); no papel da amostra C, com tipo corpo 12, de 1500 liras (75 por folha); com tipo corpo 10, de 1580 (79 por folha). Isso compreendendo naturalmente todo o trabalho, e obrigando-se a tipografia a entregar o volume brochado e pronto. Vai também essa amostra de papel azulado para as capas — parece-me bom. Agora desejo que o *Senhor* Laemmert, da tiragem total, me reserve 100 exemplares, para oferecer a amigos, colegas, bibliotecas etc., ficando, porém, a seu cuidado, como é uso, fazer a distribuição pela imprensa; e me permita mandar imprimir por sua conta alguns exemplares, uns 15, em papel superior com capas de papel pergaminho como as das *Procelárias*, papel que aliás aqui não custa caro, e que se ele quisesse poderia por maior elegância adotar-se para toda a edição. A pequena tiragem especial que eu peço importará em quase nada. Enfim aí tem informações que julgo suficientes; se o *Senhor* Laemmert quiser outras, indique-me quais e lhas mandarei. Acho vantajosa a proposta, e espero que ele a aceitará. Gostarei muito que o volume seja impresso aqui sob a minha imediata direção, e revendo eu mesmo as últimas provas. Esqueceu-me indagar quanto tempo gastará no trabalho a tipografia; mas isso lhe direi pelo próximo correio, pois conto escrever-lhe mais longamente, aproveitando as férias da semana santa.

Vê que tenho trabalhado muito; na *Revista Moderna* lerá a minha ode a Garrett, que pela extensão é quase um poema lírico, e onde me esforcei por celebrar o Poeta e o Homem sob todos os seus aspectos. O estudo de que lhe falei sobre ele só agora o pude terminar, e segue por este mesmo correio para o *Jornal*[2]. Li o seu belíssimo artigo na *Gazeta*, dedicado a Garrett[3]; encantou-me pela elegância do estilo, pela finura dos conceitos e pela emoção que todo ele transpira; vi ali um grande espírito celebrando outro grande espírito. É possível que eu escreva agora um artigo sobre *Herculano como poeta*. Sob esta face ele tem sido pouco estudado, como nota Teófilo Braga. Com alguns outros estudos que preparo espero dar logo dois tomos de ensaios críticos, se o *Senhor* Laemmert mos quiser editar. No primeiro deles me ocuparei largamente a seu respeito.

Quanto ao volume de versos que eu esperava concluir para o ano próximo, eu calculara mal. Um livro assim só se faz por si mesmo, e precisa mais tempo. E por hoje adeus.

Escreva-me! Afetuosos cumprimentos de minha Família. Nossas recomendações à Ex*celentíssi*ma Senhora.

Receba mais um abraço meu de coração e creia-me

sempre seu

Magalhães de Azeredo.

---

1 ∾ *Obras Poéticas e Oratórias*, do poeta português, um dos fundadores da Arcádia Lusitana, Pedro Antônio Correia Garção (1724-1772), editada pela tipografia dos Irmãos Centenari, via delle Coppelle, Roma, 1888. José Antônio de Azevedo Castro fez a introdução e as notas, consideradas de grande valor para a exegese do texto poético de Garção, bem como é considerada a edição mais completa e acessível daquele autor. (SE)

2 ∾ Sobre esse estudo, ver nota 5 da carta [442]. (SE)

3 ∾ Publicado na *Gazeta de Notícias*, no dia do centenário de Almeida Garrett, em 04/02/1899. (SE)

[454]

Para: OLIVEIRA LIMA
Fonte: Manuscrito Original. The Oliveira Lima Library, The Catholic Universtiy, Washington.

Rio [de Janeiro], 28 de março de 1899.[1]

Ex*celentíssi*mo *Senh*or *D*out*or M*an*uel* de Oliveira Lima,

Em nome da Academia Brasileira, e na qualidade de seu presidente, tenho a honra de enviar a V*ossa* Ex*celênci*a a permissão de que trata a sua carta de 18 do mês findo[2] para declarar a sua qualidade de acadêmico no livro de suas impressões americanas intitulado *Nos Estados Unidos*, que tenciona publicar[3].

Sou, com perfeita estima e elevada consideração
De Vossa Excelência
Colega e admirador
Machado de Assis

---

1 ∞ Carta inédita. Deve-se à Sra. Maria Ângela Leal, curadora assistente da Oliveira Lima Library, a localização e digitalização desta carta de Machado de Assis, assim como a reprodução da folha de rosto abaixo transcrita. (IM)

2 ∞ Ver em [448]. (IM)

3 ∞ O livro foi publicado em Leipzig por F. A. Brockaus, em 1899. Traz, na folha de rosto: OLIVEIRA LIMA / DA ACADEMIA BRASILEIRA, seguindo-se a epígrafe.

"Não escapará à vossa observação que um rico e fértil domínio foi aqui rapidamente criado por aqueles que estavam certos de colher onde haviam semeado; que um governo forte e benéfico foi aqui estabelecido pelos que pregavam a liberdade, e que possuímos um povo patriótico e generoso, que ama o seu Governo porque é seu, dirigido por ele, administrado por ele, protegido e defendido por ele. / (*Resposta do Presidente Cleveland ao discurso de apresentação de Li Hung Chang*)."

Li Hung Chang (1823-1901), militar, estadista, diplomata e industrial, foi um dos mais poderosos e influentes oficiais da China e líder do movimento *self-strengthening*. (IM)

[455]

Para: JOSÉ VERÍSSIMO
Fonte: *Revista da Academia Brasileira de Letras*, XXXIII, n.º 103, jul. 1930.

[Rio de Janeiro,] 10 de abril de 1899.

Caro amigo José Veríssimo.

Uma antedata salva tudo, mas nem a consciência nem o Graça Aranha deixariam mentir, e eu prefiro confessar a minha triste memória de velho. Pois não é que deixei passar o dia 8 de abril[1], sem lá mandar duas linhas de saudação, ou dar um pulo à *Revista*? Foi o Graça que me lembrou hoje aquele dia, e aqui lhe mando as saudações da amizade. Que os repita muitos e fortes, é o que desejam todos os seus amigos e admiradores.

Você é que, apesar de tudo, lembrou-se de mim, com aquela boa vontade que sempre lhe achei. Cá li a referência no *Jornal* de hoje, e daqui lhe mando um aperto de mão, com as velhas saudades do

Am*ig*o velho

M. de Assis.

P*ost* S*criptum*. Lembranças a todos.

---

1 ∾ 42.º aniversário de Veríssimo. (IM)

[456]

De: JOSÉ VERÍSSIMO
Fonte: Manuscrito Original, Arquivo ABL.

Rio [de Janeiro], 10 de abril de 1899.

Meu caro Machado.

Eu – a verdade sobretudo, apesar do Bergeret[1] – já tinha notado com pesar que se esquecera de mim. *Felix culpa* que me valeu a sua boa cartinha. Muito obrigado. Está aqui o Mário[2] e pouco antes de chegar a sua carta, falamos de você sentindo ambos vê-lo tão raramente. Quando viajará outra vez o seu ministro?

Não tem que me agradecer a referência que não é senão justa. Que pobre artigo, meu amigo! Imagine que o escrevi doente, como há quatro ou cinco dias tenho andado.

É grande, como a minha saudade, o meu desejo de vê-lo. Furte ao Estado um momento e dê-os aos que o amam como o

Seu

Am*ig*o e Ad*mira*dor

J. Veríssimo.

1 ⚭ Lucien Bergeret, personagem criado por Anatole France (1844-1924) na tetralogia *Histoire Contemporaine*, representa o intelectualismo e a erudição, assim como os seus limites. Crítico, elegante e irônico, Bergeret figura em *L'Orme du mail* (1897), *Le Mannequin d'osier* (1898), *L'Anneau d'améthyste* (1899) e, finalmente, em *Monsieur Bergeret à Paris* (1900). (IM)

2 ⚭ Mário de Alencar*. (IM).

[457]

De: MAGALHÃES DE AZEREDO
Fonte: Manuscrito Original, Arquivo ABL

Roma, 17 de abril de *1899*.
Legação do Brasil junto à Santa Sé.

Meu querido Mestre e Amigo,

Realmente confesso que acho raras as suas cartas; mas sei reconhecer que a multiplicidade dos seus trabalhos explica e justifica essa pouca assiduidade em escrever-me. Não lhe pedirei que me dê notícias suas sempre que puder, porque não é preciso pedir-lho; acredito que tem tanto prazer em dar-mas como eu em recebê-las; para mim ler cartas suas é uma das maiores satisfações que eu posso ter.

Pelo correio anterior lhe mandei as propostas da tipografia Centenari, desta cidade, para a impressão das *Baladas e Fantasias*; fico à espera da decisão do Laemmert, e muito desejoso de começar já o trabalho da edição[1].

Já terá lido na *Revista Moderna* a minha ode a Garrett; para o *Jornal* do *Comércio* mandei um longo estudo sobre o Poeta, e espero que o publicarão sem grande demora.

Vou sempre escrevendo; para o meu segundo livro de versos já tenho muita coisa feita, e ele não será menos compacto e variado que as *Procelárias*. Muitas poesias tenho escrito e guardado; algumas delas são inspiradas por sentimentos íntimos, pelo que a minha alma tem de mais caro e profundo; repugna-me dá-las a jornais; num livro é que ficam bem, porque um livro pode ter páginas sagradas; as colunas de uma folha nunca o são, e seria triste ver os meus queridos versos cercados, numa irreverente mescla, por notícias repelentes, malignidades políticas, toda a sorte de coisas grosseiras, toda a escória das paixões inferiores do homem.

Nesse segundo volume a parte inspirada pela vida exterior, pela atividade social, será muito mais vasta que nas *Procelárias*. A observação que fez a esse respeito no fim do seu artigo do *Jornal* é muito justa; tinha-me esquecido dizer-lho. Não incluí naquele volume as minhas poesias deste outro gênero, porque já então as destinava ao que estou preparando; tais são as odes à Grécia, a Portugal, esta a Garrett, uma a Leão XIII Poeta latino, que ainda não pude compor, e mais algumas, além de muitas poesias menores feitas de acordo com o mesmo critério. A ode a Virgílio está ainda por concluir; não é uma ode de inverno; a primavera que já atingiu todo o seu esplendor, me tornará a dar a nota bucólica necessária para essa página.

Agora estou escrevendo uma novela — o estudo de uma alma de criança precoce, que à maioria dos leitores vai parecer inverossímil e absurdo; entretanto, tudo ali é observação direta da realidade. Não penso em publicar já a novela; deixá-la-ei repousar algum tempo depois de acabada, e mais tarde a relerei e corrigirei pois o assunto é digno do máximo esmero.

Já por telegramas terá recebido notícias — mas bem deficientes, bem incolores — da grande solenidade de ontem na basílica de *São Pedro*. Eu lá estava com toda a minha Família, e em verdade lhe digo que foi um desses espetáculos de suprema beleza e magnificência suprema que vistos nunca mais se esquecem. Os antigos triunfos romanos, nem pela pompa do cortejo, nem pela majestade do ambiente, lhe seriam superiores. Não lhe porei aqui a descrição da festa, porque tenciono fazê-la completa para o *Jornal do Comércio*; lá a lerá, talvez poucos dias depois de ler esta carta. Estando no imenso templo, inebriado pelos esplendores da arte e da religião, mais de uma vez pensei no meu querido Mestre, e senti que lhe não fosse dado gozar uma cena que o seu espírito compreenderia tão plenamente.

Como recordação da solenidade, envio-lhe esse esboço do Papa com a tiara e o pluvial riquíssimo. Garanto-lhe que como semelhança e expressão de fisionomia nada deixa a desejar; tem sido a opinião de todas as pessoas a quem o mostro. Infelizmente nunca tive tempo de aprender desenho, e cultivar a minha disposição para os retratos; creio que chegaria a fazer coisas menos más.

Voltando à sua última carta, quero dizer-lhe que estou de completo acordo com a sua observação sobre as *trovas* que lhe mandei. Na verdade ao compô-las tive a mesma ideia sobre o uso popular de rimar só o segundo verso e o quarto. Mas confesso-lhe que habituado às exigências da poética moderna, *não tive coragem* de renunciar às duas rimas cruzadas; foi um erro. Mas cuido que mesmo assim o *tom popular* não falta àquelas quadras.

A nomeação do nosso amigo Nabuco foi de fato uma grande conquista da República e um passo seriamente dado para o congraçamento de todos os cidadãos no novo regime. O *Senhor* Campos Sales trouxe para o governo ideias largas e generosas. O nosso glorioso compatriota andou muito bem em aceder a um convite que se fazia diretamente ao seu civismo, pondo de parte divergências de forma. Eu já lhe escrevi aplaudindo a resolução. Certo não lhe faltarão — já alguns têm aparecido — injustos reproches e interpretações malévolas. Mas um homem que como ele sempre se guiou pela nobreza dos seus sentimentos e pela honestidade das suas intenções desdenha naturalmente esses golpes que vêm ou de intrigantes ou de fanáticos. Como eu dizia na minha carta, na mocidade a independência do seu caráter em relação a pressões partidárias era para ele um direito inato, fundado na sinceridade da própria consciência; hoje é mais que isso, é um direito adquirido, que ele conquistou por uma vida toda sem mácula.

Adeus, meu querido Mestre e Amigo. Aqui fico aguardando novas cartas suas. Minha Família o cumprimenta e a sua *Excelentíssi*ma Esposa. Receba um abraço afetuoso do seu de coração

Magalhães de Azeredo

---

1 ~ Sobre esse assunto, ver carta [442]. (SE)

[458]

| Para: JOSÉ VERÍSSIMO
| *Fonte: Revista da Academia Brasileira de Letras*, XXXIII, n.º 103, jul. 1930.

[Rio de Janeiro,] 25 de abril de 1899.

Meu caro José Veríssimo,

Às pressas. Então janta-se na *Revista* e eu não sei de nada[1], a não ser que o meu *dedo mindinho*, e talvez também o Rodrigo Octavio, me hajam feito suspeitar alguma coisa? Saiba, meu caro amigo, que para despedir-me de pedaços tão caros estou sempre livre, é só mandar-me dizer o dia, hora, lugar e o resto. Creio que não é preciso pôr mais na carta, a não ser um abraço do

    Velho am*i*go

    M. de Assis.

I ∾ Os tradicionais jantares da *Revista Brasileira*, promovidos por Veríssimo. (IM)

[459]

| De: JOSÉ VERÍSSIMO
| *Fonte*: Manuscrito Original, Arquivo ABL.

[Rio de Janeiro,] 25 de abril de 1899.

Meu caro Machado,

Não seja injusto. V*ocê* sabe que não haveria jantar ou o que for sem V*ocê*. Sabendo que nada o afastaria de nós, guardava-me para preveni-lo quando lhe pudesse dizer lugar e hora.

Saudoso sempre e sempre.

    Seu

    J. Veríssimo.

[460]

Para: MAGALHÃES DE AZEREDO
Fonte: Manuscrito Original, Arquivo ABL.

Rio de Janeiro, 3 de junho de 1899.

Meu querido amigo,

Tem muita razão em achar que as minhas cartas escasseiam, mas já lhe dei a explicação, e agora a confirmo. Desta vez a parte principal da culpa foi da casa Laemmert, porque eu não queria escrever-lhe sem que ele me desse a resposta às propostas. Ora, o Gustavo[1] tem vários cuidados às costas; entre eles, o de passar muitas horas na oficina da rua dos Inválidos. Afinal, mandou-me a carta que aqui lhe remeto, acompanhada das amostras e mais papéis que me enviou; assim, o que ele diz vai mais esclarecido. Conforme lerá, o Gustavo quer saber se o pagamento da impressão deve ser adiantado ou não. Sobre tudo isto, aguardo as suas ordens, e por mais retardado que lhe pareça o intermediário, quero sê-lo até o fim.

A sua carta de 17 de Abril trouxe-me notícia de trabalhos que li e aplaudo, e dos que tem em mão. Deixe-me dizer-lhe ainda uma vez que esse afinco, esse amor à arte, esse gosto da produção, é uma das suas qualidades mais preciosas. Desejo vê-lo assim sempre. Quanto à repugnância em dar a lume nas colunas de uma folha certa espécie de versos, não prova mais que um respeito que se vai fazendo raro. "Um livro (como diz) pode ter páginas sagradas."

A *Revista Brasileira* está com efeito atrasada, mas só me admira que o não esteja mais, graças às dificuldades que traz uma destas empresas aqui, onde ainda se não aclimaram bem. Veríssimo e os companheiros fazem muito, e, ainda que sem a pontualidade necessária, ela vai aparecendo. Note que o Veríssimo trabalha muito no professorado e na imprensa, diariamente. Ainda assim o principal cuidado é a *Revista*.

Sabe que devemos eleger um dia destes o substituto do Taunay[2]. Não me lembra se já lhe falei disto. Não está o dia marcado, mas urge fazê-lo. Ficamos muito desfalcados com a partida do Rio Branco e do Graça

Aranha. A Academia tem de contar só consigo. Não é ocasião de pedir favores ao Estado, e o meio não é entusiasta de coisas literárias; também não é hostil.

Agradeço-lhe muito a lembrança que me mandou da festa de *São Pedro*. Creio bem que o esboço do papa esteja fiel, por ser tal a expressão dos retratos que tenho visto, posto que este seja o primeiro de perfil. Não lhe sabia esse outro talento, e não sei se não faria bem em cultivá-lo. Em todo caso, possui o bastante para não deixar um lugar ou uma pessoa sem lhe levar a memória desenhada, além da escrita em prosa ou verso. Também agradeço que haja pensado em mim, no meio das pompas da grande basílica. Eu é que nunca me verei lá, como quisera. Já me contento em passar pela memória de alguém nessa hora em que tudo parece excluir outras memórias. Parece-me que é lá ter vivido um instante.

Desculpe-me se concluo esta carta mais depressa do que quisera, mas cá me chama a tarefa do dia, e eu não quero perder o paquete. Seria demorar demais. Não há notícias de cá, a não ser políticas, mas todo o nosso papel é pouco para excluir tais cuidados, estando longe um do outro. Trata-se de celebrar o quarto centenário da descoberta do Brasil, e Rodolfo Bernardelli já partiu daqui para ir cuidar do monumento que se há de inaugurar a 3 de Maio; projetam-se festas[3]. Adeus, meu querido amigo; vá desculpando as faltas de resposta, e castigando-me com obrigações novas de lhe responder. Aqui fico. Peço-lhe que apresente à sua *Excelentíssima* Família os meus respeitos e de minha mulher, e receba para si um abraço grande e apertado do

Amigo velho e ad*mira*dor

Machado de Assis

---

1 ∾ Depois que, em 1877, Eduardo Laemmert se afastou, mudando para Karlsruhe, onde morreu (1880), e depois da morte de seu irmão Henrique (1884), ambos fundadores da casa Laemmert, todos os negócios passaram à sociedade anônima formada por Egon Laemmert, Gustavo Massow e Artur Sauer, os dois últimos genros de Henrique Laemmert. Em 1891, os sócios formaram a Laemmert & Companhia, que

acabou fechando depois do incêndio de 1909, quando os sócios venderam a propriedade dos direitos autorais ao livreiro Francisco Alves. (SE)

2 ∽ Visconde de Taunay*, fundador da Cadeira 13, cujo patrono é Francisco Otaviano*, foi substituído por Francisco de Castro*. (SE)

3 ∽ O monumento de Bernardelli*, inaugurado em 03/05/1900, no largo da Glória, no Rio de Janeiro, compõe-se de um pedestal de granito que sustenta três figuras fundidas em bronze: Frei Henrique de Coimbra, em atitude de bênção; o escrivão da frota Pero Vaz de Caminha que, preparando-se para redigir a notícia do descobrimento, contempla maravilhado o horizonte à sua frente; e, no alto, encimando o sonho da América Portuguesa, está o almirante Pedro Álvares Cabral tomando posse da Terra de Santa Cruz, com a bandeira desfraldada. (SE)

[461]

Para: JOSÉ VERÍSSIMO
Fonte: Revista da Academia Brasileira de Letras, XXXIII, n.º 103, jul. 1930.

[Rio de Janeiro,] 10 de junho de 1899.

Meu caro *José* Veríssimo,

Não há defeito que não ache explicação ou desculpa na boa amizade. Tal sucede aos meus velhos *Contos Fluminenses*, cuja notícia literária li hoje no *Jornal do Comércio*[1]. Não é preciso dizer com que prazer a li, nem com que cordialidade a agradeço, e se devo crer que nem tudo é boa vontade, tanto melhor para o autor, que tem duas vezes a idade do livro; digo duas para não confessar tudo. Já três pessoas me falaram do seu artigo; falaremos sobre isto. Agora, adeus; até amanhã, se houver sessão ou sem sessão, se puder soltar-me. Lembranças aos amigos, e um abraço do

Velho am*i*go

M. de Assis.

---

1 ∽ Publicados pela primeira vez em 1870, *Contos Fluminenses* acabavam de ser reeditados em Paris por Hippolyte Garnier*, sem autorização de Machado de Assis. Este

manifestou seu desagrado quanto a várias incorreções a Julien Lansac*, representante do editor francês [485], e ao próprio Garnier [489], de 30/10/1899. Também escreveu sobre o assunto a Magalhães de Azeredo* em [475], de 28/07/1899. (IM)

[462]

Para: HIPPOLYTE GARNIER
Fonte: Manuscrito Original, Arquivo ABL.

Rio de Janeiro, le 10 juin 1899.

Monsieur Garnier,

Je viens de recevoir une demande d'autorisation pour la traduction de mes ouvrages en allemand[1]. C'est de la part de Madame Alexandrina Highland, qui demeure à Saint-Paul (Brésil) et doit retourner en Allemagne dans huit mois. Comme je n'ai pas réservé, dans notre contract, le droit de traduction, je vous écris pour demander votre autorisation directe à cette dame.

Pour moi, Monsieur, je ne lui exigerait (*sic*) aucun autre bénéfice, trouvant que c'est déjà un avantage de me faire connaître dans une langue étrangère, qui a son marché si différent et si éloigné du nôtre. Je pense que c'est aussi un avantage pour vous. Si vous le pensiez aussi, envoyez--moi une autorisation en due forme, sans aucune condition pécuniaire[2]. Je la remettrai à *Monsieur* Ellis, député et propriétaire à Saint-Paul, qui m'a transmis la demande de Madame A. Highland, car je ne la connais pas; je sais seulement que c'est une personne distinguée, qui a vécu plusieurs années chez nous, et qui aime notre langue et nos auteurs.

Agréez, Monsieur, mes salutations,

Machado de Assis.[3]

---

1 ∽ Carta a Alfredo Ellis*, em [463], de 10/06/1899. (IM)

2 ∾ Neste rascunho, foi riscado: *"vous prie de me faire remettre votre lettre, par le courrier suivant"* ("peço-lhe que me remeta sua carta, pelo próximo correio"). (IM)

3 ∾ TRADUÇÃO DA CARTA:

 Rio de Janeiro, 10 de junho de 1899. / Senhor Garnier: / Acabo de receber um pedido de autorização para a tradução de minhas obras em alemão. É da parte da Senhora Alexandrina Highland, que reside em São Paulo (Brasil) e deve retornar à Alemanha dentro de oito meses. Como não reservei, em nosso contrato, o direito de tradução, escrevo-lhe para solicitar o envio direto dessa autorização àquela Senhora. / No que me diz respeito, eu não exigirei nenhum outro benefício, pois considero que já é uma vantagem tornar-me conhecido numa língua estrangeira, cujo mercado é tão diferente e afastado do nosso. Penso que é uma vantagem também para o Senhor. Se partilha essa opinião, envie-me uma autorização em boa e devida forma, sem qualquer condição pecuniária. Eu a encaminharei ao Senhor Ellis, deputado e proprietário em São Paulo, que me transmitiu o pedido da Senhora Highland, pois não a conheço; sei apenas que é uma pessoa distinta, que viveu vários anos em nosso país, e ama nossa língua e nossos autores. / Receba, prezado Senhor, minhas saudações. / Machado de Assis. (SPR)

[463]

| Para: ALFREDO ELLIS
Fonte: Manuscrito Original, Arquivo ABL.

[Rio de Janeiro, 10 de junho de 1899.]¹

Excelentíssimo Senhor Doutor Alfredo Ellis,

 Acabo de escrever para Paris, ao *Senhor Hippolyte* Garnier, pedindo-lhe que diretamente dê autorização à senhora, de quem Vossa Excelência me falou no seu bilhete, para a tradução dos meus livros em alemão². A razão disto é, conforme já disse a Vossa Excelência, haver eu transferido àquele editor a propriedade de todos eles, até agora publicados. Logo que receba a resposta (se ele não puser objeções, o que não espero) farei entrega desta a Vossa Excelência para que se sirva dar-lhe o conveniente destino.

 [Machado de Assis]

1 ∞ O documento original é um rascunho, com emendas. Dada a sua natureza, não traz local, data e assinatura. Decidiu-se incluí-lo imediatamente após a carta [462] dirigida a H. Garnier*, para mais fácil compreensão dos leitores. Em [472], de 08/07/1899, encontra-se a seca resposta do editor. Magalhães Jr. (2008) aponta como razão da negativa o ressentimento dos franceses após sua derrota na guerra de 1870 contra a Alemanha. Acrescente-se que foram feitas correções de alguns equívocos presentes na transcrição da correspondência machadiana publicada pela Jackson, em 1937. (IM)

2 ∞ A tradutora seria Alexandrina Highland, alemã residente em São Paulo até 1899, que desejou empreender as versões para seu idioma, pedindo o apoio do deputado Ellis, cuja solicitação ainda não foi localizada. (IM)

[464]

De: JOSÉ VERÍSSIMO
Fonte: Manuscrito Original, Arquivo ABL.

[Rio de Janeiro,] 12 de junho de 1899.[1]

Meu caro Machado.

Em geral não leio aos domingos a *Gazeta*, e por isso só agora, informado pelo João Ribeiro do seu artigo, o li[2]. Meu caro amigo e admirado mestre, é o caso de repetir com toda a sinceridade, o estafado "faltam-me expressões com que lhe agradeça". A sua fineza vai-me ao fundo do coração. Imagine que eu pensei em pedir-lha, e me não animei. Maior é, portanto, a emoção de reconhecimento que acabo de sentir lendo-o. Estou como Bocage depois de ler o elogio de Filinto Elísio[3]. Eu lhe disse, e é a pura verdade: eu gostava do livro pelo que havia nele das minhas emoções juvenis, das cenas e paisagens em que fui parte e onde vivi, do amor do torrão natal com tudo que a saudade do passado lhe empresta de belezas e delícias; foi, porém, V*ocê* que me fez estimá-lo, que me deu a confiança que ele não seria de todo desvalioso, e isso quando eu lhe era um quase desconhecido, na primeira vez que nos vimos.

Quantas vezes, desculpe-me a franqueza, voltei a duvidar desse livro que eu amava por aquelas razões. A sua consagração de ontem pelo Mestre indisputado não me permitirá mais duvidar, lá bem no íntimo, dessa obra de mocidade e de amor.

Seu de todo o coração

José Veríssimo.

---

1 ∾ Complementou-se a transcrição com o texto publicado na *Revista da ABL* (1930), porque o documento original está muito deteriorado. (IM)

2 ∾ Crítica, intitulada "Um livro", publicada em 11/06/1899. Machado faz uma minuciosa e lisonjeira análise de *Cenas da Vida Amazônica*, que José Veríssimo publicara em segunda edição; a primeira data de 1886. Eis o início do artigo machadiano:

"Aqui está um livro que há de ser relido com apreço, com interesse, não raro com admiração. O autor, que ocupa lugar eminente na crítica brasileira, também enveredou um dia pela novela, como Sainte-Beuve, que escreveu *Volupté*, antes de atingir o sumo grau da crítica francesa. Também há aqui um narrador e um observador, e há mais aquilo que não acharemos em *Volupté*, um paisagista e miniaturista."

Essa crítica foi incluída pelo autor em *Relíquias da Casa Velha* (1906). (IM)

3 ∾ O poeta português Filinto Elísio, pseudônimo de Francisco Manuel do Nascimento (1734-1819), louvara Manuel Maria Barbosa du Bocage (1765-1805), e este assim respondeu:

"Zoilos, estremecei, rugi, mordei-vos: / Filinto, o grão Cantor, prezou meus versos. /...// Eis dos Tempos, a Inveja, a Morte, o Letes / Da mente, que os temeu, desaparecem; / Fadou-me o grão Filinto, um Vate, um Nume / Zoilos! Tremei. Posteridade! És minha."

Seguiu-se a versão da ode impressa em 1849. Sobre Filinto Elísio, ver nota 6 em [404]. (IM)

[465]

Para: JOSÉ VERÍSSIMO
Fonte: Revista da Academia Brasileira de Letras, XXXIII, n.º 103, jul. 1930.

[Rio de Janeiro,] 14 de junho de 1899.

Meu caro *José* Veríssimo,

    A sua carta de anteontem chegou-me tarde. Contava responder ontem, mas soube a tempo que poderia sair cedo, e logo que saí fui à *Revista*. Já o não achei. Aqui vai pois a resposta, que não é mais que a confirmação do publicado na *Gazeta*. V*ocê* fez bem em lembrar-me o que eu lhe dissera há anos, a respeito das *Cenas da Vida Amazônica*. Com tal intervalo, a mesma impressão deixada mostra que o livro tinha já o que lhe achei outrora. Os que vencem tais provas não são comuns. E outra prova. Trouxe de lá a *Revista*, e li o artigo do João Ribeiro. Sem que houvéssemos falado, escrevendo ao mesmo tempo, veja V*ocê* que ele e eu nos encontramos nos pontos principais; donde se vê que as belezas que achamos no livro existem de si mesmas, e dão igual impressão ao moço e ao velho. Tanto melhor para o velho.

    Há de ter visto que o meu artigo trouxe erros tipográficos. *Pará* em vez de *Peru*, por exemplo. Há mais dois ou três; e há também um parágrafo desarticulado, que é das coisas que mais me afligem na impressão, não pelo aspecto, mas porque me quebra as pernas ao pensamento. O Gustavo, da casa Laemmert[1], disse-me que queria transcrever o artigo no *Boletim Bibliográfico*; disse-lhe que sim, notando-lhe aqueles defeitos, ficou de me dar provas. Vou emendar um exemplar da *Gazeta* e mandar-lho.

    Até à primeira. Abraços aos amigos. Logo que possa, dou lá um pulo. E a Academia? Se não a fizermos falar, quem falará dela? Há poucos dias, conversei ainda uma vez com o Rodrigo Octavio. Vou dar um impulso novo escrevendo aos colegas que aí não vão habitualmente. Adeus.

                              O Velho am*i*go
                              M. de Assis.

---

1   Editora das *Cenas da Vida Amazônica*. (IM)

[466]

Para: JOSÉ VERÍSSIMO
Fonte: Revista da Academia Brasileira de Letras, XXXIII, n.º 103, jul. 1930.

[Rio de Janeiro,] 16 de junho de 1899.

Meu caro José Veríssimo.

Agora falo só da Academia. Resolvi convocar uma sessão para terça-feira próxima, 21, às três horas da tarde, na sala da *Revista*. Você concordou em continuar a alojar a Academia, e não vejo outro recurso depois do que me disse o Rodrigo Octavio. Vou escrever a este para mandar a notícia, e entender-me-ei com o Ministro[1] para que me dispense o tempo necessário. Se não houver inconveniente, o seu silêncio servirá de resposta. Abraços a todos, e para si também do

Velho amigo

M. de Assis

Post Scriptum. E o nosso pobre Graça?[2]

---

1 ∾ Severino Vieira. (IM)

2 ∾ Graça Aranha* perdera a filha caçula, Almira, durante a viagem para a Europa, quando acompanhava Joaquim Nabuco*, como secretário na missão que trataria da questão da Guiana inglesa. Ver carta de Graça em [473], de 21/07/1899. (IM)

[467]

Para: RODRIGO OCTAVIO
Fonte: Manuscrito Original, Arquivo Particular.

Rio [de Janeiro], 16 de junho de 1899.

Amigo e Colega Rodrigo Octavio,

Resolvi fazermos uma sessão na *Revista*, terça-feira, 21, às três da tarde, e peço-lhe que nesse sentido mande uma noticiazinha para os jornais.

A Academia não pode continuar a esperar casa; já nos reunimos mais de uma vez na *Revista*; fá-lo-emos ainda, até que nos deem algum abrigo definitivo. Recomendo-lhe muito que não esqueça, e disponha do seu

Colega e amigo

Machado de Assis.

[468]

Para: LÚCIO DE MENDONÇA
Fonte: Revista da Academia Brasileira de Letras, XXXI, n.º 93, set. 1929.

Rio de Janeiro, 16 de junho de 1899.

Caro Lúcio,

Depois de algumas diligências que recomendei ao Rodrigo Octavio relativamente à sala da Biblioteca Fluminense[1], para celebrarmos a próxima sessão da nossa Academia, resolvi que nos reuníssemos na *Revista Brasileira*. Falei ao José Veríssimo, e só me falta marcar o dia. Parece-me que pode ser terça-feira, 21, às 3 horas da tarde.

Trata-se de abrir prazo para preenchimento da vaga do Taunay. Além da obrigação, há conveniência de completar-nos, porque ficamos muito desfalcados com a partida do Graça e do Nabuco, e a mudança do Silva Ramos para Petrópolis[2]. Conto com você, que é o pai da Academia, e espero que não falte. Adeus, meu caro Lúcio, receba mais um abraço do

Velho amigo

M. de A.

---

1 ∾ Conta Rodrigo Octavio* (1935), sobre a Biblioteca Fluminense:

"Nessa grande casa que falhou ao seu destino, nas salas de mistério desse casarão silencioso e empoeirado, a Academia realizou algumas sessões apenas...

O local era por demais lúgubre; num tácito entendimento, cedo generalizado, os acadêmicos, já de si, em número reduzido, que frequentavam as sessões, foram desertando aquela casa de silêncio e desânimo... Impôs-se ao espírito de cada um de nós, sem ter coragem de contar aos outros o que parecia uma infantilidade, que a Academia, se persistisse em se reunir ali, desapareceria, contagiada pela impressão de abandono e inatividade que pesava naqueles vastos salões desertos, naqueles longos corredores quedos, cujas paredes revestiam enfileiradas lombadas de livros e pastas, fechados e inúteis."

Sobre a peregrinação da Academia, ver nota 4 em [480]. (IM)

2 ∽ Nabuco*, secretário-geral, foi substituído por Medeiros e Albuquerque*, e o segundo-secretário, Silva Ramos*, por João Ribeiro*. (IM)

[469]

Para: JOSÉ VERÍSSIMO
Fonte: Revista da Academia Brasileira de Letras, XXXIII, n.º 103, jul. 1930.

[Rio de Janeiro,] 20 de junho de 1899.

Meu caro José Veríssimo,

Quase certo ou certo de não poder ir pessoalmente lá, vou por este bilhete que não exige resposta. Visitei domingo o Francisco de Castro, a quem falei na candidatura, acabando por obter que se apresentará oficialmente, logo que o avise[1]. Hoje estive com o Rodrigo Octavio, a quem disse que aceitava a ideia de fazer na mesma sessão a eleição da mesa e a do novo acadêmico. Disse-me que tem os cartões-postais prontos, e combinamos que dez dias antes de 10 de agosto fosse a sessão anunciada. Resta a casa ou antes a sala para este fim imediato; ele quer ver ainda se obtém a Biblioteca Fluminense[2], e vai ter com o José Carlos[3]. Também falamos sobre o lugar de Secretário-Geral[4].

Quero ver se dou com o Rui[5] na eleição do acadêmico.

Disse-lhe acima que a carta não tem resposta, mas é só para lhe poupar fadigas. Dê-me sempre os seus conselhos, ou, pelo menos, as suas notícias e lembranças. Adeus; recomende-me aos companheiros, e distribua as saudades que aqui lhe manda

o velho amigo
M. de Assis.

---

1 ∞ Francisco de Castro* apresentou sua candidatura em [476], de 31/07/1899. (IM)

2 ∞ Ver em [468]. (IM)

3 ∞ José Carlos Rodrigues*, diretor do *Jornal do Comércio*. (IM)

4 ∞ Joaquim Nabuco*. (IM)

5 ∞ Rui Barbosa* não comparecia às sessões. Mas, quando eleito seu conterrâneo, o baiano Francisco de Castro, votou, e foi designado para recebê-lo. (IM)

[470]

De: QUINTINO BOCAIÚVA
Fonte: Cartão de Visita Original, Arquivo ABL.

Rio de Janeiro, 21 de junho de 1899.

Ao velho amigo e companheiro Machado de Assis — ao glorioso Mestre da geração literária do seu tempo envia sinceras felicitações

Q. B<small>OCAIÚVA</small>

[471]

Para: JOSÉ VERÍSSIMO
Fonte: Revista da Academia Brasileira de Letras, XXXIII, n.º 103, jul. 1930.

[Rio de Janeiro,] 6 de julho de 1899.

Meu caro *José* Veríssimo.

Muito obrigado pela lembrança: é Wallon[1] justamente. Hoje, se puder, darei um pulo à Revista. Até logo ou até um dia.

Seu velho
M. de Assis.

---

1 ∾ Henri-Alexandre Wallon (1812-1904), historiador e político francês, foi discípulo de Michelet. Opôs-se ao Segundo Império, e, como deputado na Assembleia Constituinte, através da emenda que leva seu nome, introduziu a palavra "república" na constituição de 1875. Não se conseguiu apurar o contexto dentro do qual Veríssimo lembrou a Machado o nome de Wallon. (IM)

[472]

De: HIPPOLYTE GARNIER
Fonte: Manuscrito Original, Arquivo ABL.

Paris, le 8 juillet 1899.

Monsieur Machado de Assis

Rio de Janeiro

J'ai l'honneur de vous accuser la réception de votre estimée [du][1] 10 Juin me demandant pour Ma*da*me Alexandre (*sic*) Highland de (...) mon autorisation de traduire vos ouvrages en allemand.

Vous n'ignorez pas, Monsieur, qu'un auteur quelque bien traduit qu'il soit, perd toujours de son l'originalité dans une langue autre que la sienne; les admirateurs d'un écrivain aiment mieux le lire dans sa langue mère. Vous n'avez rien à gagner à être traduit en allemand.

Aussi ai-je le regret de ne pas pouvoir accorder gratuitement le droit de traduction demandé – Les allemands savent fort bien se faire payer de leur côté; Madame Highland devra donc me verser cent francs par chaque volume de vous qu'elle se proposerait de traduire.

Je suis ennuyé de ne pas pouvoir déférer à votre désir en pareille circonstance et je vous renouvelle Monsieur l'expression de mes meilleurs voeux de considération[2].

F. H. Garnier[3].

---

1 ✎ Manuscrito em papel deteriorado, com timbre da Librairie Garnier Frères, que adquirira a obra de Machado de Assis mediante contrato assinado em 16/01/1899. Com certo esforço foi possível reconstituir o texto que responde a Machado de Assis, em [462]. (IM)

2 ✎ Magalhães Jr. (2008) comenta:

> "Na época, os franceses se sentiam humilhados com a derrota que os alemães lhes tinham infligido em 1870, apoderando-se da Alsácia e da Lorena /.../. Os irmãos Garnier, não sendo de tal modo intransigentes, replicaram, com indisfarçável irritação, senão mesmo grosseria. /.../ Mais uma vez se fechavam as portas da Alemanha a Machado de Assis, para só se abrirem depois de sua morte." (IM)

3 ✎ TRADUÇÃO DA CARTA:

> Paris, 8 de julho de 1899. / Senhor Machado de Assis / Rio de Janeiro / Tenho a honra de acusar o recebimento de sua estimada (carta de) 10 de junho pedindo-me para a Senhora Alexandra Highland de (...) minha autorização para traduzir suas obras em alemão. / O Senhor não ignora que um autor, mesmo bem traduzido, perde sempre sua originalidade numa outra língua; os admiradores de um escritor preferem lê-lo na sua língua materna. O Senhor não teria ganho algum se traduzido para o alemão. / Lamento não poder conceder gratuitamente o direito de tradução solicitado – Os alemães sabem muito bem como pagar por sua parte; a Senhora Highland deverá portanto me mandar cem francos por cada volume seu que ela se proponha a traduzir. / Aborrece-me não poder deferir o seu desejo em tal circunstância e lhe renovo, Senhor, a expressão dos meus melhores sentimentos de consideração. / F. H. Garnier. (IM)

[473]

De: GRAÇA ARANHA
Fonte: Manuscrito Original, Arquivo ABL.

Paris, 21 de julho de 1899.[1]

Meu caro Machado de Assis,

　Recolhi muito agradecido as boas palavras que V*ocê* há pouco me dirigiu[2]. Os meus amigos adivinharam bem a terrível situação moral em que me encontrei, e eu não preciso lhes dizer o meu combate de todo momento, com todas as múltiplas forças empregadas, a energia, a vigilância, a doçura, o riso, o disfarce, tudo, oh! tudo! para reparar não o irremediável, mas conservar a integridade de espírito da pobre mãe[3]. Ah! meu querido Machado, é muito triste nos apoiarmos em nossa própria Dor! E foi exatamente aí que encontrei o meu sustentáculo. V*ocê* que conhece o fundo das coisas compreende isto tudo perfeitamente. Não busco resignação, porque sinto em mim um pendor da natureza para me conformar às coisas eternas, como a Morte. Não fujo da minha tristeza, porque sinto que é nesta penumbra em que ela envolve o meu espírito, que se me dilata e afirma a personalidade.

　Tal é o caso deste seu amigo. Seu amigo, sim, meu bom Machado de Assis, porque se há uma coisa de que me julgo capaz no mundo, é de amar. E entre aqueles que eu amo com um doido e decidido amor está V*ocê*, meu mestre de todos os momentos, meu confidente íntimo, meu guia, meu espelho. O que V*ocê* é lá dentro desta alma tão escondida, eu sei muito bem. A sua ironia, que não entendem bem, é uma forma superior de piedade, é um sorriso de desdém do sonhador profundo, absoluto [,] ferido pela triste contingência da Realidade, que ele não pode vencer. E exatamente neste ponto foi que se deu o nosso íntimo contato.

　Desculpe tudo o que vai escrito. São frases espontâneas, inconscientes de minha expansão. Dei agora para isto. Não posso escrever a um amigo sem falar de mim, e quando há tanta coisa mais interessante do que falar. O defeito subjetivo me estraga, eu vejo bem. Mas que quer? Eu senti necessidade de lhe dizer alguns segredos do meu espírito, e dizer no ouvido de quem pode ouvir. Em todo o caso estou certo que muitas vezes lhe será compensador, a V*ocê* descrente receber o ardor de uma grande amizade. E desta as minhas palavras são frios ecos.

Até breve. Minha mulher e eu agradecemos a D*ona* Carolina os pêsames que nos enviou.

Um abraço

do sempre

G. Aranha.

---

1 ∾ Alguns pesquisadores e biógrafos de Machado de Assis dataram esta carta de 21 de junho. Mas, no manuscrito original, pode-se verificar que ela é de 21 de julho. O próprio Graça Aranha, em [571], de 21/12/1900, faz referência a "julho". (IM)

2 ∾ Como secretário da missão que trataria da questão da Guiana, comandada por Nabuco*, Graça parte para a Europa com o chefe em 03/05/1899, ambos acompanhados das respectivas famílias. Nabuco registra em seus *Diários* (20/05/1899) a morte de Almira Graça Aranha, a filha caçula do amigo, vítima da febre amarela. Machado envia pêsames, agradecidos nesta missiva escrita sob o sentimento da perda, que se torna uma longa manifestação subjetiva. (IM)

3 ∾ Maria Genoveva de Araújo, a Dona Iaiá. (IM)

[474]

De: MAGALHÃES DE AZEREDO
Fonte: Manuscrito Original, Arquivo ABL.

Florença, 22 de julho de 1899.

Meu querido Mestre e Amigo,

Escrevo-lhe de Florença. Estivemos alguns dias em Montecatini, onde minha Mãe, que tem sofrido ultimamente um pouco do fígado, foi usar das águas minerais, célebres pela sua eficácia. Realmente, graças a Deus, ela sente-se muito melhor agora, e esperamos que breve se restabeleça. Estamos aqui desde anteontem, e vamos amanhã para Vallombrosa[1], deliciosa montanha da Toscana onde a altura de quase 1000 metros, o ar fresco e aromatizado pelos bosques de pinheiros nos farão esquecer o calor sufocante de Montecatini[2], que aliás, como paisagem, é belíssimo. Como tínhamos de passar por Florença, não quisemos deixar de visitar um pouco outra vez esta cidade essencialmente gentil, artística e sedutora. Infelizmente aqui também o calor é tão excessivo, que não podemos ficar muito tempo; decidimos partir amanhã. Eu vinha especialmente buscar inspirações para os meus *Bronzes Florentinos*, coleção de sonetos de que já lhe mandei alguns. Fiz ontem mais um; mas como trabalhar com estes 32° à sombra? É a temperatura, do meio-dia às 5; está claro que de manhã e à tarde andamos fora, todos entregues às impressões sempre maravilhosas, desta terra privilegiada. De resto não importa que as não aproveite aqui já; em Vallombrosa as traduzirei, ainda frescas e recentes, nos meus sonetos. Ah! como Florença é bela! que iluminação para a alma é visitá-la e compreendê-la! Passar uma hora nessa extraordinária Praça da Senhoria, dentro da *Loggia dei Lanzi*, única no mundo, onde sob arcarias abertas, sem uma porta, uma grade que vedem a entrada ao povo, se encontram obras sumas como o Rapto das Sabinas e o Hércules derrubando o Centauro, de Giambologna, o Perseu de Benvenuto Cellini, a Judith de Donatello, a Policena de Pio Fedi, obra moderna mas digna de estar ao lado daquelas, e a Tusnelda antiga, de autor ignoto mas de tão poderosa expressão! Ver as três portas brônzeas do Batistério que Dante chamou "il mio bel San Giovanni" e de uma das quais Miguel Ângelo dizia que merecia ser porta do Paraíso, contemplar a fachada, majestosa e delicadíssima a um tempo, de Santa Maria del Fiore, a sua cúpula soberba, o altar divino de San Michele, trabalhado como uma joia, o *Davi* de Donatello e o de André del Verrocchio, o Apolo, a Juno, a Galateia de Giambologna, os bronzes e marfins de Cellini, o Adonis moribundo, a Leda, o Baco adolescente de Miguel Ângelo, e as outras maravilhas que contém o palácio do Bargello; admirar os frescos monumentais de Giotto em Santa Croce, os de Ghirlandajo em Santa Maria Novella, os de Frei Angélico em São Marco; percorrer as galerias dos Uffizi, do Palácio Pitti e da Academia de Belas-Artes, onde estátuas gregas antigas, quadros de Rafael, de Botticelli, de Miguel Ângelo, de Ticiano, de Correggio, de Tintoretto, de Paolo Veronese, de Alberto Dürer, de Velasquez, de Van Dyck e de tantos outros mestres, se agrupam aos milhares; passear depois ao cair da noite pelo Lungarno e pelo Viale dei Colli até San Miniato... quantos gozos superiores há em tudo isso, e tudo isso é ainda pouco em comparação com os inúmeros encantos que oferece Florença... Mas o calor é excessivo, e mesmo diante de tais belezas, a retirada impõe-se. Vamo-nos, pois.

Quero falar-lhe agora do meu livro, e responder, por seu obsequioso intermédio, à carta do *Senhor* Massow.

As primeiras folhas já ficaram em Roma a imprimir-se. Como o *Senhor* Massow tem a bondade de perguntar-me se quero fazer o pagamento adiantado, respondo afirmativamente; o dono da tipografia também me disse que preferia assim. Por isso peço ao *Senhor* Massow, o obséquio de me mandar com a possível brevidade uma ordem do valor de 2 000 liras italianas, a saber:

20 folhas a 75 liras cada uma:	1.500
Pelo manuscrito:	500
	2.000

Agradeço-lhe muito o trabalho que tão bondosamente tem tomado neste negócio. Apesar dos seus muitos afazeres, não hesitei em recorrer à sua gentileza pelo muito afeto que lhe voto e que me vota.

Por isso mesmo ainda uma vez vou renovar o pedido que lhe tenho feito em várias cartas, e que, parece, lhe tem esquecido: mande-me a sua *Iaiá Garcia* que desejo tanto possuir na minha biblioteca. Poderia mandar buscá-la eu próprio, visto ter se feito nova edição, mas gostarei que ma ofereça.

E adeus — até breve.

Escreva-me, escreva-me. Quando sai o seu livro de versos? e o novo romance? Estou ansioso por um e outro[3].

Nossos cumprimentos cordiais à sua Ex*celentíssi*ma Senhora. Minha Mãe e minha Mulher se lhe recomendam.

Eu o abraço de todo o coração. Seu

Magalhães de Azeredo

---

1 ∞ Há no livro *Odes e Elegias* (1904) um poema intitulado "Vallombrosa". (SE)

2 ∞ Também na Toscana. (SE)

3 ∞ Machado publicaria em 1901 suas *Poesias Completas*, enfeixando, juntamente com os três livros anteriores (*Crisálidas, Falenas, Americanas*), um livro novo, as *Ocidentais*. O "novo romance" é evidentemente *Dom Casmurro*, editado no final de 1899. Machado já se havia referido a este romance na correspondência com Azeredo, em carta de 26/05/1895, 09/09/1898 e de 28/07/1899 e voltaria a comentá-lo em carta de 19/03/1900. (SPR)

[475]

Para: MAGALHÃES DE AZEREDO
Fonte: Manuscrito Original, Arquivo ABL.

Rio de Janeiro, 28 de julho de 1899.

Meu querido amigo,

Começo a desconfiar que se está vingando das minhas faltas relativamente a esta correspondência. Com efeito, tenho sido menos assíduo, e a razão já lhe foi dada duas vezes. Não a repito, para não cansá-lo, mas uma coisa pondero que o há de persuadir bem. Quando os prazos de silêncio se alongam muito, parece-me que as cartas devem ser mais compridas, e entro a esperar uma boa ocasião; naturalmente o prazo cresce mais. O melhor, meu caro amigo, é ir dando cartas pequenas; sempre são notícias, e, como sei que preza as minhas, sempre serão acolhidas com prazer.

Neste momento há uma circunstância que me faz crer algum propósito. É que a minha última carta dava-lhe a resposta do Laemmert acerca da edição que lhe propôs, por meu intermédio, e já havia tempo de receber as suas indicações. Dar-se-á que a minha carta não lhe haja chegado às mãos[1]? Haja ou não, espero letras suas que me falem dos seus trabalhos, que me deem as novas impressões que lhe der a terra em que o pôs a justiça do nosso governo; assim também as notícias da família e os planos que tiver. Os que apreciamos o seu talento vemos que não descansa, ou pouco, só para idear novas obras; e nenhum de nós confunde essa atividade séria e ponderada com aquela outra dos avessos à reflexão.

Já lhe disse que poucas vezes estou agora com os nossos amigos da *Revista Brasileira*, pela razão sabida dos meus trabalhos administrativos. Vamos ter, na Academia, uma eleição para a vaga do Taunay; é a 10 de Agosto. Há dois candidatos; o D*outor* Francisco de Castro, cuja medicina não tolhe o cultivo literário, e que, de resto, começou a vida na Faculdade por um livro de versos; e o deputado José Avelino[2]. Creio que vencerá o primeiro. É superior ao segundo, e tem já certo número de votos. Também há quem trabalhe pelo José Avelino, e ele mesmo tem feito visitas e escrito cartas, mas estou que é trabalho baldado. A Academia está mui desfalcada; o Nabuco e o Graça Aranha, indo para a Europa, levaram-nos dois dos mais assíduos. Principalmente, falta-nos ainda casa. O projeto do Eduardo Ramos, apresentado à Câmara em 1898, não tem tido andamento, e aliás apenas autoriza o Governo a alojar-nos em algum edifício público, isto é, em qualquer recanto de edifício, porque o Estado não dispõe de nenhum que esteja vazio ou possa ser dado inteiramente. Também não é certo que se entenda bem esta ideia de dar a posse de um prédio a uma Academia. Não perdemos ainda assim a esperança de arranjar um pequeno teto, onde quer que seja.

Cá recebi um exemplar da sua bela carta ao Joaquim de Araújo sobre *Garrett e o Centenário*[3]. São ideias justas, expostas com estilo. Quanto às causas da frieza pública por ocasião do centenário, não é preciso buscá--las muito. A história repete-se; é outra vez a *austera, apagada* e *vil tristeza* do tempo de Camões; é essa *rudeza* que faz esquecer a vida do grande homem. Gosto de o ver falar da nossa língua com entusiasmo, e ainda mais gosto de ver que é amor fecundo e crescente. Disponha-se a ser no século que entra ainda mais do que tem mostrado ser até agora, um estudioso da nossa fala materna.

A casa Garnier reimprimiu ultimamente um dos meus livros mais antigos, os *Contos Fluminenses*; fê-lo sem que eu houvesse revisto o trabalho, e (creio que por equívoco) sem aviso prévio, e sem lhe pôr a nota de que era edição nova. Por tudo isso não lhe mando um exemplar. Se ler a notícia que o Veríssimo escreveu sobre ele no *Jornal do Comércio*, verá que este nosso ilustre companheiro e amigo sabe ser não menos amigo que crítico; assim outros, raros, que não nomeio. As *Páginas recolhidas* estão prestes a sair, impressas em Paris. Também lá se está imprimindo o livro de que já lhe falei, *Dom Casmurro*; não me lembra se lhe confiei o título. O primeiro não é propriamente novo, segundo se vê bem do título, mas também não é reimpressão de outro livro. *Dom Casmurro* é inédito; veremos o que sairá impresso. Já devolvi as provas dos últimos capítulos, mas tendo de ler segundas provas do livro, conforme mandei pedir, não creio que antes de novembro possa ser exposto ao público.

Agora não sei quando poderei escrever outro; o trabalho administrativo, especial e dobrado que trago sobre mim, veda empreendê-lo. Por outro lado, é preciso ir contando os anos, e cumprindo as advertências da natureza, que é pessoa despótica. Mas é possível que, em me sentindo mais aliviado de outras obrigações, tente alguma coisa.

Não lhe falo de negócios públicos, porque os jornais lhe terão dito o que há. Quando chegar o presidente da República Argentina, provavelmente trabalhará o telégrafo. É esperado a 7 de Agosto. Há já programa publicado e fazem-se grandes preparativos. Imagine que traz uma comitiva de trinta e tantas pessoas. O governador da Bahia, conselheiro Luís Viana, que chegou há dias, tem tido festas e cumprimentos, e partirá em breve para *São Paulo*, onde se lhe prepara grande recepção. Daí irá às águas de Lambari, e dará uma chegada à capital de Minas, onde visitará o respectivo presidente. É homem de governo, e muito popular na Bahia. Dizem que será um dos candidatos à eleição presidencial da República, daqui a três anos; alguns creem que será o eleito.

Onde estarei eu então? Uma das suas cartas (creio que a última) falava de me ver na Europa, e particularmente nessa Roma, que tanto e de tanta coisa fala. Sei que lhe daria prazer com isto, e pode adivinhar qual seria o meu. Entretanto, se não posso inteiramente dizer que não irei lá nunca, pois ninguém sabe onde estará amanhã, é todavia improbabilíssimo que lá vá. Terei vivido e morrido neste meu recanto, velha cidade carioca, sabendo unicamente de oitiva e de leitura o que há por fora e por longe.

Que tem feito, além do que intenta publicar? E tornando a este ponto, peço-lhe que me mande dizer se recebeu a carta em que lhe dei a resposta da casa Laemmert. Diga-me também se as obras não se demorarão muito, e que outras planeja ou acaba, ou as que principia. A sua prosa tem adquirido qualidades preciosas vá assim cultivando ambas as línguas, prosa e verso. O nosso Veríssimo deu nova edição das *Cenas da vida amazônica*, um livro que sempre me pareceu o que dele disse agora em artigo da *Gazeta*. Creio que por ora nada há mais que lhe note de longe, a não ser uma reimpressão de um livro de Aluísio Azevedo (*Uma lágrima de mulher*) e um volume de versos de Bernardino Lopes (*Brasões*). Não conheço o primeiro; li algumas estrofes do segundo.

Adeus, fale-me de Roma, a velha, a nova e a eterna; fale-me de si, fale-me dos seus, e agradeça as lembranças do *Doutor* Costa; peço-lhe que as retribua. Meus respeitos à *Excelentíssi*ma Família, e um abraço apertado do

Velho am*i*go

Machado de Assis.

Post *Scriptum.* Vai um exemplar do *Iaiá Garcia*, registrado

M. de A.

---

1 ∾ Continuam as negociações a respeito da edição de *Baladas e Fantasias* (1900). (SE)

2 ∾ Machado deve ter trabalhado com muita eficiência para derrotar este nome e fazer prevalecer o de Francisco de Castro*, pois o cearense José Avelino Gurgel do Amaral (1843-1901) era muito bem relacionado no mundo oficial de seu tempo e dono de alguns méritos. Advogado, jornalista e deputado pelo Ceará, José Avelino é um dos signatários da Constituição da República de 1891. No jornalismo, alcançou fama de ter uma pena ao mesmo tempo combativa, irônica e elegante. Ainda em Fortaleza, tornou-se redator do jornal *O Futuro*; já no Rio de Janeiro, foi redator de *O Cruzeiro* até julho de 1882; depois, sob o pseudônimo de "Peel", atuou como redator do *Jornal do Comércio*; e, por fim, no *Diário do Brasil*, a partir de 1891. Amigo de juventude do barão do Rio Branco*, os dois se mantiveram íntimos na maturidade, tornando-se Avelino um dos raros interlocutores pessoais do ilustre diplomata. Além disso, era amigo e aliado do então presidente da República Campos Sales (1898-1902), de quem fora secretário na presidência do estado de São Paulo (1896-1897). Quando Avelino passou mal dentro do Palácio Itamaraty, foi o próprio presidente da República quem enviou mensagem à esposa pedindo a sua presença no ministério, de onde Avelino foi levado, para morrer em casa, no dia seguinte. José Avelino era pai do 1.º secretário da legação em Londres Silvino Gurgel do Amaral, que secundou Nabuco* em Londres e, anos mais tarde, tornou-se embaixador. Diga-se, aliás, que o outro filho, Luís Avelino Gurgel do Amaral, mais tarde também embaixador, credita a própria entrada no Itamaraty à benevolência do barão, amigo de seu pai. (SE)

3 ∾ Sobre o assunto, ver carta [442]. (SE)

[476]

De: FRANCISCO DE CASTRO
Fonte: Revista da Academia Brasileira de Letras, XXXI, n.º 93, set. 1929.

Rio [de Janeiro], 31 de julho de 1899.

*Excelentíssi*mo *Senho*r Machado de Assis.

Tenho a honra de apresentar a V*ossa* Ex*celênci*a, rogando-lhe que a submeta ao *veredictum* da Academia Brasileira de Letras, a minha candidatura à cadeira do pranteado Visconde de Taunay.

Sinto, melhor do que ninguém, que me falecem títulos em que possa autorizar semelhante solicitação[1]. Mas o desejo de aprender no sábio grêmio que Vossa Excelência tão dignamente preside, absolve em parte o meu arrojo. Outra parte só a revelará a cumplicidade de alguns acadêmicos, sem cuja insistente animação certamente me não proporia ao lugar que se vai preencher².

Queira Vossa Excelência desculpar-me e aceitar os protestos da minha elevada estima e firme admiração.

Francisco de Castro³

---

1 ∾ Machado de Assis escrevera o prefácio elogioso de Harmonias Flutuantes (1878), de Francisco de Castro; ver em [159], tomo II. (IM)

2 ∾ O candidato, baiano, seria recebido por Rui Barbosa*. Eleito para a Cadeira 13 em 10/08/1899, faleceu a 11/10/1901 sem tomar posse, deixando quase concluído o elogio o seu antecessor, Visconde de Taunay*. (IM)

3 ∾ Cabe assinalar que não encontramos esta carta no Arquivo ABL, mas somente na fonte citada, como nota 3, p. 200, na seção "Epistolário Acadêmico". (IM)

[477]

Para: RODRIGO OCTAVIO
Fonte: Manuscrito Original, Arquivo Particular.

GABINETE DO MINISTRO DA INDÚSTRIA

Rio [de Janeiro], 31 de julho de 1899.¹

Não é preciso lembrar-lhe o aviso para a sessão de 10 de Agosto, mas desculpe-me se estou ansioso por saber da casa. Já alcançou alguma coisa do José Carlos acerca da Biblioteca Fluminense²?

Já temos a apresentação do Francisco de Castro. Avise-me do que há, ou diga-me a hora em que posso procurá-lo.

Até breve.

Sempre admirador e velho amigo

Machado de Assis.

1 ⁰ಎ Sem nome do destinatário, que é Rodrigo Octavio, segundo o teor da carta. (IM)
2 ⁰ಎ Ver em [468]. (IM)

[478]

> De: VALENTIM MAGALHÃES
> *Fonte*: Fundação Biblioteca Nacional. *A Notícia*,
> 1899. Setor de Periódicos. Microfilme do
> original impresso.

ARGENTINA – BRASIL
CARTA ABERTA A MACHADO DE ASSIS

Rio de Janeiro, 3 de agosto de 1899.

Meu prezado mestre.

Entre as variadas e numerosas solenidades e festas com que vamos, os brasileiros, acolher e agradecer a honra excelsa da visita de nossos bons vizinhos, os argentinos, de nenhuma por enquanto sei revestida de caráter exclusivamente intelectual e artístico[1]. Ora, o que os nossos ilustres hóspedes vêm principalmente desejosos de conhecer e estudar é – como perfeitamente o exprimiu ontem o redator-chefe da *Imprensa* – o Brasil moral, o Brasil intelectual, o Brasil político. Do outro Brasil – com exceção do pitoresco – isto é, do industrial, do material, do "Brasil obra do homem", bem sabem eles que nada poderão ver que os encha de admiração e respeito, pois que, de tais pontos de vista, nos é a pátria deles infinitamente superior.

O que, portanto, devia mostrar principalmente o país hospedante ao hospedado eram as representações características e culminantes do seu gênio artístico, da pujante e irrecusável predominância continental do Brasil nas letras e nas artes. Materialmente, como civilização exterior e costumes sociais, este país é ainda um dos mais atrasados do mundo, apesar do muito que se tem progredido; intelectualmente, porém, como civilização psicológica, se assim me posso exprimir — já valemos algo, já somos *alguém*, temos o que mostrar.

Possuímos uma plêiade, nem escassa nem somenos, de artistas superiores, — de poetas, críticos, prosadores, oradores, pintores, escultores, músicos. A quem o digo eu? Quando a não possuíssemos, bastaria para demonstrar o grau da nossa cultura artística o possuirmos esse escritor finíssimo que produziu *Brás Cubas* e *Quincas Borba*, esse requintado e sutil Anatole France brasileiro. (Perdoe-me, meu caro mestre: para poder dizer-lhe isto é que lhe escrevo uma carta... aberta.)

Ora, justamente no sentido de fazer conhecido este aspecto do Brasil, que é o único que podia tornar admirável aos olhos dos nossos hóspedes — posto de parte o da *Naturaleza*, que a nossa inércia e a nossa incúria tem deteriorado muito, nesse sentido essencial e capital é que absolutamente nada se cogitou, nada se está preparando. Entretanto podiam organizar-se três festas ou três exibições que sintetizariam o Brasil intelectual: Primeira (*sic*), um grande concerto sinfônico em que se executassem somente composições nacionais e tomassem parte Artur Napoleão, Alberto Nepomuceno, Nicolino Milano e outros artistas brasileiros que se pudesse reunir; *segunda* uma exposição de pintura e escultura brasileiras, para a qual os nossos amadores e colecionadores gostosamente concorreriam, emprestando o melhor de suas galerias; *terceira* uma *matinée* ou sarau literário em que se mostrassem os nossos principais literatos e oradores.

As duas primeiras, das três festas da inteligência que acabo de indicar, já é demasiado tarde, talvez, para prepará-las. Mas a terceira é possível ainda.

Ao presidente da Academia Brasileira de Letras tem a honra de perguntar o mais obscuro e pequeno dos seus membros: Por que não realizará a Academia esta festa? Por que não efetuará uma sessão solene, especialmente dedicada aos representantes da mentalidade argentina — políticos, oradores, escritores — que nos vêm visitar com tão cativantes provas de apreço e amizade?

Não tem a Academia edifício próprio, bem sei. Mas também sei que o governo, de bom grado, cederia, mais uma vez se lho solicitássemos, um edifício qualquer do Estado para o aludido fim. Está ausente o grande vulto que de tanto fulgor enche o nosso grêmio e que tão querido e admirado é no Rio da Prata – Joaquim Nabuco; mas outros oradores conta a Academia que poderiam representá-la com lustre.

Tem ela elementos preciosos para efetuar uma festa encantadora e que produziria, acredito-o, numa impressão, sobre[tudo] agradável e muito valiosa do merecimento e da importância da nossa literatura. Vamos, meu caro presidente, abandone um pouco a sua encantadora modéstia e o amor do silêncio e da tranquilidade; dirija-se aos marechais das Letras com quem diariamente priva e confabula, sujeite-lhes a ideia deste simples alferes, mande tocar a reunir, passe revista de forma e verá que o resultado há de compensar as canseiras.

É preciso que a Academia de Letras não perca esta admirável oportunidade de provar que o fim exclusivo e a única explicação de sua existência não é eleger substitutos aos consócios que a Providência exonera da vida. Se nos prezamos, os acadêmicos, de ser bons patriotas, bons amigos da nossa terra, não devemos perder o ensejo, tão fácil e tão belo, de prestar-lhe um serviço que a nossa modéstia chamará pequeno, mas que talvez o futuro venha provar que foi avultado.

Valentim Magalhães

---

1 ∾ O presidente argentino Júlio Roca (1843-1914) foi o primeiro chefe de Estado a visitar o Brasil republicano, então presidido por Campos Sales. O mandatário e sua comitiva desembarcaram no Rio de Janeiro em 08/08/1899, recebendo uma série de homenagens até 18/08/1899. Assim se dissipavam situações antagônicas, e o general Roca declararia que sua visita era "uma verdadeira aliança moral, assentada em sentimentos que estão na consciência de uma e outra nação". Mais cautelosamente, o anfitrião afirmou que nunca seriam esquecidos "a simpatia e o respeito moral" devidos pelo governo brasileiro ao país vizinho, retribuindo a visita em 1890. A programação de 1899 incluiu um evento turfístico, "Grande Prêmio República Argentina", um almoço a bordo do encouraçado brasileiro *Riachuelo*, a inauguração de uma estátua do

Duque de Caxias e até uma festa "veneziana", a bordo dos barcos dos dois países ancorados no porto. Nesta carta aberta, **nunca inserida na correspondência machadiana**, vemos a manifestação (tardia) em favor de eventos culturais e artísticos. Sabiamente, Machado de Assis se esquivou, respondendo a Valentim Magalhães no dia seguinte. Ver em [479], de 04/08/1899. (IM)

[479]

Para: VALENTIM MAGALHÃES
Fonte: MACHADO DE ASSIS, Joaquim Maria. *Correspondência.* Rio de Janeiro: W. M. Jackson, 1937.

Rio [de Janeiro], 4 de agosto de 1899.

Meu caro Valentim Magalhães.

A melhor resposta à sua carta de ontem está nela mesma. A Academia Brasileira de Letras não tem ainda casa própria, vive de empréstimo, onde quer que alguém, por amor ou favor, consente em abrigá-la durante algumas horas. Que apesar disso, a Academia teime em viver, é sinal de que traz alguma coisa em si, mas não basta dar aos nossos hóspedes argentinos uma festa tão completa como eles merecem. Tal é o meu parecer; e não ponho aqui a escassez do tempo necessário à organização do programa e à adoção e inclusão dele na relação das outras festas públicas, senão para mostrar que a sua bela e justa ideia precisaria mais que estes poucos dias últimos.

Machado de Assis.

[480]

Para: RODRIGO OCTAVIO
Fonte: *Revista da Academia Brasileira de Letras*, XXXI, n.º 93, set. 1929.

Rio [de Janeiro], 7 de agosto de 1899.[1]

Meu caro Rodrigo Octavio,

Vou lembrar-lhe a expedição dos avisos e a notícia sobre a sessão da Academia. O José Avelino[2] esteve aqui, anteontem, e, perguntando-me em conversa se o Francisco de Castro apresentara-se candidato, disse-lhe que sim; ao que retorquiu que não se apresentaria, fazendo boas referências ao outro.

Estive hoje com o Cesário Alvim[3], na Prefeitura, aonde fui falar do Pedagogium[4]. Depois lhe direi o resto. O tempo urge.

Seu amigo e colega.

M. de Assis.

---

1 ∾ Esta e outras cartas mais longas e expressivas ([496], de 22/11/1899, e [531], de 26/06/1900), depois reproduzidas em várias publicações, não foram encontradas no arquivo cuidadosamente mantido pelo destinatário. (IM)

2 ∾ José Avelino Gurgel do Amaral (1843-1901) pensara em concorrer à vaga Visconde de Taunay*, para a qual foi eleito Francisco de Castro* na sessão de 10/08/1899. (IM)

3 ∾ José Cesário de Faria Alvim Filho (1839-1903), político republicano atuante, era então Prefeito do Distrito Federal. (IM)

4 ∾ No Pedagogium, à rua do Passeio, realizaram-se a sessão inaugural e cinco sessões ordinárias da Academia em 1897. Como lá se ministrava o curso de aperfeiçoamento para o professorado, em horário diurno, a Academia só dispunha de espaço livre à noite, situação de grande inconveniência para seus fundadores. Entre maio e agosto de 1898, a Academia se reuniu no Ginásio Nacional, transferindo-se para a Biblioteca Fluminense (uma sessão em 25/10/1898 e outra em 10/08/1899), local que desagradou os acadêmicos (ver nota 1 em [468]). Diante disso, Machado pede a José Veríssimo* que hospede a Academia na redação da *Revista Brasileira*, onde se realizaram as primeiras sessões acadêmicas. Veríssimo acolhe os confrades até o fechamento da *Revista*. Rodrigo Octavio oferece, então, o seu escritório de advocacia à rua da Quitanda, 47; e de abril de 1901 até a instalação em prédio público, o Silogeu Brasileiro, em julho de 1905, a Academia se reunirá no modesto sobrado da rua da Quitanda. Sobre os desdobramentos desta carta, ver em [496]. (IM)

[481]

De: MAGALHÃES DE AZEREDO
Fonte: Manuscrito Original, Arquivo ABL.

Vallombrosa
1038 METRI SUL MARE
ALBERGO PARADISINO
G. Benini prop*rietario*

Vallombrosa, 15 de agosto de 1899.

Meu querido Mestre e Amigo,

De Florença lhe escrevi uma longa carta, que espero terá já recebido. Quero porém, mandar-lhe notícias nossas do cume destas montanhas. Vê que lhe escrevo de grande altura; 1038 metros sobre o nível do mar.

A gravura que esta folha leva dar-lhe-á ideia do alpestre retiro em que nos achamos, entre espessíssimos bosques de pinheiros e abetos. Vallombrosa é um dos mais belos pontos de vilegiatura da Itália, e talvez do mundo. Este sítio só há poucos anos — sete ou oito — se abriu francamente aos veraneadores da cidade. Por isso, embora já, com a concorrência elegante e banal, o homem comece um pouco a estragar a paisagem, segundo o dito de Teófilo Gautier, ainda tal desvantagem apenas se verifica em pequena escala; salvo alguns lugares de reunião, como um belo parque lá embaixo, onde se joga o *tamburello* (uma espécie de pela) sobre a relva de um tenro verde britânico ou holandês, pode-se, por largos e extensos trechos de terreno, estar livremente a sós com a Natureza. Esta é, já o terá suposto, diversíssima da nossa, a não ser que se desça até Santa Catarina onde há, creio, grandes florestas de pinheiros. Os pinheiros, com os seus troncos retos e esguios, que nascem simetricamente uns com os outros, fazem pensar em colunas de templo gótico; a penumbra que sob os seus ramos aromáticos se condensa tem algo religioso; e a própria disposição dos galhos obedece a uma tendência ogival. Aqui os rouxinóis, que eu nunca ouvira antes, cantam árias suavíssimas, e organizam concertos maravilhosos; há um que vem gorjear sob as nossas janelas cada dia, ao anoitecer; outros que gorjeiam ao crepúsculo no mais denso do bosque, e alguns mesmo em pleno dia nos sítios mais frescos e recônditos. É uma encantadora, divina música — e os poetas europeus não exageram quando a celebram. Que variedade de ritmos, que ardor lírico e sentimental tem esta avezinha! nenhuma outra conheço, cuja voz se lhe compare.

Antigamente, era Vallombrosa um ermo, onde só habitavam, no velho e admirável convento que ainda existe, os monges beneditinos, da regra de São João Gualberto, fundador desse cenóbio[1]. O hotel em que nos achamos — no mais alto destas serras — ocupa o lugar de umas primitivas celas, retiro de piedosos solitários. Aqui mesmo, de onde lhe mando estas linhas, esteve o grande Milton; e algumas estrofes do *Paraíso Perdido* perpetuam a sua estada em Vallombrosa[2]. Que bela recordação, e como só por ela valeria a pena vir até cá!

Amanhã deixaremos com verdadeiro pesar esta solidão; vamos para Frascati, porque eu preciso de ficar mais perto de Roma. É também um lugar delicioso, de outro gênero; mas demasiado próximo da cidade para que se possa gozar nele a plena paz que se goza aqui.

Em França chegou-se enfim ao último ato da tragédia dreyfusiana[3]. Eu que tenho seguido desde o princípio esta questão capital, tinha o espírito dividido entre a indignação causada pelos manejos antissemitas e pelo vergonhoso depoimento do general Mercier[4], e o júbilo produzido pelo triunfo cada vez mais claro do Inocente, quando hoje fui surpreendido pelo atentado contra Labori[5]! Até isto se tenta para impedir o caminho à verdade e à justiça! Triste França, tão amada outrora pelo mundo inteiro, e hoje universalmente detestada porque se deixou dominar por uma turba de doidos e perversos! Na história há poucos exemplos como este de loucura coletiva. Estaremos acaso assistindo às últimas convulsões de uma nação moribunda? Certo, se a França vai por este caminho, dentro de cem anos será talvez uma colônia alemã ou inglesa... Bem o receio.

Adeus, querido Mestre e Amigo; cumprimentos de minha Família e meus para a *Excelentíssima Senhora*, e com as nossas afetuosas lembranças receba um abraço do seu de coração

Magalhães de Azeredo.

O livro já vai adiantado; creio que em Outubro o terei impresso.

De Frascati, 17 de agosto de 1899.

Demorei esta carta para poder copiar e mandar-lhe os versos juntos. A nota que os acompanha explica esse ensaio de um metro ainda não empregado na nossa língua. Peço-lhe que os dê ao amigo José Veríssimo para a *Revista Brasileira*. Algumas pessoas gostarão deles, outras acharão que foi uma tolice fazê-los; não importa. Eu creio que conservando naturalmente todas as espécies de versos usados até hoje, se podem tentar algumas novas combinações métricas, poucas, e contanto que tenham ritmo sensível e justa harmonia. O que quero é saber a *sua* opinião, de que me preocupo muito sempre. Mande-ma, pois, com franqueza.

Uma boa parte do livro já está impressa. Espero ter tudo pronto para o fim de Setembro. O Massow, portanto, que me envie logo a ordem necessária, para que eu possa ir pagando. Enviei-lhe a indicação da soma na minha carta anterior. Agradeço-lhe a sua muita bondade.

Adeus, ainda uma vez. Um afetuoso abraço do seu

Magalhães de Azeredo.

---

1 ◆ João Gualberto (± 995-1073) iniciou a sua vida religiosa no mosteiro de São Miniato, nos arredores de Florença, depois de viver um momento de revelação de sua fé. Durante anos Gualberto alimentou um ódio pesado e forte sentimento de vingança contra o assassino de seu irmão Hugo. Quando a oportunidade surgiu, apesar de deter a superioridade física e de meios, João Gualberto concedeu o perdão a seu inimigo, no momento em que este lhe pediu clemência em nome de Deus. Neste primeiro mosteiro, depois de graves desentendimentos, Gualberto refugiou-se nas montanhas de Vallombrosa, onde fundou a sua congregação religiosa. (SE)

2 ◆ Acredita-se que o poeta inglês John Milton (1608-1674) tenha visitado a abadia beneditina de Vallombrosa, perto de Florença. Essa crença se funda numa passagem do canto I, versos 301-304, de *Paradise Lost*. Nessa passagem Satã derrotado por Deus, voa até o mar de fogo onde tinham sido arremessados os demônios e os exorta a prosseguirem a batalha contra o Todo-Poderoso:

> "/.../ On the beach / Of that inflamed sea he stood, and called / His Legions – Angel forms, who lay entranced / Thick as autumnal leaves that strow the brooks / In Vallombrosa, where the Etruscan shades / High over-arched embower."

Segue a tradução de Antônio José Lima Leitão (1787):

"/.../ Às praias chega / Do ígneo mar. Seus angélicos guerreiros / Chama então que sem tino ali jaziam, / Bastos como do outono as folhas juncam / De Vallombrosa as plácidas ribeiras / Sobre as quais densa arcada sempre enramam / Da bela Etrúria os altos arvoredos." (SPR)

3 ∾ Trata-se do segundo processo contra o capitão Alfred Dreyfus. O primeiro, em dezembro de 1894, terminara com a condenação do réu por crime de traição e sua subsequente deportação para a Ilha do Diabo. A campanha sistemática para a revisão da sentença, empreendida pela esposa e pelo irmão de Dreyfus, pelo jornalista Bernard Lazare, pelo vice-presidente do Senado, Scheurer-Kestner, pelo comandante Picquart, do próprio serviço de inteligência do exército, e sobretudo por Emile Zola, depois da publicação de J'accuse, acabou tendo êxito. No dia 03/07/1899, um decreto ordena a revisão, determinando que o novo processo se realizaria no Conselho de Guerra de Rennes. O julgamento teve início em 08/08/1899. Quanto à expressão "último ato da tragédia dreyfusiana", usada por Azeredo, ela parece ter sido usual na época. Um texto de Zola, publicado logo depois da vergonhosa sentença do tribunal, e se intitula justamente "O quinto ato", diz que todos julgavam que Rennes seria o quinto ato da tragédia, quando na verdade fora apenas o quarto. (SPR)

4 ∾ O general Auguste Mercier (1833-1921) era ministro da Guerra quando Dreyfus foi acusado de ser o autor do memorando enviado à embaixada alemã em Paris e interceptado pelo serviço francês de informações. O memorando continha dados sigilosos de caráter militar. Foi Mercier que submeteu o caso ao conselho de ministros, que decidiu por unanimidade abrir o processo contra Dreyfus, acusando-o de espionagem. Mercier não era mais ministro quando começou o julgamento de Rennes, o que não o impediu de depor contra Dreyfus e de mobilizar testemunhas hostis ao acusado. Foi assim um dos principais responsáveis pela segunda condenação do réu, quando tudo parecia fazer crer que ele seria absolvido, tal a massa de evidências que se tinham acumulado a seu favor. (SPR)

5 ∾ Fernand Gustave Gaston Labori (1861-1917) foi o advogado de Zola durante o processo que lhe foi movido pelo governo em consequência da publicação de J'accuse, e advogado do próprio Dreyfus, durante o julgamento de Rennes. No dia 14 de agosto, na véspera, portanto, da carta de Azeredo, Labori foi ferido num atentado. (SPR)

[482]

> De: MAGALHÃES DE AZEREDO
> *Fonte*: Manuscrito Original, Arquivo ABL.

Frascati, 5 de setembro de 1899.

Meu querido Mestre e Amigo,

Escrevo-lhe hoje com grande tristeza. Recebemos há dias a notícia da morte de meu velho Tio, que tanto estimávamos[1]. Sei que o conheceu, e que se viam de quando em quando; mas não penetrou bastante na intimidade dele para descobrir todo o seu valor moral. Para bem o apreciar, era preciso tratá-lo de perto durante muitos anos, como eu o tratei. Ele era um manso e humilde de coração, e a luz que lhe vinha da alma se refletia num círculo estreito e familiar; mas era luz das mais puras e doces. O mundo, superficial nos seus juízos, mede de ordinário a importância dos homens pela repercussão exterior da sua vida, mais que pela força intrínseca do seu caráter. Mas a verdadeira significação de uma existência está em recessos profundos do ser, que a maioria indiferente não pode sondar. Esse excelente velho, modesto e simples, representava há muito para mim uma das mais perfeitas encarnações da bondade que se podem encontrar na terra. Não pense que assim falo por sugestão somente de um afeto sincero; exprimo-lhe uma convicção muito refletida. Ele não só teve sempre consciência imaculada, mas creio que mesmo de poucas faltas leves se ter confessado a Deus na sua longa vida, o que a raríssimos sucede. Tendo sofrido mais de um revés, não conseguindo nunca atingir a fortuna, nem mesmo a completa abastança e obrigado a trabalhar duramente depois dos 70 anos, jamais se queixou, nem opôs à sorte gestos de impaciência; sorria-lhe sempre, com tão evidente sinceridade e placidez tão invencível, que de o presenciar eu colhia de contínuo uma lição superior de filosofia prática. De fato, o que constitui o essencial da sabedoria não são as demonstrações e as teorias de escola; a solução do grande problema consiste em dirigir a própria alma entre as vicissitudes e os conflitos do destino com dignidade e serenidade.

E quanto me queria ele!

Adorava-me. Acompanhando cada passo da minha carreira, os bons resultados dos meus estudos no colégio e na academia, nas letras, e na profissão o enchiam de júbilo. Em ver-me, em ouvir-me encontrava sempre uma delícia nova. Sem dúvida, o seu espírito fora avesso a qualquer sonho de glória na juventude e na maturidade; mas por mim e para mim, na velhice, esse desejo ardente lhe estimulou o coração, lhe dourou os cabelos brancos, como um raio de sol nascente.

Perdoe-me estar falando de coisas lutuosas, quando seria mais acertado poupar-lhe impressões tristes; mas, mantendo nós uma correspondência de absoluta confiança mútua, eu não podia calar um desgosto que me toca tão de perto; ao começar esta carta, tinha tão presente à memória o caro morto, que as páginas aí escritas me saíram irresistivelmente da pena. Ele bem merecia esta comovida homenagem íntima...

Enfim, é preciso buscar a resignação, que a fé nos aconselha, e forçar o espírito a uma útil atividade; pois, tanto como com lágrimas, honramos os nossos defuntos com atos e resoluções dignos da estima que eles nos tiveram.

Certamente, nestes dias não tenho podido trabalhar; mas agora tratarei de voltar aos meus estudos. Como na sua carta me pede notícias do que faço e projeto, começarei por dizer-lhe que a impressão das *Baladas e Fantasias* já vai adiantadíssima, e espero tê-la concluída no fim deste mês. Boa parte do livro é inédita, e foi escrita ultimamente; conhece o meu assíduo cuidado de corrigir e aperfeiçoar. Na maior parte das páginas recentes do volume domina certa preocupação de pensamento e filosofia, a que as ficções da imaginação servem de relevo simbólico. Não sei se agradarão ao público em geral; a alguns espíritos escolhidos creio que sim, e ao seu estou quase certo. Como a publicação do volume está próxima, vou fazê-lo anunciar em vários jornais por intermédio de amigos; peço-lhe que em relação à *Gazeta* me faça esse favor. Aqui vai agora um recado importante para o Senhor Massow — e ainda uma vez, desculpe-me tanto incômodo que lhe causo: o número das folhas foi mal calculado a princípio; eu disse 20; serão 22, senão 23. Eu podia suprimir algumas composições, guardando-as para um livro ulterior; mas pareceu-me que não estariam tão bem como ali, e que o volume, sem elas, ficaria incompleto. De resto, nesse ponto, estava inteiramente livre, posto que, como se lembra, não houve combinação prévia, quanto ao número de páginas do volume. Será um livro compacto e cheio, como os outros que até agora publiquei. Tenho sempre a ideia de que uma obra literária é uma espécie de organismo perfeitamente definido, que não se pode mutilar impunemente. Depois das *Baladas e Fantasias*, que são dedicadas ao nosso Mário de Alencar, acho que o meu primeiro livro será uma coleção de estudos críticos. Sabe que os tenho para um bem encorpado volume. O primeiro deles se refere ao meu querido Mestre e Amigo; tenciono refundir, e desenvolver muito mais, o artigo publicado na *Revista Moderna*, esperando dar, ao menos em resumo, uma impressão, completa quanto me for possível, do seu gênio, da sua obra, e da nossa amizade. Ajuntarei o artigo publicado no *Jornal do Comércio* em resposta ao livro de Sílvio Romero. Os estudos sobre Leopardi, Garrett, José de Alencar, e alguns outros menores completarão a coleção[2]. Há aí para 400 páginas. Esse não será, se Deus quiser, o meu único livro de crítica. Planeio vários perfis literários nossos e estrangeiros, que conto dar ao *Jornal do Comércio* e depois reunir em volume.

Em meus projetos há um livro de novelas, com o título de *Melancolias*[3]. Uma delas, a maior talvez, está quase terminada, e as outras estão ideadas, faltando só escrevê-las, o que farei, segundo o meu hábito, com tempo e vagar. Antes desse, porém, gostaria de imprimir em livrinho de formato pequeno uma novela ou um romancinho, que comecei há mais de dois anos, e abandonei depois. Creio que lhe falei dele: intitulara-o antes: *Das memórias de um mandarim*; depois chamei *O Loto azul*; mas creio que achei coisa melhor, *Metamorfoses*. É a história de uma luta toda intelectual e moral de certa alma jovem, trabalhada pelo pessimismo, resultante de uma doença que eu designo: a doença do Absoluto. Assim dito, não se entende bem o que seja, não é verdade? Mas com a ação e os seus episódios, é outra coisa; não nego que mesmo na forma definitiva, o trabalho seja essencialmente filosófico, e só possa agradar a uma restrita minoria. Há, porém, paixão, dor, quedas, arrependimentos, aspirações e conflitos quase trágicos; em suma, não é uma dissertação, é uma novela.

Para o centenário do Brasil ainda nada fiz; algo farei decerto. Desejaria escrever um opúsculo composto de observações sociais que me parecem úteis neste momento; mas sou diplomata e embora não se trate, nem por sombra, de política partidária, não sei se o governo me permitirá expor certas opiniões.

Com a minha carta anterior lhe mandei uma poesia para a *Revista Brasileira*, diga-me o que pensa dela.

Agora quero-lhe agradecer muito e muito, o exemplar da *Iaiá Garcia*, e a dedicatória afetuosíssima que lhe pôs. Aqui o guardo preciosamente com os outros livros seus que tenho, e o releio com frequência. Fico à espera das *Páginas recolhidas* e do *Dom Casmurro* que me inspira fortíssima curiosidade. Quando nos dá um volume de versos? Há um avultado número de poesias suas esparsas em jornais e revistas, e com elas se faria um livro dos mais belos da nossa lírica.

Tenho lido a descrição das festas em honra do Presidente da República Argentina; foram grandes, e o acontecimento era digno delas[4]. Infelizmente, nesses mesmos dias, minha Família estava aí em desgosto e luto; não o posso esquecer.

O processo Dreyfus continua a revelar novas infâmias. Que horrível conspiração de homens poderosos contra um inocente. Triunfará este diante do conselho de guerra[5]? Esperemos. Ante a consciência da humanidade já triunfou.

Adeus, meu querido Mestre e Amigo. Cumprimentos de minha Mãe e minha Mulher; queira transmiti-los também, com as minhas respeitosas homenagens, à sua *Excelentíssi*ma Esposa.

Abraça-o de todo o coração o seu

Magalhães de Azeredo.

Retardei esta carta para lhe escrever sobre uma proposta que mando ao Secretário da Academia, e para a qual peço o seu apoio. Trata-se de regularizar a situação material da nossa companhia enquanto o Congresso não nos dá casa. Parece-me que não podemos viver indefinidamente sem aposentos nossos, reunindo-nos em salas de empréstimo por favor de outrem. Não é conveniente que nos continue a faltar o que tantas outras sociedades de muito menor importância, beneficentes, musicais e até carnavalescas, possuem desde que se inauguram; tanto mais que, sendo nós 40, com uma diminutíssima contribuição mensal de cada um poderemos alugar aposentos em uma rua central da cidade, e por meio de uma subscrição entre nós angariar a soma necessária para a mobília. O aluguel, suponhamo-lo de 200$000 réis, serão 5$000 réis por mês para cada acadêmico, suponhamo-lo de 300$000, de 400$000 mesmo, o que não creio possível; seriam 7$500, 10$000 réis. E qual entre nós não pode dar essa quantia para decoro e independência de uma instituição como a Academia? Hoje mesmo escrevo aos amigos e conhecidos que nela conto.

Até agora não recebi a ordem da casa Laemmert para pagamento da tipografia[6]; entretanto, o livro já está impresso a mais de metade, e recebi carta do proprietário da tipografia pedindo-me para dar-lhe ao menos a soma correspondente ao trabalho feito, o que é mais que justo, pois até a combinação fora de pagar adiantadamente. Se a ordem daí não chega por estes dias não sei como fazer.

Já houve tempo mais que suficiente para que o Massow ma enviasse. As folhas são 23; diga-lhe isto. O total é em *folhas* 2225 contando os 500 do manuscrito.

Adeus, ainda uma vez. Abraço-o de todo o coração.

Seu
Magalhães de Azeredo

---

1   O querido tio-avô Custódio Magalhães, em cuja casa na rua Conde de Baependi, Laranjeiras, Azeredo morou quando voltou de São Paulo definitivamente. (SE)

2 ∾ De fato, o próximo será todo de ensaios: *Homens e Livros* (H. Garnier, 1902). O livro foi dedicado ao mineiro João de Carvalho Mourão (1872-1951), colega de faculdade, amigo certo no exílio de 1893, em São João Del Rei. Na carta prefácio, Azeredo agradece ao futuro ministro do Supremo Tribunal Federal (1931), tê-lo apresentado ao poeta Leopardi, com o qual Azeredo abrirá o livro em alentado artigo. Além dos estudos citados nesta carta, Azeredo inseriu um artigo sobre Eça de Queirós*; outro sobre Alphonse Daudet (1840-1897); uma resenha crítica do livro *Brasil Mental*, do escritor portuense Sampaio Bruno (1857-1915); uma análise da poesia de Alberto de Oliveira* e um artigo sobre o crítico José Veríssimo*. Registre-se, por fim, que João de Carvalho Mourão, por algum tempo, dividiu o escritório com Rodrigo Octavio* no Rio de Janeiro. (SE)

3 ∾ Embora não exista na bibliografia conhecida do escritor a entrada desse título, observou-se na contracapa das *Baladas e Fantasias*, no espaço destinado a enumerar as obras produzidas pelo autor e as por produzir, os títulos *Melancolias* (novelas) e *Rústicas e Marinhas* (poesias), entre as que viriam a lume. (SE)

4 ∾ O general Júlio Roca (1843-1914), presidente da Argentina, eleito pela segunda vez (12/10/1898), embarcou para o Rio em 03/08/1899, a bordo do San Martín, o navio mais moderno da esquadra argentina, comandado pessoalmente pelo ministro da Marinha Martín Rivadavia. A comitiva presidencial regressou à Argentina em 18 de agosto. (SE)

5 ∾ Quatro dias depois desta carta, em 09/09/1899, o conselho de guerra de Rennes condenou Dreyfus a dez anos de detenção, acusando-o de "inteligência com o inimigo", embora "com circunstâncias atenuantes". Essa sentença indignou todo o mundo civilizado, porque já se sabia há muito que o culpado era o comandante Charles-Marie Ferdinand Walsin Esterhazy (1847-1923). Foi a absolvição escandalosa de Esterhazy, no início do ano anterior, que motivou a publicação do *J'accuse*, de Emile Zola, no dia 13/01/1898. Qualquer dúvida que ainda pudesse subsistir quanto à culpa de Esterhazy foi desfeita por ele mesmo, que confessou dias antes da abertura do novo processo ser o verdadeiro autor do documento que incriminava Dreyfus, o famoso memorando (*bordereau*) dirigido à Embaixada alemã e falsamente atribuído a Dreyfus. Em artigo publicado em 12/09/1899, Emile Zola classificou o julgamento de Rennes como "o monumento mais execrável da infâmia humana. (SPR)

6 ∾ Tipografia dos Irmãos Centenari, na qual será impresso o livro *Baladas e Fantasias*. (SE)

[483]

> De: VISCONDESSA DE CAVALCANTI
> *Fonte*: Cartão de Visita Original, Arquivo ABL.

[Sem local,] 13 de setembro de 1899.

Ao Senhor Machado de Assis cumprimenta

A VISCONDESSA DE CAVALCANTI[1] e
pede a fineza de encetar a série de literatos cujos
autógrafos deseja nesse álbum.

Hotel Metrópole[2]

---

1 ∞ Viúva recente de Diogo Velho Cavalcanti de Albuquerque (1829-1899), falecido em Juiz de Fora, a 13/06/1899, D. Amélia Machado Cavalcanti de Albuquerque retornara ao Brasil a pedido do marido que, gravemente doente, desejara morrer em terras brasileiras. O casal havia se exilado em Paris, quando da mudança do regime político em 1889. No Império, o senador Diogo Velho exerceu importantes cargos: foi ministro da Agricultura, Comércio e Obras Públicas no 23.º Gabinete (julho de 1868); ministro da Justiça no 26.º Gabinete (25/06/1875) e ministro dos Estrangeiros em 1877. No apogeu de sua glória política, 1875-1878, as suas festas eram disputadíssimas, pela bem dosada combinação de requinte, diversão, elegância e poder. Muito desse sucesso é creditado à personalidade acolhedora da viscondessa, considerada mulher de rara beleza e fino espírito. A sua beleza, aliás, foi celebrada em versos por importantes figuras do Império, entre os quais comprovadamente José Bonifácio o moço, Pedro Luís* e Luís Guimarães Júnior*. Registre-se, por fim, que a viscondessa era também dama de finos dotes intelectuais, tendo produzido o importante *Catálogo das Medalhas Brasileiras e das Estrangeiras Referentes ao Brasil* (Rio de Janeiro, 1889), com 25 exemplares. Depois, fez uma 2.ª edição revista, aumentada e ilustrada (Paris, 1910), obra de referência entre estudiosos da numismática, raridade que teve uma tiragem de apenas 100 exemplares, todos numerados. Ver carta [57], tomo I. (SE)

2 ∞ Grande Hotel Metrópole, nas imediações da rua Ipiranga, em Laranjeiras, no Rio de Janeiro. (SE)

[484]

Para: JOSÉ VERÍSSIMO
Fonte: Revista da Academia Brasileira de Letras, XXXIII, n.º 103, jul. 1930.

Rio [de Janeiro], 18 de setembro de 1899.

Meu caro José Veríssimo.

Deixe-me ainda uma vez apertar-lhe gostosamente a mão pela sua boa vontade e simpatia. Cá o li e reli hoje e guardo com as animações do amigo as indicações do juiz competente[1]. Sobre estas já conversamos. Quanto ao livro de teatro[2], basta só lazer e oportunidade, além da aquiescência do editor. Para o de crítica não sei se há matéria suficiente nos trabalhos de alguns anos; se juntasse os de muitos anos atrás, creio que daria um volume, mas compensariam esses a busca? A própria busca, não sendo impossível, não seria fácil. Enfim, veremos. Mais fácil que isso seriam talvez as memórias[3]. Concordo com o reparo acerca da frase do *Tu, só tu, puro amor...*, tanto mais que, ao escrevê-la, senti alguma estranheza, a não ser que a sua crítica tão sugestiva mo faça crê-lo (*sic*) agora[4]. Adeus, até breve: se puder ser, hoje mesmo. Escrevo entre duas pastas, e vários pretendentes que desejam saber dos seus negócios. Desculpe a letra e o desalinho. Provavelmente teremos esta semana algumas ocasiões de estar juntos. Até logo ou até breve.

Sempre o mesmo

Velho am*i*go

M. de Assis.

---

1 ∾ Crítica de *Páginas Recolhidas*, na seção "Revista Literária" do *Jornal do Comércio* de 18/09/1899. Ubiratan Machado (2003) transcreveu-a integralmente. (IM)

2 ∾ Veríssimo afirma que "nessa obra há matéria para dois livros mais, um de teatro e outro de crítica." (IM)

3 ∾ Após o elogio à capacidade crítica "tão rara em geral nos poetas criadores", como Machado, e ao talento do contista de "A Missa do Galo", Veríssimo prossegue:

"Outra deliciosa página desse livro é o artigo 'O Velho Senado'. Ele nos confirma no desejo de que o Sr. Machado de Assis escrevesse memórias ou lembranças suas e do seu tempo, das coisas que viu, dos homens que conheceu e tratou. Com suas poderosas faculdades de observação e análise, e todas as suas qualidades de estilo e representação, de resumir em uma frase curta, em uma breve sentença, uma impressão, uma situação de espírito ou um estado d'alma, ninguém como ele poderia dar-nos o quadro da sua época. Quer a nossa história política, quer a nossa história literária, ressentem-se da falta de documentos íntimos, memórias, *correspondências* [grifo nosso], confissões, com que possamos recompor a vida e o espírito das épocas, das coisas e dos homens idos."

Embora consideradas "mais fáceis" as memórias, ficamos sem esta preciosidade. Mas graças à autorização dada a Veríssimo em 21/04/1908, este poderia recolher e publicar suas cartas. Cinco meses antes de morrer, Machado assim se manifesta:

"Não me parece que de tantas cartas que escrevi a amigos e a estranhos se possa apurar nada de interessante, salvo as recordações pessoais que conservarem para alguns..."

Se as *memórias* e um *memorial* foram assumidos por Brás Cubas e pelo Conselheiro Aires, a *Correspondência de Machado de Assis* proporciona um mágico ingresso no mundo tantas vezes sigiloso de quase meio século da sua vida. (IM)

4 ∾ Veríssimo conclui a crítica assinalando as qualidades da comédia *Tu, só tu, puro amor*, composta em homenagem ao tricentenário da morte de Camões (1880), ver em [180], tomo II:

"A graciosa língua que nele se fala, não é, certo a da corte de D. João III, e fora um erro reproduzi-la tal e qual. Mas o que é em arte essencial dá a ilusão de ser a mesma, sem ofender os nossos ouvidos modernos. Só uma expressão encontrei que talvez não pudesse Camões dizer: 'O amor é a alma do Universo'. Parece-me um anacronismo. Ou me engano ou o conceito é do nosso tempo. Não penso, aliás, que o escritor não tivesse o direito de atribuí-lo ao poeta." (IM)

[485]

Para: JULIEN LANSAC
Fonte: Manuscrito Original, Arquivo ABL.

[Rio de Janeiro, sem data.]¹

(...) Pour ce qui est des «Contos Fluminenses» je vous ai déjà dit que (*sic*) il y aura eu quelque méprise, puisque je ne me rapelle pas d'avoir réçu aucunne communication, à ce propos; la réimpression de ce premier volume de nouvelles (datant de 1870) exigerait naturellement un révision, non pas pour en alterer le fond ni la forme, mais enfin pour empêcher la reproduction de quelques fautes de style. Nous avons déjà parlé du manque de la note «Nova Edição» dans ce volume, qu'on va supposer d'être ancien, et vous m'avez promis d'écrire à Monsier Garnier.²

---

1 ∞ Este fragmento de rascunho deveria ser situado em 1899, ano da reimpressão dos *Contos Fluminenses*, por Hippolyte Garnier*. Ver a resposta deste a Machado em [486], de 08/10/1899. A primeira edição fora feita por B. L. Garnier, em 1870. (IM)

2 ∞ TRADUÇÃO DA CARTA:

> Quanto aos *Contos Fluminenses*, já lhe disse que deve ter havido algum equívoco, porque não me lembro de haver recebido qualquer comunicação a esse respeito; a reimpressão desse primeiro volume de novelas (datando de 1870) exigiria naturalmente uma revisão, não para alterar-lhe a forma ou o fundo, mas enfim para impedir a reprodução de alguns erros de estilo. Já falamos sobre a ausência da nota "Nova Edição" neste volume, que sem ela vai-se supor ser antigo, e o Sr. prometeu-me escrever ao Sr. Garnier. (SPR)

[486]

De: HIPPOLYTE GARNIER
Fonte: Catálogo da Exposição Machado de Assis, 1839-1939.
Rio de Janeiro: Fundação Biblioteca Nacional, 1939.

Paris, le 8 *octobre* 1899.

Monsieur Machado de Assis
De l'Académie Brésilienne
RIO DE JANEIRO

Monsieur

J'ai l'honneur de vous accuser la réception de votre lettre du 5 *Septembre*[1] et je m'empresse de vous remercier du service que vous me rendez en me signalant quelques petites défectuosités d'exécution matérielle de votre dernier livre *Páginas Recolhidas*. J'en ai fait la remarque à l'employé chargé de la fabrication qui a été prié instamment de tenir compte de vos très justes observations.

Je déférerai à votre désir d'avoir pour *Dom Casmurro* un papier qui lui donne une corpulence égale à celles de *Brás Cubas* et *Quincas Borba*.

Je saisis cette occasion pour vous annoncer que *Contos Fluminenses* est épuisé et que je vais faire procéder à sa réimpression. Je veillerai à ce que les mentions *da Academia Brasileira* et *Nova edição* ne soient pas omises comme lors du tirage précédent[2].

Si vous avez quelques corrections à faire, vous voudrez bien les envoyer par le plus prochain courrier.

Je suis heureux, Monsieur, de vous adresser la nouvelle expression de mes meilleurs sentiments de grande estime.

F. H. Garnier.[3]

---

1   Original ainda não localizado. (IM)

2   Ver em [485]. (IM)

3 ∾ TRADUÇÃO DA CARTA:

 Paris, 8 de outubro de 1899. / Senhor Machado de Assis. / Da Academia Brasileira / Rio de Janeiro. / Prezado Senhor/ Tenho a honra de acusar recebimento de sua carta de 5 de setembro, e apresso-me a agradecer o favor que o Sr. me presta ao assinalar-me alguns defeitos de execução material em seu último livro *Páginas Recolhidas*. Chamei a atenção a esse respeito do empregado encarregado da fabricação, que foi instantemente solicitado a tomar em consideração suas justas observações. / Atenderei a seu desejo de usar em *Dom Casmurro* um papel que lhe dê uma corpulência igual à das de *Brás Cubas* e *Quincas Borba*. / Aproveito essa ocasião para anunciar que *Contos Fluminenses* está esgotado e que vou proceder à sua reimpressão. Estarei atento para que as menções da *Academia Brasileira* e *Nova edição* não estejam ausentes, como ocorreu por ocasião da tiragem precedente. / Se o Sr. tiver algumas correções a fazer, peço que as envie pelo correio mais próximo. / Apraz-me, prezado Senhor, renovar-lhe a expressão dos meus melhores sentimentos de subida estima. / F. H. Garnier. (SPR)

[487]

Para: RODRIGO OCTAVIO
Fonte: Manuscrito Original, Arquivo Particular.

Rio [de Janeiro], 9 de outubro de 1899.

Meu caro amigo e colega[1],

 Vou lembrar-lhe a conveniência de mandar publicar, amanhã, a notícia do adiamento da sessão acadêmica. Não sei se mandou hoje para a *Notícia*. Até breve.

Todo seu

Machado de Assis

---

1 ∾ Rodrigo Octavio, que conservou o bilhete em seu arquivo. (IM)

[488]

Para: JOSÉ VERÍSSIMO
Fonte: *Revista da Academia Brasileira de Letras*, XXXIII, n.º 103, jul. 1930.

[Rio de Janeiro,] 20 de outubro de *1*899.

Meu caro José Veríssimo,

Pode Você dar uma chegadinha aqui, hoje, ao Gabinete? Só lhe peço cinco minutos, se me der dez ou vinte, é porque sabe o que eles valem.

Até logo.

Todo seu

M. de Assis.

[489]

Para: HIPPOLYTE GARNIER
Fonte: Manuscrito Original, Arquivo ABL.

Rio [de Janeiro], le 30 octobre *1*899.

Monsieur H. Garnier

PARIS

Monsieur,

J'ai l'honneur d'accuser la réception de votre lettre du 8 *Octo*bre[1] par laquelle vous répondez la mienne du 5 Septembre dernier[2]. Je vous remercie, Monsieur, d'accepter mes remarques et mes demandes à propos de *Páginas Recolhidas* e de *Dom Casmurro*. J'attends ce volume. Quant à celui des *Contos Fluminenses*, je vous fait (*sic*) remettre un éxemplaire selon votre désir, avec de petites corrections pour la prochaine édition. Je n'ai pas corrigé le style ni la composition, car chaque livre doit garder la marque de son temps, et celui de *Contos Fluminenses* est mon premier dans ce genre[3].

Maintenant, Monsieur, j'ai quelque chose à vous proposer. J'ai gardé à peu près un volume de mes derniers vers qui ont été imprimés dans des revues et ailleurs. On me demande d'autre part de faire un seul livre des trois recueils que j'ai publié chez votre regretté frère et mon ami[4], et qui font partie de notre traité, *Crisálidas*, *Falenas*, *Americanas*. Mon dernier recueil aura (si je ne trouve pas d'autre titre), celui de *Ocidentais*. Je crois que ces quatre recueils pourront faire un seul gros volume, où tout mon bagage poétique sera unifié, tout en gardant ses dates. Qu'en pensez-vous? Dites-le-moi pour que je récueille et corrige à temps[5].

Autre chose. Je vous prie, quand vous aurez à réimprimer *Memórias Póstumas de Brás Cubas* et *Quincas Borba*, de me le faire dire, car j'aurai une petite déclaration à mettre dans ces deux volumes[6].

M. de A.[7]

---

1 ∞ Ver em [486]. (IM)

2 ∞ Carta ainda não localizada. (IM)

3 ∞ Rascunho, com valioso depoimento sobre os critérios de publicação de Machado de Assis. (IM)

4 ∞ Baptiste-Louis Garnier. (IM)

5 ∞ Anunciam-se, aqui, as *Poesias Completas* (1901) cujo contrato de edição foi assinado em 07/08/1900. (IM)

6 ∞ A "pequena declaração" remete aos famosos prólogos dessas novas edições. (IM)

7 ∞ TRADUÇÃO DA CARTA:

Rio, 30 de outubro de 1899 / Senhor H. Garnier / Paris / Prezado Senhor, / Tenho a honra de acusar recebimento de sua carta de 8 de outubro, pela qual o Sr. respondeu à minha de 5 de setembro último. Agradeço-lhe, prezado Senhor, por aceitar meus comentários e solicitações a propósito de *Páginas Recolhidas* e de *Dom Casmurro*. Aguardo este volume. Quanto ao dos *Contos Fluminenses*, encaminho-lhe um exemplar, segundo seu desejo, com pequenas correções para a próxima edição. Não corrigi nem o estilo nem a composição, porque cada livro deve guardar a marca do seu tempo, e o de *Contos Fluminenses* é meu primeiro livro nesse gênero. / Agora, prezado Senhor, tenho algo a propor-lhe. Guardei mais ou menos um volume dos meus últimos versos, impressos em revistas e outras publicações. Por outro lado, pedem-me que faça um só livro das três coletâneas que publiquei com seu saudoso irmão e amigo, e que fazem parte de nosso contrato, *Crisálidas, Falenas, Americanas*. Minha última coletânea (se eu não encontrar outro título) terá o de *Ocidentais*. Creio que essas quatro coletâneas poderão fazer um só grande volume, em que toda a minha bagagem poética será unificada, especificando as respectivas datas. Que pensa disso? Diga-o, para que eu possa coligir e corrigir a tempo. / Outra coisa. Quando tiver que reimprimir *Memórias Póstumas de Brás Cubas* e *Quincas Borba*, rogo-lhe que mo diga, pois tenho que incluir nesses dois volumes uma pequena declaração. / M. de A. (SPR)

[490]

De: GRAÇA ARANHA
Fonte: Manuscrito Original, Arquivo ABL.

Paris, 30 de outubro de 1899.[1]

Meu querido Machado de Assis

Depois que lhe escrevi quantas coisas interessantes têm sucedido neste mundo! Mas não é certamente para comentá-las que volto a corresponder-me com Você. Deixemos de lado a questão Dreyfus, a *Haute Cour*[2], o Transvaal; não falemos também do Roca[3], nem do extraordinário discurso do Júlio Ottoni[4], com a sua fina e gostosa comparação de Deus a um fabricante de velas de luz esteárica. Deixemos tudo isto, trágico ou ridículo [,] e tratemos de nós mesmos. Eu direi de mim, e Você, forçando os hábitos, dirá de si. Valeu? Pois bem; comecemos.

Durante o verão deixei Paris com muita saudade de duas coisas, do Louvre e da linha sombreada dos cais [,] e fui viajar à Suíça. Estive no lago de Luccano[5]. Caro amigo, ainda não conheço a Ática; creio, porém, que depois dela não há nada mais agradável que o lago de Genebra, com as suas cidadezinhas marginais, com a sua linha de morros que não espantam, com a sua água tranquila e finalmente a sugestão literária que nos faz ver as sombras amadas de Rousseau, Voltaire e Staël em busca desses retiros sagrados que são Ferney, Coppet e Clarens.

Uma vez ali, naquele país de seduções não faltei às romarias clássicas. O Nabuco[6], o Rodolfo Dantas e eu quisemos visitar as deliciosas moradas dos gênios, e como no espírito temos a doce e contínua impressão dos amigos, que são Você e o Veríssimo [,] nós por toda a parte firmamos os seus nomes, de forma que Vocês também viajaram por estes lugares, e viveram por uma ilusão uns instantes nos mesmos recantos onde respiraram aquelas grandes vidas.

De todas essas visitas a mais delicada pelo perfume que nos deixou na alma foi a de Coppet. Velho solar, onde morou a beleza, o gênio, o amor[7] [,] como Machado de Assis saberia extrair de ti os segredos que estão nas tuas paredes, nas tuas árvores, no teu ar!, como ele saberia traduzir o que se não vê [,] os pensamentos finos e altos, os murmúrios do gozo, e toda esta epopeia dos grandes espíritos guardada no teu misterioso silêncio!

Passeamos debaixo das árvores marcando os sítios que acreditáramos favoritos do par amoroso Benjamin Constant e Staël[8]. Vimos tudo aquilo com olhos de saudade, e voltando ao castelo, que na mobília, no arranjo, em tudo conservado imutável como velho templo, esperamos a cada passo ver chegar a dona da casa. Mas como ela não viesse e muito tardasse fomos bisbilhoteiros penetrando pelos salões, pelos gabinetes de leitura. Não havia viva alma. Onde estava a gente do palácio? Nada, um silêncio absoluto respondia à nossa curiosidade crescente. Veio-nos uma certa confiança e o nosso desejo de devassar não conheceu mais limites, continuamos as nossas buscas, fomos até os cantos mais discretos, mais íntimos, em uma palavra fomos até o quarto de cama de Corina. Aí estávamos meio desconfiados de nossa ousadia; mas muito aguçados como quem entra em um delicioso lugar proibido começamos suspeitosos a mirar tudo. A princípio o que mais nos surpreendeu foram os retratos nas paredes. Só de Benjamin Constant havia dois ou três; creio que um Chateaubriand, e se não me engano um Palmela[9].

Para um justo equilíbrio de sentimentos porém, havia um retrato de *Monsieur* Necker[10]. Delicado e esquisito coração de pai! Estava ali pregado em efígie talvez para admirar a filha admirável em situações em que aos seus olhos de verdade não lhe era permitido contemplá-la. Talvez!... No vasto divã em que deviam caber duas pessoas reclinadas[11], sentamo-nos languidamente; os olhos como estou lhe descrevendo, já não nos bastávamos; exigíamos então as sensações perfeitas do toque e mergulhamos as mãos por entre as colchas da cama[12]. Na mente indiscreta e sobre-excitada as imagens voluptuosas dançavam perturbantes... Arrastamo-nos dali para um outro aposento. Era um quartinho, como um oratório. Nada mais nada menos que o quarto de Madame Récamier[13]. Um leito[14] muito artístico guardou ali o sono da beleza pura, e quem sabe se da inocência virginal, da imaculada *turris eburnea*? A nossa emoção foi augusta. O Nabuco, ereto com a sua nobre figura de deus antigo, perdia-se na contemplação; o suave Rodolfo murmurava em brandos suspiros. E (ó vergonha eterna!) eu fraco, eu fraco sensibilizado até a umas lágrimas indefinidas ajoelhei-me diante deste leito sagrado, e ajoelhei-me em nome do José Veríssimo; daí em diante, já que cheguei a esta postura humilhante, a emoção doentia, que espreita nas minhas vacilações como uma fácil presa, conquistou-me em absoluto; e então todo cheio da alma apaixonada de Machado de Assis, por ele e em nome dele, beijei longa e deliciosamente os santos vestígios do corpo adorável da mulher divina que ali descansou.

Machado, se Você está lendo esta carta na sua Secretaria, fez mal, porque temo que de agora em diante a visão da Senhorita Récamier comece a turbar os seus sentidos e resulte disso que nem Você entenderá o Severino[15], nem o Severino o entenderá. Você está com a cabeça toda misturada, aposto. E se é capaz de separar as coisas experimente redigir um despacho. Mas é melhor não redigir porque tremo pela sua reputação de burocrata impecável e que em um segundo se iria destruir. Quer um conselho? Vá para a casa e desforre-se da Secretaria lendo o *Journal Intime* de Benjamin[16] e [,] se Você sofre porque os anos lhe separam da amada e sonhada criatura [,] console-se com o que sucedeu aos que caçavam a esquiva mulher:

"J'ai un rendez-vous avec Juliette ce soir et prépare une composition écrite pour l'émouvoir. Celà a réussi, elle a eu une véritable émotion et de l'abandon plus que jamais. *Et cependant je n'en ai pas profité. Il y là une barrière que j'entrevis et que (sic) me paralyse* »[17]. J. Intime pg. 145. Repare-se *une barrière*. E agora?

Respire um pouco para continuarmos. Muito bem.

Antes de Coppet estivemos no coração dos Alpes, em Bex, um lugarejo encravado nessas famosas montanhas sedutoras e assassinas e cuja paisagem tem mudado tantas vezes as coisas do mundo[18]. Mas afirmo-lhe para robustecer a sua dura filosofia que a natureza em tudo é parcial, até nesse assunto pois transpus o Ródano no mesmo ponto que César o passou e as coisas humanas com surpresa minha não se alteraram, como quando acontecia com o Romano. Tenho ou não razão para me queixar desse tratamento desigual? Classifique-me de hoje em diante como o mais rancoroso pessimista.

No hotel de Bex tínhamos um magnífico parque, e aí novos peripatéticos travavam pelas alamedas o diálogo perpétuo das coisas eternas. Aquele jardim cheio de sombras e por onde passavam cantantes fios d'água, como se fossem a sua alma, tornou-se para nós um encanto. Se de repente o bosque quisesse repetir de nós o recolho, ó! meu caro Machado, como o seu nome sairia em magnífico e soberbo coro daquelas pirâmides verdes que são os pinheiros.

Quando passávamos do parque ao salão do hotel entrávamos numa cosmópole. A cada língua estranha que nos chegava, a cada rosto de mulher que fitávamos, uma observação nos acudia logo: "se o Machado de Assis aqui estivesse, o que diria?" Esta mistura de raças, estas almas vazias e errantes ali cruzadas em conjunções do acaso, que obras-primas não dariam à sua doce e aguda pena?[19]

Só uma bela grega que traduzia em seu perfil, na linha graciosa do corpo algumas parcelas da massa divina de Frineia e Laís lhe daria uma página imortal. Essa mulher tinha uns olhos singulares e raros, exprimiam a um tempo um quê de perturbador, de tempestuoso, de voraz; a um tempo, eram mansos, cheios de volúpia terna, moribundos. Para defini-la pelos olhos alguém me disse: oblíqua e dissimulada. Creio porém que seria melhor dizer olhos de ondas, das pérfidas ondas, em uma palavra olhos de ressaca[20]. Esta comparação não me vem espontânea, mas sim a partir de uma narração que um polaco extravagante me fez da vida da jovem grega, e aqui lhe resumo. Era casada, e em um sublime disfarce teve por amante o maior amigo do marido. Do marido não lhe resultou nada, mas do amante lhe saiu um filho, naturalmente porque tudo é fecundo, como diz Renan, menos o bom senso. E o bom senso que nesse casos era o marido não entender da história dos amores senão [quando] o filho do outro começou a repetir os sestros paternos. Mas antes da explosão doméstica, mar, o belo e untuoso mar do Pireu resolveu providencialmente o caso matando em rósea madrugada o amante. A grega foi perfeita em dissimular a sua bem entranhada dor, inquebrantável assistiu ao lado da mulher legítima toda a cerimônia fúnebre. Mas — disse nestas palavras o narrador polaco — momento houve em que os olhos da grega fitaram o defunto, quais os da viúva, sem pranto nem a palavra desta mas grandes e abertos como a vaga do mar lá fora como se quisesse tragar também o nadador da manhã.

Olhos de ressaca, concluí eu, enquanto contemplava a dona deles que descuidada passava a sorrir radiosa no meio da folhagem verde.

São casos de hotel, e os deixemos ir rápidos e ao acaso como vieram. Um sujeito que também conheci em Bex daria com certeza um assunto interessantíssimo, ou aborrecidíssimo, usando um e outro desses superlativos como melhor lhe quadrasse. Ah! o culto do superlativo, meu caro. Como serve ele ao Brasil [,] à nossa decadência intelectual e moral, ao grupo dos aduladores vazios de ideias! Creio que é necessário grafá-lo num tipo literário que fique eterno[21]. A propósito de literatura tenho de lhe dizer que um [dos] meus livros de leitura na Suíça foi o das suas *Páginas Recolhidas*. Muito daqueles trabalhos eu conhecia e por isso não lhe falo do magnífico ensaio *Henriqueta Renan*; do delicado *Velho Senado*; dos deliciosos trechos de suas crônicas (*Os Salteadores da Tessália*, principalmente). Três contos eram novos para mim e achei-os admiráveis. *O caso da vara*, com o seu final tão profundamente humano; o eterno *Eterno* – que é magistral [,] e esta coisa rara, delicada que é a *Missa do Galo*, com aquela perfeição de dizer, de insinuar de que só Você entre nós tem o segredo e a distinção. Já agradeci ao Veríssimo o exemplar que me enviou.

E o seu *Dom Casmurro* sai este ano? Quando aparecer a obra por cuja leitura ardo de curiosidade espero que Você ainda uma vez e por amor de mim contrariando seus velhos hábitos mande-me um volume.

Quando muito em seus trabalhos, aqui separado do Brasil com o relativo das coisas muito apagado para só possuir as exigências do absoluto, é que minha admiração por Você se define e acentua melhor.

Adeus. Esta carta não acabará mais se eu lhe fosse a dizer tudo o que vem à cabeça. Desculpe-me se fui longo e muito repetido, enfim se dei pernas longuíssimas a ideias pequeníssimas.

Não ria dos superlativos. É um traço do homem de Bex. Se em alguma coisa alguma evocação de figura amada, em tocar em certas reminiscências lhe causei qualquer inquietação ou sobressalto perdoe-me porque, meu bom amigo, entre os homens ninguém o ama mais. Entre os homens, porque entre as mulheres...

Todo seu e para sempre

Graça Aranha[22]

---

1 ✎ Esta carta de dez páginas, **inédita na íntegra**, é surpreendentemente audaciosa. Os outros dois jovens amigos de Machado, Mario de Alencar* e Magalhães de Azeredo*, sempre trataram o mestre com afetuoso respeito. (IM)

2 ✎ A *Haute Cour de Justice* era uma instância especial no sistema constitucional francês, encarregada de julgar crimes contra o Estado ou os cometidos por altas personalidades. Pelas leis constitucionais de 1875, essa função era exercida pelo Senado, que se transformava em Alta Corte em três casos: (1) para julgar o Presidente da República, processado por crime de alta traição ou por delito comum; (2) para julgar os crimes

cometidos pelos Ministros no exercício de suas funções; (3) para julgar atentados contra a segurança do Estado. O assunto era de grande atualidade quando Graça Aranha redigiu sua carta, porque o clima, na época, enquadrava-se perfeitamente no terceiro caso: ameaça à segurança do Estado. Era um clima de agitação, provocada por uma coligação de direita composta por nacionalistas, antissemitas e monarquistas, que exasperada pela anistia concedida a Dreyfus pelo Presidente da República, em setembro de 1899, tinha decidido passar à ação, conspirando para derrubar a República parlamentar. O Primeiro Ministro Waldeck-Rousseau decidiu então processar diante da Alta Corte o líder do movimento, o poeta ultra-nacionalista Paul Déroulède, juntamente com seus acólitos. A sentença, proclamada em 4 de janeiro de 1900, foi severa: reunido em Alta Corte, o Senado condenou Déroulède a 10 anos de banimento. (SPR)

3 ∾ Sobre a visita do presidente argentino, ver em [478]. (IM)

4 ∾ Júlio Benedito Ottoni, industrial, proprietário da Companhia de Luz Esteárica (velas), foi presidente de entidades cariocas, inclusive o Clube de Regatas do Flamengo. Adquiriu a coleção do bibliófilo José Carlos Rodrigues* e, em 1911, doou-a à Biblioteca Nacional, constituindo a Coleção Benedito Ottoni, uma das mais notáveis no acervo dessa instituição. (IM)

5 ∾ Grafia original. (IM)

6 ∾ Nabuco* faz alusão moderada a Coppet e Ferney em [499], de 06/12/1899. (IM)

7 ∾ Madame de Staël, a autora de *Corina*. Ver nota 7 em [81], tomo I. No relato da visita ao castelo de Coppet, Graça Aranha pretende provocar voluptuosas emoções no discreto Machado de 60 anos, fazendo alusão à "Corina" dos seus versos apaixonados de 1864. (IM)

8 ∾ O político e escritor Benjamin Constant (1767-1830) manteve uma longa ligação com Madame de Staël, transposta literariamente no romance *Adolphe*, publicado em 1816. (SPR)

9 ∾ O notável diplomata português Pedro de Sousa Holstein, 1.º duque de Palmela, um dos amores da Staël. (IM)

10 ∾ O pai da escritora, Jacques Necker (1732-1804), banqueiro suíço, foi condutor das finanças na França; sua demissão (11/07/1789) desencadeou os acontecimentos de 14 de julho. (IM)

11 ∾ Magnífico leito, branco e dourado, com dossel ornado de cupidos, pombinhos e estrelas, simbolizando o amor e a noite. (IM)

12 ∾ Seda de Lyon, cor de cereja e verde. (IM)

13 ∾ A lendária beleza dessa amiga de Mme de Staël e de Chateaubriand seduzia Machado. Sabedor disso, Graça Aranha ofertou-lhe uma fotografia do retrato a óleo da Récamier, reprodução ora exposta na ABL. (IM)

14 ⚘ Enquanto o leito de Mme de Staël foi designado como "divã", o gracioso divã da hóspede é promovido a "leito". (IM)

15 ⚘ Jocosa alusão a Severino dos Santos Vieira, ministro da Indústria, Viação e Obras Públicas, de 15/11/1898 a 13/12/1900. (IM)

16 ⚘ Benjamin Constant. (IM)

17 ⚘ "Tenho um encontro com Juliette nesta noite e preparo um texto para comovê--la. Deu certo, ela teve uma verdadeira emoção e um abandono maior do que nunca. Entretanto, não tirei proveito. Existe uma barreira, que entrevi e que me paralisa." Madame Récamier, cujo nome era Jeanne Françoise Julie Antoinette Bernard, era conhecida como Juliette. (IM)

18 ⚘ Em seu diário, Nabuco registra a chegada a Bex em 29 de agosto. (IM)

19 ⚘ Em *Um Senhor Modernista* (Azevedo, 2002), a biógrafa se deteve em trechos relativos à trepidante visita a Coppet. A partir daí, Montello (1986), Magalhães Jr. (2008), bem como Maria Helena Castro Azevedo fazem transcrições parciais, interessantes comentários, e frisam que Graça tivera acesso às provas de *Dom Casmurro* na casa Garnier, de Paris, bem antes do seu lançamento no Brasil, em 1900. Talvez para se defender da indiscrição, Graça Aranha (1923) aproveita a carta [526], de 12/06/1900, em que Nabuco* felicita Machado por *Dom Casmurro* ("que já tinha sorvido **na fonte**"), inserindo a seguinte nota de rodapé:

"*Dom Casmurro* — Joaquim Nabuco e Graça Aranha leram em Paris as provas deste romance por uma infidelidade do editor, que violou um dos preceitos de Machado de Assis de não revelar os seus livros antes de impressos, mesmo aos seus íntimos."

Só que Nabuco viu os originais, mas não teve a crise de jovialidade de seu secretário e amigo que, com "intenção pilhérica" (Montello, 1986), daria curso a uma paródia bizarra, capaz de deixar biógrafos e críticos bastante chocados. Machado 'pôs na geladeira' o correspondente, mediante longo silêncio epistolar. Ver em [571], carta de 21/12/1900. (IM)

20 ⚘ Eis a Capitu, de Machado de Assis. As demais personagens — Bentinho, Escobar, Sancha, Ezequiel e adiante José Dias — bem como cenas do romance e o próprio criador de *Dom Casmurro*, transformado em 'polaco extravagante', dispensam anotações. (IM)

21 ⚘ O agregado José Dias, é claro. (IM)

22 ⚘ Josué Montello (1986) comenta: "Positivamente, com o desembaraço jovial de sua carta, Graça Aranha só podia chocar o recato do grave escritor." Sublinhe-se que Machado não deu resposta. (IM)

[491]

De: BELMIRO BRAGA
Fonte: Manuscrito Original, Arquivo ABL.

Cotegipe, Minas, 30 de outubro de 1899.

Prezadíssimo *Senhor*.

Até que afinal chegou-me às mãos *Vindiciae*, em cujas primeiras páginas vejo, cheio de júbilo, um começo de desafronta ao livro *Machado de Assis*, do *Senhor* Sílvio Romero[1].

E o meu contentamento mais se avoluma quando desconfio que *Labieno* é o *Senhor* Lafaiete Rodrigues Pereira, e isto por bem que foi um patrício meu o que primeiro saiu a campo para responder ao bilioso do *Senhor* Romero, homem ilustre, mas que [,] de tão arrogante, perde quase todo o mérito.

Mora aqui bem perto um moço ilustradíssimo, o *Doutor* Antônio Fernandes Figueira[2], o qual pretende responder ao *Senhor* Romero, e se ainda não o fez é porque um trabalho sobre medicina não lhe tem dado tempo. Já tem muitos apontamentos e, a resposta, se vier a lume, há de ser em regra. O *Doutor* Figueira é o *Alcides Flávio* da *Semana*, do *Doutor* Valentim Magalhães.

Peço-lhe mil desculpas por esta liberdade, e permita-me que me assine
De
V*ossa Senhoria*
admirador e muito amigo e criado obrigadíssimo
Belmiro Braga.

---

1 ∾ Ver em [418]. (IM)

2 ∾ O Dr. Fernandes Figueira (1863-1928) era, na ocasião, um modesto "médico de roça". Logo se projetou, tornando-se o expoente máximo da pediatria brasileira. Além da dedicação à sua especialidade, que deu origem ao Instituto Fernandes Figueira do Rio de Janeiro, cultivou as letras. Ver a resposta a esta carta em [493], de 05/11/1899. (IM)

[492]

Para: JOAQUIM NABUCO
Fonte: Fundação Joaquim Nabuco. Fac-símile do Manuscrito Original.

Rio de Janeiro, 31 de out*ubro* de 1899.

Meu caro Nabuco,

Sei que V*ocê* tem passado bem, não menos que o nosso Graça Aranha, e a ambos envio de cá abraços e saudades. Ainda não estive com o Caldas Viana, mas sei por pessoas que lhe falaram que ele veio de lá com grande pena; também eu sentiria a mesma coisa, se houvesse de tornar antes do fim[1].

A vaga deixada por ele terá de ser preenchida naturalmente de acordo com V*ocê* ou por proposta sua. Sobre isto tenho indicação de um moço que desejaria ir, e é bastante inteligente para corresponder ao que V*ocê* lhe confiar. É o Luís Guimarães, filho do Luís Guimarães Júnior. Está na *Gazeta de Notícias*[2]. Veja V*ocê* o que pode fazer por ele, e não esqueça o

Velho am*i*go

Machado de Assis

---

1 ∾ João Caldas Viana, competente advogado, redator do *Jornal do Comércio* e enxadrista de renome, convidado por Nabuco para secretariá-lo questão da Guiana inglesa, decidira voltar ao Brasil, por motivos particulares. Nabuco ficou pesaroso com a perda do colaborador. (IM)

2 ∾ O moço indicado não foi aceito, como se vê na resposta gentil, mas um tanto altiva, que magoaria Machado de Assis. Ver em [499], de 06/12/1899. Anos depois, Luís Guimarães Filho* ingressou na carreira diplomática e, também, na Academia Brasileira de Letras, onde seu pai integrara o quadro de fundadores. (IM)

[493]

> Para: BELMIRO BRAGA
> *Fonte*: MACHADO DE ASSIS, Joaquim Maria.
> *Correspondência*. Rio de Janeiro: W. M. Jackson, 1937.

Rio [de Janeiro], 5 de novembro de 1899.

Meu caro S*enho*r Belmiro Braga.

Folguei muito com a sua carta, e cordialmente agradeço as palavras que me dirige a propósito do livro *Vindiciae* do Conselheiro Lafaiete[1]. Creio que já não há quem ignore a autoria deste, embora ele a não confesse. Eu é que confessarei sempre a impressão que ele me fez, por dizer o que diz e vir de quem vem. Pelo que me escreve, há aí também quem pense e trabalhe em defender-me. Peço-lhe que, de antemão, lhe agradeça esta fineza de amigo, caso possa confessar ao D*out*or Antônio Fernandes Figueira que me fez tão agradável e preciosa denúncia. Ainda bem que me não faltam amigos distantes, que sintam comigo o bem e o mal.

Não se esqueça de mim, e creia-me sempre

atento am*i*go muito obrig*a*do

Machado de Assis.

---

1 ∾ Ver em [491] e, especialmente, em [510], de 26/02/1900. (IM)

[494]

> Para: MAGALHÃES DE AZEREDO
> *Fonte*: Manuscrito Original, Arquivo ABL.

Rio de Janeiro, 7 de novembro de 1899.

Meu querido amigo,

Antes de tudo, deixe-me dar-lhe os pêsames pela morte de seu velho tio, e peço que os transmita a todos os seus, particularmente à sua digna Mãe. Posto que não vivesse na intimidade dele, a impressão que ele me deu sempre confirma o juízo que expõe em sua carta última. Era realmente um coração manso e bom. Quanto ao afeto que ele lhe tinha, posso dar testemunho de ser completo e sincero. Quando nos encontrávamos, falava-me sempre do "seu Carlos" e queria saber com interesse se caminhava nas letras, e o prazer com que me ouvia era extraordinário. Não lhe dou novidade nisto; a sua carta mostra a afeição grande daquele bom velho, e não há pedir perdão pelo que longamente escreveu dele. Ao contrário, gostei de ver que ama a sua memória com tanta intensidade.

Tornando à vida, estimei muito ler a notícia das obras que nos vai dar seguidamente. De alguma coisa sabia já, e, quanto às *Baladas e Fantasias*, espero ver brevemente o volume. Estive com o Massow, a quem dei o seu recado; a resposta foi que o número de folhas não faz mal que seja de 22 ou 23, em vez de 20; acrescentou que ia expedir todas as ordens. Venham em seguida os demais livros, críticas e novelas, e não lhe importe que um pouco de interesse filosófico penetre as suas páginas. A ficção e o estilo servirão de engaste e darão à maioria a sedução precisa e certa. Mas ainda que algumas páginas não agradem a todos, não faz mal. "*Je n'écris que pour cent personnes*", dizia Stendhal no princípio deste século, e vê que os seus livros vão galgando o fim, e entrarão pelo outro.

Creio haver-lhe dito o bem que pensava dos versos que me mandou e que entreguei ao *José* Veríssimo. Apesar da novidade da forma, creio que a minha opinião será a de todos. Quanto aos meios, estimarei coligi-los. Como o Veríssimo e outros me têm aconselhado a publicação integral de todas as coleções, verei se é possível fazê-lo, e então lá irão também os derradeiros; senão, cuidarei só destes.

Remeto-lhe um exemplar das *Páginas Recolhidas*[1]. Ao contrário do que supunha, este livro teve grande saída, mas o editor mandou só a primeira remessa, de maneira que muita gente espera por outros exemplares, que ainda não vieram. Meti aí várias coisas. Algumas delas foram novas para muitos; exemplo, a comédia do centenário de Camões; *Tu, só, tu puro amor...* Sabe que além da impressão na antiga *Revista*, teve uma só impressão de 100 exemplares numerados, que se esgotou depressa. Quanto a *Dom Casmurro*, creio que aparecerá dentro de algumas semanas². Dir-me-á oportunamente o que lhe parecer, e estimarei que mereça alguma atenção. Os anos, meu amigo, de certo ponto em diante andam muito depressa. Sabe quantos conto já? Entrei nos sessenta. Não escrevo em algarismo para me não afligir a vista. Ponha sobre isto o constante e crescido trabalho administrativo, e diga-me se pode haver nestes ossos muito que espremer para a literatura. Feliz ou infelizmente, como é vicio velho, vou cachimbando o meu pouco. Este gosto ao trabalho é que me faz ainda mais apreciar o seu belo talento, que tanto ama a produção e a correção.

Esta carta é breve, porque o tempo escasseia; faço-a aqui no gabinete do ministro para não perder o paquete de Bordéus. O de Liverpool sai depois de amanhã, mas sempre é perder um dia, e creio que a mala francesa será mais pronta. Escreverei daqui a dias para completar o que falta agora. Desde já lhe digo que a ideia relativa à Academia tem obstáculos naturais; serei mais extenso depois.

Peço que apresente os nossos respeitos à *Excelentíssi*ma família. De mim receba para si um abraço, que por ser de velho, não é frouxo, porque é de amigo. Releve a letra apressada e as emendas, e creia sempre no

Am*i*go Velho

Machado de Assis.

---

1 ∾ A primeira edição saiu em junho de 1899, com a chancela da H. Garnier*, com tiragem reduzida de dois mil livros, que logo desapareceu das livrarias devido à acolhida do público. Em janeiro de 1900, saiu a segunda edição. *Páginas Recolhidas* é um livro híbrido, que reuniu a fina flor dos contos e artigos saídos em jornal, páginas encomiásticas e uma peça de teatro. Azeredo havia pedido o livro na carta [482]. (SE)

2 ∾ A primeira edição do romance *Dom Casmurro*, editado por Hippolyte Garnier e impresso em Paris, embora venha datado de 1899, chegou às livrarias do Rio de Janeiro em fevereiro 1900. Sobre o atraso, ver o diálogo entre as cartas [500], de 19/12/1899 e [505], de 12/01/1900. (SE)

[495]

De: MAGALHÃES DE AZEREDO
Fonte: Manuscrito Original, Arquivo ABL.

Roma, 20 de novembro de 1899.
Legação do Brasil junto à Santa Sé.

Meu querido Mestre e Amigo,

Algumas linhas às pressas, só para expor-lhe a situação intolerável em que a casa Laemmert, por uma incúria absolutamente digna de censura, me tem posto até hoje. Tenho feito por pacientar, tenho-me calado muito tempo, mas agora não posso deixar de queixar-me do *Senhor* Massow, que para comigo está faltando aos seus compromissos, e, o que é pior, constrangendo-me a faltar aos meus perante a tipografia Centenari[1]. Pois desde Julho, em que eu escrevi que preferia o pagamento adiantado, por proposta do próprio *Senhor* Massow, anunciando que a impressão começara e estaria pronta *em princípio de Outubro*, até agora, *fim de Novembro*, não recebo da casa Laemmert um real, nem um bilhete, nem a mínima explicação? Estou certo de que o meu querido Mestre e Amigo ignora tudo isto; não querendo continuamente incomodá-lo para que interviesse em assunto tão melindroso, escrevi três ou quatro vezes, diretamente, ao *Senhor* Massow, e ele, tendo decorrido tempo mais que suficiente para a resposta, ainda não se dignou mandar-me uma palavra. A impressão está quase concluída (já o estaria de todo há mais de um mês; mas eu a tenho feito demorar de propósito, para não me achar diante do trabalho acabado sem ter com que pagá-lo); o proprietário da tipografia, que, conquanto muito atencioso, tem também contas a saldar, insta por dinheiro; cada semana, uma vez, duas vezes, faz-me perguntar se ainda nada recebi do editor. Já em Outubro, para contentá-lo um pouco e ganhar tempo, e por achar justíssimas as suas insistências, adiantei de meu bolso 500 francos, que por acaso tinha; mas agora não posso dar nada mais. Finalmente, cansado de esperar em vão, dei ordem aos meus banqueiros aqui para, por intermédio do seu correspondente no Rio de

Janeiro, cobrarem da casa Laemmert a quantia devida. É o que desde o princípio eu devia ter feito; por uma delicadeza natural, fruto da minha inexperiência, abstive-me; e eis qual foi o resultado.

Certo que de ora em diante nunca mais me encarregarei de uma edição por conta de outrem sem ter previamente a soma respectiva. Eu sei bem que a casa Laermmert é muito séria, e incapaz de procedimento menos probo; sei bem que toda esta demora provém só da inércia, da preguiça congênita e irredutível da índole brasileira; mas penso que em casos desta ordem a força persuasiva da razão deveria suplantar os impulsos do temperamento, e eu não posso levar a paciência que para adiar o incômodo de traçar duas linhas numa folha de papel e outras tantas numa letra bancária, o *Senhor* Massow me coloque em circunstâncias impróprias do meu caráter quer de homem, quer de diplomata. Enfim, não quero aborrecê-lo mais com este incidente, nem desejo que tome a si o desagradável encargo de transmitir ao *Senhor* Massow as minhas reclamações; não é preciso; já lhe escrevi eu mesmo, já mandei uma letra à casa Laemmert, e isso é bastante. Estou quase arrependido de lhe ter narrado todo este *imbroglio*; mas, como, por um favor que não esqueço, quis ser intermediário no negócio, considero que faltaria a uma atenção devida, se não lhe expusesse as razões que me determinaram a exigir da casa Laemmert o pagamento por ordem dada aos meus banqueiros; de resto o fiz com todas as deferências, declarando usar desse meio só por ser o mais fácil e eximindo a letra de despesas e protestos, mesmo no caso de não ser paga; mais cortês não podia ser.

Bem diversa é esta carta da nossa costumada correspondência; leve o demo coisas de comércio! Para compensá-lo ao menos com algum interesse de vista e de coração, aí lhe envio este meu retrato, tirado há poucos dias — e que inaugura a minha *segunda feição*, já agora definitiva. A barba frondosa que me enquadra agora o rosto, é resultado de um pedido de minha Mulher, bem combinado com o meu próprio gosto. Só Mamãe é que reluta ainda um pouco; preferia o antigo bigodinho; pareço-lhe homem demais, assim. Mas a barba toda é mais cômoda, e mais lógica; não acha[2]?

Adeus, querido Mestre e Amigo, aceite cumprimentos afetuosos de minha Família para a Excelentíssima Senhora, a quem respeitosamente me recomendo. Abraça-o de coração o sempre seu

Magalhães de Azeredo.

---

1 ∞ Impaciente e queixoso com a situação que o deixava mal, Azeredo já havia pedido anteriormente a intervenção de Machado, a quem penhorado agradecerá a atuação na carta [498] de 05/12/1899. (SE)

2 ∞ Não foi possível localizar essa foto, o que seria bem interessante já que a descrição que Azeredo faz de si nela difere de todas às que se tem acesso até hoje, sempre muito bem barbeado. (SE)

[496]

Para: RODRIGO OCTAVIO
Fonte: Revista da Academia Brasileira de Letras, XXXI, n.º 93, set. 1929.

Rio [de Janeiro], 22 de novembro de 1899.

Caro amigo 1.º Secretário,

Temos enfim uma sala no Pedagogium[1]. Não é só nossa; é em que trabalha a Academia de Medicina. O Cesário[2] falou ao presidente desta, que consentiu em receber-nos, e eu fui depois entender-me com ele, e tudo se ajustou. Fui ver a sala, é vasta, tem mobília e serve bem aos trabalhos[3]. Naturalmente, os retratos e bustos que lá estão são de médicos, mas nós ainda os não temos de nossa gente, e aqueles, até porque são defuntos, não nos porão fora. Entendi-me também para obtermos um lugar em que possamos ter mesa e armário para guarda dos nossos papéis e livros. Resta só agora uma ordem escrita do Diretor da Instrução, Valadares[4], para que sejamos admitidos ali. Irei buscá-la, mas desejava primeiro que fosse comigo ver a sala, ou se lhe parecer ir só (por desencontro de horas), fica-lhe livre esse alvitre. Só lhe peço que me escreva logo, para não demorar a regularização da posse. Acrescento que a recepção do Francisco de Castro⁵ pode ser feita ali, à noite, e para isso há lá seis lustres de gás incandescente, que farão boa figura, sem custar muito. Peço-lhe que refira tudo isto ao nosso Inglês de Sousa, se o encontrar antes de mim, e, se ele for ver também a sala, tanto melhor. Note que há lá outra sala, em que mais tarde poderemos trabalhar como únicos senhores. No caso de ir ver a sala, observo-lhe que a porta grande está fechada; entra-se por outra contígua.

Escrevi hoje ao Francisco de Castro, que ficou de responder depois. Domingo estive com ele, e conto lá ir no domingo próximo. Adeus; até breve.

Velho amigo e admirador

M. de Assis.

Post Scriptum. Já tenho a carta de autorização de posse para o Zararvella, que ficou de vir hoje buscá-la.

22-11-99.

M. de A.

---

1 ∾ Ver nota 4 em [480]. (IM)

2 ∾ O prefeito Cesário Alvim. (IM)

3 ∾ Apesar das expectativas de Machado, a Academia não voltou a se hospedar no Pedagogium. (IM)

4 ∾ José Benedito dos Campos Valadares, sucessor de Medeiros e Albuquerque* como diretor da Instrução Pública. (IM)

5 ∾ Na ata que registra a eleição de Francisco de Castro*, Machado de Assis "designa para a a sessão solene de recepção o dia 10 de outubro [de 1899], nomeando o Sr. Rui Barbosa para receber o novo eleito." Este faleceu em 1901, sem tomar posse. A segunda recepção solene da Academia foi a de Domício da Gama*, no Gabinete Português de Leitura, em 01/07/1900. (IM)

[497]

De: HIPPOLYTE GARNIER
Fonte: Manuscrito Original, Arquivo ABL.

Paris, le 23 novembre 1899.
Monsieur Machado de Assis
Rio de Janeiro

J'ai l'honneur de vous accuser la réception de votre lettre du 30 Octobre écoulé[1].

J'accepte en principe la proposition que vous me faites de réunir en un volume ce que vous appelez trop modestement votre bagage poétique. J'écris à ce sujet à M*onsieur* Lansac avec lequel vous voudrez bien vous entendre.

L'imprimeur exécute en ce moment les corrections à *Contos Fluminenses*.

Dom Casmurro est sous presse et vous arrivera à Rio du 15 au 31 Janvier prochain.

Quand *Brás Cubas* e *Quincas Borba* seront sur le point d'être epuisés, M*onsieur* Lansac aura l'obligeance de vous prévenir et je promets que tout le nécessaire sera fait.

Je suis toujours heureux, Monsieur, de vous renouveler l'expression de mes sentiments de considération.

F. H. Garnier.[2]

---

1 ∾ Ver em [489]. (IM)

2 ∾ TRADUÇÃO DA CARTA:
    Paris, 23 de novembro de 1899 / Ao Senhor Machado de Assis / Rio de Janeiro / Tenho a honra de acusar recebimento de sua carta de 30 de outubro passado. / Aceito em princípio sua proposta de reunir num volume o que o Sr. chama modestamente de sua bagagem poética. Escrevo sobre isso ao Sr. Lansac, com quem o Sr. terá a gentileza de entender-se. / O tipógrafo executa neste momento as correções em *Contos Fluminenses.* / *Dom Casmurro* está sendo impresso e chegará ao Rio entre os dias 15 e 31 de janeiro próximo. / Quando *Brás Cubas* e *Quincas Borba* estiverem a ponto de esgotar-se, o Sr. Lansac fará o favor de preveni-lo e todo o necessário será feito. / Fico sempre feliz, prezado Senhor, de renovar-lhe a expressão dos meus sentimentos de consideração. / F. H. Garnier. (SPR)

[498]

De: MAGALHÃES DE AZEREDO
Fonte: Manuscrito Original, Arquivo ABL.

Roma, 5 de dezembro de 1899.
Legação do Brasil junto à Santa Sé.

Meu querido Mestre e Amigo,

A sua boa carta veio confirmar o que eu previa e já lhe dissera na minha anterior, sobre o pagamento da impressão do meu livro; vejo que, como eu supunha, comunicou ao Massow a minha resposta, ele disse-lhe que daria logo as ordens respectivas, e esqueceu-se de as dar por muito tempo. É o que ele próprio me diz numa carta que finalmente recebi, atribuindo a demora a descuido do sócio[1]. Já aqui tenho o dinheiro, posso pagar o trabalho, e o livro fica pronto por estes dias; seguirá logo por Gênova. Pela minha missiva última, imaginará em que transes eu me achava; felizmente isso passou, estou tranquilo.

Agradeço-lhe muito e muito o exemplar que me oferece das *Páginas Recolhidas*; já lera o livro, e do encanto com que o lera tinha feito declaração ao nosso amigo Mário de Alencar; conhecia boa parte do volume pelas folhas e revistas em que aparecera antes; que essas publicações tinham o direito e *até o dever* de perpetuar-se em livro, bem o prova o renovamento de prazer com que se releem agora. Entre outras coisas, aquele *Tu, só tu, puro amor*, é uma delícia, uma joia perfeita, como a sua *Ode de Anacreonte*, e pode-se considerar desde já um dos mais primorosos trechos clássicos da língua portuguesa.

Sabe que eu não descanso; já lhe falei do meu volume I.º de ensaios críticos[2], que justamente começa com um estudo a seu respeito; já estou desejoso de publicá-lo, e quero ver se a casa Laemmert o quer editar logo depois das *Baladas e Fantasias*. É o que tenho pronto; outras coisas virão depois, se Deus me ajudar.

Agora termino uns artigos sobre Zola para o *Jornal*. Por esse correio não irão; mas conto mandá-los no próximo.

Sei que o Garnier³ está organizando para o centenário do Brasil um álbum de autógrafos de escritores brasileiros; tive notícia disso por uma *Palestra* de Artur Azevedo. Por seu intermédio, como frequenta muito a casa, enviarei algumas estrofes minhas com a primeira carta que lhe dirigir; será brevemente, e mais extensa que esta, rabiscada às pressas ao sair do correio.

Vejo que a minha proposta relativa à Academia encontra obstáculo⁴; a sua carta me fala disso, outra de José Veríssimo expõe-me razões que com efeito são ponderosas, e uma *Palestra* de Artur Azevedo argumentava no mesmo sentido. Em suma, compreendo que a minha ideia, mesmo provisória, como eu a entendia, não é viável, e só desejo que finalmente o Governo tenha a boa inspiração de dar gasalhado à Academia. Não seria possível tentar alguma coisa junto ao *Senhor* Campos Sales, que me parece amigo das letras?

Aqui fico à espera do *Dom Casmurro*, ansioso por travar conhecimento com ele.

Em Roma já tem feito frio nestes dias, e aqui, pela falta de conforto adequado nas casas, sofre-se mais dos rigores do inverno que em outras cidades onde ele é de fato mais áspero, como em Paris, Londres, Berlim, São Petersburgo.

A 25, dia de Natal, teremos a cerimônia da abertura da Porta Santa pelo Papa, e como é ato que não se celebra desde 1825 a curiosidade é grande. Calculam que para o ano santo virão a Roma uns 800.000 estrangeiros. Que fortuna para os italianos!

Adeus, querido Mestre e Amigo; cumprimentos de minha Família para sua *Excelentíssima* Senhora a quem respeitosamente me recomendo.

Abraça-o de coração o seu
Magalhães de Azeredo

---

1 ∾ Egon Laemmert ou Artur Sauer. Ver também nota 1, carta [460]. (SE)

2 ∾ *Homens e Livros* (1902). (SE)

3 ⚭ O livreiro Hippolyte Garnier* editou o *Livro do Quarto Centenário (1500-1900)*, sob a direção de Ramiz Galvão (1846-1938). O álbum exibia imagens, fotos, quadros, monumentos e estampas célebres alusivas ao momento histórico. (SE).

4 ⚭ Proposta apresentada no *post-scriptum* da carta de [482]. (SE)

[499]

De: JOAQUIM NABUCO
Fonte: Manuscrito Original, Arquivo ABL.

Paris, 6 de dezembro de 1899.

Meu caro Machado,

Realmente o empenho tem muita força, porque a ele devo mais um precioso autógrafo do Mestre, com quem visitei Ferney e Coppet,[1]... e eu que pensava que V*ocê* queria mandar-me o João Ribeiro! A verdade, muito entre nós dois, é que se eu não estivesse adstrito a um convite anterior e tratasse de substituir agora o nosso Caldas Viana, o melhor dos colaboradores que eu poderia ter seria o nosso consócio e companheiro de chá, que ambos tanto estimamos[2].

Quando vi a sua letra pensei que era uma terceira edição do famoso epitáfio[3]. Diga logo que sim.

Ontem representei-o na missa de um dos velhos Garnier, este de 93 anos. Às vezes o Graça Aranha e eu lá vamos conversar, como se fôssemos à Revista, num *five o'clock* sem chá, e sempre se fala de V*ocê*. O mais moço deles, sobrinho, *Monsieur* Pierre, tem grandes planos para o Brasil. Agora vai mandar a tradução de "Impotência e Esterilidade" e "O teatro de Garrido", logo mandará "Dom Casmurro", o que quer dizer que como bom livreiro publica para todos e de tudo.

Hoje fui à outra missa, a do Imperador, onde havia mui pouca gente, como é natural cá e lá, mas muito cabelo branco. Ora, como as correntes políticas são formadas pelos que têm de 20 a 30 anos, não pode haver nada mais inofensivo do que um culto que só reúne os destroços de uma época que passou, como são os cabelos brancos. A maior parte dos presentes seriam membros do Instituto de França. Outro elemento também inofensivo: as belas-letras e as inscrições.

A propósito como vai a nossa Academia? E a nossa Revista? V*ocê* não aparece em nenhuma, mas se eu fosse seu Ministro (não há nenhuma irreverência nisto) mandava-o ir a ambas, na expressão legal, debaixo de vara... do pálio.

Muitas saudades a todo o nosso grupo. Se não fosse ter vindo muito cambaleante de lá e ter-me feito bem a mudança de clima, meu desejo maior seria achar-me de novo no meio do círculo da Revista. Rezo pela alegria e bom humor de cada um. O pior é que quando algum desaparece é bem duro para... quem parte. Eu aqui tenho, porém, um elo da corrente, e por felicidade minha um jovem, um espírito que está em contato com as gerações novas, e assim me aquece mais do que eu o resfrio[4]. Ainda hoje eu escrevia a um amigo, este um velho: Nós não valemos mais nada, não contamos para a morfologia nacional, toda nova geração faz sempre *da se*, nós influímos no nosso tempo, preenchemos nossa função, o que devemos pedir é alegria, contentamento, para assistir à obra dos outros sem perder a simpatia pelo nosso país, qualquer que aquela seja.

Amém dirá V*ocê, et sur ce* – desejo-lhe uma feliz entrada do século (digam o que disserem os profissionais, o século é a data, e o século vinte é 9 como o século XVIII foi ainda 8 – e o primeiro Nove, o que é ser um século distinto). Meus respeitos a M*ada*me Machado de Assis a quem queira recomendar-me muito.

Do seu m*ui*to dedicado

Joaquim Nabuco.

Suponho que V*ocê* tem sempre o mesmo sinal para indicar que o pedido não é inexorável, mas um tanto forçado. Eu assim o entendi e mostrei ao Graça Aranha⁵. Agora fico à espera de uma carta *secular*, de um futuro *inédito*.

J. N.

O Magalhães de Azeredo escreveu-me propondo um modo original de termos casa para a Academia que era contribuírem os Acadêmicos com uma mensalidade para o aluguel. Respondi-lhe que V*ocê* advogava de preferência o *jeton de présence,* que seguramente é menos "bourgeois" que o recibo do Tesoureiro e que nos pressupõe uma instituição do Estado.

---

1 ∾ Ver transbordante carta de Graça Aranha* em [491]. (IM)

2 ∾ Pedido de Machado em favor de Luís Guimarães Filho*. Ver em [492]. (IM)

3 ∾ O epitáfio, "À esposa extremosa arrebatada na plenitude da vida...", gravado nos túmulos de Marianinha Teixeira Leite e Guilhermina Reis pelo viúvo de ambas, Joaquim Arsênio Cintra da Silva*. Ver em [204], tomo II, e em [344]. (IM)

4 ∾ Graça Aranha*. (IM)

5 ∾ Segundo Magalhães Jr. (2008), Machado de Assis "deu a impressão de ficar ressentido" ante a insinuação de que escrevera pressionado por Luís Guimarães Filho*, embora lhe tenha enviado o *Dom Casmurro*. Ver em [526], de 12/06/1900. (IM)

[500]

Para: HIPPOLYTE GARNIER
Fonte: Manuscrito Original, Arquivo ABL.

Rio [de Janeiro], le 19 décembre *1*899.

Monsieur H*ippolyte* Garnier

J'ai l'honneur de vous accuser la réception de votre lettre du 23 du mois dernier.

Pour la déclaration que je vous ai demandé de faire dans la nouvelle édition de *Brás Cubas* et *Quincas Borba*, j'attendrai que ces deux livres soient épuisés. Nous attendrons *Dom Casmurro* à la date où vous annoncez. Je vous prie, dans notre interêt à tous, que le premier envoi d'exemplaires soit assez nombreux, car il peut s'épuiser vitement, et le retard du second envoi fera mal à la vente. Je profite de l'occasion pour vous dire que *Páginas Recolhidas* c'est déjà épuisé depuis longtemps (je parle des volumes brochés) et il serait utile d'en envoyer d'autres: il y a des personnes, comme vous savez, que préfèrent acheter en brochure.

Pour ce qui est de mes *Poesias completas*, je m'entendrai avec Monsieur Lansac, comme vous avez bien voulu me dire dans votre lettre. Je l'aurai (*sic*)¹ fait hier si des affaires administratives ne m'en auraient pas empêché.

M. de A.²

---

1 ∾ Vale lembrar que as cinco cartas de Machado a Garnier transcritas neste volume são rascunhos por ele conservados. As versões definitivas não foram localizadas. (IM)

2 ∾ TRADUÇÃO DA CARTA:

Rio, 19 de dezembro de 1899 / Senhor H. Garnier / Tenho a honra de acusar recebimento de sua carta de 23 do mês passado. / Quanto à declaração que lhe pedi fosse incluída na nova edição de *Dom Casmurro*, aguardarei que esses dois livros estejam esgotados. Aguardaremos *Dom Casmurro* na data que o Sr. anunciou. Peço-lhe, no interesse de todos nós, que a primeira remessa de exemplares seja bastante numerosa, porque pode esgotar-se rapidamente, e o atraso da remessa seguinte prejudicará a venda. Aproveito a oportunidade para dizer-lhe que *Páginas Recolhidas* já se esgotou há muito tempo (falo dos volumes em brochura) e que seria útil enviar outros. Há pessoas, como o Sr. sabe, que preferem comprar em brochura. / Quanto a *Poesias Completas*, eu me entenderei com o Sr. Lansac, como o Sr. mencionou em sua carta. Eu o teria feito ontem se não houvesse sido impedido por questões administrativas. / M. de A. (SPR)

[501]

De: JOSÉ VERÍSSIMO
Fonte: Manuscrito Original, Arquivo ABL.

Rio [de Janeiro], 1.º de jan*eiro* de 1900.

Meu caro Machado

Queria poder hoje escrever-lhe longamente, para lembrar-lhe que me deve um jantar ou almoço por ter entrado no novo século que, para mim, em que pese aos matemáticos – gente sem lógica nem certeza – começa hoje – e também para dizer-lhe como lhe quero e admiro – o que aliás já sabe – e os votos que faço para que nos continue sua *verte vieillesse*[1], se não há abuso nesta palavra – a fim de dar-nos mais obras-primas, e aquelas *memórias* que são o meu desespero[2]. Não o posso fazer, porém, porque estou ainda doente, e quer saber? abatido de ânimo, com apreensões tristes de males que me vão acontecer neste ano. Começo-o sob maus auspícios, e desalentado. Mas não quero transmitir-lhe o meu desalento. Viva, meu ilustre amigo, ainda muitos anos, como seus amigos e as nossas letras havemos mister.

Meus respeitos e cumprimentos à sua ex*celentíssi*ma Senhora e um abraço do

Velho Amigo e grande Admirador

José Veríssimo.

---

1 ∾ "Verde velhice": Machado tinha então 60 anos. (IM)

2 ∾ Ver em [484]. (IM)

[502]

Para: JOSÉ VERÍSSIMO
Fonte: Revista da Academia Brasileira de Letras, XXXIII, n.º 104, ago. 1930.

Gabinete, 5 de janeiro de 1900.

Meu caro Veríssimo,

Recebi a sua carta anteontem à noite. Era minha intenção ir lá ontem, mas não pude, e não sei se poderei fazê-lo hoje; provavelmente, não. Dado que sim, a visita aparecerá atrás da carta, mas para o caso de falhar a primeira, aqui vai a segunda. É curta, porque o Gabinete está cheio de gente e a mesa de papel. Quanto ao século, os médicos que estão presentes ao parto, reconhecem que este é difícil, crendo uns que o que aparece é a cabeça do XX, e outros que são ainda os pés do XIX. Eu sou pela cabeça, como sabe.

Sobre a minha *verte vieillesse*, não sei se ainda é verde, mas velhice é, a dos anos e a do enfado, cansaço ou o que quer que seja que não é já mocidade primeira nem segunda. Vamos indo. Adeus, meu caro amigo; um ano mais não é a *pétala de rosa* dos *apedidos* dos jornais; para nós é uma pedra nova ao edifício da amizade e da estima. Não digo isto alto para não vermos as *pétalas* dos jornais substituídas por pedras. Até logo, ou até breve. Minha mulher agradece-lhe os cumprimentos, e eu peço que apresente os meus respeitos à sua senhora. Receba um abraço do

Velho amigo e admirador

M. de Assis.

[503]

Para: JOSÉ VERÍSSIMO
Fonte: Manuscrito Original, Fundação Biblioteca Nacional.

[Rio de Janeiro,] 8 de janeiro de 1900.

Meu caro Veríssimo,

Sainte-Beuve qui pleure un autre Sainte-Beuve (Arsène Houssaye)[1].

M. de Assis.

---

1 ❧ Tradução: "Sainte-Beuve que chora um outro Sainte-Beuve". Não conseguimos localizar esta frase na obra de Arsène Houssaye (1815-1896), escritor e crítico francês, que foi editor-chefe da prestigiada revista parisiense *L'Artiste*. Mas há pelo menos duas referências interessantes. A primeira se encontra em *Les Confessions: Souvenirs d'un demi-siècle (1830-1880)*, cujo volume dedicado às lembranças da juventude (*Souvenirs de Jeunesse: 1830-1850*) abre-se com um capítulo sobre Sainte-Beuve, "o eterno inconsolável", e apresenta esta observação a respeito da legendária feiúra do crítico francês: "Pobre Sainte-Beuve! Ele terá dito isto muitas vezes ao se contemplar nos espelhos." Outra referência estaria no único livro de poesias publicado por Houssaye: *Les Cent et Un Sonnets* (1875); o soneto 91 evoca uma visita do autor com Sainte-Beuve ao túmulo de Chateaubriand. Resta a hipótese de que a frase seja do próprio Machado: neste caso, o crítico Houssaye se compararia ao crítico Sainte-Beuve. Por fim, vale recordar a comparação que Machado fez entre Veríssimo e Sainte-Beuve, na crítica das *Cenas da Vida Amazônica*. Ver nota 2, em [464]. (IM)

[504]

Para: MAGALHÃES DE AZEREDO
Fonte: Manuscrito Original, Arquivo ABL.

Rio de Janeiro, 8 de janeiro de 1900.[1]

Meu querido amigo,

Esta carta é breve. Há poucos dias escrevi uma, e não muito antes enviara-lhe outra. A razão desta é dar-lhe os parabéns pela sua promoção diplomática². Seguramente, há de custar-lhe deixar Roma! mas tais são as obrigações do ofício, que não permite a aquisição de postos senão à custa do sacrifício pessoal dos gostos e das afeições. Receba cá de longe este abraço, e não lhe desejo mais que caminhar depressa, e se Roma lhe é cara, quero vê-lo aí Ministro. Mas, se a minha extinção tem de ser mais rápida que a sua carreira, basta-me a certeza de que esta será pronta e brilhante.

A promoção agradou a todos os seus amigos. Alguém, que escreve umas *Cartas sem título* para São Paulo (e que ouvi que era o Tobias Monteiro³) tratou das nomeações na última carta aqui transcrita. Relativamente à sua pessoa disse o que merece; não lhe mando o trecho, por não o ter aqui comigo, mas folguei de ver que o Nabuco e eu lhe queremos há muito, graças às suas qualidades e talentos. É no *Jornal do Comércio* de ontem.

Adeus, meu caro amigo; caminhe na prosperidade e na glória, e responda sempre às esperanças de todos os que o apreciam e admiram. Creio vê-lo antes de ir para a nova Legação. O Oliveira Lima cá virá também⁴, e, segundo estou informado, tomará posse da cadeira, que é do Varnhagen.

Receba os parabéns de minha Mulher, e apresente a toda a sua distinta família as mais cordiais felicitações. Outro abraço, e não esquece (*sic*) nunca o

  Velho amigo, admirador e obrigado

  Machado de Assis.

---

1 ∾ Na carta [383], para Salvador de Mendonça, ocorreu o mesmo tipo de lapso que na presente carta. Ali Machado datou de 1896, mas os acontecimentos eram de 1897. O lapso foi corrigido desde cedo pela tradição: a data aparecia alterada em todos os epistolários consultados. No presente caso, Carmelo Virgillo, na *Correspondência de Machado de Assis com Magalhães de Azeredo* (1969), manteve a data de 1900. O fato é que a carta é de 1901, pois todos os eventos referem-se ao fim de 1900 e ao início de 1901. Manteve-se a lição de Virgillo, escolhendo-se, no entanto, desfazer o equívoco em nota. (SE)

2 ∾ Azeredo foi promovido a 1.º secretário em 31/12/1900, com transferência para a legação brasileira na Bolívia, fato que não ocorreu, como ele próprio muito aliviado dirá na carta de 10/02/1901, tomo IV:

> "Deixe-me agora dar-lhe uma boa notícia, e é que não iremos para a Bolívia. Fazendo-se a minha promoção por antiguidade, seria quase uma ofensa mandarem-me para lá. E tal era a impressão geral entre os colegas, pois na verdade a Bolívia é o pior posto de toda a diplomacia brasileira. Além do mais, pela penosa e longuíssima viagem, pelo inóspito do lugar, pela dificuldade das comunicações com o mundo culto, aquela é residência própria para diplomata solteiro, não para quem tem família. E por isso mesmo os dois últimos secretários para lá nomeados antes de mim foram dispensados de partir para a Bolívia, dando-se serviço em outro país. O nosso querido Amigo Quintino Bocaiúva, que é quem vela aí pela minha carreira diplomática com uma solicitude inexcedível, não podia permitir que se impusesse tal vexame, tanto mais que já antes recusara em meu nome outra promoção em condições semelhantes. Assim, decidiu-se que eu permaneceria em Roma, como 1º. secretário, bem entendido, e, segundo a linguagem oficial, destacado em serviço junto à Santa Sé." (SE)

3 ∾ Sob o pseudônimo de "José Estevão", Tobias Monteiro* escreveu uma série de artigos depois reunidos no volume *Cartas Sem Título* (1902). Na de 01/01/1901, "José Estevão" comenta as nomeações anunciadas pelo governo Campos Sales para o corpo diplomático: a entrada de Joaquim Nabuco* e de Rio Branco* para os quadros; as promoções de Oliveira Lima* e Magalhães de Azeredo e o aproveitamento de Domício da Gama*; todos por decreto de 31/12/1900. Eis o trecho que trata de Azeredo, ao qual Machado se refere:

> "O segundo tive a fortuna de o conhecer em condições especiais de poder julgá-lo. Muito jovem ainda impusera-se à atenção dos estudiosos pelo talento de poeta e escritor que começava a revelar: Nabuco e Machado de Assis acolhiam-no com grande carinho, encantados, além do mais, pela bondade e doçura do mancebo, que conservava, como ainda hoje aos vinte e oito anos, todo o perfume da atmosfera de virtude e dedicação em que fora educado. Aos vinte e cinco anos estava encarregado de negócios, junto à Santa Sé e, sobretudo, causava admiração pelo bom senso pelo qual o jovem diplomata se recomendava à estima do círculo de escol em que tinha de girar; era uma cabeça de velho sobre os ombros de um moço. O seu merecimento despertou a atenção do próprio Pontífice que o recebia com distinção e chegou a mimoseá-lo, quando ele foi vítima de uma demissão injusta, com um retrato de dedicatória autógrafa, honra que, havia anos, não concedia a representantes estrangeiros." (SE)

4 ∾ Oliveira Lima fora promovido a encarregado de negócios na legação brasileira no Japão. (SE)

[505]

De: HIPPOLYTE GARNIER
Fonte: Catálogo da Exposição Machado de Assis, 1839-1939.
Rio de Janeiro: Fundação Biblioteca Nacional, 1939.

Paris, le 12 janvier 1900.[1]
Monsieur Machado de Assis
da (*sic*) Academia Brasileira
Rio de Janeiro

J'ai eu l'honneur de recevoir votre lettre du 19 X[*décem*]bre de l'annnée écoulée.

Je vous répète que je suis completement à votre disposition pour *Brás Cubas* et *Quincas Borba*.

Dom Casmurro ne part que cette semaine c'est un retard d'un mois pour des causes indépendentes de notre volonté — Votre roman est terminé le 5 X[*Décem*]bre mais à la fin de l'année, les brocheurs et relieurs étaient tellement débordés qu'il m'a été impossible de faire donner à Dom Casmurro un tour de faveur. Je le regrette et veuillez m'excuser —

Votre désir d'un premier envoi copieux d'une nouveauté attendue, répond trop à nos intérêts réciproques pour qu'il n'en soit pas tenu compte. Mon gérant *Monsieur* Lansac l'a d'ailleurs bien compris que (*sic*) ses diverses demandes consécutives de votre livre, ont épuisé le tirage effectué à 2000 exemplaires. Il y aura lieu dans deux mois de penser à la réimpression et à cet effet vous pourriez m'envoyer aussitôt que possible vos observations pour la réédition.

Páginas Recolhidas va être mis sous presse. *Contos Fluminenses* vient d'être terminé.

Le titre a été modifié comme l'épreuve ci-jointe. Je le crois que l'oeil sera plus satisfait —

J'attends la nouvelle de votre accord avec *Monsieur* Lansac pour mettre en main l'édition *ne varietur* de vos Poesias. Ne craignez pas d'être indiscret en exprimant vos désirs pour ce livre au point de vue typographique — Le type Poesias de Alberto de Oliveira vous agrée-t-il?

Veuillez nous envoyer un bon document photographique pour la reproduction de votre portrait que nous comptons mettre en regard du titre.

Je vous renouvelle Monsieur, l'expression de mes meilleurs sentiments d'estime et de sympathie —

Pour *Monsieur* Hipp. Garnier[2]

P — Garnier[3]

---

1 ∾ Papel timbrado: "Livraria / de / H. Garnier / Rua Moreira César, 71 / J. Lansac, Gerente." (IM)

2 ∾ Assinará, por Hippolyte, seu sobrinho Pierre, citado por Nabuco* em [499]. (IM)

3 ∾ TRADUÇÃO DA CARTA:

    Paris, 12 de janeiro de 1900 / Senhor Machado de Assis / Da Academia Brasileira / Rio de Janeiro / Tive a honra de receber sua carta de 19 de dezembro do ano findo. / Repito que estou inteiramente à sua disposição no que diz respeito a *Brás Cubas* e a *Quincas Borba*. / *Dom Casmurro* só parte esta semana; é um atraso de um mês, por causas independentes de nossa vontade. Seu romance estava terminado em 5 de dezembro, mas no fim do ano os brochadores e os encadernadores estavam tão sobrecarregados que foi impossível dar preferência a *Dom Casmurro*. Lamento. Queira desculpar-me. / Seu desejo de uma primeira remessa abundante de uma novidade aguardada atende demasiado a nossos interesses recíprocos para que eu não o leve em conta. Aliás meu gerente, o Sr. Lansac, bem compreendeu isso, pois seus diversos pedidos consecutivos do seu livro esgotaram a tiragem de 2000 exemplares. Em dois meses teremos que pensar na reimpressão e para esse fim o Sr. poderia enviar-me suas observações para a reedição. / *Páginas Recolhidas* vai entrar no prelo. *Contos Fluminenses* acaba de ser terminado. / O título foi modificado segundo a prova anexa. Creio que o olho ficará mais satisfeito. / Aguardo a notícia do seu entendimento com o Sr. Lansac para dar início à edição *ne varietur* de suas Poesias. Não receie ser indiscreto ao exprimir seus desejos com relação a esse livro, do ponto de vista tipográfico. O tipo de *Poesias* de Alberto de Oliveira lhe agrada? / Queira enviar-nos um bom documento fotográfico para a reprodução do seu retrato, que tencionamos colocar em face do título. / Renovo, prezado Senhor, a expressão dos meus melhores sentimentos de estima e simpatia. / Pelo Sr. Hipp. Garnier / P. Garnier. (SPR)

[506]

Para: JOSÉ VERÍSSIMO
Fonte: Revista da Academia Brasileira de Letras, XXXIII, n.º 104, ago. 1930.

Gabinete, 1.º de fevereiro de 1900.

Meu caro Veríssimo,

Anteontem saí daqui doente, antes da hora, e ontem não me foi possível falar ao Severino[1]. Disseram-me que ele vinha hoje, mas até agora não apareceu. Se não vier, irei eu à casa dele. Releve-me a demora e creia no

Velho am*ig*o

M. de Assis

---

1 ∾ O objeto da conversa com o ministro Severino Vieira está desenvolvido na próxima carta. (IM)

[507]

Para: JOSÉ VERÍSSIMO
Fonte: Revista da Academia Brasileira de Letras, XXXIII, n.º 104, ago. 1930.

Gabinete, 1.º de fevereiro de 1900.

Meu caro Veríssimo,

Obrigado pelo seu cuidado, mas como é que soube que estive doente?[1] As más notícias voam. Venhamos ao mais interessante. Aqui esteve e está o D*out*or Severino. Disse-me que (em resumo) falara ao Epitácio[2] ontem. Soube dele que não tinha candidato seu, e que o Presidente[3], a primeira vez que falaram disso, não tinha nenhum e aceitava o que o Ministro lhe apresentasse. Posteriormente, estando juntos, disse-lhe o Presidente que tinha um candidato, sem lhe dizer quem era, e o Epitácio está esperando a indicação. Será você? É a pergunta que me fez o Severino e a que eu lhe faço, sem nada podermos decidir⁴. Em todo caso, tal é o estado do negócio; resta ir pela via conhecida. Desculpe-me não ser mais extenso. Até a primeira; lembranças ao Paulo.

O velho am*i*go

M. de Assis.

---

1 ◦◦ Não dispondo dos originais, torna-se difícil esclarecer a ambiguidade de datas e de referências à doença nesta carta e na anterior. (IM)

2 ◦◦ Epitácio Pessoa*, ministro da Justiça e dos Negócios Interiores, que teria influência na decisão do pleito de Veríssimo – assumir a direção da Biblioteca Nacional. (IM)

3 ◦◦ Campos Sales. (IM)

4 ◦◦ O nomeado foi Manuel Cícero Peregrino da Silva (1866-1956), bibliotecário e professor pernambucano, que esteve à frente da Biblioteca Nacional até 1924. (IM)

[508]

Para: HIPPOLYTE GARNIER
Fonte: Manuscrito Original, Arquivo ABL.

Rio de Janeiro, le 12 février 1900.

Monsieur H*ippolyte* Garnier

J'ai eu l'honneur de recevoir votre lettre du 12 Janvier. Vous m'y donnez tous les détails que je désirais savoir pour *Dom Casmurro*. J'attends notre nouvel ouvrage; aussitôt qu'il sera reçu je vous enverrai les observations pour la 2.ᵐᵉ édition. Pour ce qui est des *Contos Fluminenses*, j'ai reçu l'épreuve du titre, et je suis d'accord avec vous sur la modification. J'attends aussi la nouvelle édition des *Páginas Recolhidas*, que vous m'annoncez devoir être mise sous presse.

J'arrive aux *Poesias*. Le type du livre d'Alberto de Oliveira me semble excellent. Pour le portrait que vous comptez y mettre en regard du titre, je vous enverrai une bonne photographie. Monsieur Lansac vous dira le reste. J'ajoute seulement que je ne sais pas si je peux faire tout de suite la révision nécessaire. [Après ma dernière lettre mes travaux administratifs ont doublé, et dans cette raison la fatigue est grande.] Je vous demanderai quelque temps [donc d'attendre un peu, si ça vous convient; si non, dites-le franchement].

Je renouvelle, Monsieur, l'expression de mes meilleurs sentiments d'estime et de sympathie.[1]

Machado de Assis.[2]

---

1 ∾ Os trechos entre colchetes foram riscados neste rascunho. (IM)

2 ∾ TRADUÇÃO DA CARTA:

Rio de Janeiro, 12 de fevereiro de 1900. / Senhor H. Garnier / Tive a honra de receber sua carta de 12 de janeiro, na qual o Sr. dá todos os pormenores que eu desejava conhecer sobre *Dom Casmurro*. Aguardo nossa nova obra; assim que a receber, enviarei as observações para a segunda edição. Quanto aos *Contos Fluminenses*, recebi a prova do título, e concordo com o Sr. sobre a modificação. Aguardo também a segunda edição das *Páginas Recolhidas*, que como o Sr. anuncia vai entrar no prelo. / Chego às *Poesias*. O tipo do livro de Alberto de Oliveira me parece excelente. Quanto ao retrato que o Sr. pretende inserir em face do título, enviar-lhe-ei uma boa fotografia. O Sr. Lansac lhe dirá o resto. Acrescento apenas que não sei se poderei realizar imediatamente a revisão necessária. [Desde minha última carta, meus trabalhos administrativos duplicaram, e por essa razão minha fadiga é grande.] Por isso, eu lhe pedirei que espere algum tempo [se isto lhe convier; se não, diga-o francamente]. / Renovo, prezado Senhor, meus melhores sentimentos de estima e simpatia. / Machado de Assis. (SPR)

[509]

Para: ANTÔNIO SALES
Fonte: Manuscrito Original. Arquivo-Museu da Literatura, Fundação Casa de Rui Barbosa.

Rio [de Janeiro], 26 de fevereiro de 1900.

Meu caro *Antônio* Sales,

Já me tinha chegado a notícia da doença e da melhora. A sua carta trouxe-me a da convalescença gorda e alegre, segundo vejo. Estimo sabê-lo assim bom, e como conto em breve tornar a vê-lo cá na travessa do Ouvidor[1], onde aliás pouco vou, por causa dos trabalhos que pesam sobre mim.

Não posso dizer se pensamos juntos no dia... Que dia? A sua carta, como as das moças, não trouxe data. Assim me diria um velho amigo antigamente. Permita que outro amigo velho diga aqui a mesma coisa. Não sei se pensamos juntos, mas a lembrança das rosas[2] foi tão delicada e amiga que eu devia pensar também, e se não pensei foi ingratidão. Agradeço-lha, e ao seu anfitrião e amigo, a quem vou escrever agora mesmo[3].

O que me diz de Minas e dos seus ares, e do seu leite, é de matar de inveja a quem vive aqui nesta capital. Conheço pouco de Minas[4], mas é o bastante para conhecer a sua hospitalidade. Aqui o verão tem sido benigno, tanto como não há muitos anos, se é que foi assim alguma vez.

Venha quando estiver restaurado, e traga o que nos promete escrever sobre talentos daí. A *Revista*[5] espera e todos nós com ela. Cá todos vão bem, e as notícias do Graça Aranha e do Nabuco, posto que não sejam recentes, são boas. O Capistrano creio que vai a Minas ou antes por Minas, visto que acompanha o *Doutor* Severino Vieira, que torna à Bahia por esse caminho. Adeus. Agradeço-lhe ainda uma vez a lembrança das rosas, e assino-me o

Velho am*ig*o

Machado de Assis.

---

1 ∾ Redação da *Revista Brasileira*. (IM)

2 ◦ Antônio Sales (1938) recordaria:

> "Uma vez que eu estava passando uns dias com Belmiro [Braga] em Juiz de Fora, ocorrendo o natalício de Machado de Assis, colhemos algumas rosas no jardim e enfeitamos com elas o retrato do mestre, retrato existente no gabinete de Belmiro. Comuniquei nosso ato a Machado, que agradeceu com carta ainda hoje guardada entre os autógrafos da minha coleção."

Há outra referência sobre rosas trazidas de Barbacena, mas a citação acima parece-nos bastante confiável e, sobretudo, compatível com o texto desta carta. (IM)

3 ◦ Belmiro Braga*, ver em [510], carta de 26/02/1900. (IM)

4 ◦ Viagem a Barbacena e localidades próximas, em 1890. (IM)

5 ◦ Antônio Sales foi importante colaborador da *Revista Brasileira*. (IM)

[510]

Para: BELMIRO BRAGA
Fonte: Transcrições, Arquivo ABL.

Rio [de Janeiro], 26 de fevereiro de 1900.

Prezado senhor e amigo.

Chamo-lhe amigo, e peço para conservar este nome a pessoa que mostra querer-me tanto. O Antônio Sales, a quem escrevo, ter-lhe-á anunciado esta carta, se receber a sua antes, mas eu espero que o correio me faça a fineza de as entregar ambas a um tempo. Não houve esquecimento na resposta que ora lhe dou; o adiamento é que me fez mal. Já não deixo a pena sem agradecer-lhe a fineza de suas palavras. Nem só fineza, mas a cordialidade também, e o espontâneo que as torna ainda mais prezadas.

Também eu me honrei quando soube que *Labieno* era o nosso ilustre Lafaiete, esse mineiro que honra a terra de tantos brasileiros eminentes, e é venerado entre todos, como merece, por seus talentos naturais e rara cultura nas letras e na ciência.

Disse-me na sua carta que o *Doutor* Antônio Fernandes Figueira tenciona responder ao *Senhor* Sílvio Romero. Aguardarei mais essa prova de simpatia, e de antemão agradeço a defesa, igualmente espontânea e honrosa, tanto mais que só agora sei que o Senhor Figueira é o mesmo *Alcides Flávio*, da "Semana" onde colaborei também há anos[1]. Queira-me como antes e receba as congratulações de um trabalhador velho e amigo

Machado de Assis

---

1 ∽ O anúncio da presente resposta ao admirador mineiro é incontestável, porque provém de manuscrito original [509]. Já a carta [493], sobre o mesmíssimo assunto, só poderia ser aceita se admitirmos que Machado esquecera esse primeiro agradecimento. Acerca da autenticidade das cartas machadianas a Belmiro Braga, ver em [324]. (IM)

[511]

Para: JOSÉ VERÍSSIMO
Fonte: *Revista da Academia Brasileira de Letras*, XXXIII, n.º 104, ago. 1930.

[Rio de Janeiro,] 19 de março de 1900.

Caro amigo *José* Veríssimo,

Esta carta leva-lhe um grande abraço pelo seu artigo de hoje. *Dom Casmurro* agradece-lhe comigo a bondade da crítica, a análise simpática e o exame comparativo[1]. Você acostumou-nos às suas qualidades finas e superiores, mas quando a gente é objeto delas melhor as sente e cordialmente agradece. Ao mesmo tempo sente-se obrigada a fazer alguma, se os anos e os trabalhos não se opuserem à obrigação. Caso fosse possível fazer alguma coisa mais, não seria dos menores efeitos da sua crítica de mestre. Adeus, meu caro amigo, obrigado pela Capitu, Bento e o resto. Até logo se puder sair a tempo; se não, até amanhã, que é terça-feira, dia de despacho.

Velho amigo e admirador

M. de Assis.

---

1 ∽ Veríssimo publicou na seção "Revista Literária", do *Jornal do Comércio* de 19/03/1900, uma extensa crítica, e o recorte desta se encontra no Arquivo Machado de Assis. (IM)

[512]

> De: JOSÉ VERÍSSIMO
> *Fonte:* Manuscrito Original, Arquivo ABL.

[Rio de Janeiro,] 19 de março de 1900.

Meu caro Machado.

O bom, o amável, o mestre é *você* que manda por um mau artigo agradecimentos que valem uma condecoração.

Gostei sobretudo da sua carta porque ela contém um compromisso, que eu espero que a mocidade do seu espírito e alguns anos de vida o deixarão, por bem das nossas letras e felicidade dos seus leitores, realizar[1]. Se nisso pudesse eu ter a minha parte, por mínima que fosse, seria o melhor fruto da minha carreira de crítico. Dê-me V*ocê* essa ventura e creia-me afetuosamente

Seu

Amigo e admirador

José Veríssimo

---

1 ∾ Ver em [511]. (IM)

[513]

> Para: MAGALHÃES DE AZEREDO
> *Fonte:* Manuscrito Original, Arquivo ABL.

Rio de Janeiro, 19 de março de 1900.

Meu querido amigo,

Há de ir-me achando um pouco mais demorado nas minhas cartas — e não lhe dou a explicação da demora, para não repetir o que estará cansado de ler. O trabalho cresce-me à medida que o tempo diminui.

Releia as minhas cartas e verá o que lhe tenho dito a tal respeito. Vamos depressa a esta antes que me levem os minutos.

Antes de tudo, deixe-me notar a demora do seu livro. Que houve que me não me veio às mãos? Do trabalho sobre Zola tive notícia cabal, lendo os artigos publicados no *Jornal do Comércio*, boa e severa crítica, além de imparcial. Mas a sua carta de 5 de Dezembro anunciava-me um autógrafo para o Garnier, e não veio[1]. Vejo que recebeu as *Páginas recolhidas* e estimo que a impressão que elas lhe fizeram não fosse má.

Quanto ao *Dom Casmurro*, depois de muita demora apareceu aqui, e foi surpresa para toda a gente. Foi posto à venda na semana passada[2]. Falaram sobre ele o Artur Azevedo, ontem, e o José Veríssimo, hoje, ambos com grande simpatia, mas o Veríssimo com mais desenvolvida crítica, segundo costume. Pelo correio receberá um volume. Leia-me longe, e diga-me se não estarei chegando ao fim.

Sobre as *Baladas e Fantasias*, se quiser que fale à casa Laemmert, mande-me as suas ordens.

A sua última carta foi rápida, como esta minha, posto que não haja espaço em que, por mais breve que seja, não ponha muito do seu afeto. Entretanto, sem ter direito de queixa, vi que depois dela nenhuma veio mais[3]. Creio que não é esquecimento, e oxalá não seja moléstia. Se é despique tem toda a razão!

Por aqui nada há que mereça ser contado, salvo um caso de conspiração ou tentativa[4], mas as nossas cartas não tratam de política. A Academia acaba as férias, e vamos ver se enfim se faz a recepção do Francisco de Castro, que aliás não tem ainda o discurso de pronto, e só depois dele, escreverá o Rui o seu[5]. A festa será bonita, e há muita gente ansiosa por vê-la, mas confesso que se demorou demais. Lembra-se que estava para outubro, no último outubro do século passado, ou no penúltimo do século XIX, conforme for a sua opinião nesta grave matéria. Eu, graças à idade, desejo estar no século XX, e creio que estou.

Adeus, meu caro amigo; escreva-me. Não se vingue dos meus silêncios. Para isso é que é moço e forte, como ainda me mostrou o seu último retrato. Quando tirar outro, mande-mo; já tenho uma bela coleção deles. Adeus; minha mulher recomenda-se-lhe e aos seus, o mesmo faço respeitosamente. Receba um abraço do

Velho am*i*go

Machado de Assis

---

1 ∞ Na carta [498], Azeredo manifestara o desejo de participar do *Álbum do Quarto Centenário do Descobrimento*, que seria editado por H. Garnier*, com textos dos mais destacados intelectuais daquele momento. Machado aqui pede contas da promessa. (SE)

2 ∞ Machado informa aqui a semana exata em que começou a divulgação de *Dom Casmurro* no Rio de Janeiro. A presente carta é do dia 19 de março – segunda-feira; o livro começou a ser vendido nas livrarias cariocas na semana de 12 de março. (SE)

3 ∞ Apesar de muito filtrado, o trecho é interessante porque revela um Machado queixoso de seu amigo. (SE)

4 ∞ A greve dos cocheiros, que rebentou em 15 de janeiro, prosseguindo por 16 e 17, parece, sustentaria, caso lograsse êxito, um golpe de estado que deporia o presidente Campos Sales, passando o governo a ser exercido por uma junta governativa. Essa suposta tentativa de golpe buscaria reunir sob o mesmo guarda-chuva monarquistas, republicanos exaltados, federalistas contrariados e descontentes de todos os tipos. (SE)

5 ∞ Francisco Castro* não tomou posse porque faleceu antes, aos 44 anos, em 11/10/1901. Rui Barbosa* ficara incumbido de recebê-lo na cerimônia de posse. (SE)

[514]

Para: JOSÉ VERÍSSIMO
Fonte: Revista da Academia Brasileira de Letras, XXXIII, n.º 104, ago. 1930.

[Rio de Janeiro], 21 de março de 1900.

Meu caro Veríssimo,

Penso que ontem, ao sairmos daí, esqueceu-me, em cima da mesa do chá o primeiro tomo da *Ressurreição* de Tolstoi, que o Tasso Fragoso[1]

me emprestou. Caso assim seja, peço-lhe o favor de mandar-mo pelo portador.

Vai junto um folheto do Tasso, que ontem deixei de levar-lhe; peço-lhe também que lho dê, quando aí for. Eu não sei quando irei. É claro que logo que possa, e oxalá seja hoje. Até sempre.

Velho amigo

M. de Assis.

Em tempo. Vão juntos o *número* do *Figaro* (delicioso Anatole!) e outro do *Matin*, que estava comigo há tempos.

---

1 ↝ Augusto Tasso Fragoso (1869-1945), militar e historiador, foi chefe da junta governativa que entregou a presidência da República a Getúlio Vargas em 03/11/1930. (IM)

[515]

De: MAGALHÃES DE AZEREDO
Fonte: Manuscrito Original, Arquivo ABL.

Roma, 27 de março de 1900.
Legação do Brasil junto à Santa Sé.

Meu querido Mestre e Amigo,

Há quantos meses não tenho o prazer de receber uma carta sua! Ainda que os seus silêncios costumam ser longos, creio que este é dos mais extraordinariamente longos. Espero que ao menos não provenha de doença, e que se quebre apenas lhe cheguem à mãos estas páginas. Quanto a mim, ter-lhe-ia escrito mais vezes apesar de me não vir nada daí, se não houvesse passado doente quase todo o inverno; e se fora só eu, menos mal. Mas minha Mulher e minha Mãe também sofreram os assaltos da terrível influenza, que grassou pela Europa inteira com uma singular força de expansão. Em Roma quase não houve casa onde ela não entrasse, felizmente aliás com caráter benigno quase sempre; mas ainda quando é benigna, a influência deixa no organismo vestígios duradouros e aborrecíveis. A nós, atacou especialmente os nervos; e embora da moléstia propriamente, graças a Deus, estejamos bons, ainda nos resta essa debilidade nervosa que só passará quando o tempo se tornar de franca primavera. Para mudar de ares estivemos alguns dias em Nápoles; sabe como é deliciosa aquela cidade, onde a alegria parece um produto natural do clima, do céu e do solo, e cujas paisagens marinhas trazem muitas vezes à memória as do nosso Rio de Janeiro. De lá quis escrever-lhe, mas com tantos passeios faltou-me o tempo; à tarde nos recolhíamos tão fatigados que só pensávamos em repousar.

O meu estado de saúde causou certa demora na expedição das *Baladas e Fantasias* que só agora podem partir. Com o exemplar que lhe ofereço vai outro que peço entregue ao nosso amigo Quintino Bocaiúva[1]. Escreva-me as suas impressões de leitura, sim? e por quem é, mande-me logo, notícias suas pelas quais estou ansioso.

Adeus, meu querido Mestre e Amigo, cumprimentos de minha Família, para sua Ex*celentíssi*ma Senhora. Abraça-o o seu

Magalhães de Azeredo

Tenho em mão uma ode — *A saudação do Ausente* — para o centenário Brasileiro[2], mas nem sei se as forças me bastarão para a concluir a tempo.

---

1 ↞ Essa frase atesta a manutenção das relações entre Machado e Bocaiúva*; ainda que não tão próximas como no passado, elas atravessaram o século. (SE)

2 ↞ Ver carta [498]. (SE)

[516]

> De: LÚCIO DE MENDONÇA
> *Fonte*: Manuscrito Original, Arquivo ABL.

Alto de Teresópolis, 7 de abril de 1900.

Meu querido Mestre,

Aqui, na alegria e na luz deste maravilhoso Alto de Teresópolis, li, relendo e readmirando muitas frases, o seu adorável *Dom Casmurro*, de uma psicologia tão fina e penetrante, de tão precioso lavor literário. Que achados de estilo, meu querido Mestre! que pureza cristalina da forma! que singeleza desesperadora – para quem ousasse pensar em imitá-la! Não receio que me acoime de mau gosto este louvor sem medida; sei quanto é perigoso dirigi-lo ao sumo sacerdote da nossa arte escrita, ao conscienscioso artista que se retratou inteiro nesta frase do capítulo L do livro: "este escrúpulo de exatidão que me aflige"; mas atiro-me a todos os riscos da empresa para satisfazer a necessidade que sinto de beijar a mão que cinzela tais joias!

Conto-lhe, muito à puridade, que é meu o soneto da "Tribuna" ao Vinhais e que sugeriu à folha o concurso para se completar o soneto do seu capítulo LV[1].

Abraça-o com imenso entusiasmo pelo esplendor do seu livro o amigo velho e discípulo adorador

Lúcio de Mendonça.

---

1 ∾ Lúcio, colaborador do jornal *A Tribuna* de Alcindo Guanabara, publicava na seção humorística a "Colmeia" textos de cunho político e satírico sob a assinatura de "Abelhas". Na carta, revela que dele partiu a ideia do concurso, assim anunciado na primeira página do referido jornal em 04/04/1900:

"UM CONCURSO/ *Ó flor do céu! ó flor cândida e pura! Ganha-se a vida, perde-se a batalha!* / Um concurso entre poetas é um concurso que se impõe. / Senhores meus, heis naturalmente lido o *Dom Casmurro*, do nosso grande Machado de Assis e, se acaso não o fizestes, apressai-vos, que o tempo corre e a edição não é inesgotável.

/ Lede-o e demorai-vos no capítulo LV – 'Um soneto'. Há nele um mote para o soneto, que Bentinho nunca logrou compor. Há o primeiro e o último verso do soneto: 'Ó! flor do céu! ó flor cândida e pura! Ganha-se a vida, perde-se a batalha!' Que os poetas se mexam; e mande-nos o soneto que o Bentinho não achou meios de arranjar. / Está aberto o concurso. Não lhes oferecemos recompensa apesar de estar em moda a palma do martírio, mas podem contar com a coroa de louros e até, se exigirem, o retrato a óleo."

Essa "palma do martírio" era uma alusão a Rui Barbosa*, que chamara de "mártir" um dos envolvidos em movimento monarquista violentamente repudiado pelos republicanos, especialmente pelo próprio Lúcio. Este, ministro do Supremo Tribunal, valeu-se de Bentinho (ou melhor, de Machado de Assis), assumindo a voz do agitador José Augusto Vinhais que, preso por ter recebido dinheiro para ajudar a conspiração, suspiraria: "Ó flor do céu, oh! flor cândida e pura / Dona Bernarda, minha velha amante, /.../". E eis os dois últimos tercetos:

"Mas, desta vez, a musa foi matreira, / Que se apanhei dos cárceres a palha, / confortei pelo menos a algibeira. // Esta contestação grande me valha: / Ganho, bem ganho, o cobre do Figueira, / 'Ganha-se a vida, perde-se a batalha'." (IM)

[517]

Para: LÚCIO DE MENDONÇA
Fonte: Manuscrito Original, Arquivo ABL.

[Rio de Janeiro,] 10 de abril de 1900.

Meu querido Lúcio,

A letra do sobrescrito fez-me logo reconhecer o autor da carta, e pelo autor adivinhar a matéria, pois eu sei que Você sempre guardou para mim aqueles olhos de outrora. Li a carta naturalmente com orgulho[1]; vale a pena escrever um livro para ver que um competente como Você o aprecia assim, por mais que no calor da frase se deva descontar o da afeição. Ainda bem que este velho não envergonha de todo os seus amigos.

Do soneto da *Tribuna* não sabia eu quem fosse autor, mas os que o leram comigo dirão o sabor que lhe achei. Confesso que não presumia se pudesse desses dois versos do pobre Bentinho tirar um sentido tão alheio ao dele e tão oportuno! Ele que veja como se completam os sonetos ainda com rima obrigada.

Adeus, meu querido Lúcio! Recebi o seu abraço, e daqui lhe mando outro com agradecimentos e saudades do velho admirador antigo.

Machado de Assis.

---

1 ∾ Ver em [516]. (IM)

[518]

De: MIGUEL DE NOVAIS
Fonte: Manuscrito Original, Arquivo ABL.

Lumiar, 12 de abril de 1900.

Meu caro Amigo Machado de Assis,

Recebi e muito agradeço a sua carta que apesar de muito resumida me deu imenso prazer.

Por uma carta que escrevi, muito comprida a Carolina, e que pedi-lhe mostrasse, verá o meu amigo qual é a minha presente situação. Acho-me bem no novo estado, e espero não arrepender-me da deliberação que tomei[1].

Em fins de Maio, devemos partir para o estrangeiro[2] e não deixarei de vez em quando de dar-lhe notícias minhas.

Folguei com a nova de que tinha publicado mais um livro[3] — já não foi sem tempo — salvo se o amigo publicou algum de que eu não tive conhecimento, o que é possível, porque eu não tenho nenhum jornal do Brasil.

Espero-o ansiosamente — Sei que tem agora muito que fazer e que não tem tempo para conversar com os amigos [;] mas, quando há boa vontade sempre se encontram alguns momentos disponíveis para isso e eu creio não ter dado ainda motivo para que se esqueçam absolutamente de mim. Não posso dizer-lhe nada que possa interessá-lo do que por aqui se passa. — A literatura está muito em baixa — aparecem de vez em quando por aí uns livros que a gente lê, e não mete na sua estante para não ocupar terreno com coisas inúteis e insignificantes.

Eu tenho aqui, na minha *retrete*, uma estante especial para as produções dos novos e é aí, geralmente, que as leio. Devo porém excetuar dois livros ultimamente publicados por um homem que não conheço — Campos Júnior[4] — que são — *Guerreiro e Monge* — um — e *Marquês de Pombal*, outro — que têm, na minha opinião — muito valor. O I.º é a história do descobrimento da Índia e o segundo a história desse enorme vulto Sebastião José de Carvalho — Marquês de Pombal[5]. São dois livros de História que acho muito bem feitos e que demonstram muito talento no seu autor e muito estudo. Valem a pena de ser lidos — já os conhece?

De resto, meu amigo, não há nada. Aproveite, portanto, o tempo que lhe restar das suas ocupações obrigatórias para escrever mais alguns livros dando algumas horas de agradável passatempo ao seu amigo do *coração*

Miguel de Novais

Lembranças a Carolina.

---

1 ∽ Provavelmente, nessa longa carta a Carolina, cujo paradeiro se desconhece, Miguel comunicou o seu casamento com a senhora Rosa Augusta de Paiva Gomes*. (SE)

2 ∽ Miguel, com sua nova mulher, retomou a sua prazerosa rotina de viajante. (SE)

3 ∽ Machado lançara no final do ano de 1899 as *Páginas Recolhidas* e, em março de 1900, começou a circular nas livrarias brasileiras o *Dom Casmurro*, editado em 1899, e que sofrera algum atraso na divulgação. (SE)

4 ∽ Antônio Campos Júnior (1850-1917) autor de ambos os livros, que seguem a linha do romance histórico. O valor das informações históricas e qualidade literária mantiveram-no um autor ainda lido e divulgado. Como dramaturgo, escreveu a peça *Torpeza*, a propósito do ultimato inglês de 1891. Sobre o episódio do ultimato, ver nota 5, carta [283]. (SE)

5 ∽ Sobre o Marquês de Pombal, ver nota 6, carta [206], tomo II. (SE)

[519]

De: TOMÁS LOPES
Fonte: Manuscrito Original, Arquivo ABL.

[Rio de Janeiro,] 30 de abril de 1900.[1]

Excelentíssimo Senhor Machado de Assis,

Extremamente penhorado, agradeço a gentileza com que Vossa Excelência me distinguiu e honrou.

Felicito-me por ter tido ocasião de falar de um livro de Vossa Excelência[2], o que talvez importa em pretensão, mas que não deixa de ser motivo de orgulho.

Ao Grande Mestre saúda

Tomás Lopes

---

1 ∾ Em papel timbrado: "A Tribuna / 132 – Rua do Ouvidor / Rio de Janeiro". (IM)

2 ∾ Sob os pseudônimos de *Thom* e *Lop*, Tomás Lopes também apresentara dois sonetos glosando o de Bentinho, no concurso da *Tribuna*. Ver em [561]. (IM)

[520]

De: MAGALHÃES DE AZEREDO
Fonte: Manuscrito Original, Arquivo ABL.

Roma, 2 de maio de 1900.
Legação do Brasil junto à Santa Sé

Meu querido Mestre e Amigo,

Esta carta é de um homem extenuado; por isso, forçosamente curta. A sua, que recebi há dias, era também curta[1], curta demais para tão longo silêncio; mas não creia que há represálias. Pelo próprio correio lhe escreverei como desejo. Hoje é impossível.

Estou extenuado — e a causa são essas folhas que lhe envio, com o meu *Carme Secular*. Infelizmente o meu estado de saúde não me permitiu concluí-lo a tempo de aí chegar para amanhã². Antes tarde que nunca, porém, e quero que o Brasil saiba que eu também pensei nele. Por isso rogo-lhe que apenas receba esta carta, faça publicar a minha ode — ou no *Jornal* ou na *Gazeta*, enfim o essencial é que apareça logo; ponha-lhe em poucas linhas a declaração do motivo por que a não pude enviar antes. Confio-lha, porque sei quanto me quer e que fará tudo para que eu faça boa figura. De fato eu me envergonharia, se não me pudesse associar à grande festa da Pátria; chegarei com atraso; mas paciência.

Recebi e li logo o *Dom Casmurro*, sobre o qual lhe escreverei de outra vez com vagar; por hoje lhe direi que compreendo a surpresa da gente, inda que habituada a só receber das suas mãos obras-primas — por ver que na sua idade conserva esse estilo que nunca uniu melhor às qualidades da experiência os dotes divinos da juventude; juventude perpétua!

Adeus, querido Mestre e Amigo, recomendações nossas à Excelentíssima Senhora. Receba um forte, estreito e saudoso abraço do sempre seu

Magalhães de Azeredo

As indicações que vão ao lado, em cada parte do *Carme*, devem ser impressas em itálico, na mesma posição, um pouco abaixo do número.

---

1 ⁕ Refere-se à carta [513], de 19 de março. (SE)

2 ⁕ Em 3 de maio, no passado, se comemorava o Descobrimento do Brasil, por ser o mesmo dia dos festejos da Santa Cruz, e um dos nomes remotos do Brasil, no primeiro século do Descobrimento. (SE)

[521]

De: MAGALHÃES DE AZEREDO
Fonte: Manuscrito Original, Arquivo ABL.

Roma, 10 de maio de 1900.
Legação do Brasil junto á Santa Sé

Meu querido Mestre e Amigo,

Pelo correio passado mandei-lhe o *Carme Secular* que escrevi para as festas Brasileiras. Estou a contar os dias que ele gastará em chegar aí e os que gastará ainda para voltar-me impresso. Rogo-lhe me envie alguns exemplares da folha em que o publicar.

Espero que já terá em seu poder o exemplar que lhe expedi das *Baladas e Fantasias*; como creio que gosta de especialidades bibliográficas ou tipográficas que se lhes chame, destinei-lhe como ao nosso amigo Mário, um dos poucos exemplares *intonsos* que saíram do prelo. Diga-me as suas impressões sobre o livro: é ele compacto e copioso, porque, segundo explico nas páginas de introdução, quis encerrar nele toda uma época da minha vida literária. Como, porém, as novelas e os continhos são numerosos, são também muitas as pausas, e a leitura, cuido eu, se fará sem esforço. Outras composições do mesmo gênero poderia eu incluir no volume; quis, porém, como de costume, escolher e dar só o mais significativo e menos imperfeito. Assim que, se a obra é má, não é culpa minha.

Mas vamos a coisas melhores, e falemos do seu *Dom Casmurro*. Ansiava lê-lo, e li-o no mesmo dia que mo entregaram, com a tão afetuosa dedicatória sua. Já lhe disse na minha carta anterior que o seu estilo — caso raríssimo em qualquer literatura — tem o privilégio da juventude perpétua; e tanto mais admirável é isso, quanto menos juvenil é a filosofia que ele interpreta. Quero dizer que, aliar a juventude ao entusiasmo, é relativamente fácil; são duas qualidades irmãs; aliá-la, porém, à desilusão é que tem visos de milagre. Vemos, pois, a sua pena que corre ágil, airosa, vigorosa, segura, não por planos caminhos floridos, mas por ásperos e pedregosos atalhos, onde viçam rosas, é certo, rosas de Beleza, mas terrivelmente cheias de puas, e onde as abelhas nos fazem pagar o seu mel do Himeto[1] com ferroadas dolorosas. Não vou dar-lhe aqui uma apreciação do livro; ele chegou ainda a tempo de ser incluído na apreciação geral da sua obra, a que já me referi antes, e que deve fazer parte do meu volume *Homens e Livros*[2]. Vi o artigo de José Veríssimo, artigo que pelo fundo e pela forma se reconhece preparado com particular esmero. Assim fosse feliz sempre o nosso amigo nas suas críticas como o foi nessa! Ele tem grandes qualidades críticas, mas muitas vezes se engana e chega a conclusões arbitrárias por excesso de espírito sistemático, e porque em vez de penetrar com simpatia intelectual[3] no pensamento dos autores que analisa, atira o livro para um lado e põe a seguir uma trama de aéreos e abstrusos raciocínios. Demais, sabe qual é para mim o defeito capital de José Veríssimo como crítico? É a sua severidade quase pedagógica de escritor que, em arte criadora, produziu pouco (ainda que de ótima classe) e já não produz mais. Isso não o impede de ter excelentes ideias e observações; mas leva-o por vezes a minúcias estéreis e rabugentas, que aborrecem o leitor quando se trata de livros realmente belos, embora sejam talvez úteis quando se trata de obras medíocres.

Felizmente, no artigo sobre o *Dom Casmurro*, ele escapou a essa pecha porque sem dúvida a admiração profunda e calorosa venceu quaisquer veleidades de dissecção. Contudo, creio que algumas faces, alguns aspectos essenciais do seu espírito, querido Mestre e Amigo, ficaram por explicar; o que de resto não se há de censurar, posto que o crítico não pretendia dar um juízo completo sobre o autor.

Pode me dar notícias do nosso Mário de Alencar[4]? Há um tempo esquecido que não me escreve. É verdade que eu também nesta matéria tenho andado em falta ultimamente, mas a ele próprio em carta lhe expliquei os motivos, que também já sabe. Quando o encontrar, diga-lhe que estou admirado e pesaroso. Ao menos não se ache ele doente.

Ainda não é hoje que vai a longa carta prometida. Teria tanto que lhe dizer! mas será mais tarde, se Deus quiser.

Recomende-nos à Ex*celentíssi*ma Senhora. E possa, entretanto, assegurar-lhe ainda uma vez o meu grande afeto, querido Mestre e Amigo, o abraço que aqui lhe manda o seu

Magalhães de Azeredo

---

1 ❧ O monte Himeto, ao sul de Atenas, que em razão de suas flores e ervas era povoado de abelhas produtoras do mel considerado o mais rico e doce de toda Grécia Clássica. (SE)

2 ❧ Azeredo não cumpriu a promessa feita aqui para aquele volume (*Homens e Livros*). Os dois artigos ali contidos sobre Machado de Assis, o primeiro datado de outubro de 1897 e o segundo datado de março de 1898, não fazem referência a *Dom Casmurro*. (SE)

3 ❧ Em que teria Veríssimo* descontentado Azeredo? Registre-se, contudo, que em *Homens e Livros* (1902), há um artigo em que toca na questão, aqui tratada particularmente com Machado. Eis o comentário que faz com grande elegância:

> "Cheguei a ter contra ele ímpetos de mau humor, irritando-me por não o ver um pouco mais benévolo, um pouco menos meticuloso e exigente, temendo que com o tempo, exageradas pouco a pouco essas tendências, ele se tornasse um simples demolidor, não só injusto, mas, o que seria pior, absolutamente estéril // Reconheço que me enganava em parte. Continuo a pensar que o Sr. José Veríssimo é habitualmente severo demais, e que o constante emprego das restrições é uma necessidade do seu temperamento. Ora, bem sei que sem restrições não há crítica, mas o abuso delas é nocivo como todos os abusos. As restrições do Sr. José Veríssimo, porém, cumpre acrescentar, e esse é um ponto capital, não são devidas nem à estreiteza de critério, nem, como eu erradamente pensei alguma vez, à ausência de simpatia intelectual." (SE)

4 ❧ Há nas cartas entre Machado e Azeredo frequentes alusões ao "nosso Mário", modo peculiar pelo qual registravam a amizade que compartilhavam por Mário de Alencar*. (SE)

[522]

Para: JOSÉ VERÍSSIMO
Fonte: Revista da Academia Brasileira de Letras, XXXIII, n.º 104, ago. 1930.

Gabinete, 2 de junho de 1900.

Meu caro José Veríssimo.

Não me tem sido possível aparecer, nem sei se hoje sairei a tempo de dar lá um pulo. Por isso escrevo, não só para lhe pedir notícias, como para saber o que [há] a respeito do nosso Domício[1]. Peço que lhe pergunte se já posso convidar o Lúcio. Também desejava lembrar a você o álbum da Viscondessa[2]. Quisera ainda falar de muitas e muitas coisas, entre outras, a Biblioteca Nacional. Que há da Diretoria?[3] Mande-me uma palavrinha para que eu saiba se não morri. Adeus, até à primeira.

Velho amigo

M. de Assis.

---

1 ～ Domício da Gama*, regressando da Europa, tomaria posse da Cadeira 34 em solenidade de 01/07/1900, sendo recebido por Lúcio de Mendonça*. (IM)

2 ～ Viscondessa de Cavalcanti*. Ver em [483] e em [527], de 17/06/1900. (IM)

3 ～ Ver em [507]. (IM)

[523]

Para: JOSÉ VERÍSSIMO
Fonte: Revista da Academia Brasileira de Letras, XXXIII, n.º 104, ago. 1930.

[Rio de Janeiro,] 4 de junho de 1900.

Meu caro José Veríssimo,

Pode ser que eu saia hoje às 4 ½ em ponto. Neste caso, e dado que apenas gaste 10 minutos daqui à *Revista*, achá-lo-ei? Não se constranja na resposta, até porque aquela hora pode falhar; faço-lhe a pergunta, não para que me espere, mas para saber se conta ir mais tarde. Até então ou depois.

Velho am*ig*o

M. de Assis.

[524]

De: SALVADOR DE MENDONÇA
Fonte: Manuscrito Original, Arquivo ABL.

Itaboraí, 8 de junho de 1900.

Meu prezado Machado de Assis,

Há um mês saí tão cheio de esperanças no modo por que fui acolhido pelo D*ou*to*r* Alfredo Maia[1], quando lhe pedi a remoção do meu sobrinho Paulo de Mendonça, da Praça para Itaboraí como telegrafista, que julguei desnecessário pedir-te lembrar ao Ministro meu recomendado. Recebeu-me o D*ou*to*r* Alfredo Maia com tamanha benevolência que, conhecendo, como julgo conhecer, a seriedade de seu caráter, seria ingratidão de minha parte supor que esquecera meu pedido. Mas o que realmente receio é que, depois de haver o Ministro mandado fazer a remoção, o S*en*ho*r* Vilhena[2], quer pela natural demora em formar a contradança, de maneira que o Paulo fizesse *balancé* defronte de Itaboraí, quer por motivos não menos naturais quais as diferenças de clima, e conseguintemente de pessoas do Maranhão e do Rio de Janeiro, o S*en*ho*r* Vilhena[3], digo, esteja mamparreando e mamparreando sem ciência do Ministro, que naturalmente também não sabe se a remoção, acho que não tem sequer de assinar, foi ou não feita.

Teu engenho, e principalmente tua amizade hão de descobrir o meio de acertar a contradança telegráfica e as temperaturas e temperamentos do Norte e do Sul.

Aqui estou com a Senhora e as meninas, ao inverno, ostensivamente preparando terras para o cultivo da baunilha e amoreiras brancas, mas na verdade nua e crua para fugir da peste bubônica, não por medo, mas por prudência, coisas que não devemos confundir.

Como estou na terra de meu patrono acadêmico[4], que é também a minha, pois nascemos ambos nesta mesma cidade e rua, estou recolhendo quanto a tradição guardou aqui do autor da "Moreninha" e da "Nebulosa", para desempenhar-me em nossa Academia, dando-lhe senão boa crítica literária, pelo menos a pintura fiel de um caráter são e sério.

Recomenda-me à tua Excelentíssima Senhora e acredita-me sempre

Teu amigo velho e afetuoso

Salvador de Mendonça

---

1 ∾ No governo Campos Sales (1898-1902), Alfredo Eugênio de Almeida Maia (1856-1915) foi ministro de Estado dos Negócios da Indústria, Viação e Obras Públicas, entre 1900 e 1902, sendo substituído por Antônio Augusto da Silva, quando da eleição do presidente Rodrigues Alves. A pasta do comércio embora não fizesse mais parte do título continuou como atribuição daquele ministério. (SE)

2 ∾ Álvaro de Melo Coutinho de Vilhena, chefe da Organização Telegráfica Pública. (SE)

3 ∾ Natural do Maranhão, Vilhena provavelmente estaria favorecendo alguém de seu estado. (SE)

4 ∾ Joaquim Manuel de Macedo (1820-1880), patrono da Cadeira 20 da Academia Brasileira de Letras. (SE)

[525]

Para: MAGALHÃES DE AZEREDO
Fonte: Manuscrito Original, Arquivo ABL.

Rio de Janeiro, 11 de junho de 1900.

Meu querido amigo,

Esta carta valeria por três no tamanho, se eu pudesse dizer tudo nela, isto, purgar de vez os meus pecados de silêncio; mas não sendo assim, valha na intensidade o que perder de extensão.

E, antes de mais nada, creio que já terá visto que os seus desejos foram cumpridos. O *Carme Secular* foi publicado no *Jornal do Comércio* de 27 de Maio. Não podendo escrever um prefácio, como desejara, mandei os seus versos com algumas linhas, que a redação, com palavras de favor a mim, incluiu nas *Notícias várias*. O *Carme* é uma bela página e agradou muito.

Recebi hoje o seu livro, e ainda não pude começar a lê-lo. O exemplar do Quintino será entregue amanhã ou depois[1]. Afinal conseguimos vê-lo acabado aqui. Eu já receava não ter sido lembrado. Quanto ao meu[2], estimo que não desagradasse e lhe mereça alguma simpatia. Repare como vai sendo escrita esta carta, sem fixar assunto, e apenas afirmando a afeição e apreço antigos e já afirmados mais de uma vez. A próxima será menos rápida. Não quero desculpar-me com moléstias, mas se soubesse que passei mal a noite de ontem, e que ora escrevo com uma inflamação de olhos... Veja; chego a comer as palavras, intercalá-las depois. Até, breve, meu querido amigo; vou ler as suas *Baladas e Fantasias*, e dir-lhe-ei o que senti. Apresente-me os meus respeitos à *Excelentíssi*ma Família, a quem minha mulher se recomenda muito. Para si vai um abraço e muitas saudades do

Velho amigo

Machado de Assis

Post Scriptum. Pelo correio receberá os 4 exemplares do *Jornal* que me pediu.

M. de A.

1 ∾ Resposta ao pedido em carta [515]. (SE)
2 ∾ *Dom Casmurro*, editado em 1899, mas divulgado em 1900. (SE)

[526]

De: JOAQUIM NABUCO
Fonte: Manuscrito Original, Arquivo ABL.

Pougues, 12 de junho de 1900.
Meu caro Machado,

Muito agradecido por suas felicitações[1] e por seu livro que já tinha sorvido na fonte[2]. Você sabe que sobre mim sua pena tem o poder de um condão e como Você me pode virar no que bem lhe parecer recomendo-me à sua bondade. O Graça diz-me que Você daqui a uns nove dias vai remoçar de um ano. Apesar de não chegar a tempo da festa que as Várias[3] hão de ter anunciado aos amigos suponha que o festejei com um bom copo da bica da Rainha, que é para nós brasileiros na Europa a bebida por que suspiramos[4].

Muitas lembranças afetuosas do seu muito sinceramente dedicado

Joaquim Nabuco

Não deixe morrer a Academia. Você hoje tem obrigação de reuni-la e tem meios para isso, ninguém resiste a um pedido seu. Será preciso que morra mais algum acadêmico para haver outra vez sessão? Que papel representamos nós então? Foi para isso, para morrermos, que o Lúcio e Você nos convidaram? Não, meu caro, reunamo-nos (não conte por ora comigo, esperemos pelo telefone sem fios) para conjurar o agouro, é muito melhor. Trabalhemos todos vivos.

J. N.

Breve Você receberá o meu livrinho *Minha Formação*. Diga ao nosso amigo José Veríssimo que lhe escreverei quando lhe mandar o volume.

---

1 ◦∾ Texto não localizado, provavelmente cumprimentando Nabuco por haver sido nomeado ministro em missão especial em Londres, após o falecimento do chefe da legação do Brasil, o ministro Artur de Sousa Correia. (IM)

2 ◦∾ *Dom Casmurro*, lido em provas na casa Garnier de Paris. Ver em [490]. (IM)

3 ◦∾ Seção de notícias do *Jornal do Comércio*. (IM)

4 ◦∾ Nabuco, que estava em Pougues, estação de águas na Nièvre, faz alusão à antiga Bica da Rainha, no Cosme Velho. (IM)

[527]

De: VISCONDESSA DE CAVALCANTI
Fonte: Manuscrito Original, Arquivo ABL.

Petrópolis, 17 de junho de 1900.
12, Praça da Liberdade

Ilustríssimo Senhor Comendador Machado de Assis

Acuso o recebimento de sua amável carta de 13 do corrente e em resposta cabe-me dizer que aceito agradecida o oferecimento de passar as folhas do álbum às pessoas a quem já falou, assim como o de conservar em seu poder as folhas já escritas para me serem entregues todas juntas[1].

Desculpe-me abusar da sua bondade e queira aceitar as seguranças de toda a minha consideração e estima

Viscondessa de Cavalcanti

---

1 ◦∾ Em atenção à viscondessa, D. Amélia Cavalcanti de Albuquerque, Machado fez circular entre seus pares da Academia o álbum de autógrafos da bela viúva, modismo de época que consistia em reunir dedicatórias assinadas por notabilidades, sobretudo

poetas e romancistas, para serem colecionadas e exibidas aos amigos nas reuniões íntimas e festivas. Esses álbuns tornaram-se uma febre entre 1890-1910. Eis a dedicatória de Machado: "Que cantas tu à saída do velho século? / — As esperanças do novo. E tu que cantas à entrada do novo? / As saudades do velho. Não sorrias, amigo; é a mesma cantiga. / 17 de janeiro de 1901". Sobre a viuvez da viscondessa, ver carta [483]. (SE)

[528]

Para: RODRIGO OCTAVIO
Fonte: Cartão de Visita Original, Arquivo Particular.

[Rio de Janeiro,] 22 de junho de 1900.

Meu caro D*outo*r Rodrigo Octavio, não pude vê-lo ontem para falar-lhe de uma sessão da Academia, que convém fazer amanhã, sábado, às 3 horas da tarde, na *Revista*. Vou mandar notícia para os jornais, e peço que esteja presente. Vamos tratar da recepção do Domício[1] e da admissão do membro estrangeiro que falta[2]. A sua presença é indispensável. Até amanhã ou até logo.

MACHADO DE ASSIS[3]

---

1 ∾ Sobre a recepção de Domício da Gama*, ver em [522] e nas três próximas cartas. (IM)

2 ∾ Foi eleito o escritor polonês Henrik Sienkiewicz (1846-1916), como primeiro ocupante da Cadeira 7. (IM)

3 ∾ Nome impresso depois de "convém fazer". (IM)

[529]

De: ERNESTO CIBRÃO
Fonte: Manuscrito Original, Arquivo ABL.

Rio de Janeiro, 25 de junho de 1900.

Ilustríssimo e Excelentíssimo Senhor.

Em cumprimento do honroso mandato com que Vossa Excelência ontem me distinguiu, comuniquei ao Senhor Visconde de Avelar[1], digno presidente do Gabinete Português de Leitura, o desejo da ilustre Academia Brasileira de Letras, de celebrar no grande salão da biblioteca daquele instituto a sua próxima Sessão Magna[2]. Para quem conhece o Gabinete Português de Leitura e os homens que o dirigem era óbvio que tão grata comunicação havia de ser acolhida com o maior prazer; e o foi, de modo que do desejo ao fato não haverá agora mais que o tempo preciso para que nos chegue o dia marcado à reunião da luzida Assembleia naquele recinto. "O Gabinete Português de Leitura está à disposição da Academia Brasileira de Letras". São estas as palavras que o Senhor Visconde de Avelar, em nome da Diretoria de que é chefe, me incumbiu de transmitir a Vossa Excelência; o que faço com a maior satisfação.

Deus Guarde a Vossa Excelência

Ernesto Cibrão

Vogal Perpétuo do Conselho Diretivo do Gabinete Português de Leitura[3]

Ilustríssimo e Excelentíssimo Senhor J. M. Machado de Assis
Digníssimo Presidente da Academia Brasileira de Letras.

---

1 ∾ Antônio Gomes de Avelar (1855- ?), visconde e conde de Avelar, foi um dos portugueses que imigraram ainda garotos e sem recursos, e fizeram uma brilhante carreira comercial. Dedicando-se, também, ao progresso de instituições culturais e beneficentes. Avelar presidiu o Gabinete Português de Leitura de 1899 a 1903. Frequentemente, biógrafos de Machado de Assis confundiram o visconde de Avelar com Miguel de Avelar, sogro do pianista e compositor Artur Napoleão*. (IM)

2 ∾ Posse de Domício da Gama*, recebido por Lúcio de Mendonça* em 01/07/1900. Outras sessões solenes da Academia se realizaram na imponente biblioteca do Gabinete: o elogio de Gonçalves Dias por Olavo Bilac* (02/06/1901) e as recepções de Oliveira Lima* (17/07/1903) e de Afonso Arinos* (18/09/1903), que, no mesmo recinto, leria a sua peça *O Contratador de Diamantes* em 09/09/1904. Até conseguir um espaço próprio, no Silogeu Brasileiro (1904/1905), a Academia recorreu à hospitalidade do Gabinete Português de Leitura para a realização de sessões solenes. (IM)

3 ∾ Esta carta, escrita por calígrafo, traz a assinatura do velho amigo de Machado. (IM)

[530]

Para: ERNESTO CIBRÃO
Fonte: Transcrições, Arquivo ABL.

Rio de Janeiro, 26 de junho de 1900.

Ao muito digno[1] Vogal Perpétuo do Conselho Deliberativo do Gabinete Português de Leitura

Il*ustríssi*mo *sen*hor Conselheiro Ernesto Cibrão.

Recebi com muito prazer o ofício de V*ossa* Ex*celência*, datado de ontem, comunicando-me que o *sen*hor Visconde de Avelar, muito digno presidente do Gabinete Português de Leitura, punha à disposição da Academia Brasileira o grande salão da biblioteca para a sessão solene que a mesma Academia resolveu celebrar domingo, 1.º de julho. Assim satisfeito o pedido que fiz a V*ossa* Ex*celência* anteontem, em nome da Academia, resta-me agradecer a V*ossa* Ex*celência* e à Diretoria do Gabinete, em cujo nome resolveu o *sen*hor Visconde de Avelar a hospedagem que nos ofereceu, cabendo-me ainda particularmente agradecer a V*ossa* Ex*celência* a presteza e a boa vontade com acudiu ao nosso desejo.

Machado de Assis.

1 ∾ Assim na transcrição. (IM)

[531]

Para: RODRIGO OCTAVIO
Fonte: Revista da Academia Brasileira de Letras, XXXI, n.º 93, set. 1929.

Rio [de Janeiro], 26 de junho de 1900.[1]

Meu caro Rodrigo Octavio,

 Segundo ficou combinado, estive domingo com o Cibrão, que ficou de falar ao Visconde de Avelar, presidente do Gabinete Português de Leitura. Falou e ontem oficiou-me dando conta do resultado. A Diretoria oferece de boa vontade o salão da biblioteca, só espera que lhe comuniquemos o dia. Respondi hoje mesmo ao Cibrão agradecendo em nome da Academia. Pela nota que ele me deu em particular (e vai inclusa)[2], o 1.º Secretário do Gabinete é o Sr. Raul F. P. de Carvalho, Rua 1.º de Março n.º 30. Os dois secretários poderão entender-se sobre o que convier[3]. O resto da Diretoria consta do Almanaque[4] de 1900, *páginas*. 819, para os convites, e, quanto ao Conselho Deliberativo, o Cibrão ficou de remeter hoje a lista. Convém convidá-los, tanto mais que o Cibrão é do número.

 Remeto-lhe para os fins convenientes o ofício do Cibrão e a minha resposta[5].

 Creio que a nossa sessão de expediente ficou para 5.ª feira; não se esqueça de anunciá-la. Precisamos de falar antes disso ou no próprio dia; até lá. Mande-me as suas ordens. Sinto não poder dispor de todas as minhas horas. Fui ontem à *Revista* por alguns minutos. Adeus, disponha do

    Velho amigo e colega

     M. de Assis.

---

1   Sobre a fonte, ver em [480]. (IM)

2   Documento ainda não localizado. (IM)

3   Rodrigo Octavio e Raul de Carvalho. (IM)

4   *Almanaque Laemmert*. (IM)

5   A troca epistolar com Ernesto Cibrão* está em [529] e [530]. (IM)

[532]

De: SALVADOR DE MENDONÇA
Fonte: Manuscrito Original, Arquivo ABL.

Itaboraí, 27 de junho de 1900.

Meu querido Machado de Assis,

Agradeço sua carta de anteontem e os passos que deste para a realização do desejo que nutria de ver removido para aqui como telegrafista meu sobrinho Paulo de Mendonça.

Esta, porém, é escrita, não só para agradecer o interesse que tomou o Ministro, e que tomaste, no meu pedido, como também para dizer-te que desisto do pedido que fiz e comunicar esta minha desistência ao Doutor Alfredo Maia[1] e ao *Senhor* Vilhena[2].

A razão deste meu proceder, deixa-me dizer-te com a velha franqueza que entre nós cultivamos, é evitar que nas minhas costas se cometa clamorosa injustiça, clamorosa injustiça.

A pena, transformando-se em pantógrafo, até escreveu isto dobrado.

O modo igualmente satisfatório, por que o *Senhor* Vilhena quer efetuar a remoção do Paulo para Itaboraí não me satisfaz a mim, antes virá amargurar-me, pois me fará instrumento involuntário da desgraça de numerosa família. Hoje fui informado aqui que a telegrafista de 3.ª classe, Dona Maria Bezerra Antunes, mulher do telegrafista de 2.ª classe, Alonso Antunes, e ambos com exercício aqui, havia sido posta em disponibilidade. Este é evidentemente o primeiro passo para a demissão do marido ou sua remoção para alguma estação em que se não possa manter. É preciso evitar isso, pois o casal Antunes tem muitos filhos, e se o marido é doente, a mulher supre tão bem suas faltas que nenhuma queixa justa pode ter chegado ao *Senhor* Diretor dos Telégrafos.

Quando pedi a remoção de Paulo, pedi também a de Antunes para Rio Bonito. Se o Diretor não quer fazer esta, o pedido para a primeira fica prejudicado. Alguém tinha de sair, é verdade, mas no caso do meu pedido seria o empregado do Rio Bonito, que o próprio Diretor disse uma vez a meu irmão João que era desonesto e estava subsidiado pelos jogadores de bicho daquela localidade. E nem penses que tenho andado pedindo que melhorem a sorte do sobrinho, só porque o é: Paulo Mendonça tem sido empregado exemplar sem nota que o desabone; pelo contrário deu-lhe o Marechal Floriano a patente de tenente honorário do Exército por serviços de telegrafista, prestados na estação do Castelo[3] durante a revolta[4]. O Costallat[5] sabe disso.

  Sempre teu de coração

  Salvador de Mendonça.

---

1 ∾ Ministro da Indústria, Viação e Obras Públicas. Ver carta [524]. (SE)

2 ∾ Ver carta [524]. (SE)

3 ∾ A estação do Castelo é antiga, existia desde 1809, operando por telégrafo óptico, sistema anterior ao telégrafo elétrico. Servia para anunciar a aproximação dos navios à barra da cidade e a comunicação deste com os portos. Da estação do Castelo não se avistavam as embarcações fora da barra, ela recebia a comunicação dos postos avançados (Fortalezas de Santa Cruz e Babilônia) e a retransmitia à Quinta da Boa Vista, residência do Imperador, e a outros pontos da cidade. A estação do Castelo manteve-se operante após o surgimento dos telégrafos elétricos (1852), estabelecendo inicialmente a comunicação com a Secretaria de Polícia e da Justiça, depois com a Quinta da Boa Vista e, por fim, com outros postos de comunicação. (SE)

4 ∾ Durante a 2ª Revolta da Armada, capitaneada pelo contra-almirante Custódio de Melo (1840-1902), os navios rebeldes estavam fundeados na baía de Guanabara. Da Estação do Telégrafo do Castelo, retransmitiam-se para o palácio Itamaraty as informações resultantes da visualização que as tropas legalistas ali aquarteladas tinham da movimentação dos navios levantados. (SE)

5 ∾ General Bibiano Sérgio da Fontoura Macedo Costallat*. Ver carta [304]. (SE)

[533]

Para: RODRIGO OCTAVIO
Fonte: Manuscrito Original, Arquivo Particular.

[Rio de Janeiro,] 2 de julho de 1900.

Meu caro Rodrigo Octavio,

Remeto-lhe um ofício da Academia de Medicina convidando a Academia Brasileira a assistir a sessão de hoje, em homenagem ao D*ou*tor Silva Araújo[1]. Eu, desde muitos dias, estou encarregado pelo meu Ministro[2] de o representar na sessão. Veja se por si ou por outro pode fazer com que a nossa Academia responda ao convite, indo assistir também. Desculpe a letra; a pressa a faz pior do que é.

Até logo.

Velho am*ig*o e confrade

Machado de Assis

---

1 ∾ Antônio José Pereira da Silva Araújo foi um grande nome da pesquisa e do combate à sífilis, atuando especialmente na Policlínica Geral do Rio de Janeiro. Nessa área, associou-se aos esforços em favor da regulamentação da prostituição no Rio de Janeiro, defendida pelo Dr. Costa Ferraz*. (IM)

2 ∾ Alfredo Eugênio de Almeida Maia. (IM)

[534]

Para: LÚCIO DE MENDONÇA
Fonte: Revista da Academia Brasileira de Letras, XXXI, n.º 93, set. 1929.

[Rio de Janeiro,] 11 de julho de 1900.

Meu querido Lúcio de Mendonça,

Não lhe escrevi domingo não só por falta de portador, como por haver dito, sábado, ao Medeiros[1], que era quase certo não ir ao almoço inaugural. A razão era estar com aftas, que me mortificavam e impediam quase de comer. Mas, para o caso de esquecimento do Medeiros, mando-lhe estas duas linhas. Posso acrescentar que, apesar de tudo, tentei ir, ainda que tarde, mas não pude.

Todos os outros almoços da "Panelinha" hão de ser bons, mas eu não quisera faltar ao primeiro[2]. Demais, podia ser que escasseassem os convivas e era mau introito; felizmente, não. Adeus, meu caro Lúcio, até à primeira. Esquecia-me dizer que tive uma longa conversação com o Eduardo Ramos, perdão, com o Francisco de Castro, e obtive dele promessa de que por todo este mês dará o discurso. Ao Ramos[3] falei sobre o projeto da Câmara, Também pedi ao Francisco de Sá, deputado pelo Ceará e da comissão de Orçamento, que fosse benigno com a Academia, e expondo-lhe o projeto, achou perfeitamente aceitável. Conto falar um dia destes ao Sátiro Dias, a alguns de São Paulo e Minas, ao Serzedelo Correia, etc. Vamos ver se desta vez vai a caixa ao porão[4]. Adeus, novamente, e até breve.

O velho am*i*go

M. de A.

---

1 ∾ Medeiros e Albuquerque*. (IM)

2 ∾ Relata Rodrigo Octavio* (1936):

"O nome da nova organização provinha de uma pequena caçarola de prata, presente do pintor [Rodolfo] Amoedo, e que era o símbolo da nova instituição; findo cada almoço era ela solenemente entregue ao novo comissário, logo após a eleição. O sistema aprovou bem /.../. Do que me recordo é que ela foi vivendo até que um dia, Jaceguai foi eleito comissário. O velho marinheiro, já neurastênico e impertinente /.../ deu sumiço à panelinha e acabou-se a história..."

Sobre esse episódio, ver [562], de 28/11/1900, e [563], de 29/11/1900. E os almoços prosseguiram. Em 02/01/1902, Machado escreverá a Lúcio: "De acordo com o que V. me mandou lembrar, vamos recomeçar os almoços da Panelinha, domingo, 5, no Globo." Registro valioso desses almoços é a fotografia do grupo reunido no Hotel Rio Branco, à rua das Laranjeiras, considerada como uma espécie de retrato inaugural dos acadêmicos. (IM)

3 ∾ Eduardo Ramos (1854-1923), advogado, jurista, político e escritor baiano. Bacharel pela Faculdade de Direito de São Paulo, foi promotor público e diretor-geral da Instrução Pública da Bahia, destacando-se pela abordagem inovadora das questões do ensino primário. Deputado estadual e, depois, senador, distinguiu-se pelos projetos que apresentava, entre eles, o que deu apoio oficial à Academia Brasileira de Letras. Escritor de rara elegância e protetor decisivo da Casa, através da lei que leva seu nome, somente foi eleito para a Cadeira 11 em 1922, falecendo antes de tomar posse. (IM)

4 ∾ A partir desse momento, intensifica-se a mobilização pelo andamento do projeto de lei apresentado dois anos antes por um grupo de deputados que pleiteava o apoio oficial à Academia [423]. Entre os signatários, Eduardo Ramos. Graças a ele, a velha proposição agora toma impulso. Aprovado na Câmara dos Deputados, o projeto tramita rapidamente no Senado e sobe à sanção presidencial, que ocorre em 08/12/1900, com a assinatura do decreto n.º 726, conhecido como lei Eduardo Ramos. **Este capítulo vital da história da Academia está claramente exposto na "Apresentação" do presente tomo.** Ressalte-se que a correspondência acerca do apoio oficial à Academia – velho sonho do iniciador Lúcio de Mendonça – é intensa e, em grande parte, inédita. Ver em [536], [538], [539], [540], [541], [547], [557], [558], [559], [560], [562], [563], [565], [566], [568] e [569]. (IM)

[535]

Para: SALVADOR DE MENDONÇA
Fonte: Manuscrito Original. Arquivo-Museu da Literatura Brasileira da Fundação Casa de Rui Barbosa, Coleção Machado de Assis.

Rio [de Janeiro], 11 de julho de 1900.

Meu querido Salvador de Mendonça[1],

Só agora respondo à tua última carta. Logo que a recebi fui ter com o Vilhena, a quem expus sumariamente a matéria e os teus desejos, isto é, a desistência que farias do pedido, visto prejudicar a senhora que aí tinha exercício. A resposta que ele me deu logo foi que o ato relativo à *Dona Maria Antunes* tem por única razão a economia, não se refere ao modo de efetuar a remoção do Paulo para Itaboraí[2]. Não mandei logo esta resposta, esperando dizer na ocasião desta que tudo estava feito, visto que ele me afirma que se fará. Não estando ainda realizados os teus desejos, vai esta carta explicativa, e espero que em breve siga outra confirmativa e definitiva. Adeus, meu caro Salvador, continua a dispor do

Velho amigo

Machado de Assis

---

1 ∾ Carta inédita.

2 ∾ Ver cartas [524], [532], [542], [546]. (SE)

[536]

Para: LÚCIO DE MENDONÇA
Fonte: *Revista da Academia Brasileira de Letras*, XXXI, n.º 93, set. 1929.

Rio [de Janeiro], 18 de julho de 1900.

Meu caro Lúcio,

 Esteve agora comigo o Eduardo Ramos, que me trouxe uma lista da comissão do Orçamento da Câmara. Disse-me que o parecer está pronto e termina com um projeto da Comissão, que, em substância, é o mesmo[1]. Já falei ao Sá, como lhe disse há dias; vou amanhã falar ao Cassiano do Nascimento e ao Serzedelo. Poderia Você conversar com o Barbosa Lima e os rapazes do Rio Grande, além de outros que lhe parecessem? Procurarei também o Sátiro e o Seabra[2]. Vamos lá, mais um empurrão, e até breve. Não sei se Você tem ido à *Revista*. Eu tenho saído agora muito tarde, de maneira que acho a porta fechada. Em todo caso, até o primeiro domingo de agosto; creio que o lugar e a hora são os mesmos. Um abraço do

Velho amigo e companheiro

M. de Assis

1 ∾ Ver [534]. (IM)

2 ∾ Cassiano Nascimento, Serzedelo Correia, Barbosa Lima, Sátiro Dias e [J.J.] Seabra* eram deputados federais. (IM)

[537]

De: MAGALHÃES DE AZEREDO
Fonte: Manuscrito Original, Arquivo ABL.

Albano¹, 20 de julho de 1900.

Meu querido Mestre e Amigo,

Há muito que lhe prometi escrever-lhe largamente, e até hoje não o pude fazer. Em Roma andava sempre, especialmente nos últimos tempos, atarefadíssimo. Agora viemos enfim para o campo, onde os dias se tornam muitíssimo mais largos, e é completa a liberdade com que se dispõe do próprio tempo; não há compromissos contínuos, visitas que fazer e que receber a cada passo, esse incessante bater de campainha à porta de casa, que em certas ocasiões me impossibilitava de trabalhar por dias inteiros. Voltamos para Albano, onde já estivemos há dois anos. Roma está simultaneamente perto e longe; das nossas janelas podemos ver a cúpula de São Pedro, mas os moldes diplomáticos, que são de curto alcance, não chegam até cá.

Ah! deveras, creia, para o trabalho, para as letras, um dia de campo vale mais e produz mais que dez dias de cidade. É de sentir que, com os hábitos anti-higiênicos da nossa sociedade, não lhe seja concedido por lei, na qualidade de funcionário público, um certo período anual de repouso e vilegiatura. O verão é sem dúvida, pelo menos a julgar por mim, a melhor estação para escrever; mas passado aí, nos calores do Rio, deve ser bem diverso.

Daqui iremos, se Deus quiser, à Toscana, a Montecatini², onde Mamãe volta a tomar as águas minerais que tanto bem lhe fizeram. Contamos ir dali, em meado de Setembro, a Paris, por duas semanas apenas. Em Paris a nossa vida será toda, naturalmente, de extenuante atividade física; os versos e as prosas terão de ficar em absoluto ostracismo; mas a nossa demora será pouca, e além disso o espetáculo da Exposição[3] vale bem o sacrifício momentâneo da pena. Estamos certos de encontrar um Paris bem diferente daquele em que morávamos há três anos, um Paris ainda mais brilhante, mas em compensação menos amável e simpático, não só porque a imensa afluência de gentes as mais variadas deve dar-lhe um aspecto babilônico, sem distinção e sem finura, mas também porque desgraçadamente nem o fato da Exposição com os seus inúmeros interesses artísticos, industriais e mercantis trouxe as tréguas prometidas em vão por todos os partidos, e as paixões políticas, cada vez mais violentas, têm progredido sempre na sua obra de discórdia e desmoralização, até o ponto de transformar a França, e Paris sobretudo, em escândalo permanente do universo. Para quem conheceu como nós aquela admirável cidade antes da questão Dreyfus, para quem como nós a viu calma, hospitaleira, gentilmente majestosa na sua elegância e no seu amor da Beleza, deve ser grande a diferença das impressões, e estas serão forçosamente desfavoráveis em mais de um ponto, apesar das suntuosidades da Exposição. Dir-lhe-ei então o que sentir.

Agora o que quero antes de tudo é agradecer-lhe de coração as boas e afetuosas palavras com que acompanhou o *Carme Secular*, publicado no *Jornal* por favor seu. Não me surpreenderam elas, porque eu sei que o seu afeto não perde a mínima ocasião que se lhe apresente de manifestar-se e penhorar-me. Não me surpreenderam, mas comoveram-me profundamente. A nossa mútua amizade é uma das grandes felicidades que me couberam em sorte. É com essa observação precisamente que começo o meu estudo a seu respeito, que fará parte dos *Homens e Livros*, pois ali me ocupo muito do amigo, tanto como do escritor.

Estimo que haja agradado o *Carme*; creio que também as *Baladas e Fantasias* vão sendo bem recebidas a julgar pelo artigo de José Veríssimo, único que li depois do da minha ilustre Amiga Dona Maria Amália Vaz de Carvalho⁴. Espero na sua próxima carta as impressões que me promete sobre o livro.

À casa Laemmert enviei um projeto de contrato para a impressão das minhas obras por cinco anos. Gostarei deveras que o aceitem; assim poderei trabalhar tranquilamente sem a preocupação de procurar editor para cada novo volume. Dois tenho eu já quase prontos: *Homens e Livros* e as *Poesias*. Com este título anunciei o livro, mas quero dar-lhe outro; como pretendo escrever e publicar, se Deus me conceder vida e saúde, vários livros de versos, a denominação de *Poesias* me convém para toda a coleção deles, e não desejo pô-la em um volume só. Mas que outro título adotarei? É uma dificuldade achar títulos que satisfaçam sem o risco de repetir algum já usado uma ou mais vezes. Tenho imaginado diversos: *Cantos do Exílio, Dias Áureos, Horas Sagradas*⁵ — O primeiro lembra os célebres versos de Gonçalves Dias; os dois últimos me parecem preferíveis, e talvez *Horas Sagradas* seja o melhor, sobretudo pondo à testa do volume uma página, um punhado de estrofes, que expliquem o título, e o sentido exato que eu lhe dou. Diga-me o que acha, com franqueza. *Horas Sagradas*, na acepção de horas dedicadas ao culto e ao serviço da poesia, certamente uma das coisas mais altas e nobres da vida humana; eis a minha ideia.

Sabe onde estivemos pouco antes de virmos para Albano? Estivemos em Carpineto, hospedados pela Família Pecci, no palácio senhorial onde nasceu e passou os seus primeiros anos o Papa Leão XIII⁶. Há muito projetáramos essa visita; o Conde Ludovico Pecci, sobrinho mais velho do Pontífice, e que mora lá com a Família, participara a nossa intenção ao Papa, que se mostrou muito satisfeito e recomendou benevolamente que nos recebessem com toda a distinção, o que aliás não era preciso, pois o Conde Ludovico e a Senhora têm como poucos o gênio da hospitalidade sincera e afetuosa.

Carpineto é uma aldeia alpestre e solitária nos montes Lepinos; afora o palácio Pecci, que é vasto e luxuoso, habitação secular de uma Família ilustre, a povoação quase não tem senão casas pobres, ou apenas medíocres. O lugar é, porém, original e pitoresco, a paisagem é bela na sua aspereza e no seu vigor, o ar é puríssimo, e a própria aldeia possui agora muitas obras de pública utilidade, devidas á munificência do seu grande Filho. Lá vimos por exemplo a vasta fonte de pedra, que o Papa mandou construir para a água trazida dos montes vizinhos a expensas suas e ornou depois com suaves dísticos latinos escritos por ele.

    No palácio há interessantíssimas coisas históricas, e a biblioteca sobretudo é preciosa. A coleção das obras — livros, folhetos, artigos — relativos a Leão XIII é completa, creio que sem igual, e completa é também a coleção das cartas escritas pelo Papa à sua Família, desde a infância até os últimos tempos; o Conde Ludovico gentilmente me deu duas delas[7]. Além disso, em livros de todo o gênero, há ali que ler para toda uma longa vida. O Conde é um *sábio*, no sentido antigo; podendo, como sobrinho do Papa reinante, ter uma existência brilhantíssima em Roma, sem que aliás Leão XIII tivesse de recorrer ao *nepotismo*, que ele com razão aborrece tanto como já Pio IX o aborrecia, esse raro homem, absolutamente desprovido de ambições, prefere ficar em Carpineto, entre as suas flores e os seus livros, feliz na família, estudando e cultivando as suas propriedades. Não é na verdade um exemplo notável?

    Conhecemos também uma irmã dele, a Condessa Maria Moroni, jovem senhora encantadora de inteligência, de graça e de bondade, que é muito nossa amiga.

    Certo que a todos os respeitos estamos longe do que eram os Aldobrandinis, os Colonnas, os Barberinis e outras Famílias na época em que os seus Chefes eram Papas. Hoje tudo voltou à modéstia e à simplicidade que convém à Igreja.

    Adeus, querido Mestre e Amigo, escreva-me; desejo que lhe tenha passado a inflamação dos olhos. Aceite afetuosos cumprimentos nossos para si e sua Senhora.

Abraça-o de coração o seu

Magalhães de Azeredo

1 ∞ Sobre Albano Laziale, cidade na qual a família Azeredo já estivera, ver nota 1, carta [424]. (SE)

2 ∞ Naquele momento, ainda uma pequena vila da região da Toscana, na província de Pistoia, que principiou a organizar a sua vocação turística no século XIX, em torno de suas termas. Tornou-se um lugar muito frequentado pelas celebridades do tempo, entre os quais, Leoncavallo (1857-1919), Tamagno (1850-1905), Mascagni (1863-1945), Pirandello (1867-1936) e Verdi (1813-1901), a respeito de quem, aliás, Azeredo declara (2003):

> "Verdi, porém, vi-o várias vezes em Montecatini, nos dois últimos verões do século declinante; estava lá como de costume, em uso de águas, hospedado na *Locanda Maggiore*, diante de cuja entrada, ao ar livre, sentava-se cada tarde, a palestrar com Tamagno e outras pessoas; na estatura, no porte, nas maneiras, no vestuário invariavelmente preto, no chapéu mole, e até, um pouco, na fisionomia, recordava-me Quintino Bocaiúva." (SE)

3 ∞ Inaugurada pelo presidente francês Emile Loubet em 15/04/1900, a Exposição Universal de Paris encerrou-se em 12 de novembro, com a presença de mais de cinquenta milhões de visitantes. Ocupou uma área compreendida entre o *Champ-de-Mars*, os *Invalides*, o *Trocadéro* e o *Champs-Elysées*. A exposição distribuía-se por pavilhões nacionais e temáticos, nos quais se apresentavam toda sorte de produtos industriais, avanços tecnológicos, curiosidades e eventos culturais, sendo a grande sensação naquele ano os meios de transporte, com a inauguração da primeira linha de metrô parisiense em 19/07/1900, *Porte de Vincennes-Porte Maillot*. (SE)

4 ∞ Escritora portuguesa (1847-1921), viúva do poeta Gonçalves Crespo* (1846--1883), que se dedicava às letras e ao jornalismo; era colaboradora assídua da *Revista Moderna*, na qual Azeredo também era assíduo. (SE)

5 ∞ Este será o título escolhido para o livro (1903), do qual Machado, aliás, fará uma crítica bastante favorável na *Gazeta de Notícias*, em 07/12/1902. (SE)

6 ∞ Vicenzo Giochino Raffaele Luigi Pecci Prosperi Buzzi (1810-1903), nascido em Carpineto Romano, na província de Roma, vila para qual um ramo dos Pecci de Siena foi obrigado a se exilar na primeira metade do século XVI, em razão de disputas políticas. (SE)

7 ∞ Sabe-se que Azeredo organizou uma coleção de autógrafos, declaração feita na carta [349], na qual, aliás, solicitou de Machado um autógrafo. Parece que este lhe forneceu mais do que um autógrafo próprio, repassou-lhe também um bilhete de Almeida Garrett. Ver nota 3, carta [353]. (SE).

[538]

Para: PAULA GUIMARÃES
Fonte: Fundação Biblioteca Nacional, Seção de Manuscritos. Fac-símile do Manuscrito Original.

GABINETE DO MINISTRO
DA
INDÚSTRIA

[Rio de Janeiro,] 24 de julho de 1900.

Excelentíssimo amigo Senhor Doutor Paula Guimarães

Estive ontem à noite com o Lúcio de Mendonça, quando este acabava de chegar de Itaboraí. Disse-lhe o que havíamos combinado relativamente ao reconhecimento oficial da Academia Brasileira, isto é, abrir mão da cláusula[1]. Ele hoje falou ao Doutor Nilo Peçanha, e achou-o em disposição favorável, eliminada a cláusula, e a que se liga acerca dos estatutos. Isto feito, creio que não haverá dúvida em assinar o parecer, e tudo correrá facilmente; e, graças ao esforço de Vossa Excelência, a obra será completa em poucos dias.

Não vou pessoalmente dizer-lhe o que aí fica, por não poder sair agora do Gabinete. Talvez Vossa Excelência saiba já tudo isto.

Resta mandar-me as suas ordens e receber os novos agradecimentos pelo que fez e pelo que ainda fará.

De Vossa Excelência

atento Venerador e amigo

Machado de Assis

---

1 ⁓ Na versão do projeto de lei que previa o apoio do governo republicano à jovem ABL, apresentado na primeira sessão legislativa de 1898, estava redigido:

"Artigo 1.º – É oficialmente reconhecida a Academia Brasileira de Letras, fundada na Capital da República para a cultura e desenvolvimento da literatura nacional. / Artigo 2.º – A Academia reger-se-á por seus estatutos /.../."

O reconhecimento **oficial** de uma instituição não fora digerido: tinha um cunho de privilégio, talvez até de exclusividade, em relação a entidades congêneres e, sobretudo, afrontava o catolicismo. Ver em [539]. (IM)

[539]

> De: PAULA GUIMARÃES
> *Fonte:* Manuscrito Original, Arquivo ABL.

[Rio de Janeiro,] 24 de julho de 1900.

Ex*celentíssi*mo S*en*hor Machado de Assis,

Fico certo do que me diz em sua delicada cartinha. Conversei com o Nilo[1] e ficamos de acordo. Em comissões acabamos de tratar do assunto e ficou resolvido que o Nilo me devolvesse o parecer para ser modificado no sentido do que ficou por todos aceito, isto é, suprimindo-se os artigos referentes ao reconhecimento oficial e estatutos, ficando os outros que tratam dos favores.

Sempre pronto a cumprir suas ordens, subscrevo-me com alta estima e consideração

De Vossa Excelência

Adm*ira*dor Am*ig*o e C*ria*do Obr*iga*do

Paula Guimarães

---

1 ◦ O futuro presidente Nilo Peçanha foi um dos deputados que se opuseram ao primeiro projeto de reconhecimento oficial da Academia Brasileira de Letras, apresentado em 1898. Vale transcrever Magalhães Jr. (2008):

> "A razão pela qual o projeto encalhara na Câmara era a oposição de alguns membros das comissões à oficialização da Academia. A República deixara de reconhecer a Igreja Católica como religião (*sic*) oficial. Repugnava-lhe, também, oficializar uma 'igrejinha literária'. Um dos que faziam tal impugnação era o deputado Nilo Peçanha, que em breve governaria o Estado do Rio e, ainda em vida de Machado, alcançaria a vice-presidência da República."

Também contra o projeto, porque se opunha ao governo de Prudente de Morais, alinhava-se o deputado e combativo jornalista Alcindo Guanabara, fundador da Cadeira 19. Apesar dessa atitude contrária, ele sempre se mostrou grande admirador de Machado. (IM)

[540]

De: PAULA GUIMARÃES
Fonte: Manuscrito Original, Arquivo ABL.

[Rio de Janeiro,] 28 de julho de 1900.

Ilustre Amigo Senhor Machado de Assis,

O parecer está em mãos de Francisco Sales que compareceu à comissão[1], tendo chegado de Minas, onde se achava.

Já está assinado pelos Senhores Cassiano, Nilo, Serzedelo, Mayrinke, além do relator.

Sempre às ordens como

Amigo Admirador afetuoso e criado

Paula Guimarães

---

1 ∾ Ver em [536], [538] e [539]. (IM)

[541]

Para: PAULA GUIMARÃES
Fonte: Fundação Biblioteca Nacional, Seção do Manuscrito. Fac-símile do Manuscrito Original.

GABINETE DO MINISTRO
DA
INDÚSTRIA

[Rio de Janeiro,] 31 de julho de 1900.

Ex*celentíssi*mo am*i*go S*en*ho*r* D*ou*to*r* Paula Guim*arã*es

Ontem, quando cheguei à Câmara, estava levantada a sessão. Hoje, à hora em que fui, não encontrei a V*ossa* Ex*celência*. Não podendo ir agora, escrevo-lhe para saber se o S*en*ho*r* D*ou*to*r* Francisco Sales já teria assinado o parecer ou se terá alguma dúvida acerca do projeto[1]. Espero que se não dê esta segunda hipótese. Em todo caso, confio da bondade de V*ossa* Ex*celência* que me informe o que há, se acaso não parecer impertinência minha. A Academia está naturalmente ansiosa por ver fixados os seus destinos. Releve-me a instância e disponha do

De V*ossa* Ex*celência*

a*ten*to am*i*go e obr*i*ga*d*o

Machado de Assis

---

1 ~ Ver em [540]. (IM)

[542]

> Para: SALVADOR DE MENDONÇA
> *Fonte:* Manuscrito Original. Arquivo-Museu da Literatura Brasileira da Fundação Casa de Rui Barbosa, Coleção Machado de Assis.

Rio de Janeiro, 11 de agosto de 1900.

Meu querido Salvador.

Vai só uma palavra, por falta de tempo e necessidade de não adiar para amanhã. O Vilhena esteve comigo e disse-me que o negócio da transferência de teu sobrinho está concluído; creio que é só esperar alguns dias. Estimo que vás passando bem; eu não vou mal, e enquanto puder dar conta do trabalho, tudo irá bem. Domingo almocei com o Lúcio e outros amigos; foi uma festa alegre[1]. Até a próxima, e não te esqueças de mim para o que for do teu serviço e amizade. Lembranças aos teus e um abraço do

Velho amigo

Machado de Assis

---

1 ∾ Alusão a um dos encontros da Panelinha Artística, realizado em 08/08/1900. Sobre a Panelinha, ver nota 2 em [534]. (SE)

[543]

> Para: HENRIQUE CHAVES
> *Fonte:* Fundação Biblioteca Nacional. *Gazeta de Notícias*, 1900. Setor de Periódicos. Microfilme do original impresso.

[Rio de Janeiro,] 23 de agosto de 1900.

Meu caro *Henrique* Chaves[1].

Que hei de eu dizer que valha esta calamidade?[2] Para os romancistas é como se perdêssemos o melhor da família, o mais esbelto e o mais valido[3]. E tal família não se compõe só dos que entraram com ele na vida do espírito, mas também das relíquias da outra geração, e, finalmente, da flor da nova. Tal que começou pela estranheza[4] acabou pela admiração[5]. Os mesmos que ele haverá ferido, quando exercia a crítica direta e cotidiana, perdoaram-lhe o mal da dor pelo mel da língua, pelas novas graças que lhe deu, pelas tradições velhas que conservou, e mais a força que as uniu umas e outras, como só as une a grande arte. A arte existia, a língua existia, nem podíamos os dois povos, sem elas, guardar o patrimônio de Vieira e de Camões; mas cada passo do século renova o anterior e a cada geração cabem os seus profetas.

A antiguidade consolava-se dos que morriam cedo considerando que era a sorte daqueles a quem os deuses amavam. Quando a morte encontra um Goethe ou um Voltaire, parece que esses grandes homens, na idade extrema a que chegaram, precisam de entrar na eternidade e no infinito, sem nada mais dever à terra que os ouviu e admirou. Onde ela é sem compensação é no ponto da vida em que o engenho subido ao grau sumo, como aquele Eça de Queirós – e como o nosso querido Ferreira de Araújo, que ontem fomos levar ao cemitério, – tem ainda muito que dar e perfazer. Em plena força da idade, o mal os toma e lhes tira da mão a pena que trabalha e evoca, pinta, canta, faz todos os ofícios da criação espiritual.

Por mais esperado que fosse este óbito, veio como repentino. Domício da Gama[6], ao transmitir-me há poucos meses um abraço de Eça, já o cria agonizante. Não sei se chegou a tempo de lhe dar o meu. Nem ele, nem Eduardo Prado[7], seus amigos, terão visto apagar-se de todo aquele rijo e fino espírito, mas um e outro devem contá-lo aos que deste lado falam a mesma língua, admiram os mesmos, livros e estimavam o mesmo homem.

Machado de Assis

I ∾ Registre-se que Machado escreveu um artigo a respeito de Henrique Chaves no *Álbum*, n.º 20, maio de 1893. (SE)

2 ◈ Eça de Queirós* morrera uma semana antes da data da presente carta, em 16/08/1900, na sua casa de Neuilly, nos arredores de Paris. Diga-se, aliás, que o mês de agosto de 1900 foi particularmente difícil para Machado; perdera também o estimado Ferreira de Araújo*, um dos fundadores da *Gazeta de Notícias*, jornal para o qual escrevia regularmente a sua *A Semana* desde 1892. Ver carta de Salvador de Mendonça*, [546], de 28/08/1900. (SE)

3 ◈ Na *Gazeta de Notícias* de 20/08/1900, segunda-feira, saiu a seguinte nota:

"A nossa folha de quinta-feira trará uma página dedicada à memória do eminente escritor e nosso pranteado colaborador Eça de Queirós./ Contamos com a colaboração de Machado de Assis, Araripe Júnior, Olavo Bilac, Guimarães Passos e L. Guimarães Filho e de outros dedicados homens de letras. / Julião Machado trará para essa página ilustrações referentes à obra do grande escritor."

Entretanto o falecimento do diretor da *Gazeta*, Ferreira de Araújo, em 21 de agosto, alterou essa intenção. As edições de 22 e 23 foram inteiramente dedicadas a ele. A do dia 22 descrevia a comoção que tomou o meio jornalístico, político e literário; e a do dia 23 descrevia o sepultamento e as homenagens, para em seguida publicar os artigos em memória do morto. Somente no dia 24 de agosto, sexta-feira, saiu a edição em homenagem a Eça de Queirós. Há o anúncio da missa solene na igreja da Candelária, seguido de artigos vários, entre os quais a presente carta a Henrique Chaves. (SE)

4 ◈ Machado está em certa medida está falando de si. É bom lembrar do estranhamento que expressou em sua crítica acerba a respeito do *Primo Basílio* (1878), artigo que motivou resposta de Eça de Queirós, carta [156], tomo II. (SE)

5 ◈ Quase vinte anos depois, o projeto queirosiano da *Revista Moderna* certamente agradou Machado, da qual, aliás, foi leitor fiel. No diálogo epistolar com Azeredo*, entre 1897-1899, período em que existiu a revista, há não só referências elogiosas ao escritor português, como também indicações da mudança de seu ponto de vista. Assinala-se, por fim, que a presente carta aberta pode ser considerada um testemunho disso. (SE)

6 ◈ Domício da Gama*, fundador da Cadeira 33, cujo patrono é Raul Pompeia, era um dos íntimos dos últimos anos de vida do escritor, frequentando a sua casa com regularidade. Domício da Gama era outro entusiasta de Eça e, vez por outra, enviava notícias e textos do escritor a Machado. (SE)

7 ◈ Eduardo Prado (1860-1901), outro muito íntimo de Eça, pouco lhe sobreviveria; em 30/08/1901, também ele faleceu em São Paulo. (SE)

[544]

Para: RODRIGO OCTAVIO
Fonte: Revista da Academia Brasileira de Letras, XXXI, n.º 93, set. 1929.

[Rio de Janeiro,] 25 de agosto de 1900.

Meu caro Rodrigo Octavio,

Ontem procurou-me uma comissão de estudantes da Faculdade Livre de Direito para entregar-me a inclusa carta de convite. Trata-se da sessão em honra de Eça de Queirós. Desejam que a Academia compareça, e que designe alguém que fale em nome dela. A minha resposta foi que iria ver o que poderíamos fazer, sem advertir muito que já ontem era sexta-feira e a cerimônia é segunda próxima. Se quer incumbir-se de dizer algumas palavras, peço-lhe o favor de avisar-me, porque eles desejam saber de antemão o nome do orador[1]. Não convoco reunião, por absoluta falta de tempo, mas veja se acha meio de convidar alguns que compareçam, e diga-me se pode lá ir também. Aguardo a sua resposta.

O velho *amigo* e confrade

M. de Assis.

---

1 ∾ Não há registro em ata sobre o evento. (IM)

[545]

Para: JOSÉ VERÍSSIMO
Fonte: Revista da Academia Brasileira de Letras, XXXIII, n.º 104, ago. 1930.

Rio [de Janeiro], 25 de agosto de 1900.

Meu caro *José* Veríssimo,

A Academia foi convidada pelos Estudantes da Faculdade Livre de Direito para a sessão de segunda-feira, em honra ao Eça de Queirós.

Mandei a carta ao Rodrigo Octavio. Escrevo-lhe este para avisá-lo em tempo, a fim de comparecer se puder, como eu e outros colegas. O portador desta carta é o *Senhor Doutor* Acrísio da Gama, presidente da Comissão, que me pediu para entregar-lha em mão. Disponha do

velho *amigo*

M. de Assis.

[546]

De: SALVADOR DE MENDONÇA
Fonte: Manuscrito Original, Arquivo ABL.

Itaboraí, 28 de agosto de 1900.

Meu caro Machado de Assis,

Pretendia ir ao Rio a semana passada e procurar-te para te agradecer tua última carta e o interesse que tomaste na remoção do Paulo para aqui. Mas o nosso Rio esteve e está de luto pelo nosso Ferreira de Araújo[1], e como ando refugiado de tristezas no ninho meu paterno, aqui fiquei com a vista do vale, verde e tranquilo, donde só de longe se descortinam os topos das montanhas. Olhando a serra pelas ondulações da várzea enorme, parece que se vão enterrando todas na linha do horizonte: até os Órgãos são daqui mais baixos. Não imaginas como este cenário condiz com os atores. Do meu retiro estou realmente vendo enterrarem-se e desaparecem os gigantes, tanto maiores quanto maior tiveram o coração. Assistindo daqui ao funeral, não quis lá ir.

O negócio do Paulo não está infelizmente ultimado. Surgiram e estão (...)[2] (...) novas dificuldades, que aliás são meras teias de aranhas.

O Lúcio lá aceitou, sem intervenção minha, a sugestão do Vilhena[3] de remover o Antunes para Araruama e o Paulo para aqui: fizeram-se as remoções. A Câmara Municipal de Itaboraí que já havia declarado ao Vilhena que não continuaria a fornecer casa para estação telegráfica como fizera durante cinco anos, recusou entregar a casa ao Paulo, quando no dia 15 foi tomar posse do lugar, permitindo apenas que ocupasse provisoriamente a sala dos aparelhos. Ora, não podendo o Paulo fechar a tal saleta de modo a garantir o segredo do serviço telegráfico e o do arquivo, além de ter pelo regulamento direito a casa para sua residência e a da família, oficiou ao Chefe do Distrito, comunicando-lhe o que havia e pedindo-lhe ordens. Até este momento não lhe responderam coisa alguma; além do ofício registrado, avisou ele tudo ao Chefe pelo próprio telégrafo.

A Câmara Municipal teria carradas de razão, se se negasse a dar casa para estação, movida do interesse público. A estação telegráfica de Itaboraí é a única que existe neste extenso e populoso município, contra o qual não é justo que se abra uma exceção *adire*, negando-se-lhe o que se concede até em triplo a outros menos importantes deste Estado. Falam em extinguir a estação aqui, e mandá-lo para Venda das Pedras, onde a Diretoria também não tem casa, seria não só injusto como absurdo. Nesses termos ficaria a Câmara Municipal bem colocada, pois se a estação aqui não dá mais o custeio, todas as do Estado, como a de Petrópolis e a de Campos, estão no mesmo caso, e o serviço telegráfico, como o do correio, que aliás não foram ainda pior fonte de renda, mas para conveniência pública e conseguintemente da administração, já é pago pelos contribuintes do imposto.

O móvel, porém, da Câmara daqui não é tão elevado. O *Doutor* Fidélis Alves[4], deputado estadual, serve-se da Câmara como instrumento seu para criar embaraços a que se torne efetiva a remoção feita este mês e faz do negócio não questão de interesse público, mas só pessoal. O *Senhor* Vilhena nem ata, nem desata e a (...) já está caindo no ridículo. Se houvesse energia, ter-se-iam dado as ordens para que o telegrafista nomeado para aqui tomasse posse da estação e requeresse manutenção da posse do prédio, até poder ser mudada a estação, pois não se pode despejar assim uma repartição pública. Mas tal ordem não veio. No entretanto, consta-me que o Senhor Vilhena pediu de novo à Câmara que lhe desse a casa até fim do ano, por não ter este ano verba para a despesa. Creio que a câmara insistiu na recusa, ou fará a concessão sob condição de ficar aqui o protegido do mandão da Câmara.

Moralidade do caso. — Não a tem.

Solução. — Se tiveres meio de fazer chegar isto ao conhecimento do Senhor Vilhena, de modo conveniente, dize-lhe que o Paulo fornecerá casa para a estação até fim do ano, bastando para isso que o autorizem a mudá-la para sua residência. Com as teias de aranha que é preciso limpar de todas as casas velhas desta pitoresca cidade, ir-se-ão as que ainda embaraçam a administração Vilhena. Dizem-me que este sujeito é do Maranhão e do Brejo. O Joaquim Serra disse-me um dia que não gostava dos Brejeiros.

Eu e Maria muito nos recomendamos a ti e à sua Excelentíssima Senhora. Abraço-te

Teu sempre do coração

Salvador

---

1 ~ José Ferreira de Araújo*, um dos fundadores da Gazeta de Notícias. Sobre a sua morte, ver carta [550], de 20/09/1900, neste tomo. Ver ainda carta [232], tomo II. (SE)

2 ~ Trechos deteriorados, impedindo a leitura. (SE)

3 ~ Sobre esse assunto, ver cartas [524], [532], [535] e [542]. (SE)

4 ~ Deputado por Itaboraí, republicano de primeira hora; portanto com muito poder político. (SE)

[547]

De: PAULA GUIMARÃES
Fonte: Manuscrito Original, Arquivo ABL.

[Rio de Janeiro,] 31 de agosto de 1900.

Ilustre Amigo Senhor Machado de Assis

Acaba de ser votado, em 2.ª discussão, o projeto referente à Academia de Letras, tendo preferência o substitutivo da comissão de orçamento, que apresentei este ano[1].

Aprovado, requeri dispensa para entrar na ordem do dia amanhã.

Sempre às ordens como

seu Amigo Admirador afetuoso obrigado

Paula Guimarães

---

1 ∾ Ver em [541]. (IM)

[548]

Para: RUI BARBOSA
Fonte: Arquivo Rui Barbosa. Fundação Casa de Rui Barbosa. Fac-símile do manuscrito original. Série Correspondência Usual.

Rio de Janeiro, 31 de agosto de 1900.

Excelentíssimo Senhor Senador Rui Barbosa.

Minha mulher e eu, não podendo, por motivo de saúde, assistir o casamento da filha de Vossa Excelência, Dona Francisca Rui Barbosa, com o Senhor Raul Airosa[1], amanhã, 1 de Setembro, damo-nos pressa em comunicá-lo a Vossa Excelência e a sua Esposa, com os agradecimentos pelo convite que se dignaram fazer-nos, e os desejos de que este consórcio lhes traga e aos dignos noivos a felicidade que todos merecem.

De V*ossa* Excelência
Ad*mira*dor e obrigado
Machado de Assis

I ✎ Terceira filha do casal Rui Barbosa, Francisca Rui Barbosa (1880-1965), a Chiquita, era a filha predileta de Rui. Casou-se com o tabelião Raul Airosa na residência da rua São Clemente, em Botafogo, atual Fundação Casa de Rui Barbosa, e o casal teve dois filhos: Raul e Maria Augusta. Francisca Rui Barbosa tinha mais quatro irmãos: Maria Adélia (1878), Alfredo (1879-1939), João (1890-1947) e Maria Luísa Vitória (1894-1985). (SE)

[549]

De: OLIVEIRA LIMA
Fonte: Manuscrito Original, Arquivo ABL.

[Londres,] 19 de setembro de 1900.
BRAZILIAN LEGATION – LONDON.

Meu prezado confrade e am*igo* S*en*h*o*r D*ou*t*o*r Machado de Assis.

Desta vez não é assunto literário que tenho a tratar – antes o fosse! –, é do pagamento de um telegrama, a q*ue* refere-se meu ofício n.º 29, de data de ontem, que acompanha esta carta. Recorro à sua autoridade oficial para fazer com que seja paga essa pequena quantia, que já por vezes tem sido reclamada desta Legação pela Eastern[1] Telegraph Co. E a grosseria da companhia cresce naturalmente com o tempo e a demora...

Estamos aqui com uma excelente roda, roubada à *Revista* e à Academia. Às cinco horas reúnem-se em volta do bule de chá o Nabuco, Graça Aranha, Ed*uar*do Prado e outros[2]. Breve o Domício[3]. Desejando-lhe excelente saúde e na esperança de não passar-se m*ui*to tempo sem q*ue* o cumprimente em pessoa, subscrevo-me com particular apreço e a maior simpatia

Conf*ra*de e Ad*mira*dor m*ui*to obr*iga*do

M. de Oliveira Lima

1 ⁕ O certo seria "Western". (IM)

2 ⁕ Ver em [564], de 07/12/1900, comentário machadiano sobre o *five o'clock tea* da nova roda, que recorda os antigos chás na redação da *Revista Brasileira*. (IM)

3 ⁕ Domício da Gama*. (IM)

[550]

Para: HENRIQUE CHAVES
Fonte: Fundação Biblioteca Nacional. *Gazeta de Notícias*, 1900. Setor de Periódicos. Microfilme do original impresso.

Rio de Janeiro, 20 de setembro de 1900.[1]

Meu caro Henrique.

Esqueçamos a morte do nosso amigo. Nem sempre haverá tamanho contraste entre a vida e a morte de alguém. Araújo tinha direito de falecer entre uma linha grave e outra jovial, como indo a passeio, risonho e feliz. A sorte determinou outra coisa.

Quem o via por aquelas noitadas de estudante, e o acompanhou de perto ou de longe, na vida de escritor, de cidadão e de pai de família, sabe que não se perdeu nele somente um jornalista emérito e um diretor seguro; perdeu-se também a perpétua alegria. Ninguém desliga dele essa feição característica. Ninguém esqueceu as boas horas que ele fazia viver ao pé de si. Nenhum melancólico praticou com ele que não sentisse de empréstimo outro temperamento. Vimo-lo debater os negócios públicos, expor e analisar os problemas do dia, com a gravidade e a ponderação que eles impunham; mas o riso vinha prestes retomar o lugar que era seu, e o bom humor expelia a cólera e a indignação deste mundo.

Tal era o condão daquela mocidade. A madureza não alterou a alegria dos anos verdes. Na velhice ela seria como a planta que se agarra ao muro antigo. E porque esta virtude é ordinariamente gêmea da bondade, o nosso amigo era bom. Se teve desgostos, — e devia tê-los porque era sensível, — esqueceu-os depressa. O ressentimento era-lhe insuportável. Era desses espíritos feitos para a hora presente, que não padecem das ânsias do futuro, e escassamente terão saudades do passado; bastam-se a si mesmo, na mesma hora que vai passando, viva e garrida, cheia de promessas eternas.

Mal se compreende que uma vida assim acabasse tão longa e doloridamente; mas, refletindo melhor, não podia ser de outra maneira. A inimizade entre a vida e a morte tem gradações; não admira que uma seja feroz na proporção da lepidez da outra. É o modo de balancear as duas colunas da escrita.

Agora que ele se foi, podemos avaliar bem as qualidades do homem. Esse polemista não deixou um inimigo. Pronto, fácil, franco, não poupando a verdade, não infringindo a cortesia, liberal sem partido, patriota sem confissão, atento aos fatos e aos homens, cumpriu o seu ofício com pontualidade, largueza de ânimo e aquele estilo vivo e conversado que era o encanto dos seus escritos. As letras foram os primeiros ensaios de uma pena que nunca as esqueceu inteiramente. O teatro foi a sua primeira sedução de autor.

Vindo à imprensa diária, não cedeu ao acaso, mas à própria inclinação do talento. Quando fundou esta folha[2], começou alguma coisa que, trazendo vida nova ao jornalismo, ia também com o seu espírito vivaz e saltitante, de vária feição, curioso e original. Já está dito e redito o efeito prodigioso desta folha, desde que apareceu; podia ser a novidade, mas foram também a direção e o movimento que ele lhe imprimiu.

Não se contentou de si e dos companheiros da primeira hora. Foi chamando a todos os que podiam construir alguma coisa, os nomes feitos e as vocações novas. Bastava falar a língua do espírito para vir a esta assembleia, ocupar um lugar e discretear com os outros. A condição era ter o alento da vida e a nota do interesse. Que poetasse, que contasse, que dissesse do passado, do presente ou do futuro, da política ou da literatura, da ciência ou das artes, que maldissesse também, contanto que dissesse bem ou com bom humor, a todos aceitava e buscava, para tornar a *Gazeta* um centro comum de atividade.

A todos esses operários bastava fazê-los companheiros, mas era difícil viver com Araújo sem acabar amigo dele, nem ele podia ter consigo se não fizesse amigo de todos. A *Gazeta* ficou sendo assim uma comunhão em que o dissentimento de ideias, quando algum houvesse, não atacaria o coração, que era um para todos.

Tu que eras dos seus mais íntimos, meu caro Henrique Chaves, dirás se o nosso amigo não foi sempre isso mesmo. Quanto à admiração e afeição públicas, já todas as vozes idôneas proclamaram o grau em que ele as possuiu, sem quebra de tempo, nem reserva de pessoa. O enterramento foi uma aclamação muda, triste e unânime. As exéquias de amanhã dir--lhe-ão o último adeus da terra e da sua terra.

Machado de Assis

---

1 ∾ Carta aberta publicada na primeira página da *Gazeta de Notícias*, em 21/09/1900, sábado, como parte das homenagens do primeiro mês de falecimento de Ferreira de Araújo*. Nesta edição, novamente vários intelectuais manifestaram-se: Araripe Júnior*, Olavo Bilac*, Lúcio de Mendonça*, Quintino Bocaiúva*, G. Fogliani, Júlia Lopes de Almeida, Filinto de Almeida*, José Veríssimo* e Alberto de Oliveira*, entre outros. (SE)

2 ∾ Fundada no Rio de Janeiro, em agosto de 1875, por Ferreira de Araújo, Manuel Carneiro e Elísio Mendes, a *Gazeta de Notícias* circulou até 1947. (SE)

[551]

De: FILINTO DE ALMEIDA
Fonte: Manuscrito Original, Arquivo ABL.

Rio [de Janeiro], 3 de outubro[1] de 1900.

Amigo e Mestre S*e*nh*o*r Machado de Assis.

Cumprimento-o e participo-lhe que tenciono ir à Argentina na próxima viagem presidencial[2], e já combinei tudo com o Cássio Farinha[3]. Falta-me, porém, um título para fazer parte da comitiva, visto não querer ir como jornalista. Lembrei-me então de representar com o Lúcio – que vai com certeza, e com o Bilac – que pretende ir, a nossa Academia. Para isso, porém, é indispensável uma designação oficial da mesa ou do seu ilustre Presidente, e é para pedir-lhe essa designação que lhe dirijo agora estas linhas. Poderá obsequiar-me com uma resposta urgente? A Academia nenhuma despesa fará, e eu prometo representá-la senão com brilhantismo, ao menos com dignidade.

Antecipando cordiais agradecimentos, aguardo a resposta do meu caro Mestre e amigo[4].

Do amigo e confrade

Filinto de Almeida.

Largo de São Francisco de Paula, 6.

---

1 ∾ Filinto de Almeida, nascido em Portugal, grafou "Oitubro". (IM)

2 ∾ O presidente Campos Sales partiria para a Argentina em retribuição à visita do presidente daquele país, Júlio Roca, em 1899. Ver em [478]. (IM)

3 ∾ Publicista gaúcho. (IM)

4 ∾ A eventual resposta de Machado de Assis ainda não foi localizada. (IM)

[552]

Para: RODRIGO OCTAVIO
Fonte: Cartão de Visita Original, Arquivo Particular.

[Rio de Janeiro,] 11 de outubro de 1900.

Ao ilustre colega e amigo Doutor Rodrigo Octavio cumprimenta[1]

MACHADO DE ASSIS

18, Cosme Velho

---

1 ∾ O primeiro-secretário da Academia estava fazendo 34 anos. (IM)

[553]

De: MAGALHÃES DE AZEREDO
Fonte: Manuscrito Original, Arquivo ABL.

Roma, 20 de outubro de 1900.

Meu querido Mestre e Amigo,

Não sei explicar o seu longo silêncio; há muitos meses que não tenho notícias suas; na última carta dizia-me ter recebido por aqueles dias as *Baladas e Fantasias*, e prometia escrever-me sobre elas. Nunca mais tive uma linha sua, e assim não pude saber a sua opinião que tanto me interessava e que me consolaria provavelmente da pouca crítica com que em geral se falou do livro. De Albano mandei-lhe uma longa carta; sempre à espera de alguma sua, fui deixando de escrever de dia para dia; mas como até agora nenhuma veio, quero-lhe manifestar a inquietação em que me põe esta dilatada interrupção de correspondência.

Ter-se-á agravado acaso a inflamação de olhos, a conjuntivite de que se queixava? Deus permita que não, e que o seu mal seja só excesso de trabalho. Mas peço-lhe ainda uma vez que me não deixe tanto tempo sem notícias suas. Julgo-me com direito a recebê-las mais frequentes.

Ocorre-me também como possível que se haja perdido alguma carta sua, tanto mais que no verão passado andamos em viagens constantes e nessas peregrinações de hotel para hotel é que mais facilmente se extraviam as cartas.

Tornando ao meu livro, embora o acolhimento que se lhe fez fosse assaz benévolo, confesso-lhe que não fiquei satisfeito de todo. Está claro que eu não esperava grande rumor de imprensa, e o que se chama um sucesso de livraria. Obras de arte pura, compostas sem outra preocupação que a do ideal e desprovidas do mínimo incentivo às paixões do dia, não fazem delirar as turbas. O que elas podem pretender é a estima dos intelectuais, dos que amam a Beleza em si e por si mesma, e compreendem que se lhe consagre um culto desinteressado. Essa estima, creio que o meu livro a obteve, mas justamente o que me admirou foi não a ver expressa nitidamente na maioria dos artigos (poucos) que li. Os únicos desses em que achei verdadeiramente crítica foram o do nosso José Veríssimo, e o da minha ilustre Amiga Dona Maria Amália[1]; é verdade que esses dois bastam para me compensar do resto. Nos outros só encontrei ou elogios banais ainda que extremos de escritores que quase se limitaram a considerar a forma exterior da obra, ou então, como no artigo do Medeiros e Albuquerque[2], na *Notícia*, uma incompreensão que me aborreceu. É verdade que alguns artigos devem ter-me escapado; na *Gazeta* por exemplo não vi nenhum, nem no *País*. O Mário de Alencar, a quem eu pedira que me mandasse tudo o que sobre o livro aparecesse, nada me mandou, nem me escreveu mais, coisa que não sei entender.

Em geral não se entrou no fundo da obra, não se quis perceber que a *Fantasia* era ali uma veste do Pensamento. Por isso é que eu bem queria ler a sua opinião na carta que me prometia.

Vou agora pedir-lhe um favor, em relação à casa Laemmert; quando passar por lá e vir o Gustavo Massow, rogue-lhe em meu nome que responda às várias cartas que tenho escrito à casa. Em uma delas mandava um projeto de contrato para que o tomassem em consideração; nunca pude conseguir que me respondessem uma palavra. É extraordinária a dificuldade que se encontra para tratar qualquer assunto mesmo com as casas comerciais daí. Quando a gente se acostuma um pouco às normas da Europa, onde reina de ordinário uma pontualidade perfeita, irrita-se naturalmente com essas eternas delongas.

Outra coisa ainda: de São Paulo recebo carta de um amigo que me diz não ter ainda encontrado ali à venda as *Baladas e Fantasias*; isso me custa a crer porque a casa Laemmert tem justamente lá uma sucursal; mas será bom indagar disso com o Massow.

Queria falar-lhe de muitas outras coisas, especialmente dos nossos passeios artísticos por Florença, Orvieto e Siena; mas hoje não tenho tempo, não quero perder o correio que parte hoje para o Brasil, e esta carta em rigor só tem por fim pedir notícias, mais que propriamente dar-lhe minhas.

Até breve, pois, se Deus quiser, e escreva-me. Não me esquecerei, porém de dizer-lhe a dor que me causou a morte do nosso caro, bom, inolvidável Ferreira de Araújo. Na última carta que me escreveu, ele prometia vir abraçar-me em Roma; agora sei o valor desse abraço que não tive!

A *Gazeta* continuará e triunfará ainda; mas a Alma daquela casa ausentou-se para sempre, e nada a substituirá. A bondade sã, calma, afetuosa e paternal daquele homem que com um sorriso quase infantil, tão puro era, iluminava o coração de quem o ouvia e compreendia, não se encarnará de novo na terra.

Adeus, querido Mestre e Amigo, pense em mim, e escreva-me. Aceite nossos cumprimentos afetuosos, para si e sua *Excelentíssi*ma Senhora. Creia-me sempre seu de coração

Magalhães de Azeredo

---

1 ∽ Ver nota 4, carta [537]. (SE)

2 ∽ José Joaquim da Costa Medeiros e Albuquerque*. (SE)

[554]

Para: MAGALHÃES DE AZEREDO
Fonte: Manuscrito Original, Arquivo ABL.

Rio de Janeiro, 5 de novembro de 1900.

Meu querido amigo,

Vá, não quero demorar mais tempo uma resposta que lhe devo, se não lhe devo muitas. Não me desculpo para me não repetir, mas a verdade é que não tenho outras razões se não estas de tempo e de espera para lhe poder escrever compridamente e resgatar assim as faltas passadas, e afinal não apanhar à mão o tempo que voa, nem a oportunidade, que não é comum. Para lhe dizer tudo, basta saber que rara vez alcanço agora falar ao Veríssimo, que mora no Engenho Novo, e a quem só encontro no *Diário Oficial* até cinco horas ou pouco menos. Eu saio tarde do gabinete do Ministro, e entro cedo à mesma hora dele, que é matutino. As noites já não são dos meus olhos. Mas deixemos explicações, e conversemos de longe.

E desde já agradeço a fidelidade de amigo, não menos que a abundância de coração, mandando-me cartas que pagam a demora, se há demora. Das suas velhas cartas, há uma de 1893, quando ainda estava em *São Paulo*, e já me falava de uma dívida minha, confessada por mim. Certo é que também se acusava de faltar a uma promessa feita quando partira para Minas. Qual de nós se lembra já de tais faltas? Pois seja assim com as últimas.

As suas últimas cartas têm um encanto mais, além dos do costume, é o do lugar, seja Roma, seja Albano, seja Carpineto ou outra parte; fala-me sempre de coisas italianas, que me fazem lembrar a bela ode de Musset ao irmão, *en revenant d'Italie*. Somente, eu não sou Musset, nem posso dizer, como ele, que deixei o coração em Veneza[1]. Se em alguma parte está nessa terra, é em toda ela, que nunca chegarei a ver, meu querido amigo, porque na minha idade já não é possível deixar a terra em que nasci e vivi para recomeçar uma vida nova. Agora acabou. Creio que nenhum dos meus contemporâneos deixou de ir ver terras alheias e diversas, onde a arte lhe deparasse vistas antigas e recentes, e costumes tão diversos destes. Só eu fiquei pegado à terra natal.

O seu caso é mais que diferente, é o contrário. Moço, na flor do engenho, com a educação mental e moral que recebeu, ao pé dos seus, a mãe e a esposa, está nas condições de distribuir de quando em quando um punhado de felicidade para este lado do Atlântico, onde amigos moços, e este amigo velho lhe querem tanto como merece.

Espero os novos livros de que me fala, e até lá vou lendo o que nos vai dando, como ainda há pouco os artigos[2] sobre o Eça de Queirós e o Alberto de Oliveira. A crítica ao Eça tem uma face nova relativa aos sentimentos daquele grande escritor que a nossa língua acaba de perder;

é a que respeita ao seu amor da pátria. Ambos os estudos têm o cunho do autor, que não é só crítico, mas também, e principalmente, artista, coisas que juntas se acham raramente.

A nossa Academia Brasileira parece que afinal terá as três coisas — casa, franquia postal e impressão de inéditos de autores mortos que ela julgue digna de tal serviço. Já passou na câmara dos deputados o projeto e foi para o senado[3]. Ali fui há dias para falar ao Gomes de Castro[4], que é da comissão de finanças, e estive com ele e outros senadores. Ouvi que o projeto foi distribuído ao Ramiro Barcelos[5], e não tem ainda parecer por estar este com a senhora doente, mas outro senador, o Antônio Azeredo[6], ficou de ir procurá-lo [para] pedir-lhe o parecer e levá-lo ao senado para a assinatura dos demais membros da comissão. Enfim, vamos ver. Salvo demora, creio que passará.

Já lhe disse que tenho um livro no prelo, e de versos. São todos os que estão por colecionar e mais os colecionados, desde os primeiros anos: *Poesias completas*. Devem ter chegado a Paris, mas ainda não recebi comunicação[7].

Creio ou antes estou certo que não darei mais versos. Assim o título definitivo fica ajustado à coleção de todos. Agora só a prosa me prenderá os anos de vida que me restam, e naturalmente irá perdendo com eles a pouca força que tem. Desculpe-me de falar tanto na idade, e alguma vez na morte. Cuido que há de ser assim com todos, ou então é do temperamento melancólico, apenas encoberto por um riso já cansado. Nas suas cartas encanta-me não só a afeição viva e constante e o tom de seriedade e paixão de artista que sempre lhes achei, mas ainda o viço de juventude que é como um cordial para mim. A minha fortuna tem sido que me entendam as novas gerações.

Daqui poucas novidades literárias há. De envolta com as festas de Buenos Aires, por ocasião da visita do Campos Sales, achará alguma coisa literária nas vitórias de orador que teve o Bilac, parece que ainda terá algumas, pois só voltará para a semana. A ele e aos jornalistas que lá foram fizeram grandes festas e trataram com muito e especial carinho.

Parece que virão todos encantados, não só da gente, mas também da cidade e da vida.

Adeus, meu querido amigo. Não se demore em escrever-me; não se vingue do meu silêncio, ainda que este se prolongue alguma vez mais do que o justo ou perdoável. Apresente os meus respeitos às *Excelentíssi*mas Esposa e Mãe, que têm a fortuna de amá-lo, e creia-me sempre o velho amigo e admirador

Machado de Assis.

---

1 ∾ Escrito para o irmão Paul de Musset (1804-1880), o poema narra o significado da paixão do poeta pela Itália. Eis o trecho a que se refere Machado: "Toits superbes! froids monuments! / Linceul d'or sur des ossements! / Ci-gît Venise. / Là mon pauvre coeur est resté. / S'il doit m'en être rapporté, / Dieu le conduise!"

> Tradução: "Tetos soberbos! momumentos frios! / Mortalha de ouro sobre as ossadas! / Aqui jaz Veneza. / Ali meu pobre coração ficou. / Se ele deve me ser restituído, / Deus o conduza!" (SE)

2 ∾ Azeredo publicou mais tarde "Eça de Queirós" em *Homens e Livros* (1902), artigo resultante da observação sobre a obra e da convivência com escritor nos últimos anos de vida em Neuilly. Publicou também comentários à obra poética de Alberto de Oliveira* naquele volume. (SE)

3 ∾ Sobre o assunto, ver carta [534]. (SE)

4 ∾ Senador maranhense Augusto Olímpio Gomes de Castro (1836-1909), pai do futuro ministro do Supremo Tribunal Federal, Augusto Olímpio Viveiros de Castro (1867-1927). (SE)

5 ∾ Senador pelo Rio Grande do Sul, Ramiro Fontes Barcelos (1851-1916). (SE)

6 ∾ Senador pelo Mato Grosso, Antônio Francisco Azeredo*. (SE)

7 ∾ Livro editado pela Tipografia de H. Garnier, em Paris, com data de 1901. (SE)

[555]

> Para: OLIVEIRA LIMA
> *Fonte*: Manuscrito Original. The Oliveira Lima Library, The Catholic University of America, Washington.

Rio de Janeiro, 7 de novembro de 1900.

Meu prezado confrade e amigo Senhor Doutor Oliveira Lima,

Creio que a esta hora deve ter já recebido a resposta da sua carta, relativamente ao pagamento do telegrama da Western Telegraph Co. de que tratou no ofício de 18 de Setembro[1]. O Ministro reconheceu logo a necessidade de acabar com a pequena dívida e expediram-se as ordens necessárias.

Peço-lhe que disponha de mim, sempre que lhe for útil, certo de encontrar o melhor desejo da minha parte. Aos amigos com quem me diz que está sempre ao chá das 5 horas, Nabuco, Graça Aranha[2] e Eduardo Prado, peço-lhe que apresente as minhas saudades, explicando-lhes que nem por serem de velho são menos viçosas. A sua carta dá-me esperanças de o ver em breve. Que seja o mais breve possível para abraçá-lo é o que deseja o seu

Admirador amigo muito obrigado
Machado de Assis

---

1 ∾ Ver em [549]. (IM)

2 ∾ Ver a reação de Graça Aranha* em [571], de 21/12/1900. (IM)

[556]

De: JOÃO DA COSTA SAMPAIO
Fonte: Manuscrito Original, Arquivo ABL.

Respondida em 20-12-1900[1]

São Paulo, 7 de novembro de 1900.

Excelentíssimo Senhor Doutor Machado de Assis

Por intermédio do Doutor José Nerceciam, acabo de saber que não chegou ao seu destino uma carta minha que a Vossa Excelência enderecei há dias.

Nessa carta pedia eu a Vossa Excelência o favor de me informar se posso apresentar à Academia Brasileira de Letras uma Memória cujo assunto é exclusivamente da alçada do referido instituto (pois trata-se de um projeto de reforma ortográfica), e, no caso de me ser possível a apresentação, quando e como devo fazê-la, isto é, qual o momento oportuno e se devo fazê-lo diretamente ou por intermédio de algum membro de Academia.

Reitero, pois, o pedido, certo de que Vossa Excelência se dignará de me obsequiar com uma resposta, que aguardo e de antemão agradeço

Respeitosamente me subscrevo

De Vossa Excelência

Humilde admirador criado

J. da Costa Sampaio

Endereço:
Caixa postal, 149 – São Paulo

---

1 ∽ Anotação na lateral da carta, com letra de Machado de Assis. (SE)

[557]

De: ANTÔNIO AZEREDO
Fonte: Manuscrito Original, Arquivo ABL.

GABINETE DO I.º SECRETÁRIO
DO
SENADO FEDERAL

Senado, 13 de novembro de 1900.

Meu caro Machado.

Não faltei ao cumprimento de tua ordem e conforme o combinado escrevi uma cartinha ao nosso amigo Ramiro[1], pedindo-lhe apressasse o parecer sobre a Academia, incumbindo-me eu de levar-lho à comissão e promover o seu andamento; infelizmente, porém, até hoje não obtive resposta alguma, devido certamente ao estado de saúde de sua Senhora.

Vou renovar, pois, o meu pedido e se não for possível obter-se o parecer, eu requererei para que a proposição da Câmara dos Deputados seja dada para ordem do dia do Senado, independentemente do *exame* da Comissão, o que pode fazer de acordo com o regimento.

Desta teremos alcançado os teus desejos, conseguindo-se a aprovação do projeto no correr ainda desta sessão.

Como sempre, fica a teu dispor

o amigo e adm*ira*dor

A. Azeredo

---

1 ∾ Senador Ramiro Fortes de Barcelos (1851-1916). (IM)

[558]

> Para: PAULA GUIMARÃES
> *Fonte:* Fundação Biblioteca Nacional, Seção de Manuscritos. Fac-símile do Manuscrito Original.

GABINETE DO MINISTRO
DA
INDÚSTRIA

[Rio de Janeiro,] 13 de novembro de 1900.

*Excelentíssi*mo am*i*go

Justamente fui há pouco à Câmara para dizer o que há sobre a tabela de engenheiros. Não há alteração de vencimentos em prejuízo de ninguém, nem modificação de hierarquia. A tabela deve estar com o D*ou*t*o*r Urbano dos Santos, mandada pelo Diretor de Viação da Secretaria, e formará um projeto de lei. É o que há, afirmado por este. Apesar disso falei ao D*ou*t*o*r Alfredo Maia, que me disse a mesma coisa. Incluo a carta que V*ossa* Ex*celência* me confiou.

Peço-lhe que me mande novas ordens, a fim de que eu possa satisfazê-lo, segundo os seus desejos[1].

De V*ossa* Ex*celência*
a*ten*to am*i*go ad*mi*rad*o*r e obr*i*ga*d*o
Machado de Assis

---

1 ∾ Verifica-se, nesta carta, a diligência de Machado em atender ao deputado Paula Guimarães, tão ativo nos trâmites da lei que reconheceria a ABL. (IM)

[559]

De: LAURO SEVERIANO MÜLLER
Fonte: Manuscrito Original, Arquivo ABL.

Rio de Janeiro, 19 de novembro de 1900.

Caro Mestre e Amigo

Vejo que anda bem informado, porque, de fato entreguei o projeto da Academia ao Senador Benedito Leite[1], maranhense e, portanto, ateniense, quer dizer homem de saber e de bom parecer.

Quanto à reunião de hoje, foi ela limitada à discussão de emendas do orçamento da Receita; entretanto teremos nova reunião depois de amanhã, e, nesta, diz o Senador *Benedito* Leite que ouviremos o seu parecer.

Queira dar suas ordens ao

Atento Criado e Amigo obrigado

Lauro Müller[2]

---

1 ∾ Senador pelo Maranhão responsável pelo parecer favorável ao projeto de lei n. 726/1900, do deputado e mais tarde também acadêmico Eduardo Ramos (1854--1923). Sobre o assunto, ver [534]. (SE)

2 ∾ Lauro Müller reconduzirá Machado de Assis ao cargo de diretor-geral quando assumir o Ministério Indústria Viação e Obras Públicas, em 15/11/1902, no recém--empossado governo Rodrigues Alves (1848-1919). Sobre o afastamento de Machado, ver carta [415]. (SE).

[560]

De: ANTÔNIO AZEREDO
Fonte: Manuscrito Original, Arquivo ABL.

[Rio de Janeiro, sem data.]

Meu caro Machado de Assis.

Está pronto o parecer sobre a proposição da Câmara e que interessa à Academia, de modo que, se for lido no expediente de amanhã, espero conseguir a sua entrada na ordem do dia do Senado, de quarta-feira próxima¹.

Recado do sempre
amigo admirador
Azeredo

---

1 ∾ Essa quarta-feira foi o dia 28 de novembro, o mesmo em que Azeredo escreve a Lúcio de Mendonça*, e este a Machado de Assis. Ver em [562]. (IM)

[561]

De: JOÃO DA COSTA SAMPAIO
Fonte: Manuscrito Original, Arquivo ABL.

São Paulo, 25 de novembro de 1900.

Excelentíssimo Senhor Doutor Machado de Assis

Dar-se-á o caso de que o correio nem sequer respeite a minha correspondência que expeço sob registro?

Em 14 do corrente enderecei a Vossa Excelência uma terceira carta registrada sob o n.º 159210, e, como até agora não recebi qualquer resposta, começou a tomar vulto em meu espírito a dúvida que transparece da interrogativa supra.

Que as duas primeiras se extraviassem, admito e concedo, visto que foram expedidas com porte simples; mas a terceira não poderia deixar de chegar ao seu destino, salvo se já não pudermos nem devermos contar com as vantagens postais, decorrentes da contribuição a mais direta que possa haver.

Tendo, porém, o maior empenho em receber a resposta que já por três vezes solicitei de V*ossa* E*xcelência*, pela quarta formulo novamente o meu pedido, certo de que serei desculpado por esta insistência digna, talvez, de melhor causa.

Pretendo apresentar à Academia Brasileira de que V*ossa* E*xcelência* é muito digno Presidente uma Reforma da ortografia portuguesa, para o que já elaborei uma *Memória*; mas desejo saber se posso fazer essa apresentação; se deve ser feita diretamente por mim ou por intermédio de algum membro da Academia, e qual o momento oportuno.

Agradecendo de antemão a gentileza da resposta, que ansiosamente aguardo, com todo respeito me subscrevo

De V*ossa* E*xcelência*

Admirador sincero

J. da Costa Sampaio

Endereço:
Caixa postal, 149
São Paulo

[562]

De: LÚCIO DE MENDONÇA
Fonte: Revista da Academia Brasileira de Letras, XXXI, n.º 93 set. 1929.

[Rio de Janeiro,] 28 de novembro de 1900.

Mestre e Amigo.

Comunico-lhe esta carta do Azeredo, hoje recebida, e cujas novas lhe serão agradáveis[1].

Então esse comissário do mês, o almirante, matou a "Panelinha"?[2]

Saudades do amigo e admirador

L. de Mendonça

---

1 ∾ Eis as *novas* mais que *agradáveis*:

"Gabinete do 1.º Secretário do Senado Federal, 28 de novembro de 1900. / Meu caro Lúcio, / Acaba de ser aprovada em 2.ª discussão a proposição da Câmara dos Deputados sobre a academia, devendo entrar em 3.ª discussão amanhã, de acordo com a dispensa de interstício concedida pelo Senado, a meu pedido. / Cumprida a minha promessa, fica a teu dispor o amigo e admirador. / Azeredo."

Estava, praticamente, aprovado o projeto que se corporificou no Decreto n.º 726, conhecido como Lei Eduardo Ramos. (IM)

2 ∾ O almirante Jaceguai* perdera a mascote do grupo, como narra Rodrigo Octavio*. Ver nota 2 em [534]. (IM)

[563]

> Para: LÚCIO DE MENDONÇA
> *Fonte:* Revista da Academia Brasileira de Letras, XXXI, n.º 93, set. 1929.

[Rio de Janeiro,] 29 de *novembro* de 1900.

Meu caro Lúcio de Mendonça,

Agradeço a carta que Você me mandou ontem à noite, com a do Azeredo. O Azeredo, como eu disse a seu filho, já me havia comunicado a mesma coisa, pelo telefone, às duas horas da tarde, e eu dei-lhe pela mesma via os nossos agradecimentos. Tinha-lhe escrito na véspera, como ao Lauro Müller e ao Benedito Leite[1]. Creio que o projeto terá passado hoje, mas ainda não recebi comunicação.

Agora resta a sanção; e sobre isto Você se entenderá, melhor que ninguém, com o Campos Sales[2]. Há dias, encontrando-me com o Epitácio, falei-lhe de passagem sobre o projeto, mas não há intimidade entre nós, e estávamos com outras pessoas. Até aqui fiz o que pude, e achei boa vontade em ambas as câmaras.

Quanto ao almoço, não sei; o almirante está na Escola. Esperemos aviso, que ainda pode ser recebido nesta semana, ou na que vem. Em todo caso, a panelinha se concertará[3].

Até breve.

Todo seu

M. de Assis

Post Scriptum — Desculpe os borrões da carta; escrevo no meio de atropelo e papelada grande.

M. de A.

1 ◊ As cartas aos três senadores ainda não foram localizadas. (IM)

2 ◊ Lúcio, ministro do Supremo Tribunal Federal e Procurador Geral da República, era muito amigo do presidente Campos Sales. (IM)

3 ◊ O futuro acadêmico Jaceguai*, então no comando da Escola Naval. Sobre a "Panelinha", ver em [534], lembrando que, apesar da perda do mascote, pelo almirante, o grupo logo voltou a se reunir. (IM)

[564]

| Para: JOAQUIM NABUCO
| *Fonte*: Fundação Joaquim Nabuco. Fac-símile do Original Manuscrito.

Rio de Janeiro, 7 de dezembro de 1900.

Meu caro Nabuco,

Deixe-me agradecer o exemplar de "Minha Formação", que me destinou, e chegou a salvamento[1]. Pouco antes acabava eu de reler e apreciar o valor deste seu livro, que é melhor que memórias, posto que delas tenha parte. Nem ele podia ser escrito sem recordações da própria vida, e da vida pública. Assim que, contou V*ocê* a história do seu espírito, metendo na narração o interesse do leitor.

Na carta ao Graça Aranha digo alguma coisa a tal respeito[2]. Parte dela é para ambos, e para o Oliveira Lima, nosso confrade da Academia, e diria que também para o Eduardo Prado, se não houvesse lido algures que ele embarcou para cá, — ou foi o Arinos que mo disse. O Oliveira Lima escreveu-me que V*ocês* têm aí um chá das cinco horas, em que recordam os nossos. Aqui é que acabou toda a reunião; raro nos vemos[3].

A morte do nosso Gusmão Lobo causou grande consternação. Valha ao menos que se lembraram dele! Vivi anos com esse talento privilegiado, forrado de um bom coração, capaz de aturar trabalhos longos. Serviu a homens e ao seu partido, como poucos, e figura entre os principais *leaders* da abolição. Não pude ir ao enterro, mas vou à missa, daqui a dias, e lá verei os restantes heróis, não todos, porque a vida levou alguns para a Europa, e a morte a outros para a sepultura[4].

Adeus, até breve. Não esqueça o seu admirador e

Velho amigo

Machado de Assis.

---

1 ∞ Depois da recusa de Nabuco ao seu pedido em favor de Luís Guimarães Filho* (ver em [499]), Machado não mais escreveu cartas ao amigo: mandou-lhe apenas felicitações (não localizadas) e um exemplar de *Dom Casmurro*, como se verifica em [526]. Finalmente, retoma a conversa epistolar, movido pela leitura de *Minha Formação* e comovido com a morte do amigo comum Gusmão Lobo. (IM)

2 ∞ Mais uma carta a Graça Aranha* que não se consegue localizar. (IM)

3 ∞ Observa Magalhães Jr. (2008): "A Academia parecia estar mais viva no exterior que no próprio país." (IM)

4 ∞ O abolicionista Francisco Leopoldino Gusmão Lobo fora companheiro de Machado na antiga Secretaria de Agricultura. Nabuco a ele se refere em *Minha Formação* e o menciona algumas vezes nos *Diários*. Em 01/01/1891, ali registraria: "Hoje recebi uma carta do Machado de Assis sobre *Minha Formação*. Fala-me também da morte de Gusmão Lobo." Escrevendo a Machado em 28/01/1901, agradecerá a "lembrança de ano-bom", lamentando profundamente a morte da rainha Vitória; em seguida, tratará da Academia. (IM)

[565]

De: JOSÉ LEOPOLDO DE BULHÕES JARDIM
Fonte: Manuscrito Original, Arquivo ABL.

GABINETE DO 1.º SECRETÁRIO
DO
SENADO FEDERAL

Senado, 7 de *dezem*bro de 1900.

Caro a*mi*go D*ou*tor M*achado* de Assis.

Subiu à sanção a 30 a proposição relativa à Academia de Letras[1]. Preciso falar com o am*i*go e talvez hoje o procure. Temos na ordem do dia o orçam*en*to do interior e dep*oi*s da sessão reúne-se a com*iss*ão de finanças.

do am*i*go

Bulhões

Residência – Praça da República 25

---

1 ∾ Ver em [563]. (IM)

[566]

De: ANTÔNIO AZEREDO
Fonte: Manuscrito Original, Arquivo ABL.

[Rio de Janeiro, sem data.]

Ao Prezadíssimo am*i*go Machado de Assis, o abaixo assinado cumprimenta e comunica que já subiu à sanção.

A. Azeredo

[567]

De: JOÃO DA COSTA SAMPAIO
Fonte: Manuscrito Original, Arquivo ABL.

São Paulo, 8 de dezembro 1900.

Ex*celentíssi*mo D*ou*t*o*r Machado de Assis

Acabando de verificar que V*ossa* Ex*celência* recebeu a minha carta de 14 de Novembro, pois vi o respectivo recibo assinado por V*ossa* Ex*celência*, desde já absolvo o correio das temerárias, ainda que justificáveis, imputações que lhe fiz, principalmente na minha outra carta de 26 do mesmo mês; e. como até agora não tive o prazer de receber resposta de nenhuma dessas cartas, de novo solicito de V*ossa* Ex*celência* o obséquio de me honrar com algumas linhas a propósito do objeto que constituía o assunto das referidas cartas.

Agradecendo de antemão, peço vênia para mais uma vez me subscrever

De V*ossa* Ex*celência*
Sincero Admirador
J. da Costa Sampaio

[568]

Para: PAULA GUIMARÃES
Fonte: Fundação Biblioteca Nacional, Seção de Manuscrito. Fac-símile do Manuscrito Original.

Rio de Janeiro, 17 de dezembro *de* 1900.

Ex*celentíssi*mo am*igo* D*ou*t*o*r Paula Guimarães

Agora que a lei da Academia Brasileira foi completada pelo voto do Senado e pela sanção do Presidente da República, deixe-me ainda uma vez agradecer-lhe a proteção esclarecida que deu ao projeto na Câmara, o vivo interesse e boa vontade com que se colocou à frente dos seus distintos colegas para fazê-la sair acabada e depressa.

Não esquecerei, nem a Academia, o zelo e estima que lhe devemos, como legislador e grande amigo. Ainda uma vez com particular estima e consideração

De Vossa Excelência

atento admirador e amigo obrigado

Machado de Assis[1]

---

[1] Esta carta, inédita, coroa a extraordinária persistência de Machado de Assis e demonstra a sua elegante gratidão ao presidente da Câmara, que levou a bom termo o projeto de lei em favor da Academia. Ver em [566]. (IM)

[569]

De: PAULA GUIMARÃES
Fonte: Manuscrito Original, Arquivo ABL.

Rio [de Janeiro], 19 de dezembro *de* 1900.

Excelentíssimo Amigo Senhor Machado de Assis

Respondo a sua estimadíssima carta dizendo que o agradecido sou eu, em ter-me proporcionado ocasião de ser-lhe agradável, prestando um pequeno serviço à Academia Brasileira de Letras, que tanto deve ao seu Presidente.

Sabe que é íntimo e profundo o sentimento de admiração que lhe dedico, e de reconhecimento pelas horas deleitosas que devo ao autor de tantas obras preciosas, que honram as letras pátrias.

Nada mais digo, senão que pode contar sempre com os pequenos préstimos de quem se assina, com alta estima e muita consideração.

de Vossa Excelência

Admirador e Amigo muito obrigado

Paula Guimarães

[570]

> Para: MAGALHÃES DE AZEREDO
> *Fonte*: Manuscrito Original, Arquivo ABL.

Rio de Janeiro, 20 de dezembro de 1900.

Meu querido amigo,

Creio que quando a sua última carta me chegou, já lá estaria chegando a minha última também. Ela explicará os meus silêncios, que ainda assim não terão sido tão longos, ao menos no que respeita às *Baladas e Fantasias* sobre as quais escrevi uma carta, não extensa, mas resumindo o que senti do livro. Que se perdesse é esquisito, não havendo acontecido o mesmo às outras; mas se efetivamente nenhuma chegou depois daquela em que lhe dei notícia da recepção, então os extravios foram dois. Não posso dizer as datas; o que este ano, embora tenha sido o mais falho na minha correspondência (e assim o confessei na última carta) não o foi tanto que apenas lhe escrevesse em março.

A razão das minhas falhas é o aumento de trabalho que tenho agora[1], ainda maior pelo cerceio das horas, pois já lhe disse mais de uma vez que não escrevo à noite. Sabe que quando me sento a escrever-lhe não tenho vontade de levantar a pena, e assim deve ser com um amigo que até hoje me tem sido fiel e carinhoso. Desta vez a carta será curta. Considere-a como um suplemento à outra que lá terá chegado, se chegou.

As *Baladas e Fantasias* deram-me ainda uma vez a impressão viva do seu talento múltiplo, que tanto vale na prosa como no verso, na novela como na crítica. Reli várias páginas de uma e outra coleção, entre elas o *Samba*, que é das mais completas, o *Minuete*, gracioso e melancólico, o *Natal de Frei Guido*, etc. Não é nova a minha opinião sobre a seriedade do seu espírito, sem prejuízo da graça e do brinco, que, ainda assim, não perdem a compostura. O que vê é que a natureza e o estudo deram-se as mãos para fazê-lo na primeira mocidade o que muitos só alcançam tarde, e alguns nunca. Eis aí, sem descer à análise agora, a minha impressão das *Baladas e Fantasias*.

Quando recebi a sua carta fui ter com o Gustavo Massow, e li-lhe os recados que lhe dizem respeito. Respondeu-me haver já providenciado e escrito.

Adeus, meu querido amigo. Vá relevando as minhas lacunas, e querendo mais ao seu amigo velho. Peço-lhe que apresente os nossos cumprimentos à Ex*celentíssi*ma Família, e receba particularmente os do seu

Confrade, am*ig*o e adm*irad*or

Machado de Assis.

---

1 ❧ Desde novembro de 1897, Machado deixara de ser diretor-geral em razão de uma reforma administrativa. Quando o ministro que executou a reforma afastou-se, substituído por Severino Vieira, Machado foi convidado a ser seu secretário de gabinete (17/12/1898). Há algumas cartas deste período nas quais Machado relata a rotina pesada de trabalho a que vinha se submetendo no exercício da função. Sobre o afastamento de Machado, ver carta [415]. (SE).

[571]

De: GRAÇA ARANHA
Fonte: Manuscrito Original, Arquivo ABL.

MISSÃO ESPECIAL DO BRASIL

Londres, 21 de dezembro de 1900.
Legação do Brasil[1]

Meu grande e querido Machado de Assis.

Vi há poucos dias letras suas ao Oliveira Lima e confesso tive inveja...[2] (V*oc*ê não levará a mal este condenável sentimento... Creio que me é permitido.) Ao mesmo tempo, porém, não pude deixar de murmurar: "que fiz ao Machado de Assis? por que esse silêncio tão longo? Então a minha voz de julho, uma voz cheia de confidência, de infinitas coisas da alma e do coração, ficou sem resposta? O que eu disse era o louvor do meu espírito, o murmúrio da minha admiração sobre ele e o seu livro...[3] E no entanto os meses se vão de junho (*sic*) para cá, os dias se sucedem numerosos, o ano vai morrer, e com ele o século... E Machado silencioso, impenetrável."

Eis a minha queixa de ainda agora, quando vi em mão alheia as suas saudades *viçosas*, que Você não me quis mandar diretamente. Malvado!

Mas no fundo reconheço tenho bom coração, ponhamos de lado a recriminação e conversemos, como velhos amigos que há muito não se vêm.

Não lhe digo o detalhe da vida que levo em Londres. Basta que a defina, como a cultura da curiosidade. Procuro ver e ouvir tudo; passar esta Inglaterra pelos meus nervos, pelo meu sangue [,] para um dia poder decifrar o seu mistério. E ainda não cansei, e espero ter fôlego para muito mais... Não trema, Machado, por minha virtude, lendo Você tão ousados propósitos. Tudo isto tem um sentido honesto, a minha linguagem é a dos jovens literatos, metafórica.

Londres será sempre uma grande impressão para quem pela imaginação pode se elevar um centímetro acima de si mesmo. E francamente tudo nesta sensação é obra da imaginação. Londres, como a Inglaterra, é ainda maior pelo que se não vê, pelo que se representa, pelo que se sonha. Não quero dizer que o seu contato real não seja decisivo para engrandecê-la, e ela em mim deixa o traço inextinguível da mistura de uma cidade imperial, e a um tempo familiar.

Entre um homem e ela há uma comunicação íntima segura e definitiva; cada qual se julga *at home*, e a rua é um prolongamento da casa. Em Paris eu me sentia mais embaraçado em minha liberdade do que aqui, e no entanto não me faltava ali a comunicação da raça e da língua. Lá o acordo seria mais fácil entre homem e homem (sem malícia, Machado) ao passo que em Londres é definitivo entre o homem (não é o que Você pensa) entre o homem e a... cidade, que é um jardim seu, um parque, sua posse, sua dependência. E por isso é agradável viver aqui, livre, perdido na multidão, mormente para os tímidos que se sentem à vontade e não têm o curioso e amestrado olhar latino a lhes estorvar os movimentos.

Tenho estado quase em toda a parte, mas não me consolo de ter adiado a Escócia para a primavera. Vou me contentando com a própria cidade, com o Parlamento (que já se foi), com o British Museum, com a National Gallery, com o South Kensigton, com a Torre etc. e com as livrarias ricas e fartas, com os velhos monumentos (Paris neste ponto é mais abundante) [,] com os teatros magníficos de esplendor e conforto. A propósito vi o "Júlio César" e V*ocê* durante a representação não me saiu da cabeça. Foi então uma bela volta ao passado. Tudo ali estava em ordem. Senado, praça pública, plebeus, senadores, César, adivinhos, mulheres, tudo ao menor detalhe falava da velha Roma e o espectador se podia julgar transportado àqueles tempos. O ator principal é o Tree[4] que fez de Marco Antônio. Foi excelente diante do cadáver de César! "O mighty Ceasar! dost thou lie so low?"... A sua melhor composição foi, porém, na cena do discurso, toda ela bem arranjada, de uma realidade incomparável. Não, nunca mais me esquecerei dessa turba oscilante, inquieta, estúpida e ridiculamente soberana. E a arenga de Brutus: Romans, countrymen, and lovers! E depois Antônio: "Friends, Romans, countrymen, lend me your ears..." Isto dito com uma timidez disfarçada, com um sangue frio calculado no meio dos impropérios da plebe, até que a vence, que a domina. Como devia ser difícil naquele dia em Roma a situação de Antônio! é a impressão que não nos deixa durante toda a cena, apesar de espectadores de 20 séculos após, sabedores do desenlace da história. Mas ainda assim!

Chegou o inverno e com ele a Shakespeare's season. Duas companhias começaram anteontem a dar as peças menores, o que é uma boa oportunidade. Só na Inglaterra poderia ouvir as comédias, os Henrique, os Ricardo, Coriolano. Das peças grandes apenas prometeram duas, o Hamlet e o Mercador de Veneza. A estação vai até abril. Como cada peça leva em cena pelo menos duas semanas, há tempo de preparar-se aquele como eu que ainda precisa de estudar antes de ouvir. Daqui a uns dias chegará o Irving[5], e então teremos as grandes tragédias, isto é, as mais espalhadas. É preciso conhecer o teatro na Inglaterra para avaliar o que há de delicioso nessa perspectiva. Tudo é feito com magnificência, que se não é como se representava no tempo de Shakespeare é seguramente o quadro de sua imaginação, o reflexo de sua criação, e tudo é perfeito no menor detalhe [;] além do mais Você sabe como mestre a harmonia distinta do verso branco inglês para me acompanhar mesmo em pensamento até as mais raras e profundas sensações.

Pedi ao nosso Veríssimo que lhe desse a ler o *Herod*, de Stephen Phillips[6], que vi em cena e de que guardo uma forte lembrança. Talvez lido não tenha o mesmo efeito e por isso não o lerei. As boas sensações neste mundo são tão poucas que não vale a pena estragá-las. A crítica inglesa recebeu o *Herod* com um sentimento de orgulho e ufania. A literatura de inspiração andava aqui em crise, e parece que este rapaz porá outra vez a Inglaterra no seu elevado lugar. A propósito dele fala-se sem corar em Marlowe, em Shakespeare mesmo! Se ele é um continuador dos gênios, se ficará assinalado entre os grandes não seremos nós que o sabemos; há muita gente que virá amanhã, ou depois de amanhã para dar a sentença. O que podemos fazer é recomendá-lo com os nossos aplausos.

A tragédia me parece soberba pela sua unidade, pela sua força e simplicidade. Ela como as outras do gênero é feita do contraste, mas aqui ele é um só e de uma rara intensidade. Pelo que vi posso lhe assinalar (a Você que leu)[7] os maiores efeitos da representação. No 1.º ato, a entrada do jovem grão-sacerdote, recorda Cristo no dia das palmas em Jerusalém; é muito pungente quando já está assassinado, e todos no paço ignoram ainda e as damas se reúnem no terraço, descuidadas e felizes, falam poeticamente, vendo o sol morrer sobre a cidade santa. No 2.º ato, todo ele forte e unido, o final é soberbo já quando Herodes interroga o cadáver do matador de Aristóbulo para que lhe diga se foi amante da rainha e no desespero ordena que a matem: já quando entra o enviado de Otávio e o desperta do delírio para dar-lhe a mensagem de César, e ele orgulhoso e radiante com o seu quinhão de reinos e cidades sai clamando pela mulher sempre amada (e cuja morte acaba de se dar, sem sua ciência) para partilhar com ela a alegria e o triunfo! O 3.º ato é um dos mais difíceis e bem tratados que tenho visto no teatro, porque é uma única cena com um só motivo. Veja Herodes louco, fazendo penitência para se reconciliar com a rainha (que ele julga viva) com trajes de penitente, barba e cabeça coberta de cinza, olhar desvairado. A corte em roda a querer distraí-lo, jogos, danças, mulheres. Ele falando dos seus projetos de grandeza, do seu templo reconstruído, de suas confabulações com Jeová, mas sempre irrompendo no seu grito apaixonado, doloroso: *Mariamne! Mariamne!* até que o enterro dela lhe dá pela primeira vez a percepção da realidade.

Reconstrua *você* toda esta situação e me diga se não é bela. E quão diferente na sua poesia, na sua doçura, na sua simplicidade e mesmo seriedade deste *Aiglon*[8] que acabo de receber de Paris, obra pulha, filha da pretensão e da reclame de dois cabotinos formidáveis, Rostand e Sarah Bernhardt. *Você* já leu? Não lhos mandei porque calculei que o meu exemplar chegaria quando aí as livrarias já estariam abarrotadas de tão infeliz pantomima cenográfica. Francamente prefiro o Hamlet do que a sua falsificação. E a propósito fala-se em Victor Hugo. Este não foi tão banal. Não seria melhor falar de Sardou, de Cleópatra e Teodora? Cyrano passava com a sua frescura. O *Aiglon* devia morrer na casca do ovo da águia. Para nós, seria melhor[9].

Mas deixemos a crítica, que já o deve estar fatigando. Nós aqui celebramos com um banquete a vitória do Rio Branco. Deste guardei o meu *menu* para *Você* e aí vai como lembrança de amigos, que não o esquecem. Na carta do Brasil estão assinalados os territórios que a ciência e a habilidade do Rio Branco nos conquistaram[10].

Mandei-lhe pelo Veríssimo um recado sobre a futura recepção do *Oliveira* Lima. Creio, porém, que ele não vai desta vez ao Brasil. Primeiro irá ao Japão. Vale a troca[11]? O que ele quer é a publicação de uma peça teatral que escreveu para o Centenário[12]. Arranje isso.

Sei que *Você* e o Veríssimo continuam todos os dias aquele mesmo diálogo de outrora. Não o interrompam[13]. Não sei por quê, sabendo-os juntos, parece-me que também estou aí. Será uma reminiscência dos livros santos?

Adeus. Minha mulher se recomenda à sua Senhora e a V*ocê*.

Receba o abraço do

seu sempre amigo

Graça Aranha[14].

---

1 ∾ A Missão fora criada para tratar da questão dos limites com a Guiana inglesa, sob a chefia de Joaquim Nabuco*. Este acumulou a chefia da legação brasileira, em Londres, apresentando as credenciais em 13/12/1900. (IM)

2 ∾ Ver em [555] e [564]. (IM)

3 ∾ Ver em [473] e [490], ambas as cartas de 1899. (IM)

4 ∾ Sir Herbert Beerbohm Tree (1853-1917). (IM)

5 ∾ O ator inglês Henry Irving (1838-1905). (IM)

6 ∾ Stephen Phillips (1864-1915), famoso dramaturgo inglês. Sua peça *Herod, a Tragedy* estreara a 31/10/1900, no Her Majesty's Theatre. (IM)

7 ∾ Em carta de 28/01/1901, José Veríssimo* perguntará a Machado: "Você recebeu o *Herod*? Mandei a meu filho que o deixasse no Garnier com destino a você." (IM)

8 ∾ Peça de Edmond Rostand (1868-1918), *L'Aiglon* apresenta o filho de Napoleão e Maria Luísa em sua breve e malograda existência. Sarah Bernhardt empolgou o público no papel principal. (IM)

9 ∾ Em postal de 21/06/1904, com a enigmática mensagem "de l'aiglon à l'Aigle" e uma imagem de Schoenbrunn (que pudemos identificar como sendo remetido por Graça Aranha a Machado no dia de anos de ambos), Graça parece esquecer essa idiossincrasia e somente lembrar o poema de Victor Hugo dedicado ao infeliz "Rei de Roma". No caso, o remetente se associa ao filho de Napoleão e trata o mestre como o próprio imperador – *l'Aigle* – ou seja, a Águia. (IM)

10 ∾ Defesa vitoriosa da questão do Amapá, por sentença do árbitro, presidente da Suíça, em Berna, 01/12/1900. (IM).

11 ∾ Oliveira Lima*, com sua independência de espírito, penou na carreira diplomática, da qual acabou se desligando. À não desejada remoção para Tóquio, deve-se o estupendo livro *No Japão* (1903). (IM)

12 ∾ Certamente *O Secretário del-Rei*, escrita para o muito comemorado quarto centenário do descobrimento do Brasil. (IM)

13 ∾ A partir de novembro de 1898, pode-se ver como o diálogo passou a ser epistolar, devido à impossibilidade dos tradicionais encontros na redação da *Revista Brasileira*, impedidos pelos encargos de Machado no gabinete do ministro Severino Vieira. (IM)

14 ∾ As epístolas de Graça Aranha, apresentadas neste volume — de tal forma extensas e elaboradas —, tornam irresistível a reprodução de um trecho da carta de Joaquim Nabuco, em 23/10/1906, a dona Maria da Glória da Graça Aranha, dona Iaiá, publicada por Carolina Nabuco (1949).

"Faça o Graça escrever-me de vez em quando, não uma dessas cartas longas que o fatigam ou devem fatigar pelas vibrações que há nelas, eu o sei bem porque as recebo com toda a força que as causou, porém, meras notas de um minuto de extensão, frescas da emoção ou impressão que liberam (em vez de deixar ele a impressão acumular-se de dia para dia, como peso inútil e sempre crescente), coisa que não lhe dê que pensar, que lhe possa mesmo ditar. Assim eu ficarei mais contente, pois a carta longa, apressada, ansiosa, revelando esforço, acumulação de esforço, por mais prazer que me dê, traz-me escrúpulos, pesar de o ver gastar-se por minha causa, fatigar-se. Eu não creio que ele tenha a constituição resistente do Magalhães de Azeredo, mas quisera vê-lo diminuir a intensidade das cartas e o número das vibrações da vida intelectual ordinária a fim de poder com tal economia dar as obras a que está destinado sem sacrifício e sem abalo."

A deliciosa referência a Magalhães de Azeredo* demonstra o calibre do ímpeto epistolar daquele jovem diplomata. Ressalte-se outra diferença fundamental: os originais da correspondência de Machado a Azeredo foram por este doados ao Arquivo da ABL. Já as cartas a Aranha continuam desaparecidas, deixando lamentáveis lacunas nessa interlocução. Podemos ainda antecipar que, adiante, Graça Aranha será muito mais objetivo, interessado apenas no encaminhamento de propostas, sem soltar os fogos de artifício apresentados no presente volume. (IM)

~ Correspondentes no período 1890-1900

Cartas de MACHADO DE ASSIS: [280], [281], [282], [289], [293], [300], [307], [309], [310], [314], [317], [318], [321], [322], [324], [331], [332], [333], [338], [339], [341], [342], [343], [344], [347], [348], [352], [353], [356], [360], [367], [372], [383], [385], [390], [391], [398], [399], [401], [404], [409], [410], [414], [415], [416], [418], [421], [428], [430], [432], [433], [435], [436], [439], [441], [443], [445], [447], [449], [450], [451], [454], [455], [458], [460], [461], [462], [463], [465], [466], [467], [468], [469], [471], [475], [477], [479], [480], [484], [485], [487], [488], [489], [492], [493], [494], [496], [500], [502], [503], [504], [506], [507], [508], [509], [510], [511], [513], [514], [517], [522], [523], [525], [528], [530], [531], [533], [534], [535], [536], [538], [541], [542], [543], [544], [545], [547], [548], [550], [552], [554], [555], [558], [563], [564], [568] e [570]. Estas cartas também estão indicadas nos perfis biobibliográficos dos respectivos correspondentes.

ABREU, João CAPISTRANO Honório DE. (1853-1927). Nascido nos arredores de Maranguape, província do Ceará, era o primogênito de Jerônimo Honório de Abreu e Antônia Vieira de Abreu. Estudou em Fortaleza, mas acabou por não concluir os estudos que lhe permitiriam tentar os preparatórios para a Faculdade de Direito de Olinda. Em 1871, já em Fortaleza, iniciou-se nas atividades literária e jornalística, oscilando entre a história e a literatura. Em 1875, por influência de José de Alencar*, transferiu-se à corte, onde desempenhou ao longo dos anos diversas atividades. Capistrano foi professor, jornalista e pesquisador, ganhando renome, sobretudo, como historiador rigoroso. Na década de 1880, em parceria com Alfredo do Vale Cabral reuniu edições (parciais e duas completas) da então esquecida *História do Brasil* de frei Vicente do Salvador. Após um longo trabalho de cotejamento, apesar da morte prematura de Vale Cabral, Capistrano publicou a primorosa edição comentada da obra em 1918. Na década de 1880, Capistrano de Abreu foi *habitué* do Clube Beethoven, onde certamente conviveu com Machado. Daquela década, há na correspondência cinco cartas; do período que cobre o presente tomo, há apenas uma carta, a [292]. Ver tb. tomo II.

ALBUQUERQUE, AMÉLIA Machado CAVALCANTI DE. (1852--1946). Nascida no Rio de Janeiro, filha de Constantino Machado Coelho de Castro e Mariana Barbosa de Assis Machado, D. Amélia Machado Coelho de Castro desde jovem era célebre por sua elegância, beleza e inteligência. Dama de dotes intelectuais reconhecidos, foi a sexta mulher a tornar-se membro do Instituto Histórico e Geográfico Brasileiro de São Paulo, em 1905. Amélia foi casada com o influente político do Império, Diogo Velho Cavalcanti de Albuquerque (1829-1899), que por seus serviços recebeu do imperador o título de *visconde com honras de grandeza* em 1888. Em maio de 1889, Diogo Velho foi nomeado Comissário do Brasil na Exposição Universal de Paris, transferindo-se para lá. Na mudança de regime político em 1889, os viscondes permaneceram na Europa em atenção ao imperador. Retornaram ao Brasil quando da grave doença que vitimou o visconde. Após enviuvar, D. Amélia voltou a viver na Europa. [483] e [527].

ALENCAR, MÁRIO Cochrane DE. (1872-1925). Advogado, poeta, jornalista e romancista, Mário é o filho mais novo de José de Alencar*, e irmão de Augusto*, outro correspondente de Machado de Assis. A relação entre Machado e Mário principiou a estreitar-se depois do lançamento da pedra fundamental da estátua de José de Alencar, no bairro do Flamengo, em 1891. O primeiro registro da correspondência entre ambos, no entanto, é de 1895, carta [306], que é a participação do noivado entre Mário e Baby, sua prima. A partir de 1898, quando Mário passou a frequentar a redação da *Revista Brasileira*, os dois tornaram-se íntimos. O temperamento reservado e a doença comum – epilepsia – colaboraram para que os laços se estreitassem ainda mais. Amparavam-se mutuamente em suas fraquezas, trocando palavras de incentivo e até mesmo receitas de remédios, a fim de mitigar as suas aflições, carta [402]. Passaram a encontrar-se diariamente na Livraria Garnier, de onde partiam juntos até o Catete. Após a morte de Carolina*, em 20 de outubro de 1904, a amizade estreitou-se mais, tornando-se Mário de Alencar o confidente mais próximo de Machado. Na Academia Brasileira de Letras, é o segundo ocupante da Cadeira 21, cujo patrono é Joaquim Serra*. Mário de Alencar foi eleito na vaga de José do Patrocínio em 31 de outubro de 1905, sendo recebido por Coelho Neto* em 14 de agosto de 1906. [306], [307], [337], [354], [402], [413] e [414].

ALMEIDA, Francisco FILINTO DE. (1857-1945). Jornalista, poeta, cronista e teatrólogo, nascido em Portugal. Órfão de pai muito cedo, cursou as primeiras letras na cidade do Porto, abandonando os estudos ao embarcar para o Brasil com 10 anos de idade. No Rio de Janeiro, empregou-se no comércio, destino comum aos jovens imigrantes portugueses; após a longa jornada de trabalho, lia e estudava à luz da vela. Este autodidata logo se tornou ensaiador e diretor teatral de grupos amadores, e teve seu entre-ato cômico, *Um Idioma*, representado em 1876. Em 1879, já trocara a função de caixeiro pelo jornalismo. Peregrinou por várias folhas e, em 1885, com seu grande amigo Valentim Magalhães*, fundaria a revista *A Semana*, em que colaborou com crônicas hebdomadárias e poemas. Em 1887, publica o monólogo *Os Mosquitos* e *Líricas*, seu primeiro livro de versos. Na redação de *A Semana* estreitou a amizade com inúmeros escritores, entre eles Machado de Assis, que conhecera três anos antes, em Petrópolis, e a quem dedicara uma ode no banquete comemorativo dos 22 anos das *Crisálidas*, em 1886 (ver [254], tomo II). *A Semana* também lhe deu o ensejo de descobrir escritos enviados, sob pseudônimo, pela talentosa paulista Júlia Lopes (1862-1934), filha do visconde de São Valentim, então residente em Campinas. Apaixonado, e irrestrito admirador da jovem colaboradora, com ela se casaria em Lisboa (1887); anos depois, Júlia Lopes de Almeida seria mencionada por João do Rio (Paulo Barreto*) como a nossa principal romancista, observação que fez Filinto, já acadêmico, responder alegremente: "Não era eu quem devia estar na Academia, mas ela". Instaurada a República, Filinto de Almeida integrou-se como cidadão brasileiro, segundo a lei da grande naturalização. Trabalhou entre 1889 e 1895 como redator de *A Província de São Paulo*, transformado em *O Estado de S. Paulo*. É no primeiro quinquênio da era republicana que reside em São Paulo: jornalista arguto, deputado na Assembleia Legislativa, propõe e vê aprovada a criação do Museu Paulista do Ipiranga (1893), tornando-se uma referência política, econômica e cultural da vida paulistana. De volta ao Rio de Janeiro, não só participa ativamente na fundação da Academia Brasileira de Letras, como escreve, no *Jornal do Comércio*, em colaboração com a esposa, o romance *A Casa Verde* (folhetins de 1898-1899). Sem perder a sua posição de jornalista vivaz, voltado para os assuntos candentes no seu país de adoção, também publicará poesia fiel aos cânones da estética pré-modernista, de *Cantos e Cantigas* (1915) até *Camonianas* (1945), bem como um livro de circulação restrita, *D. Júlia* (1938), homenageando a falecida esposa, e crônicas reunidas em *Colunas da Noite* (s.d). Fundador da Cadeira 3, ocupou-a por quase cinco décadas. [312], [376] e [551].

ARANHA, José Pereira da GRAÇA. (1868-1931). Escritor, advogado e diplomata, nascido no Maranhão, exerceu a magistratura no interior do

Espírito Santo, fato que lhe iria fornecer matéria para um de seus mais notáveis trabalhos – o romance *Canaã*, publicado com grande sucesso editorial em 1902. A convite de Joaquim Nabuco* em 1889, secretariou a missão que cuidaria da questão da antiga Guiana Inglesa, acompanhando o chefe na França e fixando-se em Londres, quando Nabuco, além de cuidar do litígio entre o Brasil e a Grã-Bretanha, assumiu a representação diplomática brasileira naquele país. Depois da estreia com *Canaã*, publicou, em 1911, o drama *Malazarte*. De volta ao Brasil, lançou *A Estética da Vida* (1921), *A Viagem Maravilhosa* (1929) e *O Meu Próprio Romance* (1931) sua obra derradeira. Na Semana de Arte Moderna, realizada no Teatro Municipal de São Paulo, Graça Aranha proferiu, em 13 de fevereiro de 1922, a conferência intitulada "A emoção estética na arte moderna". Foi considerado um dos chefes do movimento renovador de nossa literatura, fato que se acentuaria com a conferência *O Espírito Moderno*, lida na Academia Brasileira de Letras, em 19 de junho de 1924, na qual o orador declarou: "A fundação da Academia foi um equívoco e foi um erro". O romancista Coelho Neto* deu-lhe pronta resposta: "O brasileirismo de Graça Aranha é um brasileirismo europeu, copiado do que o conferente viu em sua carreira diplomática." Em 18 de outubro de 1924, Graça Aranha comunicou o seu desligamento da Academia por ter sido recusado o projeto de renovação que elaborara: "A Academia Brasileira morreu para mim, como também não existe para o pensamento e para a vida atual do Brasil. Se fui incoerente aí entrando e permanecendo, separo-me da Academia pela coerência." O acadêmico Afonso Celso tentou, em 19 de dezembro do referido ano, promover o retorno de Graça Aranha à instituição, mas Graça Aranha foi taxativo: sua separação da Academia fora definitiva. Machado de Assis admirava Graça Aranha, e, com Nabuco e Lúcio de Mendonça*, convidou-o para fazer parte do grupo dos fundadores da ABL, sem que ele houvesse ainda publicado nenhum livro. Aranha a princípio recusou o convite, por ser contrário à ideia da Academia, mas acabou voltando atrás, a instâncias de Machado. O temperamento irreverente de Graça Aranha às vezes irritava Machado de Assis, como ocorreu em 1899, quando Graça, tendo lido em Paris as provas de *Dom Casmurro*, brincou com o mestre, dizendo ter encontrado num hotel uma grega de olhos oblíquos e dissimulados, cujo amante tinha morrido afogado. Machado puniu Graça com um longo silêncio, mas a reconciliação se deu no final de 1900. Apesar de pequenos conflitos motivados por candidaturas acadêmicas, a amizade de ambos não sofreu novas turbulências. Machado se entusiasmou genuinamente com *Canaã*. Foi Graça Aranha que entregou a Machado o ramo do carvalho de Tasso, que Joaquim Nabuco enviara de Roma. E após a morte do amigo, organizou e prefaciou sua correspondência com Nabuco (1923). Foi o fundador da Cadeira 38 da Academia Brasileira de Letras. [344], [378], [379], [473], [490] e [571].

ARARIPE JÚNIOR, Tristão de Alencar. (1848-1911). Nascido em Fortaleza, oriundo de umas das mais importantes famílias do Ceará no século XIX, era filho de Argentina Alencar Lima e Tristão de Alencar Araripe; era neto de Bárbara de Alencar, a heroína da Revolução de 1817, e primo de José de Alencar*. Araripe Júnior bacharelou-se em direito por Recife. Na década de 1870, foi juiz e deputado provincial, por duas legislaturas. Em 1880, mudou para o Rio de Janeiro. Pouco conhecido como romancista, foi como crítico que ganhou renome. Exerceu desde muito jovem o ensaísmo literário nos mais prestigiosos jornais, fossem cearenses, pernambucanos ou fluminenses. A convivência entre Araripe Júnior e Machado remonta à década de 1880, quando ambos frequentavam o Clube Beethoven*. Entre 1958-1966, o acadêmico Afrânio Coutinho (1911-2000) pesquisou e reuniu em cinco alentados volumes a obra do ensaísta até então dispersa, dando-lhe o título de *Obra Crítica de Araripe Júnior*, referência ainda hoje para os estudiosos da literatura nacional. Fundador da Academia Brasileira de Letras, ocupante da Cadeira 16. [305] e [371].

AZEREDO, ANTÔNIO FRANCISCO DE. (1861-1936). Político e jornalista mato-grossense, no Rio de Janeiro foi fundador do *Diário de*

Notícias, que exerceu forte influência na queda da Monarquia e na campanha republicana. Eleito deputado em 1890 e senador a partir de 1896 até 1930, publicou obras de natureza política. Alinhou-se entre os parlamentares que mais se empenharam na aprovação e sanção da "Lei Eduardo Ramos", designação do decreto n.º 720 assinado em 08/12/1900 pelo presidente Campos Sales, que oficializou o apoio à Academia Brasileira de Letras e pelo qual Machado de Assis batalhara com imensa tenacidade. [557], [560] e [566].

AZEREDO, Carlos MAGALHÃES DE. (1872-1963). Bacharel em direito pela Faculdade de São Paulo (1893), ingressou na carreira diplomática em 1895; foi também jornalista, poeta, contista e ensaísta. Azeredo morou a maior parte de sua vida fora do Brasil, primeiro no Uruguai, depois em Roma, por um tempo exilou-se em Paris, voltando a Roma, a cidade de sua predileção. Mesmo depois de aposentar-se da carreira, continuou a viver ali. Magalhães de Azeredo é um dos interlocutores privilegiados, a quem Machado de Assis votou grande afeição e profunda confiança e com o qual se correspondeu por 19 anos. As cartas do período 1890-1900 dão continuidade à vasta correspondência começada em 1889, quando Azeredo, aos dezesseis anos, era ainda estudante dos preparatórios à Faculdade de Direito de São Paulo. A correspondência entre os dois no presente tomo reúne 90 cartas e constitui um testemunho precioso de uma época conturbada da história brasileira, bem como do ambiente cultural no Brasil e na Europa. Fundador da Academia Brasileira de Letras, ocupante da Cadeira 9. [286], [287], [288], [290], [291], [293], [294], [296], [297], [308], [309], [311], [313], [314], [315], [318], [319], [321], [326], [330], [331], [333], [334], [335], [336], [339], [340], [341], [342], [343], [345], [347], [349], [350], [353], [355], [357], [359], [361], [363], [367], [369], [377], [381], [386], [388], [390], [391], [393], [400], [404], [405], [406], [407], [410], [411], [415], [416], [417], [419], [421], [422], [424], [427], [428], [431], [439], [442], [444], [451], [453],

[457], [460], [474], [475], [481], [482], [494], [495], [498], [504], [513], [515], [520], [521], [525], [537], [553], [554] e [570]. Ver tb. tomo II.

BARÃO DO RIO BRANCO. Ver PARANHOS JÚNIOR, José Maria da Silva.

BARBOSA de Oliveira, RUI. (1849-1923). Advogado, jornalista, jurista, político, diplomata e ensaísta, Rui nasceu em Salvador, Bahia, filho de João Barbosa de Oliveira e Maria Adélia Barbosa de Oliveira. Fez os estudos preparatórios na província natal e o curso de direito em Recife e São Paulo. Nesta última cidade, começou a vida jornalística e, antes do fim do segundo ano de curso, já era jornalista reconhecido. Formado em 1870, passou ao Rio de Janeiro, começando a carreira de advogado. Como jornalista, abraçou a causa da abolição da escravatura. Como deputado provincial e geral, ao lado de Joaquim Nabuco*, preconizou a defesa do sistema federativo. Proclamada a República, tornou-se ministro da Fazenda do Governo Provisório e ministro interino da Justiça. Eleito senador pela Bahia, orientou as principais reformas, e com a sua cultura jurídica modelou as linhas fundamentais da Carta Magna, de 24 de fevereiro de 1891. Opondo-se ao golpe que levou Floriano Peixoto ao poder, requereu *habeas corpus* em favor de todos os presos pelo governo ditatorial. Como redator-chefe do *Jornal do Brasil*, abriu campanha contra Floriano. Em 1893, exilou-se, primeiramente em Buenos Aires; depois em Lisboa, onde o incidente com o capitão Benjamin de Melo (ver [336] [339]) levou Rui a partir para Londres. Lá, escreveu as famosas *Cartas da Inglaterra* para o *Jornal do Comércio*. Após a restauração da ordem constitucional no Brasil (1894), Rui regressou do exílio em 1895, tomando assento no Senado Federal. As relações entre Machado e Rui Barbosa sempre foram cerimoniosas. Fundador da Academia Brasileira de Letras, ocupante da Cadeira 10. Sucedeu Machado de Assis na presidência da instituição. [374], [430] e [548].

BARROS, RAFAELINA DE. (1878-1943). Escritora paulista, viveu a maior parte de sua vida no Rio de Janeiro, como companheira do brilhante, irreverente, extravagante, boêmio e tardiamente acadêmico Emílio de Meneses (1866-1918), 2.º ocupante da Cadeira 20, eleito em 1914. Vale questionar 1878 como ano de nascimento de Rafaelina, indicado numa das fontes consultadas. Nesse caso, ela seria extremamente jovem, porém já casada com um comerciante, quando escreveu a Emílio manifestando sua admiração pelo escritor, também casado, mas disposto a conhecer a admiradora paulistana, em meados da década de 1890. A paixão recíproca gerou escândalo, valeu uma vasta surra no audacioso escritor paranaense, e o abandono do lar por Rafaelina, que se uniu a Emílio na condição de musa bem-amada e paciente companheira do boêmio reincidente. Rafaelina de Barros estreou com os contos de *Almanara* (1902), publicou *Bíblicos* (1923), colaborou em jornais e revistas literárias importantes, deu apoio material ao romancista Lima Barreto e empreendeu um monumental trabalho de coleção e divulgação da correspondência de Emílio de Meneses, ao que se sabe ainda desaparecida. A personalidade da escritora sensibilizou Machado de Assis em 1896. [352] e [356].

BILAC, OLAVO Brás Martins dos Guimarães. (1865-1918). Nascido no Rio de Janeiro, filho de um cirurgião-médico e combatente da Guerra do Paraguai (1865-1870), Bilac estudou até o 4.º ano de medicina, sem, no entanto, concluir o curso, seguindo desde cedo a sua vocação para o jornalismo e a literatura. Jornalista combativo, envolveu-se em muitos episódios no período inicial da República, o que lhe rendeu algumas prisões. Logo que voltou da Europa, em outubro de 1891, participou da frustrada tentativa de reconduzir Deodoro ao poder, após o malogrado golpe estado, de 03 de novembro. Bilac foi preso pela polícia florianista e enviado, em 12 de abril de 1892, à fortaleza de Laje, onde permaneceu até agosto. No período da Revolta da Armada, em 1893, de novo foi preso. José do Patrocínio, diretor do *A Cidade do Rio* e ferrenho opositor de Floriano, temeroso de nova deportação para o Amazonas, escondera-se na casa do sogro florianista. Luís Murat, então deputado federal, valendo-se de sua imunidade, assumiu o seu lugar, tendo Bilac como secretário oficial da folha. O estado de sítio, no entanto, já tinha sido decretado. Os dois, apesar de inseguros, publicaram o manifesto revolucionário de Custódio de Melo, em 24 de outubro de 1893. O jornal foi suspenso. Murat saiu do Rio; Bilac, preso e logo solto, refugiou-se em Minas. Findo o estado de sítio, na volta, mal desembarcou do trem de Juiz de Fora, o poeta foi preso para averiguações. O próprio Floriano, a pedido de amigos de Bilac, escreveu um bilhete ao chefe de polícia: *soltem o poeta*. Anos mais tarde, Bilac engajou-se em causas civilistas, sendo a mais conhecida a obrigatoriedade do serviço militar. É o autor da letra do Hino à Bandeira. Fundador da Academia Brasileira de Letras, ocupante da Cadeira 15. [346], [368] e [403].

BOCAIÚVA, QUINTINO Antônio Ferreira de Sousa. (1836-1912). Nasceu em Itaguaí, na província do Rio de Janeiro. O sobrenome Bocaiúva foi adotado na juventude como afirmação de seu nativismo, pois designa uma espécie de coqueiro tipicamente brasileiro. Em 1850, foi estudar direito em São Paulo, mas acabou desistindo por falta de recursos. De volta à corte, trabalhou no *Correio Mercantil*, no *Diário do Rio de Janeiro*, em *A República*, em *O Globo* e em *O País*. Machado de Assis iniciou-se por suas mãos no *Diário do Rio de Janeiro*, como jornalista encarregado da cobertura no Senado. Um dos redatores do *Manifesto Republicano* de 1870, Quintino é considerado também um dos próceres da República brasileira, com papel decisivo no movimento que levou ao fim da monarquia. É certo que na juventude Machado e Quintino foram amigos fraternos e cotidianos. Após a queda da Monarquia, com a mudança do regime político, Quintino teve importantes atribuições políticas, e a convivência entre os dois já não pôde ser tão estreita, mas ainda assim mantiveram a amizade, como atesta no presente tomo o cartão de cumprimentos pelo aniversário de Machado. Quintino fez parte do governo provisório da República, como ministro das Relações Exteriores (1890–1891) e, interinamente, assumiu a pasta do Ministério da Agricultura, Comércio e Obras Públicas, até a chegada do titular Demétrio Ribeiro. [470]. Ver tb. tomo I.

BRAGA, BELMIRO Belarmino de Barros. (1872-1937). Poeta e prosador mineiro, nascido na então Vargem Grande; ali aprendeu as primeiras letras e, aos 11 anos, partiu para estudar no Ateneu Mineiro, em Juiz de Fora. Porém logo retornou e pôs-se a trabalhar na venda paterna. Seus dotes de escritor surgiram cedo, mostrando-se em jornais locais e sobretudo em trovas premiadas. Teve ofícios modestos em outras cidades de Minas Gerais, tornou-se juiz de paz e fez bem sucedida viagem à Europa. Em 1902, publicou *Montesinas* (poesia), volume cuidadosamente reeditado em 2011. Além da extensa obra poética, de contos e textos dramáticos, destaca-se o seu livro autobiográfico *Dias Idos e Vívidos* (1936), no qual revela uma personalidade modesta, lírica e, ao mesmo tempo, capaz de compor, sem maldade, boas páginas satíricas. Nesse livro, o autor descreve sua precoce e perene devoção por Machado de Assis, que foi sensível às manifestações do jovem poeta mineiro. Belmiro Braga, um dos fundadores da Academia Mineira de Letras, mereceu a admiração de grandes escritores e uma devida homenagem, ao ter seu nome dado à antiga Vargem Grande, como município emancipado de Juiz de Fora em 1962. [323], [324], [398], [491], [493] e [510].

BRASIL, TOMÁS POMPEU DE SOUSA. (1852-1929). Advogado, político, professor e escritor cearense, era filho do senador Tomás Pompeu de Sousa Brasil, falecido em 1877, destacado liberal e líder político em seu estado. Formou-se pela Faculdade de Direito do Recife (1872), tornou-se redator do *Cearense*, ao lado do pai e de João Brígido*. No ano seguinte, junto com este e outros intelectuais, fundou a Academia Francesa do Ceará, tornando-se o seu primeiro presidente. Em 1876, assumiu, após aprovação em concurso, a da cadeira de geografia no Liceu do Ceará.

Deputado-geral (1878-1886) pelo Partido Liberal, foi vice-presidente da província do Ceará. Escreveu inúmeras obras sobre geografia física e humana, abordando temas como seca e irrigação. Um dos idealizadores da Faculdade de Direito do Ceará, desta foi o primeiro vice-diretor, professor de economia política, ciência das finanças e contabilidade, posteriormente, assumindo a direção da instituição. Em 1894, com outros intelectuais e estudiosos de assuntos ligados ao seu estado, fundou a Academia Cearense, que em 1922 adotou o modelo da Academia Brasileira de Letras e passou a se denominar Academia Cearense de Letras. Desta foi atuante presidente desde a fundação até sua morte, em 1929. [392].

BRINN'GAUBAST, LOUIS-PILATE de. (1865-1944). Escritor francês e divulgador da literatura de língua portuguesa. Publicou poesia, prosa, uma tradução da tetralogia wagneriana *O Anel do Nibelungo* e um diário acerca da acusação de ter roubado manuscritos das *Cartas do meu Moinho*, de Alphonse Daudet, quando desempenhava a função de preceptor dos filhos daquele célebre escritor. Teve intensa atuação no meio editorial, e nome na capa, como "representante da França", da esplêndida revista *Arte* (Coimbra, 1895-1896), dedicada a autores internacionais, conforme o programa dos dois criadores portugueses, Eugênio de Castro e Manuel da Silva Gaio. Nesse periódico, mostra-se colaborador incansável. Em janeiro de 1896, *Arte* estampou a "Balada Medieval" de Filinto de Almeida* (fundador da Cadeira 3 da ABL, que proporia, sem êxito, Brinn'Gaubast como sócio correspondente da instituição). Brinn'Gaubast foi um dos fundadores da revista *Pléiade* e mereceu destaque em *A Nova Revista*, de Adolfo Caminha (1867-1897), ao mandar dois poemas e pedir livros, fotografias e referências sobre autores brasileiros, que fariam parte de sua campanha. Escreveu a mais distante carta enviada a Machado de Assis, da qual se ignora resposta; veio aquela do atual Cazaquistão, e ainda não foi possível apurar o que Brinn'Gaubast, redigindo em papel timbrado da *Revue Encyclopédique*, Larousse, andava fazendo na *Société Metallurgique - de l'Oural-Volga*, carimbada como endereço. [412].

CABRITA, FRANCISCO Carlos da Silva. (1857-1923). Engenheiro formado pela Escola Politécnica, no Rio de Janeiro, Cabrita foi professor e autor de livros didáticos. Exerceu diversos cargos na administração pública republicana. Em 1890, foi nomeado por Benjamin Constant diretor da Escola Normal do Distrito Federal, da qual era até então professor de geografia. Foi diretor do Colégio Pedro II, então Ginásio Nacional, de 1898 a 1903, em substituição a José Veríssimo*. Lecionou também na Escola Politécnica e foi diretor-geral da Instrução Pública Municipal do Distrito Federal. Colaborou em diversas revistas, prefaciou livros e publicou diversos estudos sobre geografia e geometria. A carta presente neste tomo manifesta a intenção de aproximar-se da nascente Academia Brasileira de Letras e de seu presidente oferecendo-lhe pouso; Machado de Assis, porém, manteve-se cerimonioso. [429].

CASTRO, FRANCISCO DE. (1857-1901). Nasceu em Salvador, filho do negociante Joaquim de Castro Guimarães e de Maria Heloísa de Matos. Depois de uma estadia em Paris, para onde o pai o enviara a fim de aperfeiçoar seus estudos, matriculou-se na Faculdade de Medicina da Bahia. Veio para o Rio de Janeiro em 1877, cidade que não mais deixou, e onde adquiriu fama tanto na medicina como na literatura. Influenciado pelo romantismo, reuniu seus poemas no livro *Harmonias Errantes* (1878), com prefácio de Machado de Assis, que o incluiria entre as promessas da poesia brasileira no ensaio "A Nova Geração". Foi professor da cadeira de clínica propedêutica e, em 1901, diretor da Faculdade de Medicina do Rio de Janeiro; ao assumir esse cargo, fez questão de ter Machado de Assis ao seu lado. Eleito para a Academia Brasileira de Letras, faleceu no dia seguinte ao marcado para a sua posse, deixando, porém, o discurso – um longo e primoroso elogio do Visconde de Taunay*, a quem sucedia. O discurso teve publicação póstuma (1902), prefaciada emocionadamente por Machado de Assis. Rui Barbosa*, designado para receber o novo acadêmico, também teve seu discurso publicado e considerou-o "a mais peregrina expressão de cultura intelectual" que jamais conhecera.

Segundo ocupante da Cadeira 13 da Academia Brasileira de Letras. [476]. Ver tb. tomo II.

CAVALCANTI, VISCONDESSA DE. Ver ALBUQUERQUE, AMÉLIA Machado CAVALCANTI DE.

CHAVES, HENRIQUE Samuel de Nogueira Rodrigues. (1849--1910). Há poucos dados biográficos confiáveis a respeito deste imigrante português, que chegou ao Brasil em 1868-1869. Machado, em crônica publicada a 20 de maio de 1893, no periódico *Álbum*, diz que a habilidade como taquígrafo trouxe Chaves ao Brasil, vindo exercê-la no parlamento brasileiro, circunstância que o fez circular entre políticos importantes do Império, o que facilitou a sua fixação no país. Juntamente com Elísio Mendes e Ferreira de Araújo* fundou a *Gazeta de Notícias*, jornal em que Machado manteve a sua prestigiosa "A Semana". Henrique Chaves, homem de grande habilidade social e de cultura notável, era considerado por Luís Edmundo um *bon vivant*. [550].

CHEFE DA DIRETORIA. Ver MENESES, JOSÉ DE NÁPOLES TELES DE.

CIBRÃO, ERNESTO Pego de Kruger. (1836-1919). Português do Minho, cursou a Escola Politécnica e colaborou em jornais de sua terra até optar por uma nova vida, no Brasil, em 1858. Então se iniciou a amizade com Machado de Assis, que foi seu companheiro nas páginas de *O Espelho* (1859) e da *Semana Ilustrada*, de Henrique Fleiuss*. Generoso incentivador no campo da produção dramatúrgica, Machado prefaciou o romance de Cibrão, fruto de uma longa viagem europeia, *A Casa de João Jacques Rousseau* (1868), e também o teve no elenco da comédia *Quase Ministro* (1863). Em 1868, dedica-lhe o famoso poema "Menina e Moça" prontamente respondido pela poesia "Flor e Fruto". Enquanto Machado de Assis procurava a estabilidade no serviço público, seu velho amigo ingressava, com muito êxito, no mundo dos negócios. Como rico diretor da Companhia Pastoril Mineira, foi o anfitrião da conturbada excursão machadiana a Minas Gerais. Ao completar 55 anos, recebe uma estatueta de Apolo, acompanhada do soneto "Entra cantando, entra cantando Apolo!", ao qual Machado de Assis não deu título quando se fez porta-voz dos ofertantes. Em 1895, entre os amigos que sabiam da paixão de Machado por um quadro de Roberto Fontana (hoje na Biblioteca Acadêmica Lúcio de Mendonça), Cibrão providenciou a compra e o oferecimento da tela "A dama do livro", exposta na rua do Ouvidor. O feliz presenteado respondeu com o soneto ("A bela dama ruiva e descansada"), transcrito por Ferreira de Araújo* na *Gazeta de Notícias*, sob o título de "Soneto Circular". Ernesto Cibrão teve também atuação marcante no Gabinete Português de Leitura: presidindo-o, recebeu o manuscrito de *Tu, só tu, puro amor*, orgulhosamente conservado pela instituição. Sempre na diretoria, atendeu aos pedidos do velho amigo, oferecendo as dependências da imponente Biblioteca para sessões solenes da recém-fundada Academia Brasileira de Letras. [317], [529] e [530].

COCHRANE, TOMÁS Wallace da Gama. (1861-1910). Do ramo paulista dos Cochrane, nasceu em Santos, filho de Inácio Wallace da Gama Cochrane e Maria Vieira Barbosa. Tomás é neto de Helena Augusta Velasco Nogueira da Gama, mãe de Georgiana Cochrane, mulher do escritor José de Alencar*. Inácio Wallace e Georgiana são meios-irmãos. Tomás Wallace da Gama Cochrane formou-se bacharel em ciências jurídicas e sociais pela Faculdade de São Paulo, em 1883. Advogou por 2 anos. Entrou na administração pública em 1885, como secretário no Ministério da Agricultura, Comércio e Obras Públicas, a convite do conselheiro Antônio da Silva Prado. Foi oficial, chefe de seção e, em 1892, diretor-geral da Secretaria da Indústria, do Ministério das Indústrias, Comércio e Obras Públicas. Trabalhou como secretário de diversos ministros. Em 1898, no governo Campos Sales (1898-1902), Tomás Wallace da Gama Cochrane assumiu a Secretaria da Presidência da República. É neste momento de sua vida profissional que se situa a carta inserida no presente tomo. O tom amistoso deixa entrever relativa camaradagem, resultante certamente da convivência com Machado desde 1885. Entre 1905-1908, Tomás Wallace da Gama Cochrane ocupou o cargo de ministro do Tribunal de Contas da União. [437].

COELHO NETO, Henrique Maximiano. (1864-1934). Romancista, crítico e teatrólogo, nasceu em Caxias, Maranhão, e tinha seis anos quando os pais se transferiram para o Rio de Janeiro. Fez os preparatórios no Colégio Pedro II. Depois tentou estudar Medicina, mas logo desistiu, matriculando-se, em 1883, na Faculdade de Direito de São Paulo. Transferiu-se para a Faculdade do Recife, onde cursou o 1.º ano, tendo Tobias Barreto como o principal mestre. Regressando a São Paulo, defendeu ideias abolicionistas e republicanas, numa atitude que o incompatibilizou com certos mestres conservadores. Não concluiu o curso jurídico em 1885, e foi para o Rio. Fez parte do grupo de Olavo Bilac*, Luís Murat, Guimarães Passos e Paula Ney. A história dessa geração apareceria no seu romance *A Conquista* (1899). Tornou-se companheiro assíduo de José do Patrocínio, na campanha abolicionista. Ingressou na *Gazeta da Tarde*, passando depois para a *Cidade do Rio*, onde chegou a exercer o cargo de secretário. Por essa época começou a publicar seus trabalhos literários. Em 1890, casou-se com Maria Gabriela Brandão, filha do educador Alberto Olímpio Brandão. Foi nomeado para o cargo de secretário do Governo do Estado do Rio de Janeiro e no ano seguinte, para o de Diretor dos Negócios do Estado. Em 1892, foi designado professor de história da arte da Escola Nacional de Belas Artes e, mais tarde, professor de literatura do Ginásio Pedro II. Em 1910, foi nomeado professor de história do teatro e literatura dramática da Escola de Arte Dramática, passando logo depois a diretor do estabelecimento. Eleito deputado federal pelo Maranhão, em 1909, foi reeleito em 1917. Foi também secretário-geral da Liga de Defesa Nacional e membro do Conselho Consultivo do Theatro Municipal. Além de exercer vários cargos, Coelho Neto multiplicava suas colaborações em inúmeros jornais e revistas, no Rio e em outras cidades. Cultivou praticamente todos os gêneros literários, deixando uma obra extensa. Foi, por muitos anos, o escritor mais lido do Brasil. Em 1928, foi eleito Príncipe dos Prosadores Brasileiros, num concurso realizado por *O Malho*. Entre seus numerosos romances, destacam-se *A Capital Federal* (1893) e *O Rei Negro* (1914). Machado de Assis respeitava Coelho Neto, a quem considerava um dos maiores prosadores do Brasil, e escreveu vários artigos sobre ele. Segundo relato não confirmado, Coelho Neto teria sido convidado por Machado a acompanhá-lo no velório de sua madrasta Maria Inês, a quem se referiu com a frase: "Era minha mãe". Em 1895, Coelho Neto proferiu no Pedagogium conferência sobre Machado, que seria o esboço de um trabalho mais amplo. Foi o fundador da Cadeira 2 da Academia Brasileira de Letras. [303], [316], [328], [365] e [382].

COSTALLAT, BIBIANO Sérgio Macedo da Fontoura. (1845-1904). Gaúcho de Porto Alegre, realizou os estudos preparatórios na terra natal, transferindo-se à corte onde sentou praça na Escola Central, em 1862. Como alferes-aluno participou das campanhas no sul: as guerras do Uruguai (1864-1865) e da Tríplice Aliança (1865-1870). Por sua atuação, foi promovido por bravura. Após o fim dos conflitos, voltou ao Rio de Janeiro, onde se formou em engenharia pela Escola Central, seguindo carreira militar. Republicano, teve participação destacada no governo Floriano Peixoto, de quem foi camarada de armas no sul. Costallat comandou a então Escola Militar da Capital Federal. Na esfera de governo, foi ministro da Guerra (31 de janeiro a 15 de novembro de 1894); ministro interino da Marinha (2 de julho a 1.º de setembro de 1894), quando da saída de Custódio de Melo e ministro das Indústrias, Viação e Obras Públicas (24 de abril a 15 de novembro de 1894), posição que o levou a relacionar-se com Machado de Assis e a muito valer-se de sua competência para o bom andamento do ministério, conforme se observa da carta que consta do presente tomo. O general Costallat foi também ministro do Superior Tribunal Militar e foi na chefia do Estado-Maior do Exército que veio a falecer. [304].

DIAS, CARLOS MALHEIRO. (1875-1941). Escritor português, nascido no Porto e falecido em Lisboa. Viveu no Brasil em dois períodos distintos. Na década de 1890, emigrou em busca da fortuna, como os seus jovens conterrâneos, já demonstrando vocação literária. Depois, entre 1913 e 1935, escritor renomado, exilou-se em virtude de questões políticas, desenvolvendo intensa atividade no jornalismo e nas instituições culturais portuguesas localizadas no Rio de Janeiro. Defendeu a aproximação cultural luso-brasileira e polemizou com os intelectuais nacionalistas antilusitanos. Publicou, no Brasil, as suas primeiras obras de ficção, *Cenários - Fantasias sobre a História Antiga* (1894), onde se inclui o conto "Laís" apresentado ao concurso da *Gazeta de Notícias* que teve no júri Machado de Assis. Autor de *O Estado Atual da Causa Monárquica* (1913), *Exortação à Mocidade* (1924) e *O Piedoso e o Desejado* (1925), bem como da *História da Colonização Portuguesa no Brasil* (1921-1924), ocupou cargos políticos em Portugal. Em 1907, foi eleito para a cadeira 2 do quadro de sócios correspondentes da Academia Brasileira de Letras, na sucessão de Eça de Queirós*. Machado de Assis fez comentários elogiosos a *Cenários* em crônica de 11/11/1894. [295].

ELLIS, ALFREDO. (1850-1925). Médico, cafeicultor e político anglo-brasileiro, nasceu e faleceu em São Paulo. Licenciou-se pela Universidade da Pensilvânia, em 1869. Fixando residência na capital paulista, exerceu a medicina e fez longa carreira parlamentar, como deputado federal e, depois, senador, com mandato que se estendeu de 1903 até sua morte. Membro do Partido Republicano Paulista, defendeu a lavoura e o desenvolvimento da cafeicultura. Em sociedade com o sogro, visconde de Cunha Bueno, conduziu a enorme fazenda Santa Eudóxia, que se tornou produtora do café tipo exportação, premiado como o melhor das Américas, merecedor da preferência da rainha Vitória e de uma sala de exposição especial no museu londrino que traz o nome da soberana. Ao se interessar pela tradução das *Memórias Póstumas de Brás Cubas* para o alemão, Ellis (ou Élis, na grafia atual do nome) foi prontamente atendido por Machado de Assis. Não se sabe como ambos, tão prestigiados, receberam a rude resposta negativa do editor Hippolyte Garnier*. [463].

FLEIUSS, MAX. (1868-1943). Historiador, escritor e jornalista. Seu pai, o estupendo caricaturista alemão Henrique Fleiuss*, ao se radicar no Brasil, fundou e dirigiu a *Semana Ilustrada*, que teve a colaboração constante de Machado de Assis entre 1860 e 1875; fundou também a requintada *Ilustração Brasileira*, lançada em 1876, e a infelizmente mal sucedida *Nova Semana Ilustrada*. Henrique morreu pobre, mas o filho herdou-lhe o carinho por Machado de Assis, que o vira nascer. Max Fleiuss firmou-se na vida cultural brasileira como personalidade de grande mérito, e a ele se deve a identificação de Machado, sob o pseudônimo coletivo de "Dr. Semana", no primeiro periódico paterno. Em 1893, Max passou a secretariar *A Semana*, de Valentim Magalhães* e convidou Machado de Assis a escrever o conto "Missa do Galo", estampado em maio de 1894. Reconhecido como notável historiador, publicou obras nesta especialidade e se tornou sócio grande benemérito e secretário perpétuo do Instituto Histórico e Geográfico Brasileiro. [300].

GAMA, DOMÍCIO Afonso Forneiro DA. (1862-1925). Jornalista, diplomata, contista e cronista, nasceu na cidade fluminense de Maricá. Fez estudos preparatórios no Rio de Janeiro e ingressou na Escola Politécnica, mas não chegou a terminar o curso. Seguiu para o estrangeiro. Em 1889, ainda como jornalista, transferiu-se para Paris, travando conhecimento com Eduardo Prado e Eça de Queirós*. Na hospitaleira residência de Prado, conheceu o barão do Rio Branco*, que o levou a ingressar na carreira diplomática. Escolhido por Rio Branco para secretariá-lo na questão dos limites Brasil-Argentina (1893-1895) e Brasil-Guiana Francesa (1895-1900), esteve junto a Joaquim Nabuco* na questão da então Guiana Inglesa. Foi secretário de legação na Santa Sé, em 1900, e ministro em Lima, em 1906, onde desenvolveu grande e notável atividade diplomática. Representou o Brasil no centenário da independência da Argentina e no do Chile. Sucedeu a Joaquim Nabuco na função de embaixador do Brasil em Washington, entre 1911 e 1918. Em sua qualidade de Ministro das Relações Exteriores, Domício pretendeu representar o Brasil na conferência de paz em Versalhes, mas esse propósito suscitou divergências na imprensa brasileira. Convidado para a mesma missão, Rui Barbosa* recusou, e o chefe da representação brasileira foi, afinal, Epitácio Pessoa*, eleito presidente da República em seguida à morte de Rodrigues Alves. Domício foi substituído na Chancelaria por Azevedo Marques, e nomeado embaixador em Londres, onde permaneceu entre 1920 e 1921. Foi posto em disponibilidade durante a presidência Bernardes. Era colaborador da *Gazeta de Notícias* ao tempo de Ferreira de Araújo* e, ainda no início da carreira, escreveu contos, crônicas e críticas literárias. Autor de *Contos à Meia-tinta* (1891) e *Histórias Curtas* (1901). Amigo pessoal de Machado de Assis e fundador da Cadeira 33 da Academia, tomou posse em 1900, em sessão solene realizada no Gabinete Português de Leitura, sendo recebido por Lúcio de Mendonça*. Em 1919, presidiu a ABL. [285].

GARNIER, François HIPPOLYTE. (1816-1911). Livreiro e editor francês, fundador da Garnier Frères, com o irmão mais velho Auguste e o mais novo, Baptiste Louis (1823-1893). Este veio para o Brasil em 1844, sem jamais retornar ao país natal, fundando a B. L. Garnier, que editou Machado de Assis a partir de *Crisálidas* (1864) até *Quincas Borba* (1891), tendo-o como colaborador no seu *Jornal das Famílias* (mensário, 1863-1878), no qual se revelou e aperfeiçoou a vertente contista machadiana. Personalidade esquiva, rabugenta, Baptiste Louis, andou estremecido com Machado por breve período, mas a relação de quase três décadas voltou a se consolidar; por ocasião de sua morte, o antigo editado escreveu um texto justo e saudoso. Baptiste Louis Garnier desapareceu nos primeiros anos da República, período caótico política e economicamente, com reflexos inevitáveis na atividade editorial. Sempre em Paris, Hippolyte herda a livraria e a editora do irmão mais moço. Contratará a terceira edição de *Memórias Póstumas de Brás Cubas* e a segunda de *Quincas Borba* somente em 1896, sendo então representado por Stéphane Marie Etienne Lassalle. Age de maneira pragmática, com maior interesse na literatura hispano-americana, além de manter vigoroso catálogo de autores franceses e de outros europeus. Já octogenário, mais confiante na economia republicana, manda para o Rio de Janeiro um novo gerente, Julien Lansac*, e investe em Machado, que após a morte de Baptiste Louis, só publicara *Várias Histórias* (1894) pela poderosa rival Laemmert. Assim, irá contratando a publicação (e reedição) de livros de Machado de Assis que, em janeiro de 1899, vendeu-lhe a "propriedade inteira e perpétua" de sua obra publicada por B. L. Garnier, pela (irrisória) quantia de oito contos de réis. Tais títulos incluíam o ainda inédito *Dom Casmurro*, e a eles se acrescentariam *Poesias Completas, Várias Histórias* (2.ª edição), *Esaú e Jacó, Relíquias da Casa Velha* e o *Memorial de Aires*. A correspondência entre ambos é polida, mas cheia de arestas. Com seu tino comercial, Hippolyte entregou aos arquitetos parisienses Bellissime e Perradieu a reconstrução da poeirenta livraria fundada por Baptiste Louis, transformando-a num prédio moderníssimo da rua do Ouvidor, capaz de sobrepujar em luxo e bom gosto as livrarias concorrentes, sobretudo a Laemmert, ou melhor, Livraria Universal, obrigatoriamente frequentada por Machado e outros entre 1895 e 1898. O novo estabelecimento, inaugurado em 19 de janeiro de 1901, passou a contar com a presença diária de Machado de Assis, que reunia em torno de sua cadeira cativa um grupo seleto de amigos, até se ver impossibilitado de frequentá-la pouco antes de morrer: em julho de 1908, finalmente, fora lançado o *Memorial de Aires*, pela Garnier Frères. [462], [472], [486], [489], [497], [500] e [508].

GUIMARÃES, Francisco de PAULA. (1852-1909). Médico e político baiano, transferiu-se para o Rio de Janeiro, onde exerceu longa carreira parlamentar, já como deputado em 1890 e com sucessivos mandatos. Presidente da Câmara, deu excepcional impulso à tramitação do projeto em apoio à Academia Brasileira de Letras, a partir de julho de 1900. Sua correspondência com Machado de Assis no segundo semestre daquele ano, em grande parte inédita, mostra o apreço recíproco, tanto pela gentileza, quanto pelo respeito de Paula Guimarães ao escritor. [538], [539], [540], [541], [547], [558], [568] e [569].

JARDIM, José Leopoldo de BULHÕES. (1856-1928). Advogado, político e parlamentar goiano, formou-se pela Faculdade de Direito de São Paulo. Eleito deputado-geral, liberal, aos 25 anos, constituinte após a proclamação da República, presidente do estado de Goiás, sem assumir o cargo (1893), e para mandatos no Senado a partir de 1894. Como senador, deu ágil e especial apoio a Machado de Assis na tramitação do projeto em favor da Academia Brasileira de Letras (decreto n.º 720, de 08/12/1900, conhecido como "lei Eduardo Ramos"). Foi ministro da Fazenda nos governos de Rodrigues Alves e Nilo Peçanha. Seus discursos sobre a conversão do papel-moeda e a abolição foram publicados. Faleceu em Petrópolis. [565].

JORNAL DO COMÉRCIO. Conhecido na imprensa de fins do século XIX como *Vovô*, por ter nascido no tempo de D. Pedro I, o periódico foi fundado em 1.º de outubro de 1827 por Pierre Plancher, nos moldes do francês *Journal du Commerce*, circulando ininterruptamente desde então. Em 1834, foi vendido a Jules Villeneuve & François Picot, consolidando o seu prestígio com nomes importantes da política e da literatura, entre os quais: Justiniano José da Rocha, José de Alencar*, Francisco Otaviano*, visconde do Rio Branco*, Alcindo Guanabara, Guerra Junqueiro. Em 15 de outubro de 1890, José Carlos Rodrigues* assumiu o controle do periódico, dando-lhe novo influxo, e convidando a mais variada grei de colaboradores: Tobias Monteiro*, Urbano Duarte, Carlos Américo dos Santos*, Ernesto de Sena, barão do Rio Branco* e outros. A carta presente neste tomo é indiretamente endereçada a José Carlos Rodrigues, com quem Machado se relacionava profissionalmente havia muitos anos. Rodrigues era muito influente no meio republicano, e amigo pessoal de Prudente de Morais (1894-1898), o presidente responsável pela retomada das relações diplomáticas entre o Brasil e Portugal, depois do rompimento provocado pela fuga dos rebeldes da Armada em vasos de guerra portugueses, em 1894. [322].

LANSAC, JULIEN Emmanuel Bernard. Francês enviado por Hippolyte Garnier* para assumir a gerência da filial brasileira da Garnier Frères, chegou ao Rio de Janeiro em 1898. A partir de janeiro de 1900, assinou, como procurador de Hippolyte, todos os contratos com Machado de Assis, até o último documento, de 1907, referente ao *Memorial de Aires*. Responsável pela remessa de originais e provas corrigidas (tudo era composto e impresso na França) e pela venda dos exemplares publicados, bem como à frente das novas e portentosas instalações da loja à rua do Ouvidor, Lansac não conseguiu dominar a língua portuguesa. Exuberante, mas pouco hábil no trato com a clientela, foi providencialmente assistido por Jacinto da Silva, que mereceu o maior apreço da roda literária frequentadora da Garnier. Apesar dos reparos visíveis na correspondência machadiana, especialistas se referem a uma relação satisfatória de Machado com o gerente francês; foi este o 3.º signatário do testamento refeito após a morte de Carolina*. Em 1913, pouco depois do desaparecimento de Hippolyte Garnier, Julien Lansac deixou o Brasil definitivamente. [485].

LIMA, Manuel de OLIVEIRA. (1867-1928). Historiador, prosador diplomata pernambucano. Frequentou a Faculdade de Letras de Lisboa. Entrou no serviço diplomático brasileiro em 1890 como adido à legação em Lisboa e, no ano seguinte, era promovido a secretário. Mais tarde, sob a chefia do barão de Itajubá, serviu em Berlim. Em 1896 foi transferido para Washington, na qualidade de primeiro-secretário, às ordens de

Salvador de Mendonça*. Já publicara até esse ano três livros: *Pernambuco, seu desenvolvimento histórico, Sete Anos de República* e *Aspectos da Literatura Colonial*. De Washington foi removido para Londres, onde conviveu durante algum tempo com Joaquim Nabuco*, Eduardo Prado, Graça Aranha* e José Carlos Rodrigues*. Nova designação levou Oliveira Lima ao Japão e, em 1904, à Venezuela, nomeação que desgostou profundamente o historiador. Acrescentara à sua bibliografia novas obras: *Memória sobre o Descobrimento do Brasil, História do Reconhecimento do Império, Elogio de F. A. Varnhagen, No Japão* e *Secretário Del-Rei* (peça histórica). Colaborou também em jornais de Pernambuco e de São Paulo, dando margem à publicação de obras como *Pan-Americanismo* e *Coisas Diplomáticas*. Em 1907 foi nomeado para chefiar a legação do Brasil em Bruxelas, cumulativamente com a da Suécia. Em 1913 o Senado brasileiro vetou a indicação do seu nome para a chefia de nossa legação em Londres, sob a acusação de ser ele monarquista. Jubilado, fixou residência em Washington, continuando a trabalhar em escritos de natureza histórica. *Dom João VI*, sua obra mais importante, já fora publicada em 1909, e destaca-se *O Movimento da Independência* (1922). A publicação póstuma das suas *Memórias* teve enorme repercussão, sobretudo pelas revelações íntimas e apreciações críticas. As relações de Machado de Assis com Oliveira Lima sempre foram afetuosas, apesar das longas ausências do segundo, motivadas pela carreira diplomática. Em 1895, passou uma curta temporada no Rio, onde frequentou o grupo da *Revista Brasileira*, cujo centro era Machado, com quem ele também se encontrava quase todos os dias na livraria Laemmert. Em 1.º de julho de 1903, voltou ao Rio para empossar-se na Academia Brasileira de Letras, da qual fora membro fundador. Em 1904, Machado fez uma resenha elogiosa da peça de Lima, *Secretário Del-Rei*. Pouco depois, Carolina faleceu e Lima enviou ao viúvo várias cartas de consolação. Em agosto de 1908, Machado mandou-lhe um exemplar de *Memorial de Aires*. A carta de agradecimento de Lima chegou ao Rio quando o escritor já estava à morte. Em 1909, Oliveira Lima pronunciou em Paris uma conferência sobre Machado, em reunião presidida por Anatole France.

Em 1924, doou à Universidade Católica da América, em Washington, sua extraordinária coleção de livros e documentos históricos referentes ao mundo português e, especialmente, ao Brasil, criando a famosa The Oliveira Lima Library mantida naquela instituição. Fundador da Cadeira 39, foi recebido por Salvador de Mendonça*. [448], [454], [549] e [555].

LOPES, TOMÁS Pompeu L. Ferreira. (1879-1913). Escritor e diplomata cearense. Estudou humanidades no Parthenon Cearense e no Liceu de Fortaleza, transferindo-se para o Rio de Janeiro em 1896. Após cursar temporariamente a Faculdade de Medicina, formou-se em Direito. Ingressou na carreira diplomática, servindo na Espanha e na Suíça, onde veio a falecer aos 33 anos. Em *A Tribuna*, de Alcindo Guanabara, participou do concurso idealizado por Lúcio de Mendonça* em abril de 1900, apresentando duas versões do soneto incompleto de Bentinho (*Dom Casmurro*, capítulo LV), que parecem ter agradado a Machado de Assis. A partir de 1901, publicou inúmeros livros de poesia, ficção, crônicas e viagens. É o autor da letra do Hino do Ceará, com música de Alberto Nepomuceno. [519].

MAGALHÃES, Antônio VALENTIM da Costa. (1859-1903). Nasceu no Rio de Janeiro e iniciou sua vida de escritor, jornalista e boêmio em São Paulo, quando cursava a Faculdade de Direito. Nesse período publicou *Cantos e Lutas* e tornou-se amigo de Raimundo Correia* e Raul Pompeia, entre outros estudantes escritores. Formado, voltou ao Rio, ingressando no jornalismo. Fundou e dirigiu *A Semana*, acolhendo e projetando literatos jovens, mais tarde nomes consagrados da literatura brasileira. Propagandista do abolicionismo e do regime republicano, foi muito criticado, mas, também, vigorosamente defendido nas polêmicas que provocava. Incluiu-se entre os organizadores do banquete comemorativo dos 22 anos da publicação das *Crisálidas* em outubro de 1886. Participante das duas reuniões preparatórias para a fundação da Academia

Brasileira de Letras, e ausente da terceira, a 28 de dezembro de 1886, enviou nessa ocasião um exemplar do seu romance *Flor de Sangue*, livro inaugural da futura Biblioteca Acadêmica. Machado considerava, com alguma reserva, o valor literário da obra de Valentim, mas dedicou-lhe fiel amizade e ficou extremamente abalado com seu falecimento. Fundador da Cadeira 7 da Academia Brasileira de Letras. [373], [375], [426], [478] e [479]. Ver tb. tomo II.

MARTINS, CÂNDIDO. Amigo do casal Machado de Assis. Sua esposa, D. Zina, foi muito ligada a Carolina*, e esta lhe escreveu uma carta no início da década de 1890, agradecendo as felicitações pelo aniversário e com referências afetuosas às filhinhas Guiomar e Margarida. Como testemunho da amizade, Cândido Martins e D. Zina mandaram celebrar missa em sufrágio da alma de Carolina em 1904. [401].

MENDONÇA, LÚCIO Eugênio de Meneses e Vasconcelos Drummond Furtado DE. (1854-1909). Nasceu em Piraí, província do Rio de Janeiro, sexto filho de Salvador Furtado de Mendonça e de Amália de Menezes Drummond. Órfão de pai aos cinco anos, e tendo sua mãe contraído segundas núpcias, foi criado por parentes em São Gonçalo de Sapucaí, Minas Gerais. Em 1871, a chamado do irmão mais velho, Salvador de Mendonça*, partiu para São Paulo, onde ingressou na Faculdade de Direito e trabalhou no jornal *O Ipiranga*, dirigido por Salvador. Participante de um protesto estudantil contra os professores, foi suspenso da Faculdade por dois anos, período que passou na corte, integrando a redação de *A República*. Ali conviveu com Quintino Bocaiúva*, Joaquim Serra* e outros republicanos, entre os quais ele próprio se destacaria como propagandista e defensor do regime. Retornou a São Paulo para concluir os estudos jurídicos, colando grau em 1878. A vocação literária se manifestou desde a juventude, a par do jornalismo político atuante e da cultura jurídica que também o consagrou, como magistrado; coerência e independência foram suas marcas. Exerceu a advocacia em São

Gonçalo de Sapucaí, onde se casou com D. Marieta, filha do solicitador João Batista Pinto. Transferindo-se para Vassouras, passou a colaborar no *Colombo*, de Campanha, sempre empenhado na pregação republicana. Lá se aproximou de Raimundo Correia*. Em 1885, escrevia regularmente para *A Semana*, de Valentim Magalhães*. Nessa época advogava em Valença. Em 1888, mudou-se para o Rio de Janeiro e entrou na redação de *O País*. Proclamada a República, foi secretário do ministro da Justiça, passando, em janeiro de 1890, a Curador Fiscal das Massas Falidas no Distrito Federal. Depois de exercer outros cargos na magistratura e na alta burocracia, aos 41 anos, foi nomeado ministro do Supremo Tribunal Federal, sem, no entanto, deixar o jornalismo. Sob o pseudônimo de "Juvenal Gavarni", escreveu para a *Gazeta de Notícias* sátiras políticas de fino humorismo. Publicou poesia, prosa ficcional e memorialística, bem como vasta produção jurídica. Em 1872, Machado de Assis prefaciou-lhe o livro de versos *Névoas Matutinas*. Nessa carinhosa apresentação do jovem poeta, há uma advertência sobre o excesso de melancolia – herança nitidamente romântica (não foi à toa que Lúcio escolheu Fagundes Varela como patrono da Cadeira 11 da ABL) – e há também manifesto apreço por Salvador de Mendonça, amigo ao longo de cinquenta anos. O mesmo sentimento de amizade uniu Machado e Lúcio. Este admirou sem reservas *Dom Casmurro*, e sugeriu a Alcindo Guanabara, diretor da *Tribuna*, que seu jornal organizasse um concurso para completar o soneto que Bentinho, naquele romance, deixara inacabado. Lúcio de Mendonça teve um papel decisivo na criação da Academia Brasileira de Letras, da qual ele é, por depoimento unânime dos primeiros acadêmicos, o verdadeiro fundador. Em novembro de 1896, publicava em folhas do Rio e de São Paulo, artigos anunciando fundação de uma academia literária, sob auspícios do poder público, a 15 de novembro, aniversário da República. Apesar do seu prestígio, tal patrocínio falhou. Mas, na redação da *Revista Brasileira*, então dirigida por José Veríssimo*, a iniciativa prosperou. Reunidos em torno de Machado de Assis, escritores republicanos e monarquistas fiéis ao deposto Império, como Nabuco* e Taunay*, abraçaram a ideia. A 15 de dezembro se realizou a primeira reunião preparatória presidida por Machado que, a 28 de janeiro de 1897, seria eleito presidente da instituição. Vivendo seus últimos anos em Teresópolis e já com a perda definitiva da visão, Lúcio não deixou de dirigir cartas ao mestre gravemente enfermo, e em bilhete, que sequer teve condições de assinar, confessou a Mário de Alencar* sua tristeza de não poder levar "ao grande e querido Machado de Assis" o derradeiro abraço. Fundador da Cadeira I I da Academia Brasileira de Letras. [310], [423], [468], [516], [517], [534], [536], [562] e [563]. Ver tb. tomo II.

MENDONÇA, SALVADOR de Meneses Drummond Furtado DE. (1841-1913). Nasceu em Itaboraí, província do Rio de Janeiro, filho de Salvador Furtado de Mendonça e de Amália de Menezes Drummond. Em 1859, foi estudar direito em São Paulo. Com a morte dos pais, voltou sem concluir o curso, assumindo a criação de oito irmãos, entre eles, Lúcio de Mendonça*. Iniciou-se no jornalismo fazendo a crítica teatral no *Jornal do Comércio* e, no *Correio Mercantil*, os comentários da semana lírica. Em 1861, casou-se com Amélia Clemência Lúcia de Lemos. Voltando a São Paulo para terminar o curso, passou a escrever no jornal liberal *O Ipiranga*, dedicando-se à propaganda republicana. De volta ao Rio de Janeiro, juntamente com Saldanha Marinho e Quintino Bocaiúva*, fundou o Clube Republicano, e integrou a equipe do jornal *A República*. Em 1875, já viúvo, iniciou-se na vida diplomática. Em 1877, casou-se com a americana Mary Redman. Proclamada a República no Brasil, Salvador na função de enviado extraordinário e ministro plenipotenciário de 1.ª classe, empenhou-se no reconhecimento do novo regime por Washington. Posto em disponibilidade em 15 de setembro de 1898, dedicou-se então à literatura. Vitimado pelo glaucoma, terminou a vida cego. Dos amigos da juventude, Salvador foi talvez o que se manteve mais próximo de Machado. A amizade remonta a 1857, quando ambos frequentavam as reuniões diante da loja de Paula Brito, no Rocio. Há cartas neste tomo em que as notas de amizade e de saudade são a tônica da conversa. Fundador da Academia Brasileira de Letras, ocupante da Cadeira 20. [282], [327], [332], [383], [524], [532], [535], [542] e [546]. Ver tb. tomos I e II.

MENESES, JOSÉ DE NÁPOLES TELES DE. Ainda muito jovem, em 19 de março de 1851, sentou praça no exército, onde permaneceu até 1874. Formado em engenharia pela Escola Militar, foi responsável ao lado de Aarão Reis pela fundação da União Beneficente Acadêmica da Escola Central. De novembro de 1874 a 1876, trabalhou como engenheiro na antiga Repartição de Terras do Ministério da Agricultura. Em maio de 1877, passou a diretor e engenheiro-chefe da South Leopoldina. Foi chefe da companhia dos Carris Urbanos de 1890 a 1892. No *Relatório do Ministério da Indústria, Viação e Obras Públicas* de 1901, ano em que Meneses pediu aposentadoria, consta que foi nomeado como diretor-geral da Diretoria de Contabilidade, por decreto de 8 de julho de 1894, embora o ofício de Machado presente nesta correspondência seja de fevereiro de 1893. [289].

MIRANDA, FERNANDO ANTÔNIO PINTO DE. Visconde de Taíde. Português do Porto; a respeito dele não há muitos dados biográficos. Sabe-se que se estabeleceu no alto comércio no Rio de Janeiro, tornando-se homem de muitas posses. Morador do Cosme Velho, vizinho de Machado de Assis, amigo e frequentador do solar dos São Mamede, tornou-se procurador de Miguel de Novais*, o segundo marido de Joana Maria Ferreira*, ex-condessa de São Mamede, depois da mudança do casal Novais para Lisboa. Nas cartas de Miguel neste tomo, há diversas referências ao visconde de Taíde, que é avô do importante filólogo e linguista brasileiro Sousa da Silveira (1883-1967). Em seus apontamentos pessoais, Sousa da Silveira informa que o visconde morreu em 1912, na Europa. O título nobiliárquico foi criado por decreto do rei português em 1891. É possível que a segunda esposa do visconde de Taíde – Augusta Salema Garção Ribeiro de Araújo (1872-1945) – seja a filha de

um amigo da juventude de Machado, Manuel de Araújo* (ver no tomo
I, cartas [78] e [79]; e no tomo II, carta [104]). [320].

MONTEIRO, JOÃO Pereira. (1845-1904). Advogado, professor,
político e jurista, nasceu no Rio de Janeiro, onde estudou no Colégio
Pedro II. Transferindo-se para São Paulo, bacharelou-se e obteve o grau
de doutor pela Faculdade de Direito (1874). Atuou como promotor público na mesma década, foi eleito deputado estadual em 1891, mas seu
grande destaque se deu no campo da advocacia e na brilhante carreira de
professor, como lente, catedrático e, finalmente, diretor da Faculdade de
Direito de São Paulo em 1903. A partir de 1881, publicou numerosos
trabalhos na sua especialidade. Admirador de Machado de Assis, pediu-
-lhe versos para as comemorações do 3.º centenário da morte do padre
José de Anchieta, ocasião em que falaria sobre "Anchieta na poesia e nas
lendas brasileiras". Desta solicitação surgiu o poema "José de Anchieta",
lido na conferência de Monteiro e publicado em edição relativa ao ciclo
de homenagens, antes de vir a lume nas *Ocidentais*, em *Poesias Completas*
(1901). [362], [364] e [366].

MÜLLER, LAURO Severiano (1863-1926). Engenheiro militar, aluno de Benjamin Constant de Magalhães Botelho (1836-1891), a quem
admirava e de quem absorveu um forte sentimento republicano, Müller
foi governador de Santa Catarina, deputado federal, senador e ministro. Esteve à frente do Ministério da Indústria, Viação e Obras Públicas
(1902-1906) e, por duas vezes, foi ministro das Relações Exteriores.
Primeiramente, em 1912, em substituição ao recém-falecido ministro,
barão do Rio Branco*, no governo Hermes da Fonseca (1910-1914),
e depois (1914-1917), no governo Venceslau Brás (1914-1918), sendo
substituído no cargo por Nilo Peçanha (1867-1924). No ministério em
que Machado trabalhava, Müller assumiu a pasta na posse do presidente
Rodrigues Alves (1902-1906), mantendo-se à frente do ministério até
o fim do mandato presidencial. Foi durante a sua administração que

Machado foi finalmente reconduzido à função de diretor-geral, após ter sido afastado em 1898, pela reforma administrativa levada a termo no governo Campos Sales (1898-1902). Lauro Müller foi agraciado com o diploma de *doctor honnoris causa*, pela Harvard Law School. Membro da Academia Brasileira de Letras, terceiro ocupante da Cadeira 34, cujo patrono é o poeta e orador sacro Sousa Caldas. Foi eleito em 14 de setembro de 1912, na sucessão do barão do Rio Branco, e tomou posse em 16 de agosto de 1917. [559].

NABUCO de Araújo, JOAQUIM Aurélio Barreto. (1849-1910). Filho do senador José Tomás Nabuco de Araújo, passou a infância em Pernambuco, na propriedade dos padrinhos, o engenho de Massangana, que ele imortalizaria em *Minha Formação*. Em 1859, sua educação foi confiada ao barão de Tautphoeus, dono de um célebre colégio em Nova Friburgo e também seu professor no Colégio Pedro II, onde Joaquim se bacharelou em letras. Aos 15 anos agradecia palavras de estímulo publicadas por Machado, que era íntimo amigo de Sizenando Nabuco*, irmão mais velho do literato estreante. Com 16 anos, iniciou os estudos jurídicos na Faculdade de Direito de São Paulo, concluindo-os na Faculdade de Recife. Formado, trabalha no escritório de advocacia do pai, e escreve no órgão do partido liberal, *A Reforma*. Durante a primeira viagem à Europa (1873), visita Renan e George Sand. De volta ao Rio de Janeiro, funda a revista quinzenal *A Época* (1875), que teve quatro números publicados e Machado de Assis entre seus colaboradores. Nomeado adido em Washington (1876), um ano depois é removido para Londres. Atraído pela política, retorna ao país, sendo eleito deputado-geral por sua província. Defende a liberdade religiosa e, tenazmente, a emancipação dos escravos. Sem conseguir a reeleição, viaja pela Europa entre 1881 e 1884. A maior parte do tempo, reside em Londres, onde publica *O Abolicionismo*. Da capital britânica, envia correspondências para o *Jornal do Comércio*, do qual já era colaborador. Retornando ao Brasil, e novamente eleito, retoma sua posição de liderança na campanha abolicionista, que seria coroada de êxito em 1888. Proclamada a República, mantém as convicções monárquicas e se recolhe num ostracismo autoimposto durante uma década. Nessa fase, vive no Rio de Janeiro, onde se casara com D. Evelina Torres Ribeiro, em 1889, exerce a advocacia, faz jornalismo e escreve livros que o consagrariam. Participa das reuniões na redação da *Revista Brasileira* de José Veríssimo, onde, em 1895, lê o primeiro capítulo de *Um Estadista do Império*, e assinará a histórica ata da primeira sessão preparatória para a fundação da Academia Brasileira de Letras, a 15 de dezembro de 1896. Empenha-se nesse projeto, é eleito secretário-geral em janeiro de 1897. Na sessão inaugural de 20 de julho do mesmo ano, após a alocução do presidente Machado de Assis, pronuncia um admirável discurso. Em 1899, Campos Sales o convence a representar o Brasil na questão de limites com a então Guiana Inglesa. Enquanto prepara sua defesa, reside em Londres, primeiro como chefe de missão especial relativa à questão da Guiana e depois acumulando essa função com a de chefe da legação brasileira. Apesar dos intensos esforços, o laudo do árbitro escolhido para decidir a disputa com a Inglaterra, o rei da Itália, não foi favorável à pretensão brasileira. Tal revés não abala o seu prestígio. Removido para os Estados Unidos, é nomeado embaixador, o primeiro do Brasil (1905), torna-se amigo pessoal dos presidentes Theodor Roosevelt e Taft, bem como do Secretário de Estado Elihu Root, que consegue trazer para a 3.ª Conferência Pan-Americana, de 1906, realizada no Rio de Janeiro. De volta ao posto, pronuncia conferências em universidades norte-americanas e continua exercendo importante papel diplomático até falecer em Washington. Com honras excepcionais, seu corpo foi transportado num navio de guerra americano para o Rio, antes de ser levado para o Recife num navio da marinha brasileira. Publicou livros em francês e português, em campos tão diversos como a poesia (*Amour et Dieu*, 1874), o ensaio literário (*Camões e os Lusíadas*, 1872), o ensaio histórico-sociológico (*O Abolicionismo*, 1883) e a biografia (*Balmaceda*, 1895). Mas foi, sobretudo, autor de duas obras fundamentais, *Um Estadista do Império* (1897) e *Minha Formação* (1900). Durante suas longas permanências no exterior, a amizade com Machado de Assis, consolidada a partir da década de 1870, sustentou-se por cartas, que estão entre as mais interessantes da correspondência machadiana. O presidente da Academia e seu primeiro secretário-geral se reencontraram em 1906, por ocasião da Conferência Pan-Americana, realizada no Rio de Janeiro. Foi a Nabuco que Machado dirigiu uma das últimas cartas, enviando o *Memorial de Aires*, em 1.º de agosto de 1908. Fundador da Cadeira 27 da Academia Brasileira de Letras, escolheu, como patrono, o poeta e diplomata pernambucano Maciel Monteiro. [348], [446], [447], [450], [492], [499], [526] e [564]. Ver tb. tomos I e II.

NORBERTO de Sousa e Silva, JOAQUIM. (1820-1891). Poeta, romancista, crítico e historiador da literatura brasileira, foi um dos iniciadores da ficção romântica no Brasil, autor de *Dirceu de Marília* (poesia, 1845) e de ensaios históricos, entre os quais se destaca a *História da Conjuração Mineira* (1873). Grande parte de seus trabalhos dispersos foram publicados na *Revista do Instituto Histórico e Geográfico Brasileiro*, órgão que presidiu de 1886 até 1891. Graças a ele, Machado de Assis recebeu 39 tomos da *Revista do IGHB* em 1871 (ver [109], tomo II) e foi convidado para escrever um poema para as festas de inauguração da estátua de José Bonifácio (ver em [117], tomo II), no ano de 1872; nesta ocasião ofereceu-lhe um exemplar de *Ressurreição*, com respeitosa dedicatória. Observe-se que Machado e Norberto se conheciam desde a década de 1860, sobretudo devido aos vínculos com Baptiste Louis Garnier, editor do primeiro e tendo o segundo em sua equipe de colaboradores para a publicação de obras fundamentais da antiga literatura brasileira; o *Jornal das Famílias* (1863-1878), de Garnier, foi veículo de imensa produção machadiana e também trouxe escritos de Joaquim Norberto. [281].

NOVAIS, JOANA Maria Ferreira DE. (1834-1897). Segundo o *Arquivo Nobiliárquico Brasileiro*, escrito por seu genro Rodolfo Smith de Vasconcelos, Joana nasceu no Rio Grande do Sul em 1834. Casou-se em primeiras núpcias em 1849 com seu primo em 1.º grau, o português nascido em São Mamede de Infesta, Rodrigo Pereira Felício (1821--1872), 1.º conde de São Mamede, título concedido em 1869 por D. Luís I, rei português. Os primos Joana e Rodrigo tiveram prole numerosa da qual são conhecidos, a partir das referências pesquisadas e presentes nos tomos desta *Correspondência de Machado de Assis*, os seguintes nomes: Joana, Lina, Eugênia, José, Joaquim e Rodrigo. Quatro anos após a morte de Rodrigo, aos 42 anos, Joana casou-se com Miguel de Novais*, irmão de Carolina Augusta Machado de Assis*. O casamento realizou-se na matriz de Nossa Senhora da Glória, no largo do Machado, em 17 de novembro de 1876, tendo como oficiante o cônego José Gonçalves Ferreira, irmão de Joana, aliás, o mesmo que celebrou o casamento de Carolina e Machado na capela particular do solar São Mamede, em 12 de novembro de 1869, no Cosme Velho. O casal Novais permaneceu no Brasil, vivendo no solar São Mamede, até o início de agosto de 1881, quando se transferiu definitivamente para Europa, fixando-se em Portugal. Joana era muito rica, não só por ser meeira na fortuna de seu finado marido, mas também por ter herdado parte da fortuna de seu tio solteirão, o riquíssimo Joaquim Antônio Ferreira (1777-1859), visconde de Guaratiba. A amizade de Carolina e Joana era antiga, tinha raízes em Portugal, aonde Joana, solteira, ia com frequência em razão dos laços de família. Depois com o 1.º marido, continuou indo lá regularmente; aliás, a sua filha Lina, casada com Fernando Castiço, foi batizada por Carolina no Porto. Há no presente tomo algumas cartas nas quais se reflete o pesar de Machado quando de sua morte em 18 de março de 1897. Diga-se que o casal Assis guardou luto e mandou oficiar missa de sétimo dia, anunciada na *Gazeta de Notícias*. [298] e [301].

NOVAIS, MIGUEL Joaquim Xavier DE. (1829-1904). Irmão de Carolina Augusta*, de Faustino Xavier de Novais*, de Emília Cândida e Henrique de Novais, Miguel veio para o Brasil um pouco depois de Carolina, em fins de 1868, juntamente com outra irmã, Adelaide. Inicialmente estabeleceu-se como fotógrafo na rua da Quitanda 44; depois trabalhou no consulado de Portugal. Há pouca informação sobre a sua vida entre 1868 e 1876, ano em que se casou com a viúva do 1.º conde de São Mamede, Joana Maria Ferreira Felício*, passando a viver no solar dos São Mamede, no Cosme Velho, até 1881, quando o casal fixou-se definitivamente em Lisboa. Segundo os biógrafos de Machado de Assis, as relações iniciais entre eles não teriam sido auspiciosas, pois Miguel teria se oposto ao casamento. Essas fontes afirmam que nem tanto por racismo, mas por julgar uma união socialmente desigual; no entanto as mesmas fontes garantem que cedo as relações entre os dois tornaram-se amigáveis. Após o retorno a Portugal, a correspondência entre os cunhados foi intensa por cerca de três décadas. Entre 1870-1889, há 20 cartas, todas transcritas no tomo II. No presente tomo, há 11 cartas. Não há informação sobre o que ocorreu às cartas enviadas por Machado a Miguel. As cartas de Miguel foram preservadas pela herdeira de Machado, D. Laura Leitão de Carvalho. Miguel estudou pintura e escultura na Academia Portuense de Belas-Artes, atual Faculdade de Belas-Artes da Universidade do Porto. Fotógrafo profissional, o seu estúdio foi o primeiro no Porto, frequentado, inclusive, pelo rei D. Pedro V (1837-1861). Com interesses culturais variados, artista plástico com obras guardadas em acervo de museus portugueses e brasileiros, colecionador judicioso de obras de arte, leitor assíduo dos textos machadianos, excelente observador e dotado de grande senso de humor, Novais era bem relacionado na sociedade portuguesa, inclusive difundindo a obra de Machado junto a escritores de prestígio, como Gomes de Amorim* e Ramalho Ortigão, ambos seus amigos pessoais e, por outro lado, repassando a Machado as novidades políticas e literárias havidas em Portugal. Miguel foi tradutor para o português e editor de *Cuore*, de Edmondo De Amicis, obra de formação moral para jovens muito em voga no século XIX e no começo do XX, com tradução em várias línguas. As cartas do período 1890--1900, apesar de Miguel ter um temperamento alegre, têm um tom mais sombrio, há uma recorrente preocupação com a crise econômica que assolava tanto Portugal quanto o Brasil, e que corroía as suas finanças.

Espiritualmente próximo ao escritor, continuou um interlocutor privilegiado de Machado de Assis. [283], [284], [299], [302], [325], [351], [358], [387], [389], [420] e [518]. Ver tb. tomo II.

OCTAVIO de Langgaard Meneses, RODRIGO. (1866-1944). Nasceu em Campinas, São Paulo, onde seu avô materno, o médico dinamarquês Teodoro Langgaard, constituiu vasta clínica, e seu pai, o escritor e político liberal Rodrigo Octavio de Oliveira Meneses era delegado de polícia. Com a transferência da família para o Rio de Janeiro, estudou nos colégios Pedro II e S. Pedro de Alcântara concluindo os preparatórios no Colégio Alberto Brandão. A morte prematura do pai (1882) e, pouco depois, a perda do avô dinamarquês, definiram-lhe um senso de responsabilidade familiar – era o mais velho de seis irmãos – que foi uma constante ao longo da vida. Formado pela Faculdade de Direito de São Paulo, em 1886, durante o período estudantil, cultivou a poesia e estabeleceu grande amizade com Raul Pompeia e Olavo Bilac*; de volta ao Rio, acolhido por Valentim Magalhães*, na redação de *A Semana* conheceu Raimundo Correia*, Lúcio de Mendonça* e outros escritores. Mas as letras não o desviaram da carreira jurídica. Foi promotor, juiz, procurador e depois Consultor-Geral da República. Exerceu a advocacia até ser nomeado ministro do Supremo Tribunal Federal (1929), aposentando-se, a pedido, em 1934. Foi catedrático da Faculdade de Ciências Jurídicas e Sociais do Rio de Janeiro, secretário da Presidência da República no governo Prudente de Morais e subsecretário das Relações Exteriores com Epitácio Pessoa*. Secretariou a delegação chefiada por Rui Barbosa* na Conferência da Paz em Haia (1907), e foi delegado plenipotenciário do Brasil em importantes conferências na Europa e nos Estados Unidos, signatário do Tratado de Versalhes, vice-presidente da Liga das Nações e também árbitro de questões internacionais. Deu cursos e fez conferências em Paris, Roma, Haia, Varsóvia e Montevidéu; recebeu o título de Doutor *Honoris Causa* de várias universidades. Presidiu o Instituto dos Advogados, o Instituto Histórico e Geográfico Brasileiro e a Academia Brasileira de Letras, à qual se dedicou incansavelmente desde a primeira reunião preparatória. Conhecera Machado de Assis num banquete em homenagem a Guimarães Júnior* e, logo depois, mereceu do mestre uma resenha de sua estreia poética — *Pâmpanos* —, publicada em *A Estação* (março de 1886). Daí por diante, ligou-se a Machado, tornando-se uma espécie de braço direito em tudo o que dissesse respeito à implantação e ao desenvolvimento da Academia, que o elegeu primeiro-secretário em janeiro de 1897. Seu escritório de advocacia, na rua da Quitanda 47, tornou-se o pouso estável para a realização de sessões acadêmicas — ou melhor, "sede da Secretaria" —, de 1901 até a instalação no Silogeu Brasileiro, em 1905. Cartas e bilhetes de Machado a Rodrigo atestam o empenho do primeiro e a operosidade do segundo em busca de soluções para a vida institucional; as atas acadêmicas registram constantes iniciativas de Rodrigo Octavio, que propôs a criação da Biblioteca em 1905, passando a dirigi-la, e que transmitiu o desejo do mestre de que seus "papéis" — fonte principal desta *Correspondência* — fossem entregues à Academia. Ele estava entre os companheiros fiéis que acompanharam os derradeiros dias e assistiram a morte de Machado de Assis. Nas páginas de *Minhas Memórias dos Outros* (1934, 1935 e 1936), desenham-se vivos perfis de amigos como Nabuco* e Rio Branco*; e, sobretudo, os capítulos "Machado de Assis" e "Clube Rabelais e a Panelinha" oferecem irretocáveis e documentados depoimentos sobre a personalidade machadiana e as origens da Academia. De 1904 a 1908, dirigiu, com Henrique Bernardelli*, a *Renascença*, revista mensal ilustrada de letras, ciências e artes, cujo último número homenageia o mestre recém-falecido. Sua extensa bibliografia abrange poesia, prosa, estudos históricos, destacando-se os trabalhos jurídicos e a vocação de memorialista, iniciada com o volume *Coração Aberto* (1928). Fundador da Cadeira 35 da Academia Brasileira de Letras. [360], [467], [477], [480], [487], [496], [528], [531], [533], [544] e [552]. Ver tb. tomo II.

PARANHOS JÚNIOR, JOSÉ MARIA DA SILVA. (1845-1912). Barão do Rio Branco. Filho do visconde do Rio Branco*, nasceu e faleceu no Rio de Janeiro. Historiador, diplomata e estadista, estudou na Faculdade de Direito de São Paulo e formou-se, em 1886, pela Faculdade do Recife. Regeu a cadeira de corografia e história do Brasil no Imperial Colégio Pedro II. Em 1869, como secretário da Missão Especial, acompanhou o pai ao Rio da Prata e ao Paraguai. No mesmo caráter participou, em 1870 e 1871, das negociações da paz entre os Aliados e o Paraguai. Regressando ao Rio, dedicou-se ao jornalismo. Em maio de 1876, foi nomeado cônsul-geral do Brasil em Liverpool. Em 1884, foi delegado à Exposição Internacional de São Petersburgo. Entre 1891 e 1893, já no regime republicano, exerceu o cargo de superintendente-geral na Europa da emigração para o Brasil. Em 1893, foi nomeado chefe da missão encarregada de defender os direitos do Brasil no território das Missões, reivindicado pela Argentina. A questão estava submetida ao arbitramento do presidente Cleveland, dos EUA. Rio Branco advogou a posição brasileira, apresentando uma documentação em seis volumes. O laudo arbitral de 5 de fevereiro de 1895 foi inteiramente favorável ao Brasil. Em 1898, foi encarregado de resolver outro importante assunto diplomático: a questão do Amapá, com a França, que teve escolhido árbitro o presidente do Conselho Federal da Suíça, Walter Hauser. Rio Branco vinha estudando a questão do Amapá desde 1895. Apresentou uma memória de sete volumes. A sentença arbitral, de 1.º de dezembro de 1900, foi favorável ao Brasil. Em 31 de dezembro de 1900 foi nomeado ministro plenipotenciário em Berlim. Em 1902 foi convidado pelo presidente Rodrigues Alves a assumir a pasta das Relações Exteriores, na qual permaneceu até a morte em 1912. Logo no início de sua gestão, defrontou-se com a questão do Acre, território fronteiriço que a Bolívia pretendia ocupar, solucionando-a amigavelmente pelo Tratado de Petrópolis, assinado em 1903. Seguiram-se outros importantes tratados, com o Equador, em 1904; com a Colômbia, em 1907; com o Peru, em 1904 e 1907; com o Uruguai, em 1909, estabelecendo com aquele país um condomínio sobre a Lagoa Mirim; com a Argentina, em 1910. Além da solução dos problemas de fronteira, Rio Branco lançou as bases de uma nova política internacional, fundada no pan-americanismo e na aproximação com as repúblicas hispano-americanas. As relações de Machado de Assis com Rio Branco sempre foram cordiais, embora cerimoniosas. Em 1889, Rio Branco escreveu dois verbetes para *La Grande Encyclopédie*, num dos quais diz que Machado era o primeiro homem de letras do Brasil. Ao se fundar a Academia, Rio Branco se encontrava ausente do país. Na votação de janeiro de 1897, para as dez vagas que completariam o quadro de 40 acadêmicos, foi derrotado, obtendo apenas dez votos. Mas elegeu-se em 1898, com o decidido apoio de Machado. Este estava sempre disposto a auxiliar o chanceler em assuntos de interesse para nossa diplomacia. Assim, por ocasião de uma nova visita de Sarah Bernhardt ao Brasil, em 1905, Rio Branco, temendo que a imprensa brasileira atacasse a diva, pediu a Machado que localizasse um velho artigo de Nabuco*, elogiando a atriz, para publicá-lo no *Jornal do Comércio*. Do mesmo modo, em sua qualidade de presidente da ABL, Machado dispôs-se a atuar como intermediário no convite para que o historiador Guglielmo Ferrero* viesse fazer conferências no Brasil, em 1907. Ferrero teve direito a almoço oficial no Itamaraty. Durante sua estadia europeia, Rio Branco produziu várias obras, sempre em torno da história do Brasil. Redigiu uma Memória sobre o Brasil para a Exposição de São Petersburgo; escreveu a *Esquisse de l'Histoire du Brésil*; apresentou contribuições para a *Grande Encyclopédie* de Levasseur, na parte relativa ao Brasil; iniciou no *Jornal do Brasil* a publicação das *Efemérides Brasileiras*, acumulou material para as *Anotações à História da Guerra da Tríplice Aliança*, de Schneider e para a biografia do visconde do Rio Branco. Por ocasião do seu centenário de nascimento o Ministério das Relações Exteriores publicou as *Obras Completas*, em 10 volumes, com introdução do embaixador A. de Araújo Jorge. Eleito em 01/10/1898, na sucessão de Pereira da Silva, foi o segundo ocupante da Cadeira 34. [280].

PEREIRA, LAFAIETE RODRIGUES. (1834-1917). Nascido em Queluz, hoje município de Conselheiro Lafaiete, filho dos barões de

Pouso Alegre, Antônio Rodrigues Pereira e Clara Lima Rodrigues, fez seus estudos preparatórios em sua terra natal, entrando na Faculdade de Direito de São Paulo, em 1853, onde se destacou como primeiro da turma. Formado em 1857, tornou-se promotor público em Ouro Preto, capital de Minas. Em 1858, mudou para o Rio de Janeiro, dedicando-se à advocacia e ao jornalismo. Lafaiete foi presidente das províncias do Ceará (1864) e do Maranhão (1865). Da lista tríplice de 1879, foi escolhido senador por D. Pedro II. Foi ministro da Justiça do gabinete Sinimbu (1878-1880). Reconhecido como simpatizante do republicanismo, foi duramente criticado no Senado, na Câmara e na imprensa por ter aceitado participar do governo monarquista. Em 1883, a convite do imperador, presidiu o conselho de ministros e acumulou a pasta da Fazenda. Membro da Academia Brasileira de Letras, 2.º ocupante da Cadeira 23, Lafaiete foi eleito em 1.º de maio de 1909, na sucessão de Machado de Assis, tomando posse por carta, registrada em ata de 3 de setembro de 1910. [418].

REDONDO, Manuel Ferreira GARCIA. (1854-1916). Engenheiro, jornalista, professor, contista e teatrólogo, nasceu no Rio de Janeiro. Frequentou a Universidade de Coimbra por algum tempo, cursando humanidades. Foi companheiro de poetas e escritores portugueses e brasileiros, entre os quais Gonçalves Crespo*, Guerra Junqueiro e Cândido de Figueiredo. Em 1872, ingressou na Escola Politécnica do Rio de Janeiro, onde obteve o diploma de engenheiro e o de bacharel em ciências físicas e matemáticas. Em fins de 1878, nomeado engenheiro fiscal de obras da Alfândega de Santos, transferiu-se para aquela cidade, onde residiu até 1884, quando se mudou para a capital paulista, onde viria a falecer. Em Portugal, colaborou no *Novo Almanaque Luso-Brasileiro de Lembranças* e fundou *O Peregrino*, periódico literário. No Rio de Janeiro, colaborou em vários periódicos, entre os quais *A República* e o *Jornal do Comércio*. Machado de Assis foi seu companheiro na redação da *Tribuna Liberal*, jornal que começara a circular em 1888. Entre suas obras, destacam-se contos, como os enfeixados em *Arminho* (1882) e *A Choupana das Rosas* (1897), bem como as peças teatrais *O Dedo de Deus* (1883) e *O Urso Branco* (1884). Fundador da Cadeira 24 da Academia Brasileira de Letras. [384].

RIBEIRO de Andrade Fernandes, JOÃO. (1860-1934). Jornalista, crítico, filólogo, historiador, pintor e tradutor sergipano. Órfão de pai muito cedo, foi residir em casa do avô, Joaquim José Ribeiro, cuja excelente biblioteca foi de grande valia para o futuro escritor. Transferiu-se para a Bahia e matriculou-se no primeiro ano da Faculdade de Medicina de Salvador. Constatando a falta de vocação, abandonou o curso e embarcou para o Rio de Janeiro, para matricular-se na Escola Politécnica. Simultaneamente estudava arquitetura, pintura e música. Desde 1881, dedicou-se ao jornalismo e fez-se amigo de grandes jornalistas do momento: Quintino Bocaiúva*, José do Patrocínio e Alcindo Guanabara. Ao chegar ao Rio, trazia os originais de uma coletânea de poesias. Seu amigo e conterrâneo Sílvio Romero* leu esses versos e publicou sobre eles um alentado artigo na *Revista Brasileira* (1881). Trabalhou, a princípio, no jornal *Época* (1887-1888). Apaixonado por filologia e história, cedo dedicou-se ao magistério. Professor de colégios particulares desde 1881, em 1887 submeteu-se a concurso no Colégio Pedro II, para a cadeira de português, apresentando a tese "Morfologia e colocação dos pronomes". Contudo só foi nomeado três anos depois, para a cadeira de história universal. Foi também professor da Escola Dramática do Distrito Federal, cargo em que ainda estava em exercício quando faleceu. A partir de 1895 fez inúmeras viagens à Europa, ora por motivos particulares, ora em missões oficiais. Representou o Brasil no Congresso de Propriedade Literária, reunido em Dresden, bem como na Sociedade de Geografia de Londres. A última fase de atividade na imprensa foi no *Jornal do Brasil*, desde 1925 até a morte. Ali escreveu crônicas, ensaios e trabalhos de crítica. Em 1897, ao criar-se a Academia, estava ausente do Brasil e por isso não foi incluído no quadro dos fundadores. Em 1898, de volta, ocorreu o falecimento de Luís Guimarães Júnior*, em cuja vaga foi eleito. Na Academia, fez parte de numerosas comissões, entre as quais a Comissão do Dicionário e a Comissão de Gramática. Foi um dos principais promotores da reforma ortográfica de 1907. Seu nome foi apresentado diversas vezes como o de um possível presidente da instituição, mas ele declinou sistematicamente aceitar tal investidura. Em 22 de dezembro de 1927, porém, a Academia o elegeu presidente. João Ribeiro apresentou, de imediato, sua renúncia ao cargo. Era possuidor de larga cultura humanística, versado nos clássicos de todas as literaturas, e dotado de aguda sensibilidade estética. O livro *Páginas de Estética*, publicado em 1905, resume seu ideário crítico. Conviveu com Machado de Assis quando ambos trabalhavam em *A Semana*, de Valentim de Magalhães*, ao lado de Lúcio de Mendonça* e Rodrigo Octavio*, entre outros (1885). Em 1895, quando o filólogo se mudou para a Alemanha, os amigos organizaram um álbum em sua homenagem, no qual Machado colaborou. Para alguns especialistas, João Ribeiro não teve grande apreço por Machado do ponto de vista humano, considerando-o egoísta, insensível diante do sofrimento alheio e incapaz de se interessar por causas generosas. Segundo ocupante da Cadeira 31, eleito em 8 de agosto de 1898, foi recebido por José Veríssimo* no dia 16 de dezembro de 1898. [425].

RIO BRANCO, BARÃO DO. Ver PARANHOS JÚNIOR, José Maria da Silva.

RODRIGUES, Antônio COELHO. (1846-1912). Jurista e político piauiense, graduou-se em Direito pela Faculdade de Recife (1866), voltando então à província natal, onde se filiou ao Partido Conservador e foi deputado-geral (1869-1872 e 1878-1886), sempre empenhado na defesa da alforria dos escravos. Em Recife (1881) obteve o doutorado em Ciências Jurídicas e o cargo de professor da faculdade. Aí defendeu tese contrária ao grupo positivista de Tobias Barreto, vencendo uma disputa intelectual com Sílvio Romero*, vitória que lhe valeu rancores. Participou da comissão revisora do projeto do Código Civil elaborado por Joaquim Felício dos Santos e, aderindo à República, dedicou-se a um novo projeto, por incumbência do marechal Deodoro da Fonseca. Para tal fim, aprofundou estudos na Suíça, mas, com as radicais mudanças no cenário político brasileiro, viu seu trabalho rejeitado por Floriano Peixoto. Senador (1893-1896), tentaria ainda a aprovação do projeto que caiu em esquecimento, embora especialistas de vulto tenham identificado nele fundamentos do Código Civil de 1916 e reflexos no de 2002. Foi prefeito do Distrito Federal (1900-1903) e assessorou o barão do Rio Branco*, antigo colega na faculdade do Recife. Ao longo da sólida carreira jurídica, defendeu a educação e inclusão social de ex-escravos, os direitos trabalhistas, inclusive do menor, bem como posições relativas ao casamento civil e ao divórcio. Também se ocupou da proteção às artes, ciências e literatura. Seu donativo (como sendo de um anônimo), elegantemente enviado a Machado de Assis três dias depois da primeira sessão preparatória para a fundação da Academia Brasileira de Letras, fez do ofertante o primeiro benemérito desta instituição que lhe conserva o retrato em lugar de honra no Petit Trianon. Da obra publicada, assinalam-se: *Institutas do Imperador Justiniano, vertidas do latim* (1879), *Cartas de um Súdito Fiel à Sua Majestade, o Imperador* (1884) e *A República na América do Sul* (1905). [370], [380] e [385].

SALES, ANTÔNIO. (1868-1940). Escritor cearense, autodidata, iniciou-se no jornalismo ainda muito jovem e foi um dos idealizadores da irreverente e, sobretudo, inovadora agremiação literária Padaria Espiritual, criada em Fortaleza, em 1892. Presidiu-a, ou melhor, foi "Padeiro-mor", até 1894, cabendo-lhe a autoria dos originais estatutos e a edição do jornal *O Pão*. Aos 29 anos transferiu-se para o Rio de Janeiro, como funcionário do Tesouro Nacional, e logo desenvolveu intensa atuação na *Revista Brasileira* de José Veríssimo, testemunhando da fundação da Academia Brasileira de Letras, sobre a qual faria valiosos registros em *Retratos e Lembranças* (1938). Desde cedo, manifestara grande admiração por Machado de Assis. Este, ao descobrir o talento e a personalidade afetuosa do moço cearense, incluiu-o entre os amigos diletos, e talvez não o tenha tido no quadro de fundadores porque Sales se julgava autor de obra ainda modesta. No entanto, foi biógrafo preciso dos primeiros acadêmicos, nas páginas da *Revista*, ativo participante da redação de *A Semana* e, mais tarde, crítico e cronista de peso nos jornais *Correio da Manhã* e *O País*. De retorno ao Ceará, em 1920, dedicou-se à reorganização da Academia Cearense de Letras, que presidiu de 1930 a 1937. Figura ativa na vida literária brasileira por meio século, publicou vários volumes de poesia, o *Retrospecto dos Feitos da Padaria Espiritual* (1894), o romance *Aves de Arribação* (1914), crônicas, peças teatrais e a citada obra memorialística, *Retratos e Lembranças*. [397] e [509].

SAMPAIO, ANTÔNIO JERÔNIMO MENDES. Consultadas as antigas atas do Grêmio Literário Português da cidade de Belém no Pará, todas elas posteriores ao ano da carta contida neste tomo (1895), verificou-se que o missivista de fato pertenceu ao quadro de sócios, e que, em 1896 (ano da ata remanescente mais antiga), mantinha-se como primeiro-secretário da instituição. Na carta enviada ao escritor, Antônio José Mendes Sampaio anuncia que Machado de Assis fora agraciado com o título de sócio correspondente. O Grêmio Literário Português de Belém era uma entidade privada de difusão cultural nos moldes das instituições culturais portuguesas, cujo modelo vicejou no Brasil do século XIX. Hoje em dia ampliou o seu escopo de atuação, é também uma entidade sócio-recreativa. [329].

SAMPAIO, JOÃO DA COSTA. Não se encontraram até o presente dados relevantes a respeito deste missivista. [556], [561] e [567].

SILVA, JOAQUIM NORBERTO DE SOUSA E. Ver NORBERTO de Sousa e Silva, JOAQUIM.

TAÍDE, VISCONDE DE. Ver MIRANDA, Fernando Antônio Pinto de.

VERÍSSIMO de Matos, JOSÉ. (1857-1916). Nascido em Óbidos, Pará. Em 1869, transferiu-se para o Rio de Janeiro, ingressando na

Escola Central (depois, Escola Politécnica), cujo curso interrompeu por motivo de saúde. Em 1876, de regresso ao Pará, dedicou-se ao magistério e ao jornalismo, a princípio como colaborador do *Liberal do Pará* e, posteriormente, como fundador e dirigente da *Revista Amazônica* (1883-1884) e do Colégio Americano. Em 1880, viajou pela Europa. Em Lisboa, tomando parte em um congresso literário internacional, defendeu brilhantemente os escritores brasileiros que vinham sofrendo censuras feitas pelos interessados na permanência do livro brasileiro na retaguarda da literatura em língua portuguesa. Em 1889, participou do X Congresso de Antropologia e Arqueologia Pré-Histórica, realizado em Paris, apresentando uma comunicação sobre o homem de Marajó e a antiga história da civilização amazônica. Em 1891, mudou-se para o Rio, sendo nomeado professor e depois diretor do Ginásio Nacional (Colégio Pedro II). Em 1895, fundou a terceira série da *Revista Brasileira*, que se tornaria o mais influente periódico cultural do país. É conhecido, sobretudo, por sua atividade como crítico literário em vários jornais e revistas, especialmente no *Jornal do Comércio* e no *Correio da Manhã*; artigos e ensaios foram enfeixados em *Estudos da Literatura Brasileira* (1901-1907). Sua obra principal é *História da Literatura Brasileira* (1916). Veríssimo recusou a crítica sociológica de Sílvio Romero*, preferindo uma avaliação imanente da obra, segundo critérios estéticos. Essa preferência certamente está entre os fatores que o aproximaram de Machado de Assis, atacado por Silvio Romero à luz de considerações em grande parte extraliterárias. Veríssimo foi o crítico mais lúcido de Machado de Assis, que se encantou com seu ensaio sobre *Quincas Borba* (1892). O que em geral se ignora é que veio de Veríssimo a primeira percepção de que o relato de *Dom Casmurro* talvez não fosse inteiramente confiável, antecipando, nisso, uma suspeita de Lúcia Miguel Pereira e, sobretudo, a tese de Helen Caldwell sobre a inocência de Capitu. Com efeito, no mesmo ano do aparecimento do romance, em 1900, José Veríssimo observou no *Jornal do Comércio* que Dom Casmurro escrevera "com amor e com ódio, o que pode torná-lo suspeito." Machado considerava-o o maior crítico do Brasil e um dos seus melhores autores. O volume de contos *Cenas da Vida Amazônica* mereceu dele, na *Gazeta de Notícias*, uma resenha consagradora (1899). Com a fundação da Academia Brasileira de Letras na redação da *Revista Brasileira*, o convívio entre os dois se estreitou. Viam-se quase diariamente, na Garnier e no Ministério da Viação, onde Veríssimo costumava visitar o amigo. Quando não se viam, correspondiam-se. Aliás, em carta de 21 de abril de 1908, Machado autorizava Veríssimo a que lhe publicasse as cartas. Uma das últimas lhe foi destinada em 1.º de setembro de 1908. Fundador da Cadeira 18 da Academia Brasileira de Letras. [338], [372], [408], [409], [432], [433], [434], [435], [436], [440], [441], [443], [445], [449], [452], [455], [456], [458], [459], [461], [464], [465], [466], [469], [471], [484], [488], [501], [502], [503], [506], [507], [511], [512], [514], [522], [523] e [545]. Ver tb. tomo II.

VIANA, PAULO. Não se encontraram até o presente dados relevantes a respeito deste missivista. Apenas o timbre fortemente riscado – Gabinete do Chefe de Polícia – pode ser considerado indício de uma ligação profissional com a alta cúpula da Polícia do Distrito Federal anteriormente a 1897. Sabe-se que o chefe de polícia da capital no período de Prudente de Morais (1894-1898) foi André Cavalcanti. [394].

VICUÑA, ANGEL Custodio Vicuña. (1848-1918). Chileno, filho de Rafael Vicuña Alcalde e de Francisca Vicuña Aguirre, donde o sobrenome repetido. Foi jornalista, parlamentar, diplomata e fundador dos periódicos *El Demócrata* (1875), *Ferrocarril de los Lunes* (1879) e *La Nación* (1881). Ministro plenipotenciário do Chile na Bolívia (1890), no Brasil (1898) e no Peru (1899), como liberal democrático, assumiu a vice-presidência do Diretório Geral chileno em 1903. Sua carta é uma das primeiras manifestações estrangeiras de apreço à Academia Brasileira de Letras. [438].

XAVIER DA SILVEIRA JÚNIOR, Joaquim. (1864-1912). Nasceu em São Paulo, onde se formou em direito em 1886. Era filho do poeta Joaquim Xavier da Silveira (1840-1874), orador abolicionista vigoroso, vitimado pela varíola aos 34 anos. Na Faculdade do Largo de São Francisco, Xavier da Silveira Júnior foi redator político de *A República*, órgão oficial do Clube Acadêmico Republicano. Militou na imprensa paulista abolicionista e na republicana. Na corte em 1886, abriu escritório com Alberto Torres, com quem fundou o *Correio do Povo*, no auge da campanha abolicionista, que preparava e se fundia à campanha republicana. Foi redator de *O País* e da *Gazeta de Notícias*, onde deve ter conhecido Machado. Casou-se em 23 de janeiro de 1890 com Laura Martins Ribeiro, filha do negociante português Narciso Luís Martins Ribeiro e de Eufrosina Costa Martins Ribeiro, pais de Fanny Ribeiro de Araújo, a mesma que nos anos finais de Carolina e Machado lhes foi de grande valia. No governo provisório da República, Xavier Silveira Júnior foi nomeado chefe de polícia da capital. Em janeiro de 1890, assumiu a presidência do Rio Grande do Norte, cargo que deixou em setembro daquele ano, por incompatibilidade com a política de Deodoro, contra quem decididamente conspirou. Entre 1891-1892, nomeado por Floriano Peixoto, exerceu com pulso firme a chefia de polícia da capital. Em 1897, como deputado federal, teve relevante atuação pacificadora nos dois últimos anos do governo Prudente de Morais, período de graves conflitos. Após deixar a chefia de polícia do governo Floriano, ainda em 1892, Xavier Silveira Júnior mudou-se para a rua Cosme Velho 16, entre a casa do jurista Sancho de Barros Pimentel e a de Machado de Assis. Logo se estabeleceram entre as duas famílias relações de intimidade, sobretudo pelos laços existentes entre a sogra de Xavier da Silveira, D. Eufrosina (n.1839) e Carolina Augusta (n.1835). O casal residiu ali até 1896, quando se mudou para Petrópolis com os cinco filhos, depois que Henrique, filho de Barros Pimentel, morreu de febre amarela. Petrópolis tinha fama de ser imune à doença, mas ainda assim, em 1898, o casal Xavier Silveira Júnior perdeu naquela cidade o filho Paulo Bruno, de febre amarela. [395], [396] e [399].

~ Posfácio

A publicação do terceiro tomo da correspondência de Machado de Assis é mais um tento logrado pelo *scholar* e machadiano Sergio Paulo Rouanet em colaboração com as pesquisadoras Irene Moutinho e Sílvia Eleutério.

O período em que foram escritas estas cartas foi dos mais tensos de nossa história política. Anos iniciais do regime republicano: a animosidade entre os militares de filiação positivista e ardores jacobinos e intelectuais e políticos fiéis à monarquia resultou em aberto conflito. O exílio de escritores de primeira água e a revolta da Armada figuram entre os episódios traumáticos do decênio. No Brasil profundo Canudos desnudava crises regionais de uma nação socialmente desequilibrada. Nestas cartas, porém, temos o silêncio de Machado. Como observou Rouanet, ele só fala de política para dizer que não falará dela...

Os seus interlocutores são homens de letras: ou incipientes como Magalhães de Azeredo e Graça Aranha, precocemente admitidos à Academia; ou consumados como José Veríssimo, seu leitor e admirador incondicional; Lúcio de Mendonça, que partilharia com ele o mérito de fundar a instituição que se tornou a sua Casa; e Joaquim Nabuco, amigo devoto dos últimos anos.

Mas a quem quiser percorrer o mapa da mina recomendo a leitura do ensaio de Rouanet que explorou com garra analítica a riqueza deste acervo. E estão de parabéns Irene Moutinho e Sílvia Eleutério, infatigáveis na pesquisa das fontes e no esclarecimento das figuras que povoam o epistolário machadiano.

ALFREDO BOSI, 2011

Bibliografia

ACADEMIA BRASILEIRA DE LETRAS. *Revista Brasileira*, fase VII, 55, Rio de Janeiro, abril-junho, 2008. Edição comemorativa 1908-2008.
ALIGHIERI, Dante. *A Divina Comédia*. Belo Horizonte: Itatiaia-Edusp, 1976. Tradução de Cristiano Martins.
ALMEIDA, Renato. *História da Música Brasileira*. 2. ed. Rio de Janeiro: R. Briguet & Comp., 1942.
ARANHA, José Pereira da Graça. *Machado de Assis e Joaquim Nabuco*. Comentários e Notas à Correspondência entre os Dois Grandes Escritores. São Paulo: Monteiro Lobato, 1923.
AZEREDO, Carlos Magalhães de. *Memórias*. Rio de Janeiro: Academia Brasileira de Letras, 2003. Introdução e comentários de Afonso Arinos, filho.
_____. *Alma Primitiva*. Rio de Janeiro: Cunha & Irmão, 1895.
_____. *Procelárias*. Porto: Porto, 1898.
_____. *Baladas e Fantasias*. Rio de Janeiro: Laemmert & C., 1900.
_____. *Homens e Livros*. Rio de Janeiro: H. Garnier, 1902.
_____. *Odes e Elegias*. Roma: Centenari, 1904.
AZEVEDO, José Afonso Mendonça. *Vida e Obra de Salvador de Mendonça*. Brasília: Seção de Publicações do Ministério das Relações Exteriores, 1971. Coleção Documentos Diplomáticos.

AZEVEDO, Manuel Duarte Moreira. *O Rio de Janeiro, sua História, Monumentos, Homens Notáveis, Usos e Curiosidades*. Rio de Janeiro: B. L. Garnier, 1877. 2 v.

AZEVEDO, Maria Helena Castro. *Um Senhor Modernista*. Rio de Janeiro: Academia Brasileira de Letras, 2002.

BARBOSA, Leila Maria Fonseca; RODRIGUES, Marisa Timponi Pereira. *Montezinos, Primeiros Versos*. (Belmiro Braga). Juiz de Fora: Funalfa, 2010.

BEGLEY, Louis. *O Caso Dreyfus*. São Paulo: Companhia das Letras, 2010.

BÍBLIA DE JERUSALÉM. São Paulo: Paulus, 1985.

BILAC, Olavo; AZEREDO, Carlos Magalhães de. (pseudônimo Jaime de Ataíde). *Sanatorium*. São Paulo: Clube do Livro, 1977.

BLUTEAU, Rafael. *Vocabulário Português e Latino*. Rio de Janeiro: Dinfo-Uerj, 2000. CD-ROM. 8 v.

BOCAGE, Manuel Maria Barbosa du. *Obras Poéticas*. Lisboa: A. J. Rocha, 1849--1850.

BOSI, Alfredo. *História Concisa da Literatura Brasileira*. 2. ed. São Paulo: Cultrix, 1979.

BRAGA, Belmiro. *Dias Idos e Vividos*. Rio de Janeiro: Ariel, 1936.

BROTEL, Jean-François; MASSA, Jean-Michel. *Études Luso-Brésiliennes*. Paris: Presses Universitaires de France, 1966.

BUENO, Alexei. (Org.). *Olavo Bilac: Obra Reunida*. Rio de Janeiro: Nova Aguilar, 1997.

CAMÕES, Luís de. *Os Lusíadas*. Rio de Janeiro: Xerox-BN-MinC, 1995. Edição Fac-similar de 1572.

CAROLLO, Cassiana Lacerda. (Org.). *Emílio de Meneses: Obra Reunida*. Rio de Janeiro-Curitiba: José Olympio-Secretaria da Cultura e do Esporte do Estado do Paraná, 1980.

CARVALHO, Ítala Gomes Vaz de. *A Vida de Carlos Gomes*. 3. ed. Rio de Janeiro: A Noite, 1946.

CARVALHO, José Murilo de. *D. Pedro II*. São Paulo: Companhia das Letras, 2007. Coleção Perfis Brasileiros.

CARVALHO, Maria Alice Rezende de. *O Quinto Século, André Rebouças e a Construção do Brasil*. Rio de Janeiro: Revan, 1998.

CARVALHO, Pérola de. "O Reflexo no Espelho". Cartas de Miguel de Novais a Machado de Assis. In: *Suplemento Literário, O Estado de São Paulo*, 385, 20 de junho de 1964. p. 2. Col. 6.

CASTILHO, Antônio. *Hino aos Lavradores*. Ponta Delgada: Castilho, 1849.

CASTRO, Aluísio de. "Machado de Assis e Francisco de Castro". *Revista da Sociedade dos Amigos de Machado de Assis*, V, Rio de Janeiro, 1960.

CAVALCANTI, José Cruvello. *Nova Numeração dos Prédios da Cidade do Rio de Janeiro*. Coleção Memória do Rio, 4.º Centenário. Prefeitura do Rio de Janeiro, 1965. Edição Fac-similar de 1878.

CERNICCHIARO, Vicenzo. *Storia Della Musica nel Brasile dai Tempi Coloniali Sino ai Nostri Giorni*. Milano: Fratelli Riccioni, 1926.

CORDEIRO, Francisca de Basto. *Machado de Assis na Intimidade*. Rio de Janeiro: Pongetti, 1965. Exemplar da Academia Brasileira de Letras.

_____. *Machado Que Eu Vi*. Rio de Janeiro: São José, 1967.

FERREIRA, Aurélio Buarque de Holanda. *Novo Dicionário Aurélio da Língua Portuguesa*. 3. ed. Curitiba: Positivo, 2004.

FUNDAÇÃO BIBLIOTECA NACIONAL. *Catálogo da Exposição Machado de Assis, 1839-1939*. Rio de Janeiro: Ministério da Educação e Saúde, 1939.

_____. *Anais da Biblioteca Nacional*. Rio de Janeiro: Biblioteca Nacional, 1870.

GABINETE PORTUGUÊS DE LEITURA. *Livro de Ouro*. Rio de Janeiro: Gabinete Português de Leitura, 1884.

_____. *Relatório da Diretoria do Gabinete Português de Leitura no Rio de Janeiro, 1898*. Rio de Janeiro: Jornal do Comércio, 1899.

HALLEWELL, Laurence. *O Livro no Brasil*. São Paulo: T. A. Queirós-Edusp, 1985.

HENRIQUES, Cláudio César. *Atas da Academia Brasileira de Letras: Presidência de Machado de Assis (1896-1908)*. Rio de Janeiro: Academia Brasileira de Letras, 2001.

HOUAISS, Antônio. *Dicionário Eletrônico da Língua Portuguesa*. São Paulo: Objetiva, 2009. Instituto Antônio Houaiss.

HOUSSAYE, Arsène. *Les Cent et Un Sonnets*. Paris: Dentu, 1875.

_____. *Souvenirs de Jeunesse: 1830-1850*. Paris: Flammarion, 1896.

_____. *Les Confessions: Souvenirs d'un Demi-Siècle. (1830-1880)*. Paris: Dentu 1885-1894.

JUNQUEIRA, Ivan. (Coord.). *Escolas Literárias do Brasil*. Rio de Janeiro: Academia Brasileira de Letras, 2004. Coleção Austregésilo de Athayde. Tomo I.

LAET, Carlos. *Em Minas*. Rio de Janeiro: Cunha & Irmãos, 1893.

LASCELLES, George Henry Hubert. *Kobbé, O Livro Completo da Ópera*. Rio de Janeiro: Zahar, 1991.

LICEU LITERÁRIO PORTUGUÊS. *O Liceu Literário Português* (1868-1884). Rio de Janeiro: Maximino e Cia, 1884. Edição comemorativa da inauguração da nova sede.

LIMA, Manuel de Oliveira. *O Império Brasileiro* (1821-1889). Belo Horizonte: Itatiaia; São Paulo: Edusp, 1989.

LUCCHESI, Marco; RÊGO, Raquel Martins. *Machadiana da Biblioteca Nacional.* Rio de Janeiro: Fundação Biblioteca Nacional, 2008.

MACHADO, Ubiratan. *Machado de Assis: Roteiro da Consagração.* Rio de Janeiro: Eduerj. 2003

_____. *Bibliografia Machadiana, 1959-2003.* São Paulo: Edusp, 2005.

_____. *Dicionário de Machado de Assis.* Rio de Janeiro: Academia Brasileira de Letras, 2008.

MACHADO DE ASSIS, Joaquim Maria. *Desencantos.* Fantasia Dramática por Machado de Assis. Rio de Janeiro: Paula Brito, 1861. Fundação da Biblioteca Nacional. Setor de Obras Raras.

_____. *Teatro de Machado de Assis.* Rio de Janeiro: Diário do Rio de Janeiro, 1863. vol. I. Fundação da Biblioteca Nacional. Setor de Obras Raras.

_____. *Crisálidas.* Rio de Janeiro: B. L. Garnier, 1864. Fundação da Biblioteca Nacional. Setor de Obras Raras.

_____. *Americanas.* 1875. Rio de Janeiro: B. L. Garnier, 1864. Fundação da Biblioteca Nacional. Setor de Obras Raras.

_____. *Obra Completa.* Rio de Janeiro: W. M. Jackson, 1937.

_____. *Obra Completa.* Rio de Janeiro: Nova Aguilar, 2008.

MAGALHÃES JR., Raimundo. *Vida e Obra de Machado de Assis.* Rio de Janeiro: Record, 2008. 4 v.

MALATIAN, Teresa. *Oliveira Lima e a Construção da Nacionalidade.* Bauru-São Paulo: Edusc-Fapesp, 2001.

_____. Diplomacia e Letras na Correspondência Acadêmica: Machado de Assis e Oliveira Lima. In: *Estudos Históricos,* 13, n.º 24. Rio de Janeiro: Fundação Getúlio Vargas, 1999.

MARTINS, Antônio. (Org.). *Teatro de Artur Azevedo.* Rio de Janeiro: INACEN, 1987.

MASSA, Jean-Michel. *Dispersos de Machado de Assis.* Rio de Janeiro: INL, 1965.

_____. *A Juventude de Machado de Assis.* Rio de Janeiro: Civilização Brasileira, 1971.

MATTOS, A. de Campos. (Org.). *Dicionário de Eça de Queirós*. 2. ed. Lisboa: Caminho, 1988.

MENDONÇA, Lúcio de. *Primeiras Notícias da Academia Brasileira de Letras*. Rio de Janeiro: Academia Brasileira de Letras, 1977. Organizadas por Josué Montello.

MENDONÇA, Salvador de. *A Situação Internacional do Brasil*. Rio de Janeiro-Paris: Garnier, 1913.

MENESES, Raimundo de. *Emílio de Meneses, o Último Boêmio*. São Paulo: Martins, 1960.

_____. "Coisas do Meu Tempo". *Revista do Livro*, 20, Rio de Janeiro, 1960.

MILTON, John. *O Paraíso Perdido*. Poema Épico em Doze Cantos. Lisboa: David Corazzi, 1884. Tradução de Antônio José de Lima Leitão.

MINISTÉRIO DAS RELAÇÕES EXTERIORES. Relatório do Ministério das Relações Exteriores. (anos de 1895, 1896, 1897, 1899, 1900, 1901). Rio de Janeiro: Imprensa Nacional, 1895-1901.

MONTELLO, Josué. *O Presidente Machado de Assis nos Papéis e Relíquias da Academia Brasileira de Letras*. 2. ed. Rio de Janeiro: José Olympio, 1986.

MONTEIRO. Domingos Jaci. (Org.). *Obras de Manuel Antônio Álvares de Azevedo*. Rio de Janeiro: Americana de J. J. da Rocha, 1853. vol. I.

MONTEIRO, João *et alii*. *III Centenário do Venerável José de Anchieta*. Paris: Aillaud & Cia, 1900.

MONTEIRO, Tobias. *Cartas Sem Título*. Rio de Janeiro: Jornal do Comércio, 1902.

MOURA, Carlos Eugênio Marcondes de. *Vida Cotidiana em São Paulo do Século XIX*. São Paulo: Atelier Editorial-Imprensa Oficial do Estado, 1998.

MUSSET, Alfred de. *Oeuvres Complètes*. Paris: Charpentier, 1888.

NABUCO, Carolina. *A Vida de Joaquim Nabuco*. São Paulo: Companhia Editora Nacional, 1928.

NABUCO, Joaquim. *Cartas aos Amigos*. São Paulo: Instituto Progresso Editorial, 1949. Coligidas e anotadas por Carolina Nabuco.

_____. *Balmaceda*. Coleção Prosa do Observatório. São Paulo: CosacNaify, 2008.

_____. *Diários (1873-1888)*. Rio de Janeiro-Recife: Bem-Te-Vi & Massangana, 2008.

NAVA, Pedro. *Baú de Ossos*. Rio de Janeiro: Sabiá, 1974.

NERY, Fernando. (Org.). *Correspondência de Machado de Assis*. Rio de Janeiro: Américo Bedeschi, 1932.

_____. *A Academia Brasileira de Letras: notas e documentos para a sua história (1896--1940)*. Rio de Janeiro, Academia Brasileira de Letras, 2008. Coleção Afrânio Peixoto.

OCTAVIO, Rodrigo. *Coração Aberto*. Rio de Janeiro: Civilização Brasileira, 1934.

_____. *Minhas Memórias dos Outros*. Rio de Janeiro: José Olympio, 1935. Nova série.

OLIVEIRA, Mário Alves de. "Duas Cartas Inéditas de Machado de Assis". *Revista Brasileira*, fase VII, 50, Rio de Janeiro, janeiro-março, 2007.

OLIVEIRA MARTINS, Joaquim Pedro. *Portugal Contemporâneo*. Lisboa: Europa--América, 1986.

PALEOLOGO, Constantino. *Eça de Queirós e Machado de Assis*. Rio de Janeiro--Brasília: Tempo Brasileiro-INL, 1979.

PEREIRA, Lúcia Miguel. *Machado de Assis*. 6. ed. Belo Horizonte: Itatiaia; São Paulo: Edusp, 1988.

PONTES, Elói. *Machado de Assis, Páginas Esquecidas*. Rio de Janeiro: Mandarino, 1939.

_____. *A Vida Contraditória de Machado de Assis*. Rio de Janeiro: José Olympio, 1939.

PUJOL, Alfredo. *Machado de Assis – Curso de Literatura em Sete Conferências na Sociedade de Cultura Artística de São Paulo*. Rio de Janeiro: Academia Brasileira de Letras--Imprensa Oficial, 2007. Apresentação de Alberto Venancio Filho.

ROCHA, João César de Castro. "Machado de Assis, leitor (autor) da Revista do Instituto Histórico e Geográfico Brasileiro". *In:* JOBIM, José Luís. (Org.). *A Biblioteca de Machado de Assis*. Rio de Janeiro: Academia Brasileira de Letras--Topbooks, 2001.

RODRIGUES, José Honório. (Org.). *Correspondência de Capistrano de Abreu*. Rio de Janeiro: Civilização Brasileira-INL, 1977. 3 v.

ROUANET, Sergio Paulo. *Riso e Melancolia*. Rio de Janeiro: Companhia das Letras, 2007.

_____. (Org.). *Correspondência de Machado de Assis*. 1860-1869. Rio de Janeiro: Academia Brasileira de Letras-Fundação Biblioteca Nacional, 2008. Reunida, organizada e comentada por Irene Moutinho e Sílvia Eleutério. Tomo I.

_____. (Org.). *Correspondência de Machado de Assis*. 1870-1889. Rio de Janeiro: Academia Brasileira de Letras-Fundação Biblioteca Nacional, 2009. Reunida, organizada e comentada por Irene Moutinho e Sílvia Eleutério. Tomo II.

SACRAMENTO BLAKE, Augusto Victorino Alves. *Dicionário Bibliográfico Brasileiro*. Tipografia Nacional, 1883-1902. 7 v.

SALES, Antônio. *Retratos e Lembranças: Reminiscências Literárias*. Fortaleza: W. de Castro e Silva, 1938.

SANDRONI, Cícero. *Os 180 Anos do Jornal do Commercio: 1827-2007*. São Paulo: Quorum, 2007.

SCHUELER, Alessandra Frota Martinez de. "A Associação Protetora da Infância Desvalida e as Escolas de São Sebastião e São José: Educação e Instrução no Rio de Janeiro do Século XIX". *In:* MONARCHA, Carlos. (Org.). *Educação da Infância Brasileira, 1875-1983*. Campinas: Autores Associados, 2001.

_____. "No Tempo da Palmatória". *Revista de História*. Rio de Janeiro: Biblioteca Nacional, 2007.

SCHWARCZ, Lilia Moritz. *As Barbas do Imperador*. D. Pedro II, Um Monarca nos Trópicos. 2. ed. Rio de Janeiro: Companhia das Letras, 2004.

SECCHIN Antônio Carlos; ALMEIDA, José Maurício Gomes de; SOUZA, Ronaldes de Melo e. (Org.). *Machado de Assis, Uma Revisão*. Rio de Janeiro: In-Fólio, 1998.

SENNA, Ernesto. *O Velho Comércio do Rio de Janeiro*. Rio de Janeiro: G. Ermakoff, 2006.

SILVA, Alberto da Costa e (Org.). *O Itamaraty e a Cultura Brasileira*. Rio de Janeiro: Francisco Alves, 2002. Realização do Instituto Rio Branco, Ministério das Relações Exteriores.

SILVA, Gastão Pereira da. *Xavier da Silveira e a República de 89*. Rio de Janeiro: Civilização Brasileira, 1940.

SOCIEDADE DOS AMIGOS DE MACHADO DE ASSIS. *Revista da Sociedade dos Amigos de Machado de Assis*, I-VII, Rio de Janeiro, 1958-1961.

SOUSA, José Galante de. *Bibliografia de Machado de Assis*. Rio de Janeiro: INL, 1955.

_____. *Machado de Assis: Poesia e Prosa*. Rio de Janeiro: Civilização Brasileira, 1957.

_____. *O Teatro no Brasil*. Rio de Janeiro: INL, 1960.

VANUCCI, Alessandra. (Org.). *Uma Amizade Revelada*. Correspondência entre o Imperador dom Pedro II e Adelaide Ristori. Rio de Janeiro: Biblioteca Nacional, 2004.

VENANCIO FILHO, Alberto. *Das Arcadas ao Bacharelismo: 150 anos de Ensino Jurídico no Brasil*. 2. ed. São Paulo: Perspectiva, 1982.

_____. Lúcio de Mendonça e a Fundação da Academia Brasileira de Letras. *Revista Brasileira*, fase VII, 38, X, Rio de Janeiro, janeiro-março, 2004.

_____. Lúcio de Mendonça, fundador da ABL. *Revista Brasileira*, fase VII, 40, X, Rio de Janeiro, julho-setembro, 2004.

VERÍSSIMO, José. *História da Literatura Brasileira*. Rio de Janeiro: Francisco Alves, 1916.
_____. *Estudos de Literatura Brasileira*. Belo Horizonte: Itatiaia; São Paulo: Edusp, 1976. 7 v.
VIANA, Hélio. *Capistrano de Abreu*. Rio de Janeiro: Ministério da Educação e Cultura, 1953.
VIANA FILHO, Luís. *A Vida de Machado de Assis*. Rio de Janeiro: Martins, 1965.
VIRMOND, Marcos da Cunha Lopes. *Carlos Gomes e a Exposição Colombiana Universal*. Salvador: XVIII Congresso da Associação Nacional de Pesquisa e Pós-Graduação, 2008.
VISSE, Jean-Paul. *La Presse du Nord et du Pas-de-Calais au Temps de L'Écho du Nord*. Villeneuve d'Ascq: Presses Universitaires Du Septentrion, 2004.
WEHRS, Carlos. *Machado de Assis e a Magia da Música*. 2. ed. Rio de Janeiro: Carlos Wehrs, 1997.

MANUSCRITOS ORIGINAIS

- *Acervo Cartográfico*, Arquivo Nacional
- *Arquivo Machado de Assis*, Academia Brasileira de Letras
- *Arquivo-Museu da Literatura Brasileira*, Fundação Casa de Rui Barbosa
- *Coleção Adir Guimarães*, Fundação da Biblioteca Nacional
- *Coleção Francisco Ramos Paz*, Fundação da Biblioteca Nacional

PERIÓDICOS CONSULTADOS

Originais

- *Álbum*, Biblioteca Lúcio de Mendonça, ABL
- *A Semana*, Fundação Casa de Rui Barbosa
- *Jornal do Comércio*, Biblioteca da Associação Comercial do Rio de Janeiro.
- *Revista Brasileira*, Biblioteca Lúcio de Mendonça, ABL
- *Revista Moderna*, Biblioteca Lúcio de Mendonça, ABL
- *Revista Ítalo-Brasiliana*, Hemeroteca, Arquivo ABL

Microfilmados

- *Almanaque Laemmert*, 1855-1889. Fundação Biblioteca Nacional
- *Gazeta de Notícias*, 1875-1900. Fundação Biblioteca Nacional
- *Jornal do Comércio*, 1890-1900. Fundação Biblioteca Nacional
- *A Notícia*, 1898-1899. Fundação Biblioteca Nacional

Caderno de imagens

Carta [299] de Miguel de Novais. Manuscrito Original, Arquivo ABL.

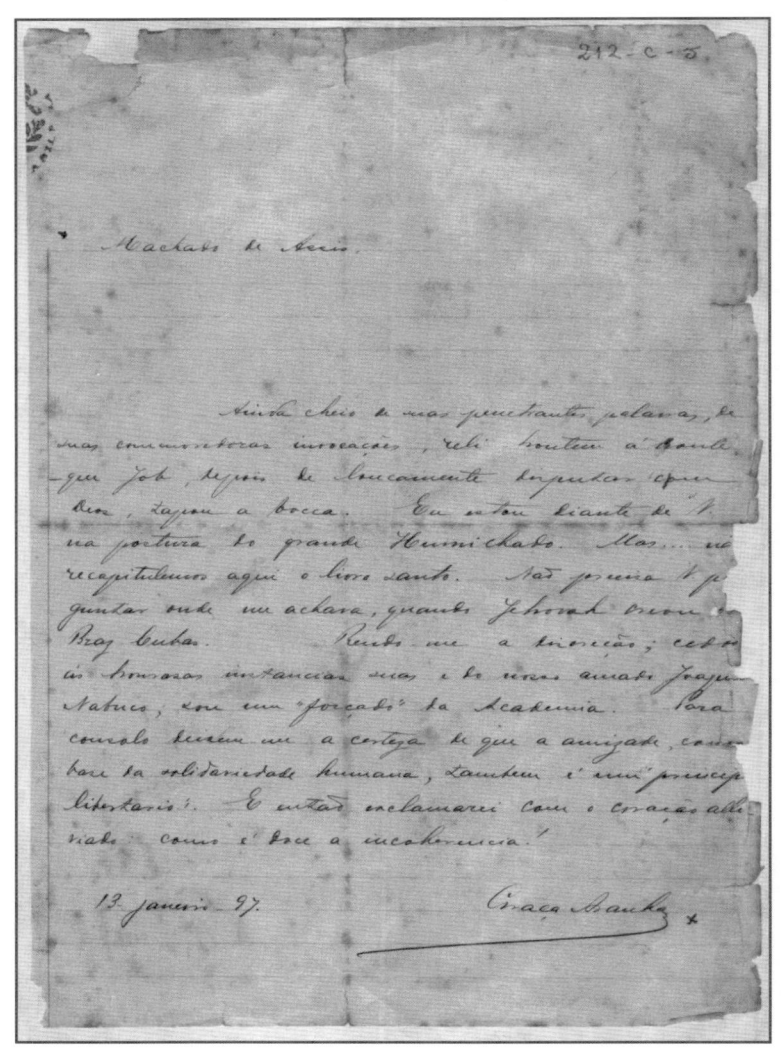

Carta [379] de Graça Aranha. Manuscrito Original, Arquivo ABL.

Carta [385] de Machado de Assis para Antônio Coelho Rodrigues. Manuscrito Original, Arquivo ABL.

da minha suspeita de que a pi-
ria ~~escolha~~ é V. Ex.ª, cujo acto
generoso fica ainda realçado pela mo-
destia. Para si ou para outrem,
receba V. Ex. os agradecimentos
da Academia, com os protestos
de respeito, e estima com que
sou

De V. Ex.

Sr. Am.º e Sr. m.to att.º

M. d A.

Carta [385], final. Manuscrito Original, Arquivo ABL.

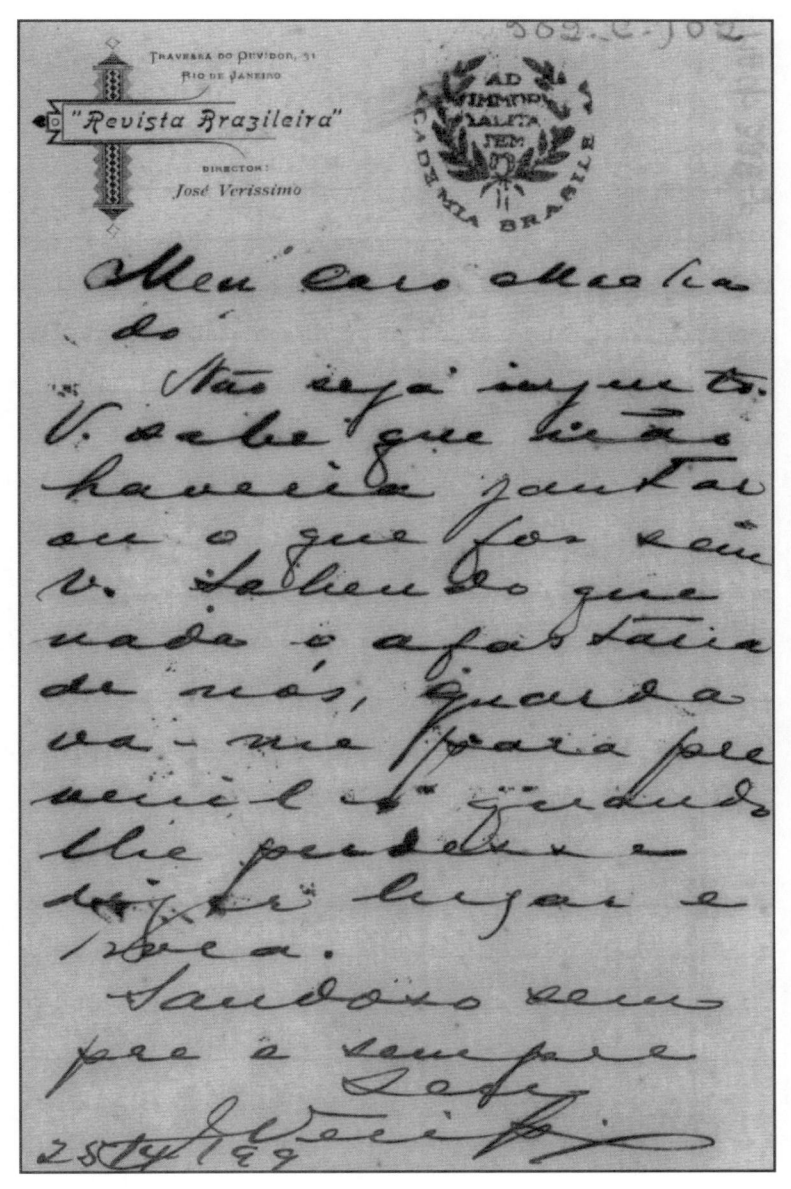

"Revista Brazileira"
DIRECTOR:
José Veríssimo

Meu caro Machado

Não seja injusto. V. sabe que hontem haveria jantar ou o que fôr sem V. Sabendo que nada o afastaria de nós, guardava-me para prevenil-o quando lhe pudesse dizer lugar e hora.

Saudoso sempre e sempre
J Veríssimo
25/4/99

Carta [459] de José Veríssimo. Manuscrito Original, Arquivo ABL.

ACTOS DO PODER LEGISLATIVO

DECRETO N. 726 — DE 8 DE DEZEMBRO DE 1900

Autoriza o Governo a dar permanente installação, em predio publico de que possa dispor, á Academia Brazileira de Lettras, fundada na Capital da Republica; e decreta outras providencias

O Presidente da Republica dos Estados Unidos do Brazil:

Faço saber que o Congresso Nacional decretou e eu sancciono a resolução seguinte:

Art. 1.º Fica o Governo autorizado a dar permanente installação, em predio publico de que possa dispor, á Academia Brazileira de Lettras, fundada na Capital da Republica para a cultura e desenvolvimento da litteratura nacional.

Art. 2.º Serão impressas na Imprensa Nacional as publicações officiaes da Academia e as obras de escriptores brazileiros fallecidos, que ella houver reconhecido de grande valor e cuja propriedade esteja prescripta.

§ 1.º A propriedade das edições referidas pertencerá á Nação, devendo parte dellas ser remettida á Academia e ás bibliothecas mantidas pela União e pelos Estados.

§ 2.º As publicações acima alludidas serão feitas sem prejuizo dos trabalhos a cargo da Imprensa Nacional.

Art. 3.º A Academia gozará da franquia postal.

Art. 4.º Revogam-se as disposições em contrario.

Capital Federal, 8 de dezembro de 1900, 12º da Republica.

M. FERRAZ DE CAMPOS SALLES.

Epitacio Pessoa.

Decreto n.º 726, de 8 de dezembro de 1900, consagrado como "Lei Eduardo Ramos". Diário Oficial de 11 de dezembro de 1900. Arquivo ABL.

Leia também:

Machado de Assis — Um Autor em Perspectiva

A série *Um Autor em Perspectiva*, coeditada pela Global Editora em parceria com a Academia Brasileira de Letras, traz, em seu primeiro volume, este acurado estudo sobre Machado de Assis. A partir de um seminário realizado na Universidade de Salamanca, uma série de artigos de vários especialistas, brasileiros e espanhóis, lança novas luzes sobre a já vastamente estudada obra deste que é um dos maiores autores nacionais.

Machado foi talvez o mais eclético homem de letras do Brasil, atuando em todas as modalidades literárias, com maestria notável no romance e no conto, formas nas quais é simplesmente insuperável, mas também sem menor garbo na poesia, teatro, ensaio, crítica, crônica e mesmo sua epistolografia pessoal, que é estudada por um dos acadêmicos que contribui nesta coletânea de estudos.

Ana Maria Machado, responsável pela apresentação da obra, contribui com um interessante ensaio sobre os diálogos machadianos. Há também uma saborosa análise, por Antônio Maura, da personagem Capitu, do romance *Dom Casmurro*, correspondente direta e irmã literária de Ana Karenina, Emma Bovary e da Luísa de *O Primo Basílio*. O mais extravagante romance de Machado, *Memórias Póstumas de Brás Cubas*, é analisado por Javier Prado em estudo comparativo histórico que garimpa as influências de Sterne, Xavier de Maïstre, Fielding e Cervantes na obra do autor carioca.

Mesmo tantos anos passados de sua morte, a obra de Machado de Assis segue atual e imprescindível para se compreender a alma do povo brasileiro. Este livro, tanto para iniciados nos estudos sobre o bruxo do Cosme Velho quanto para neófitos, é obra de agradável leitura, didática e elucidativa, que lança um inusitado olhar ibérico sobre a obra de um de nossos melhores escritores.